おりがみランド！

金杉登喜子 著

日本文芸社

もくじ

おりがみは、1枚の紙からいろいろなかたちをつくるたのしいあそびです。

むかしから伝えられてきた「つる」や「やっこさん」、きれいな「お花」やみんなのだいすきな「きょうりゅう」など、なんでも折ってあそべます。型を切ってもようをつくる「紋切り」もおもしろいし、「おかし入れ」や「ポチぶくろ」のように、つかえるおりがみもたくさんあるよ。みんなもすきなものからどんどん折ってみてね。

また、この本では、1年のさまざまな行事もおりがみで折れるように、季節のおりがみをたくさんあつめてみました。季節の流れを感じながら、おりがみあそびをたのしんでみてください！

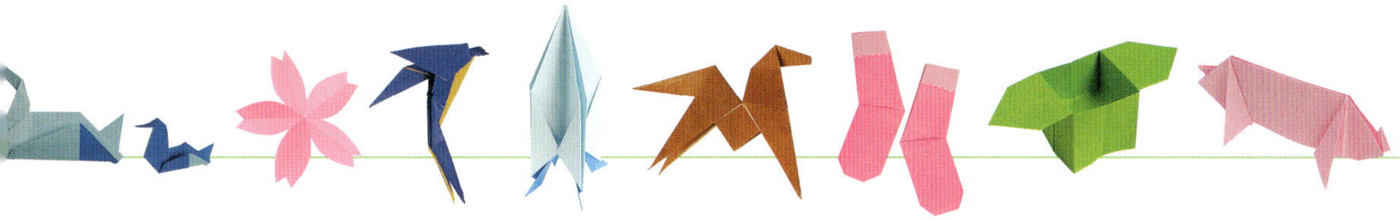

※本文中の写真には、演出上の参考作品が一部含まれています。

さくいん

折りかたの基本とマークの見かた

この本でつかわれている折りかたの基本とマークの説明です。
いろいろなきまりがあるので、よく見ておぼえましょう。

※本書では折り順をわかりやすくするために、両面カラーおりがみをつかっています。

折りすじをしっかりつけると
折りやすくなるよ

谷《たに》折《お》り

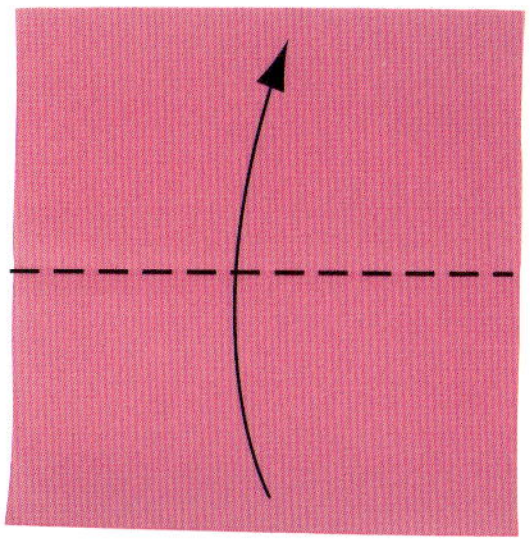

ふつうに折る
（折りすじが
うちがわになる）

山《やま》折《お》り

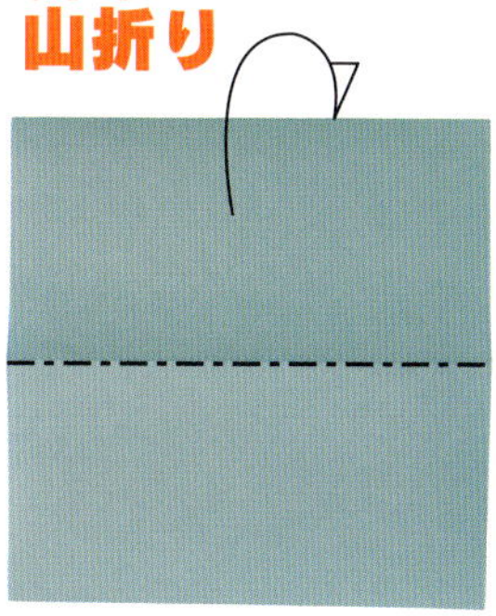

うらがわに折る
（折りすじが
そとがわになる）

段《だん》折《お》り

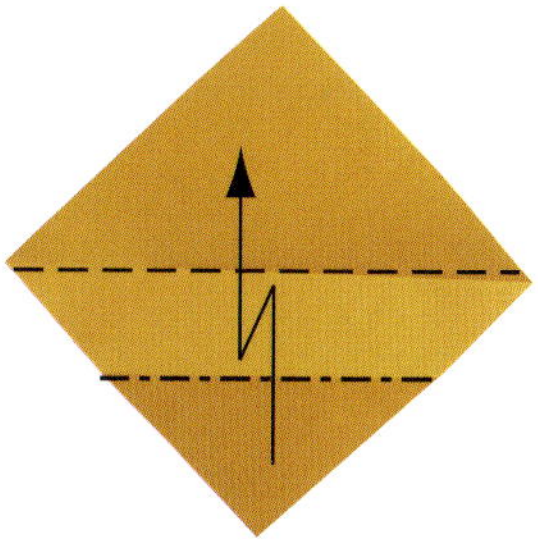

山折りと谷折りを
くりかえして折る

まき折《お》り

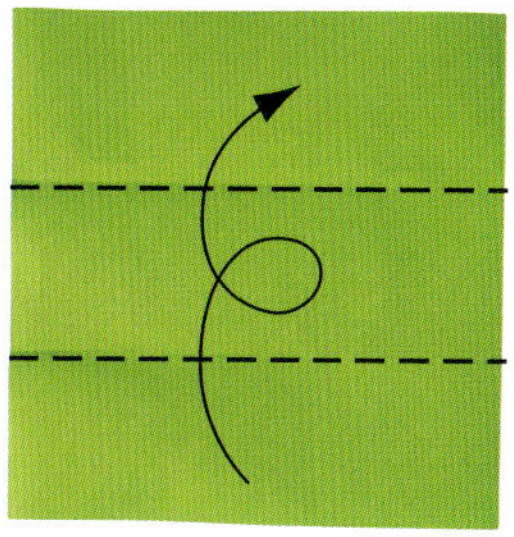

まくように折る

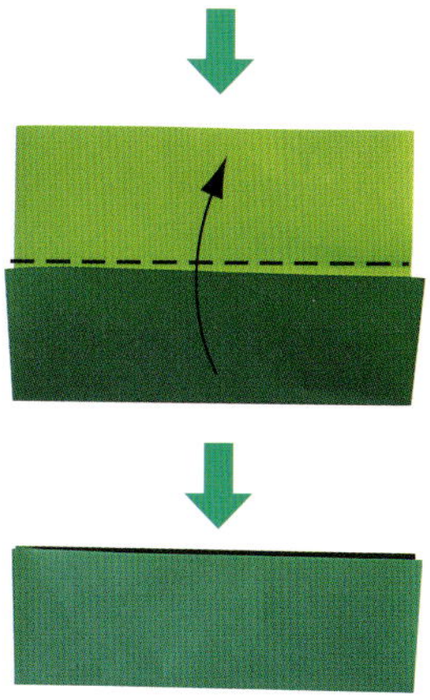

折《お》りすじをつけてひらく

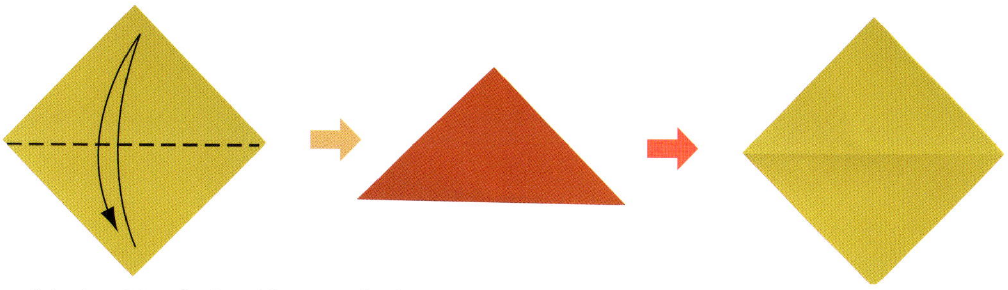

すじをつけるために折ってひらく

かんのん折《お》り

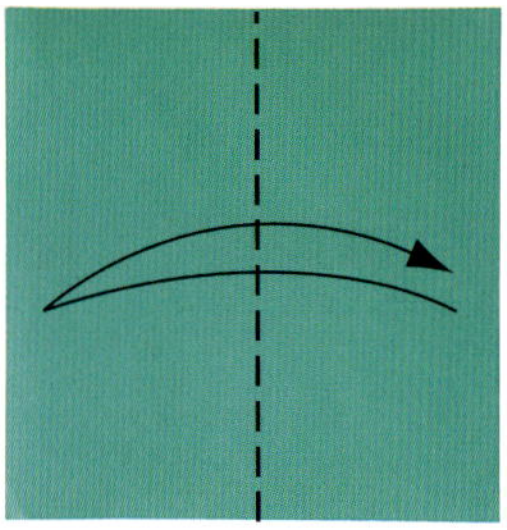

折りすじをつけてひらく

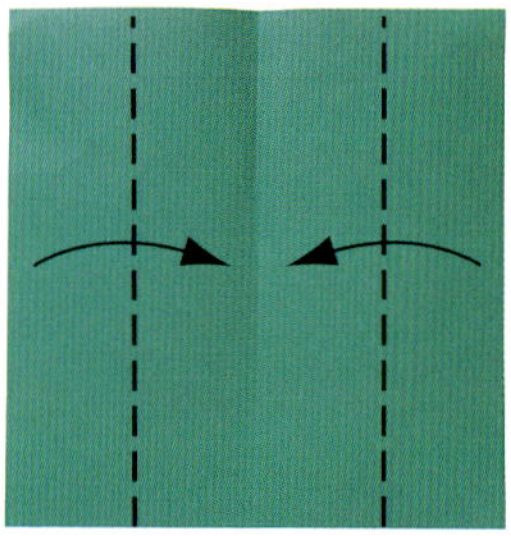

うちがわに折る

中《なか》わり折《お》り

折りすじのように
うちがわに折りこむ

かぶせ折《お》り

そとがわにかぶせる
ように折る

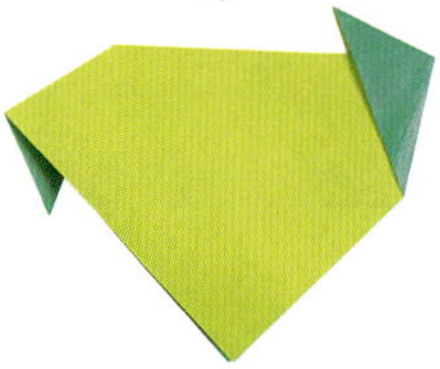

ひらく

の中をひらく

・ひらいてつぶす
・ひらいて折りたたむ
などの説明があります

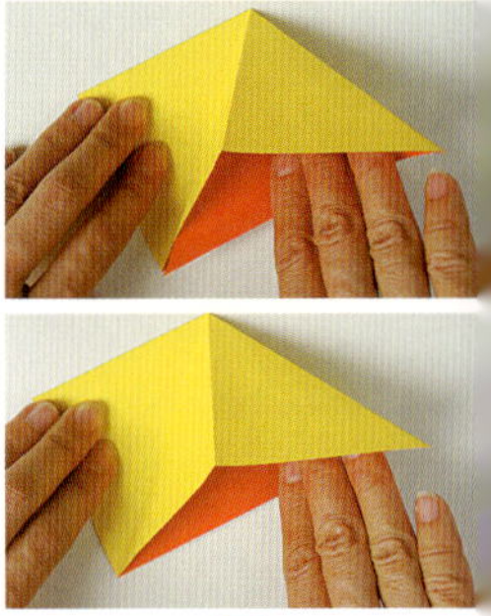

うらがえす

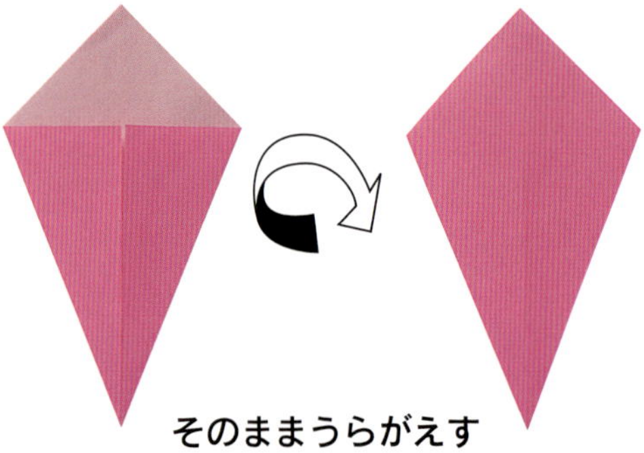

そのままうらがえす

むきをかえる

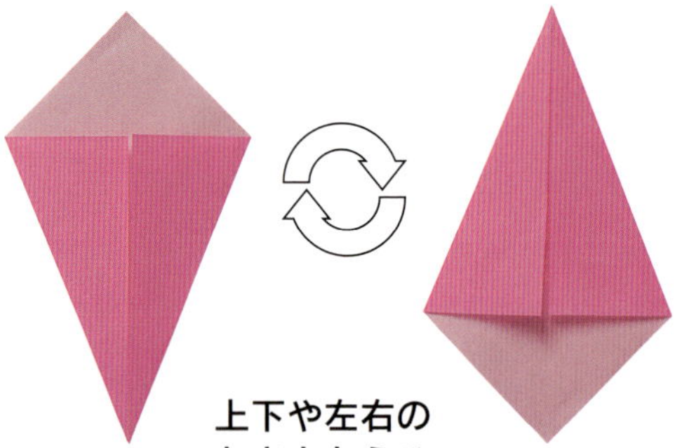

上下や左右の
むきをかえる

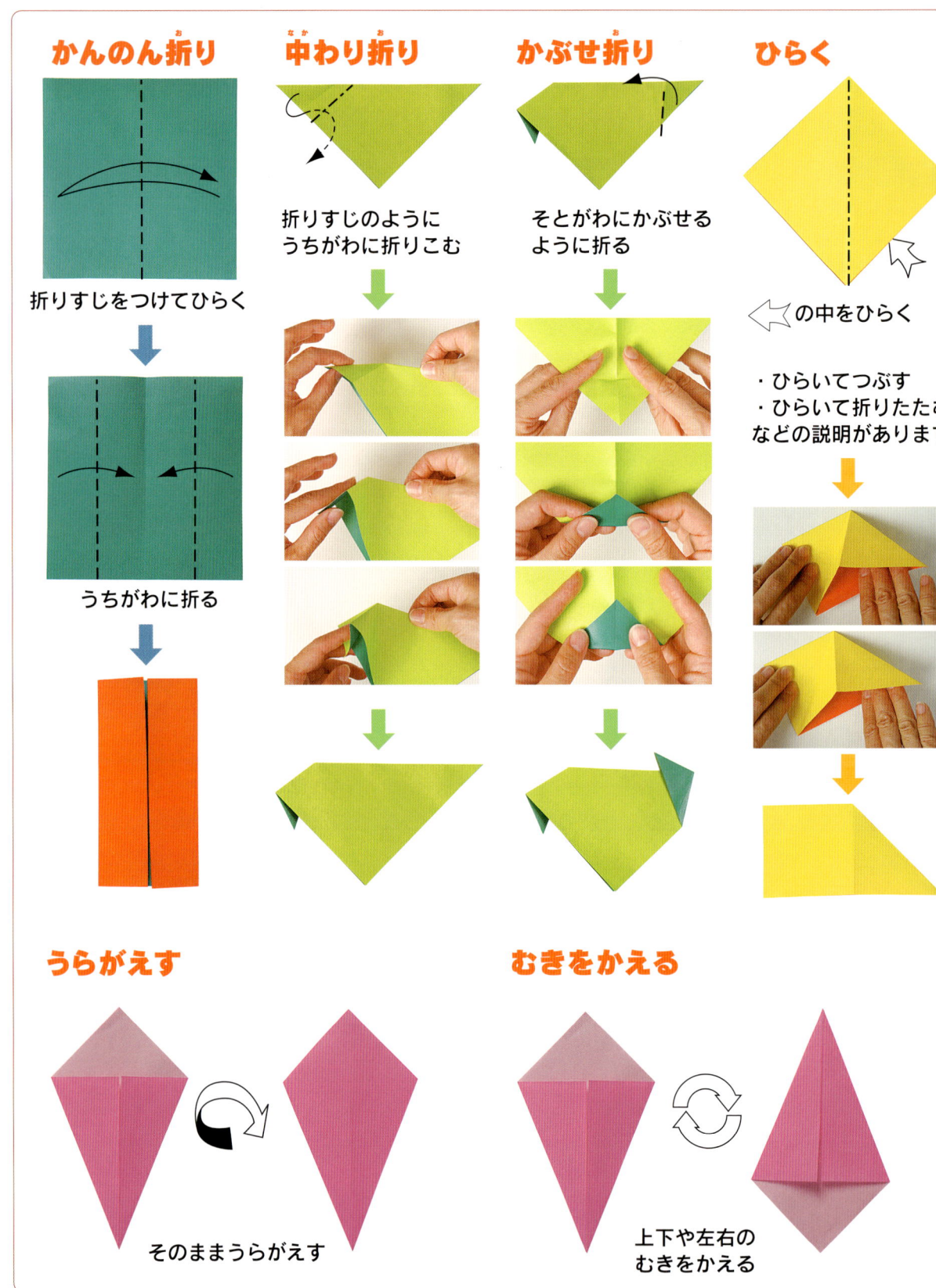

さしこむ・ひきだす

うちがわやポケットに
さしこむ

そとがわにひきだす

切《き》る

はさみで切る・
切りこみをいれる

ふくらませる

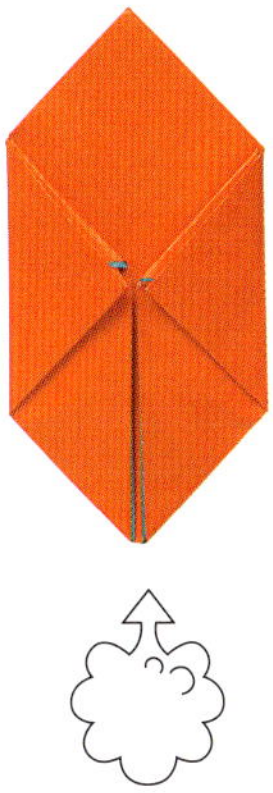

息をふきこんで
ふくらませる

仮想線《かそうせん》

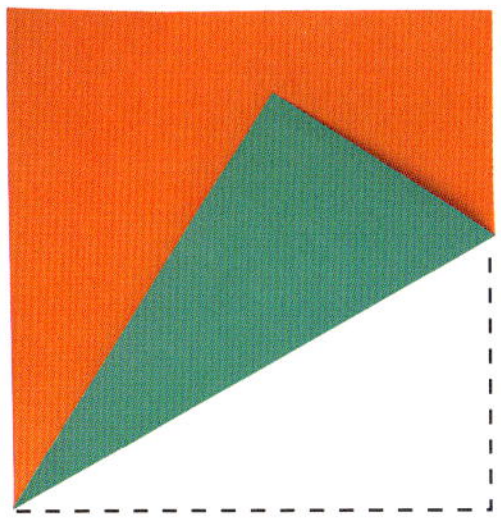

もともとのかたちや
見えない線をあらわ
す

拡大《かくだい》

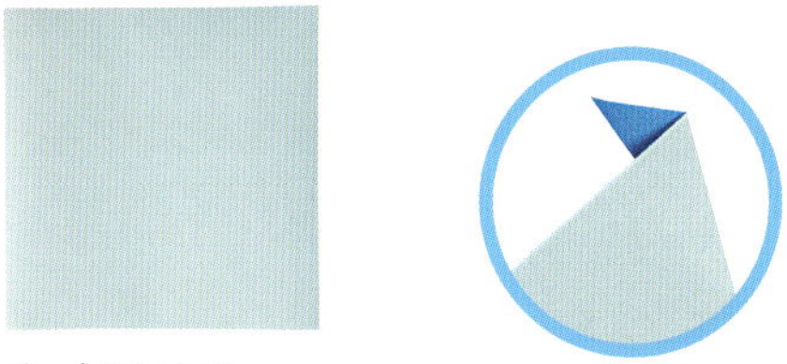

大きく見せる

縮小《しゅくしょう》

小さく見せる

よくつかう基本形の折りかた

正方基本形

1

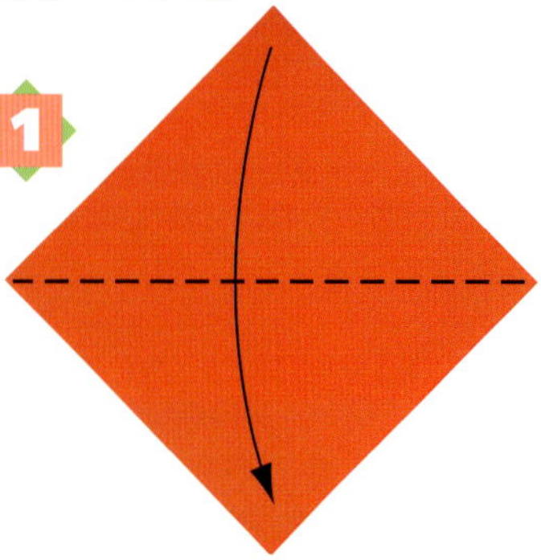

三角形に折る

2

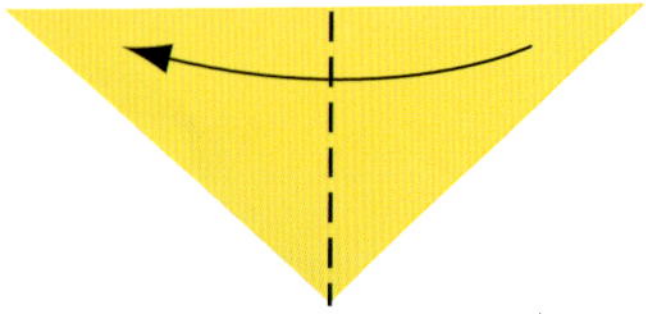

半分に折る

3

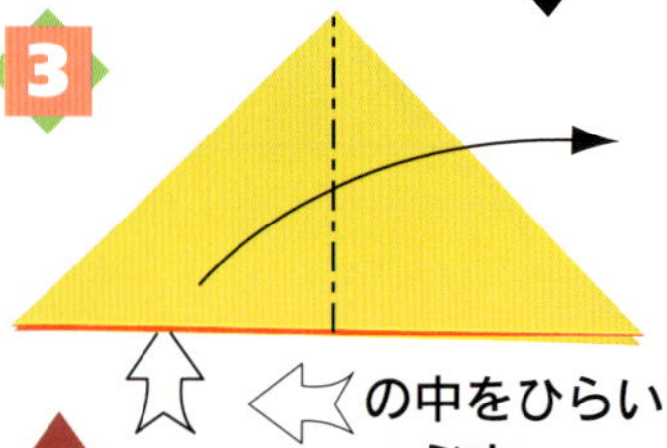

の中をひらいて
つぶす

4

うらがわも3とおなじように折る

5

正方基本形のできあがり

ふうせんの基本形

1

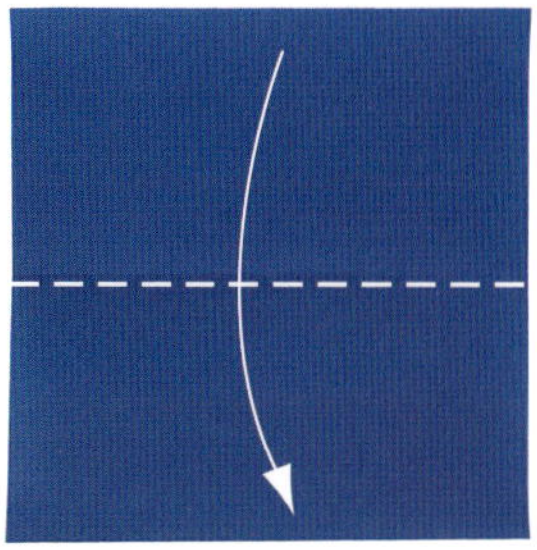

半分に折る

2

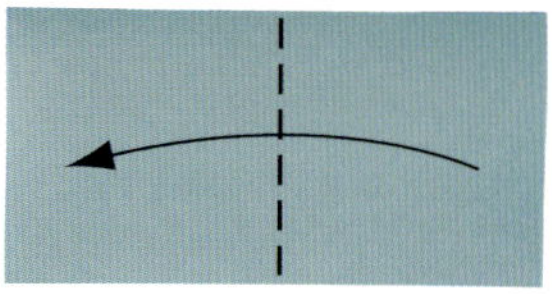

半分に折る

3

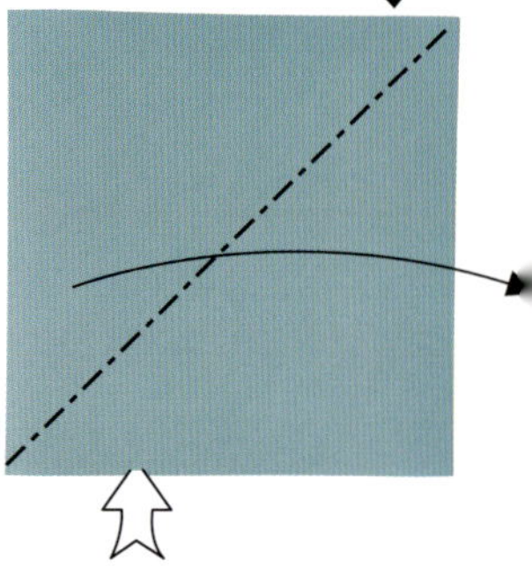

上の１枚をひらいて
つぶす

4

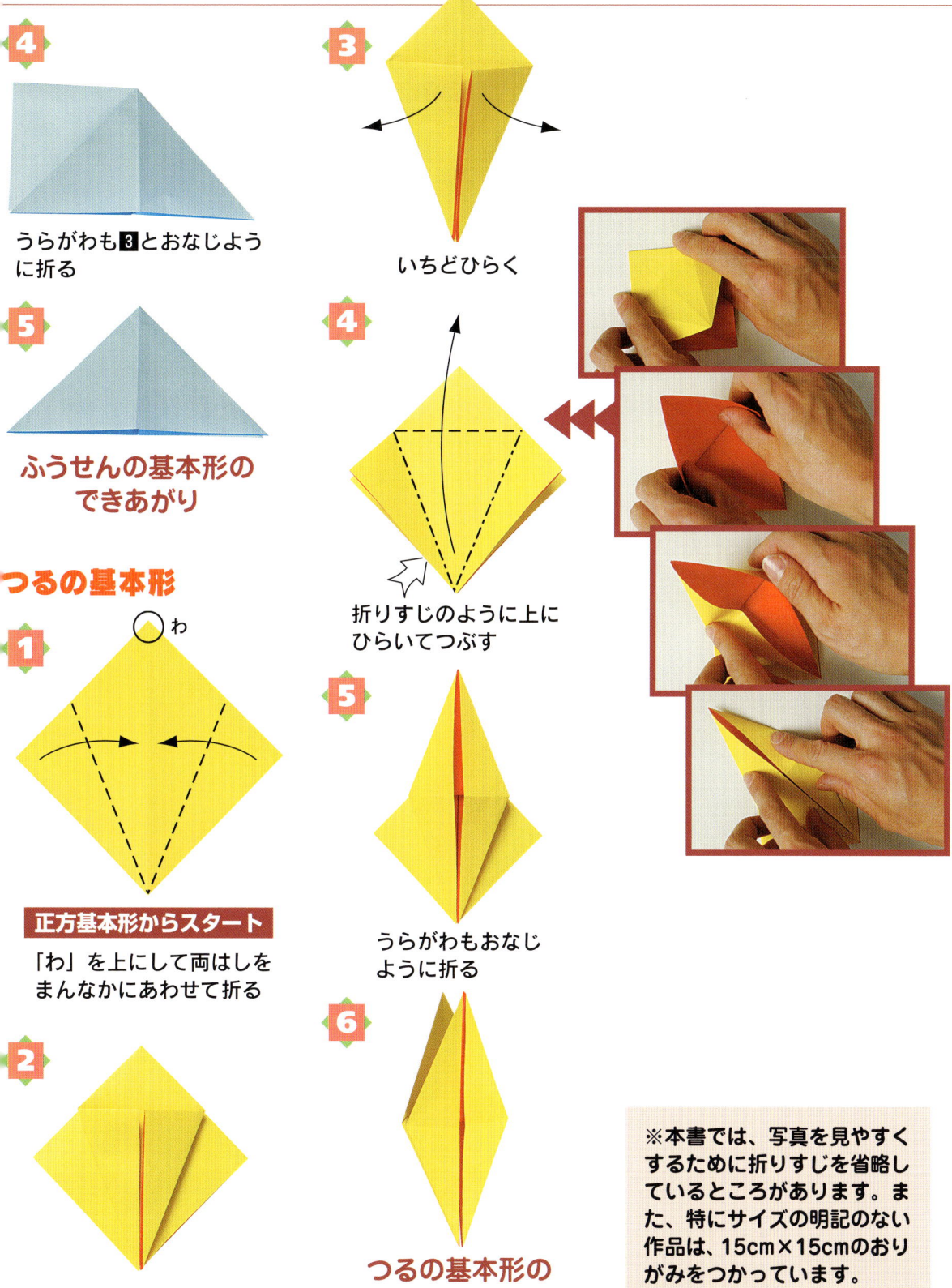

うらがわも❸とおなじように折る

5

ふうせんの基本形のできあがり

つるの基本形

1

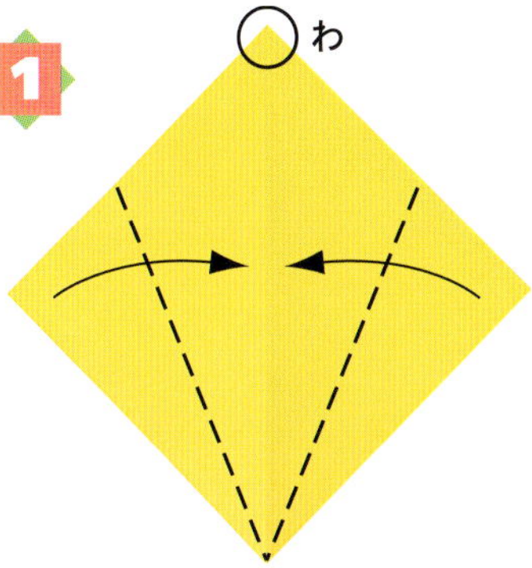

正方基本形からスタート

「わ」を上にして両はしをまんなかにあわせて折る

2

うらがわもおなじように折る

3

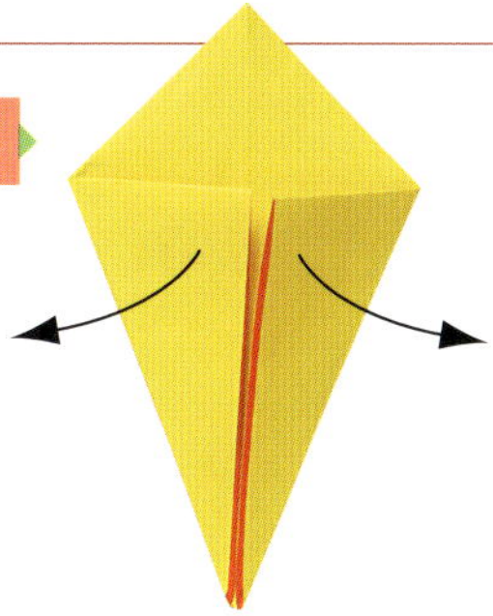

いちどひらく

4

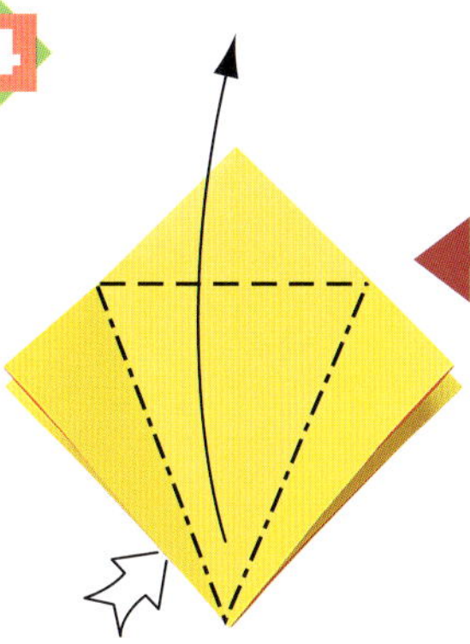

折りすじのように上にひらいてつぶす

5

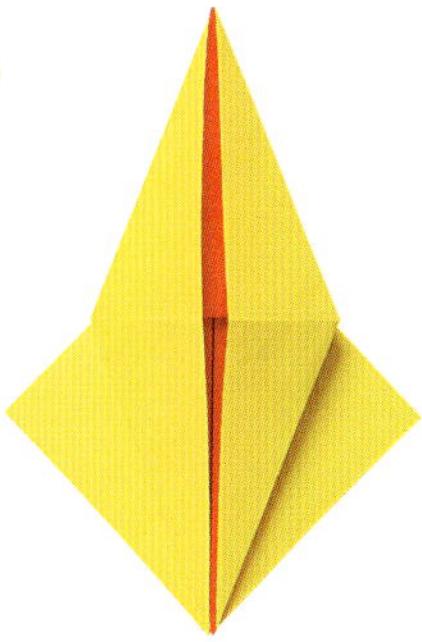

うらがわもおなじように折る

6

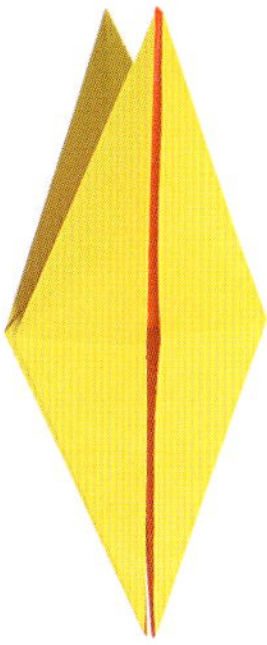

つるの基本形のできあがり

※本書では、写真を見やすくするために折りすじを省略しているところがあります。また、特にサイズの明記のない作品は、15cm×15cmのおりがみをつかっています。

チューリップ

サイズ

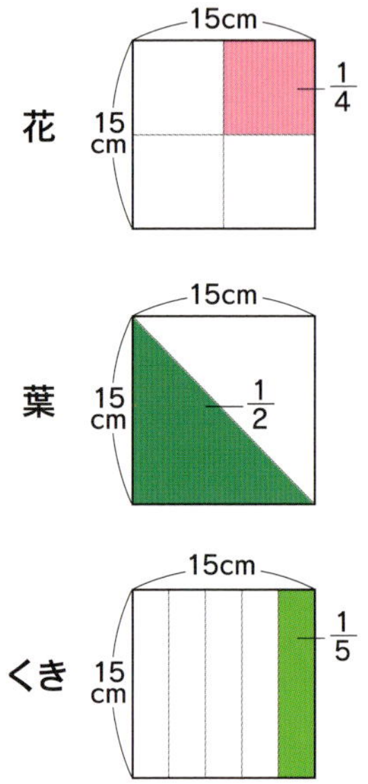

【花】

1

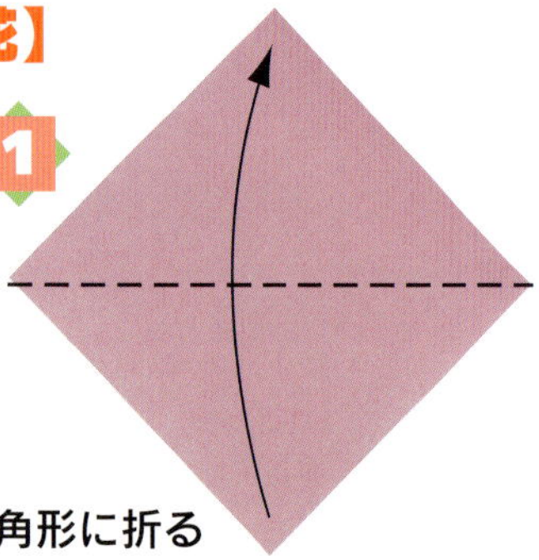

三角形に折る

2

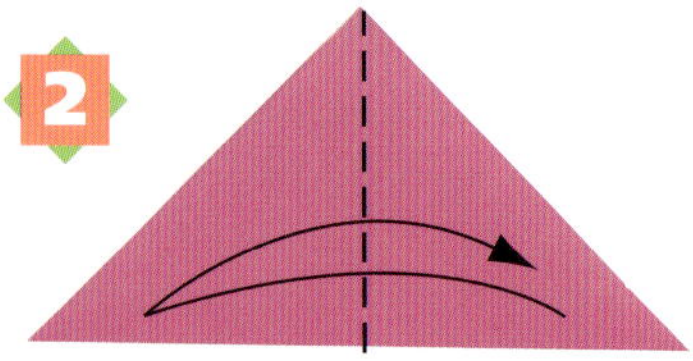

折りすじをつけてひらく

3

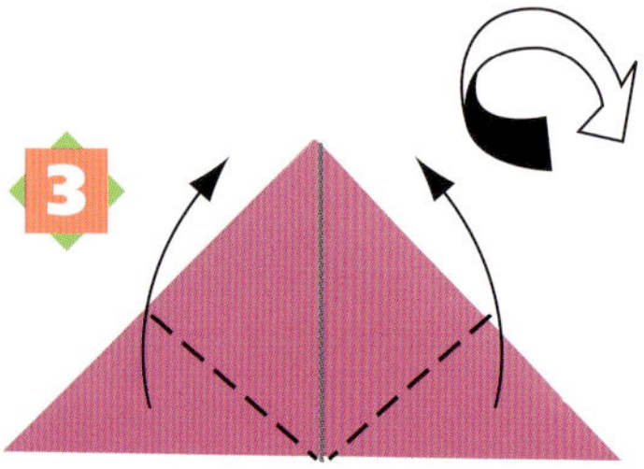

両はしをまんなかから少しずらして、折りあげる

4

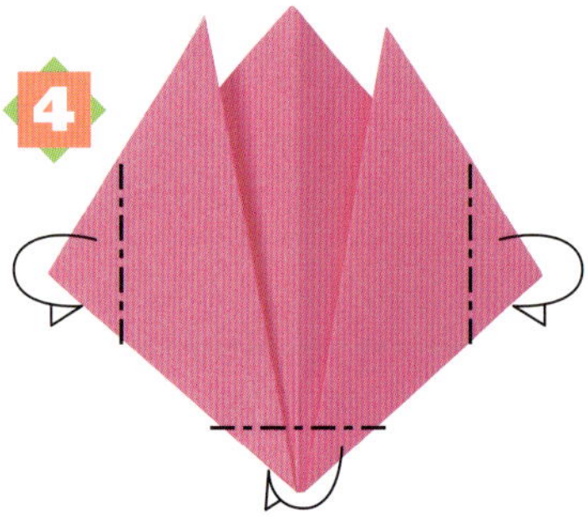

３つの角をうらがわに折る

5

花のできあがり

【葉っぱ】

1

三角形に切る

2

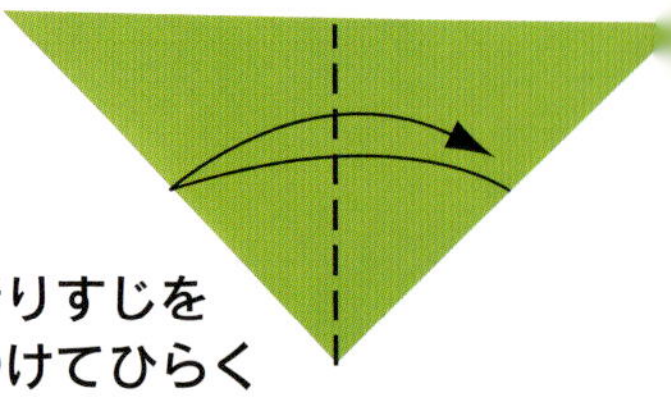

折りすじを
つけてひらく

3

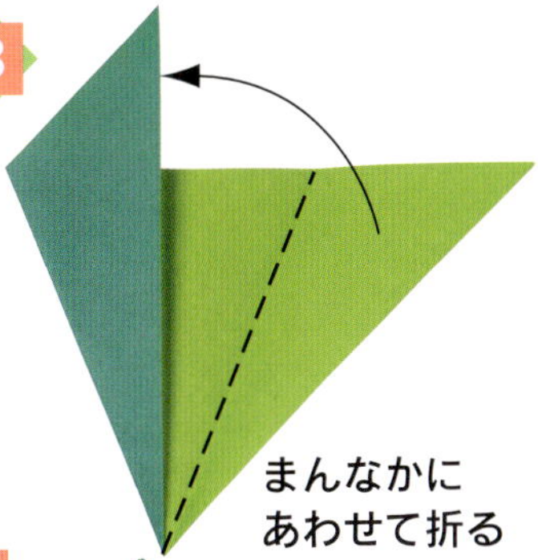

まんなかに
あわせて折る

4

まんなかに
あわせて折る

5

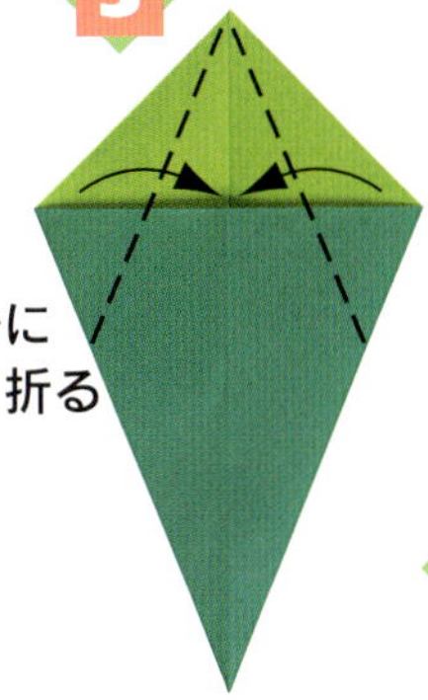

6

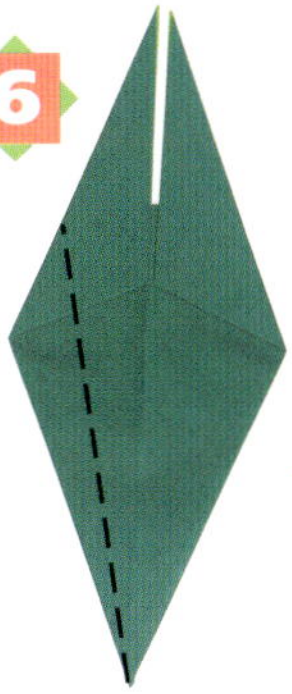

左がわだけ、
まんなかに
あわせて折る

7

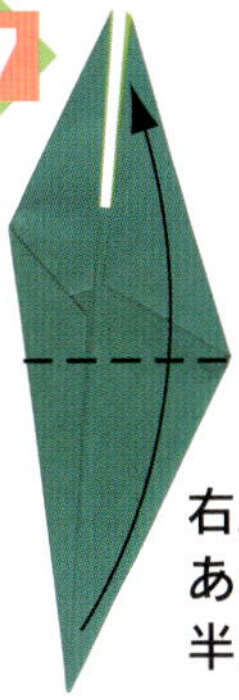

右上に
あわせて
半分に折る

8

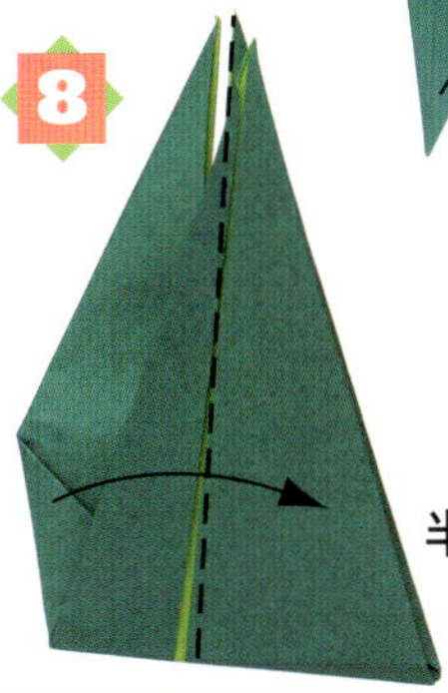

半分に折る

9

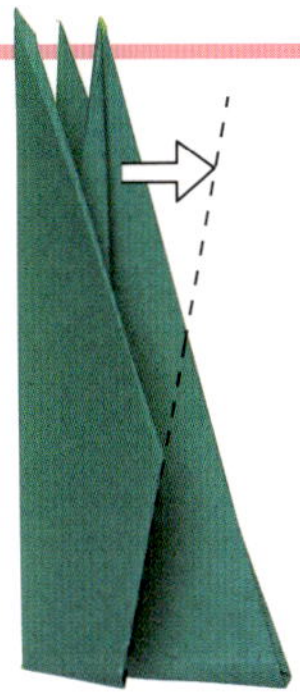

下の部分と一直線に
なるようにひきだす

10

ななめに折る

11

いちどひらく

12

←のように
さしこむ

13

**葉っぱの
できあがり**

【くき】

1

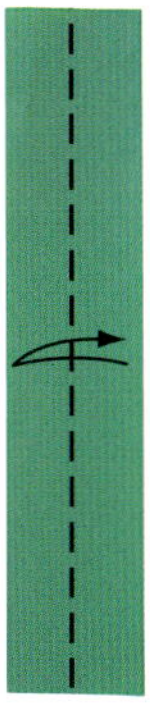

折りすじを
つけてひらく

2

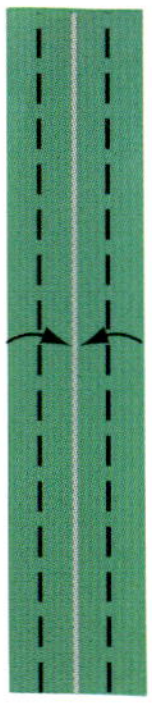

まんなかに
あわせて、
かんのん
折りをする

3

半分に折る

4

くきのできあがり

葉っぱとくきを
組みあわせて

**チューリップの
できあがり**

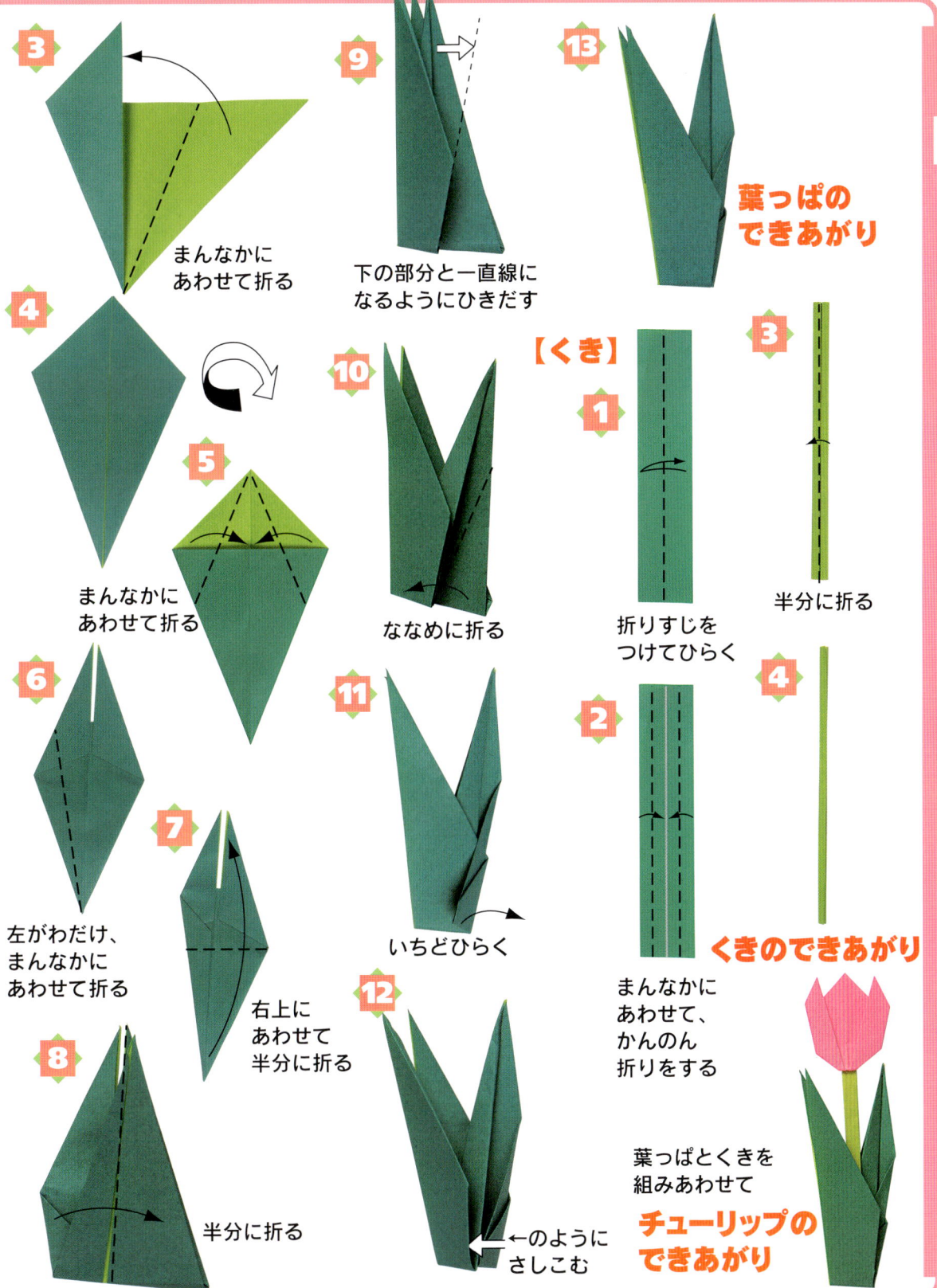

タンポポ

サイズ

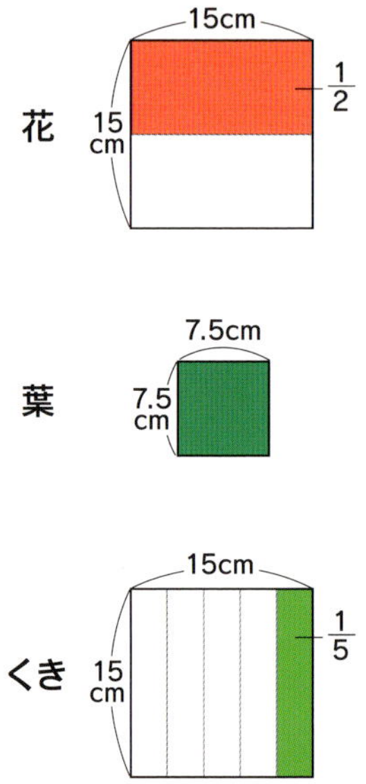

【花】

1

半分に切る

2

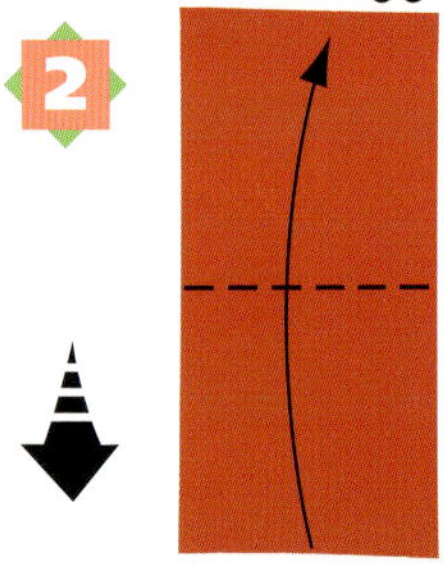

半分に折りあげる

3

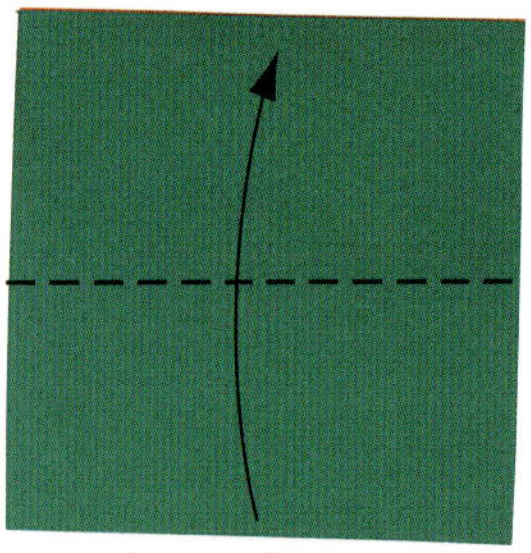

半分に折る

4

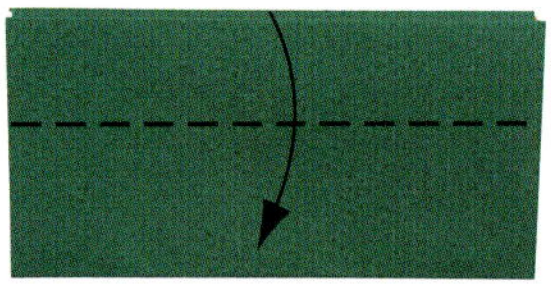

半分に折る

5

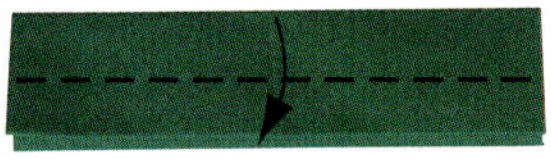

半分に折る

6

いちどひらく

7

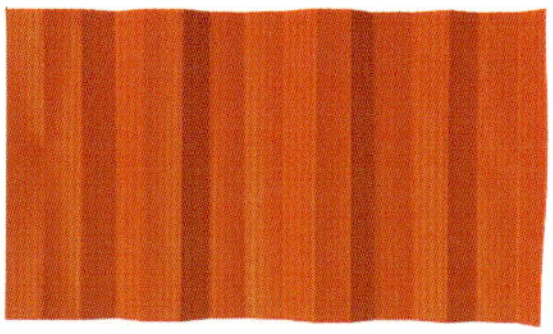

山線と谷線の
折りすじをつけなおす

8

山線・谷線が
ついたところ。
これをたばね
る

9

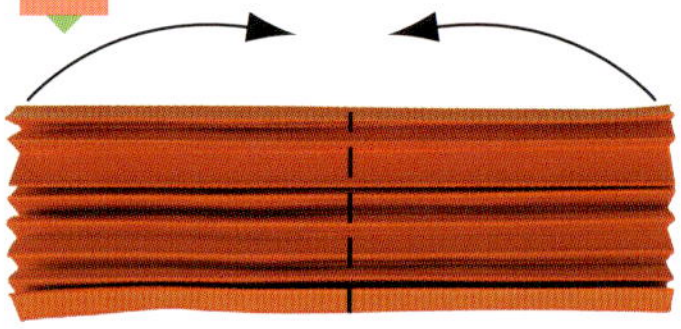

半分に折る

山線を指で
つまんでいく
うまくできる

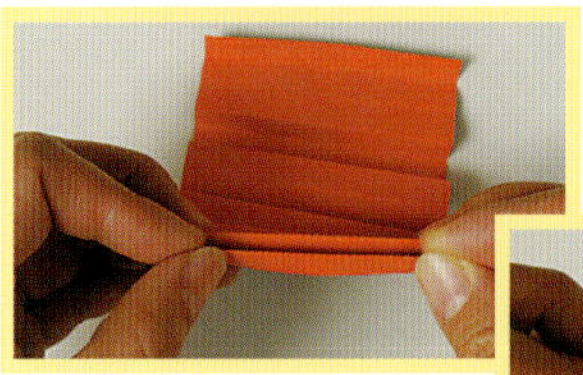

10

★をのりではりあわせる

11

花のできあがり

【葉っぱ】

1
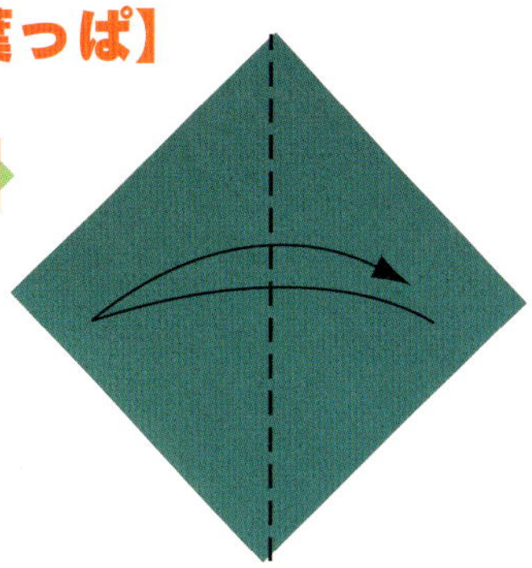
折りすじをつけてひらく

2
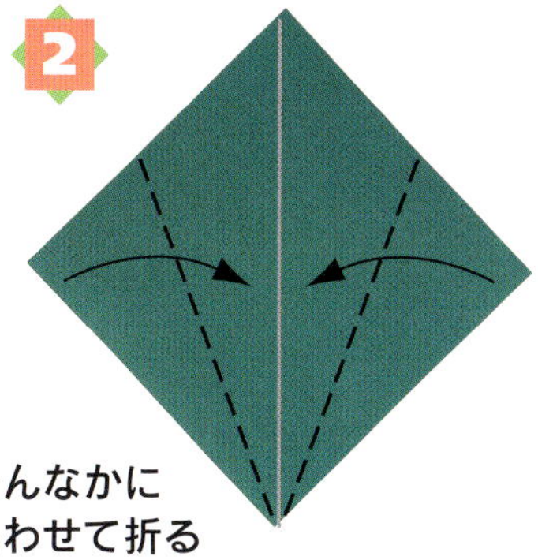
まんなかに
あわせて折る

3
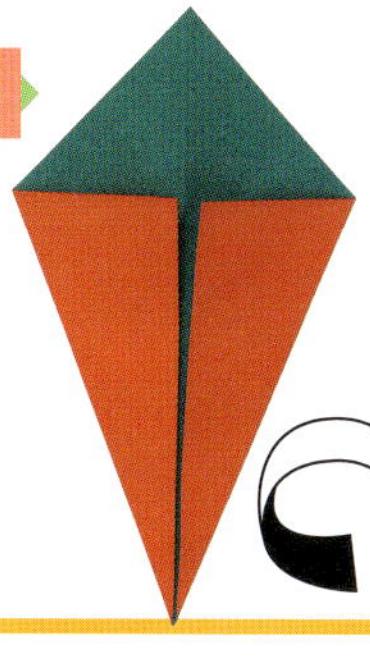

4
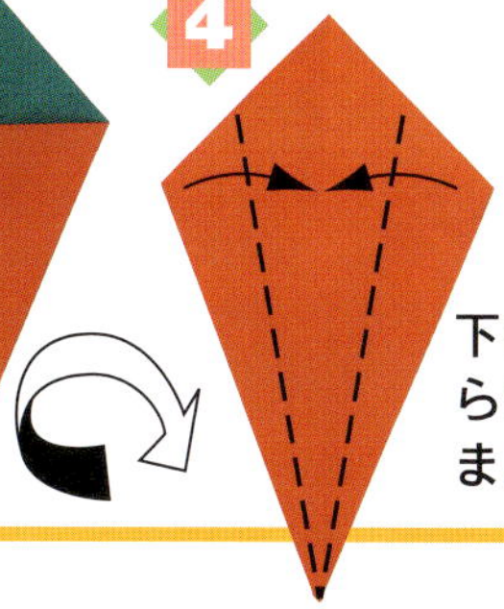
下になっている部分をひらいて、5になるようにまんなかにあわせて折る

5
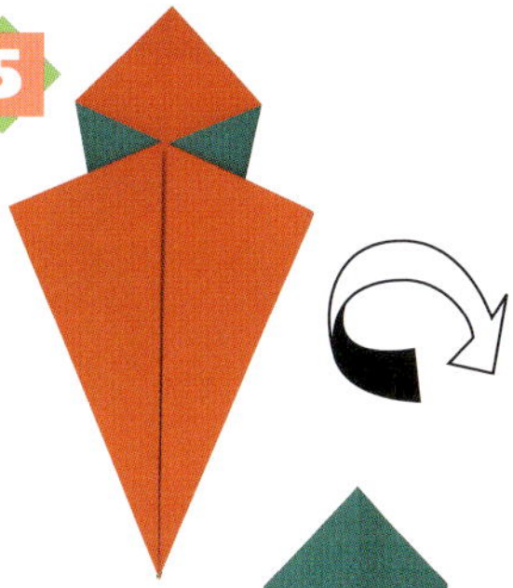

6

葉っぱのできあがり

【くき】

1
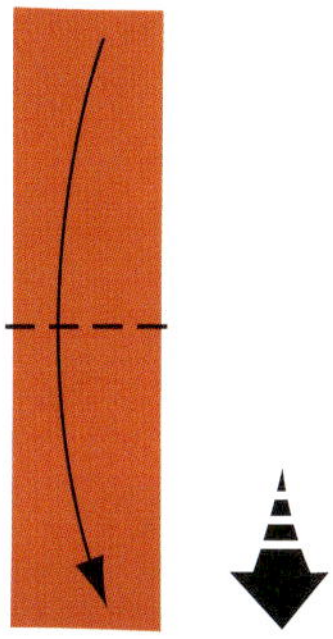
半分に折る

2
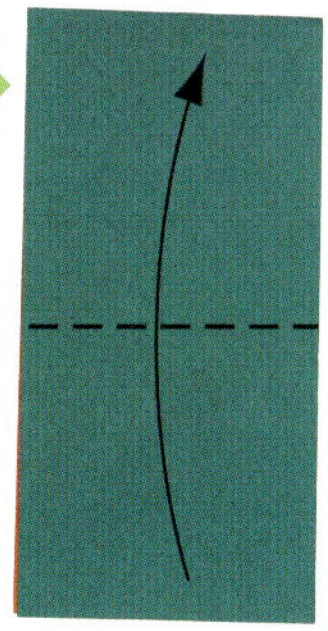
上の1枚だけ半分に折る

3
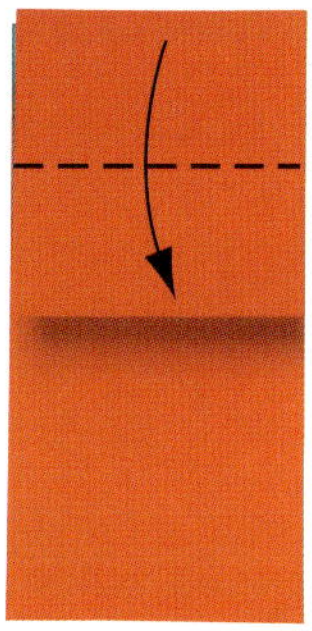
上の1枚だけ半分に折る

4
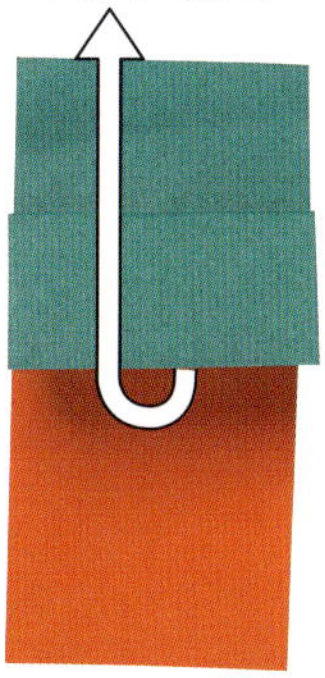
2段に折ったままひらく

5

1/3になるように折る

6

7

の中をひらく

8
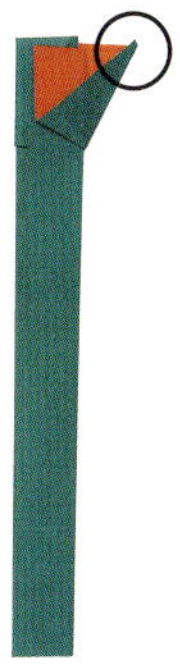
○の角があうようにつぶす

9
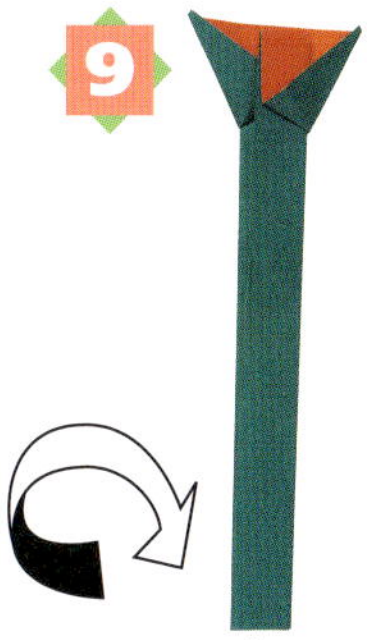
反対がわも同じように折る

10
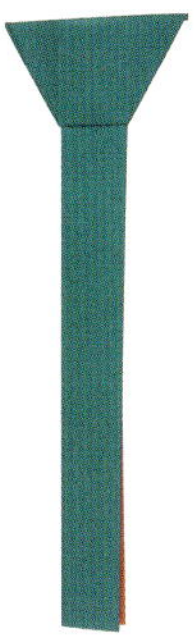

くきのできあがり

葉っぱとくきを組みあわせて

タンポポのできあがり

ちょうちょ

サイズ

上の羽

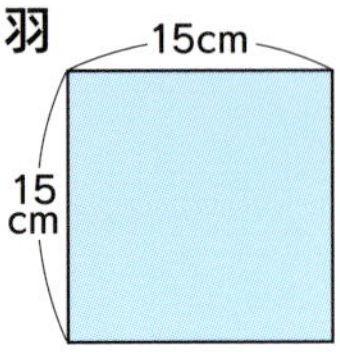
15cm
15
cm

下の羽

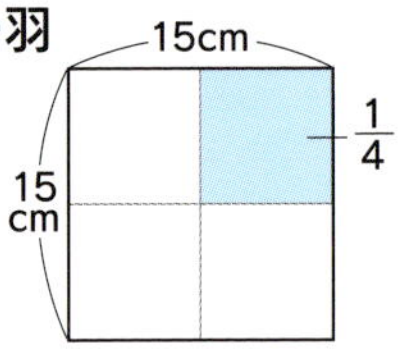
15cm
15
cm
1
4

触角

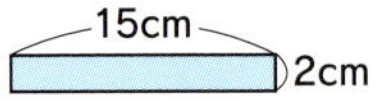
15cm
2cm

ベルト

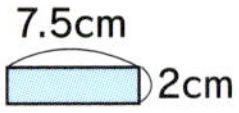
7.5cm
2cm

【上の羽】

1

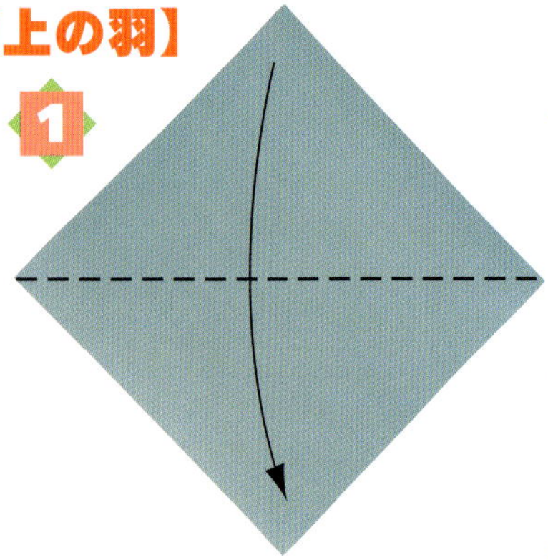

三角形に折る

2

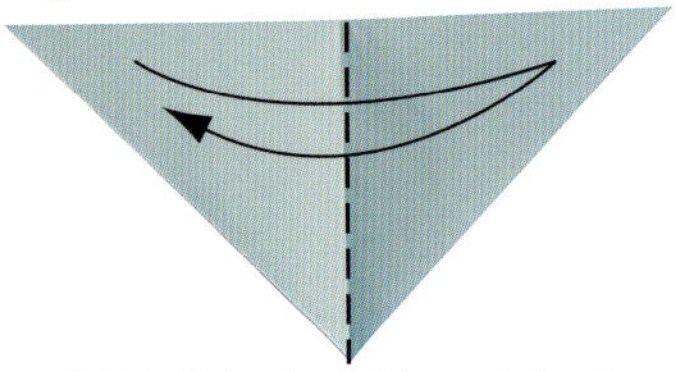

折りすじをつけてひらく

3

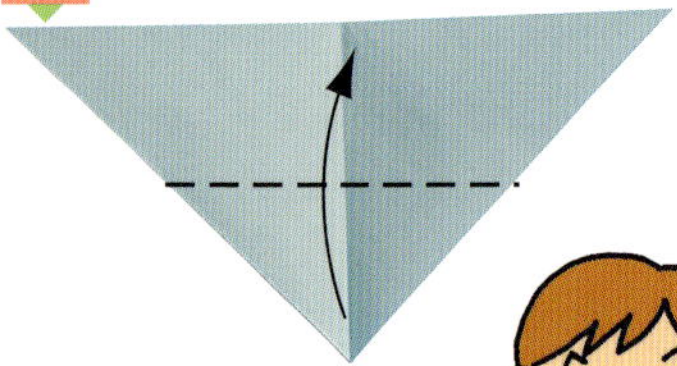

半分に折りあげる

4

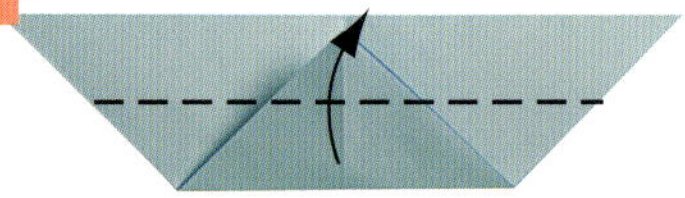

同じように3回くりかえす

5

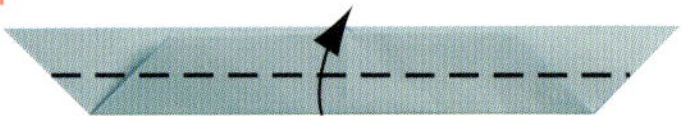

6

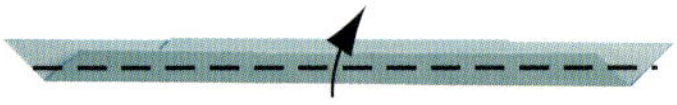

7

いちどひろげる

8

山線と谷線の折りすじを
つけなおしてたばねる

12ページのタンポポの花
7と同じようにしてね

9

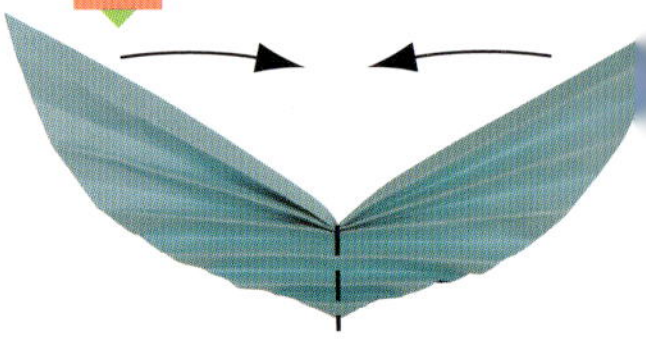

半分に折る

上の羽のできあがり

【下の羽】

1

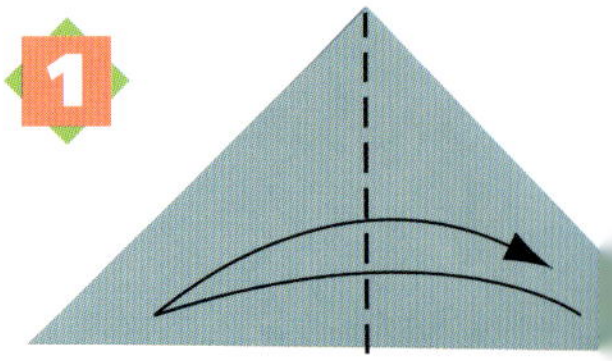

三角形に折ったおりがみ
折りすじをつけてひらく

2

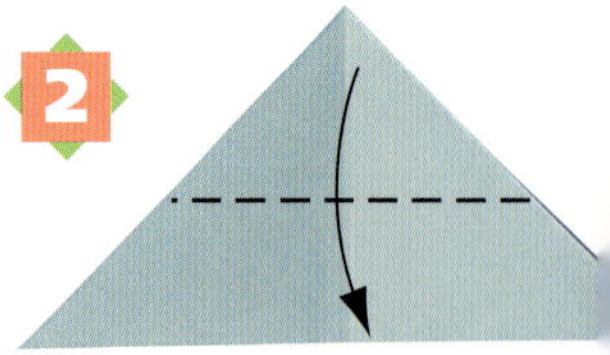

半分に折りさげる

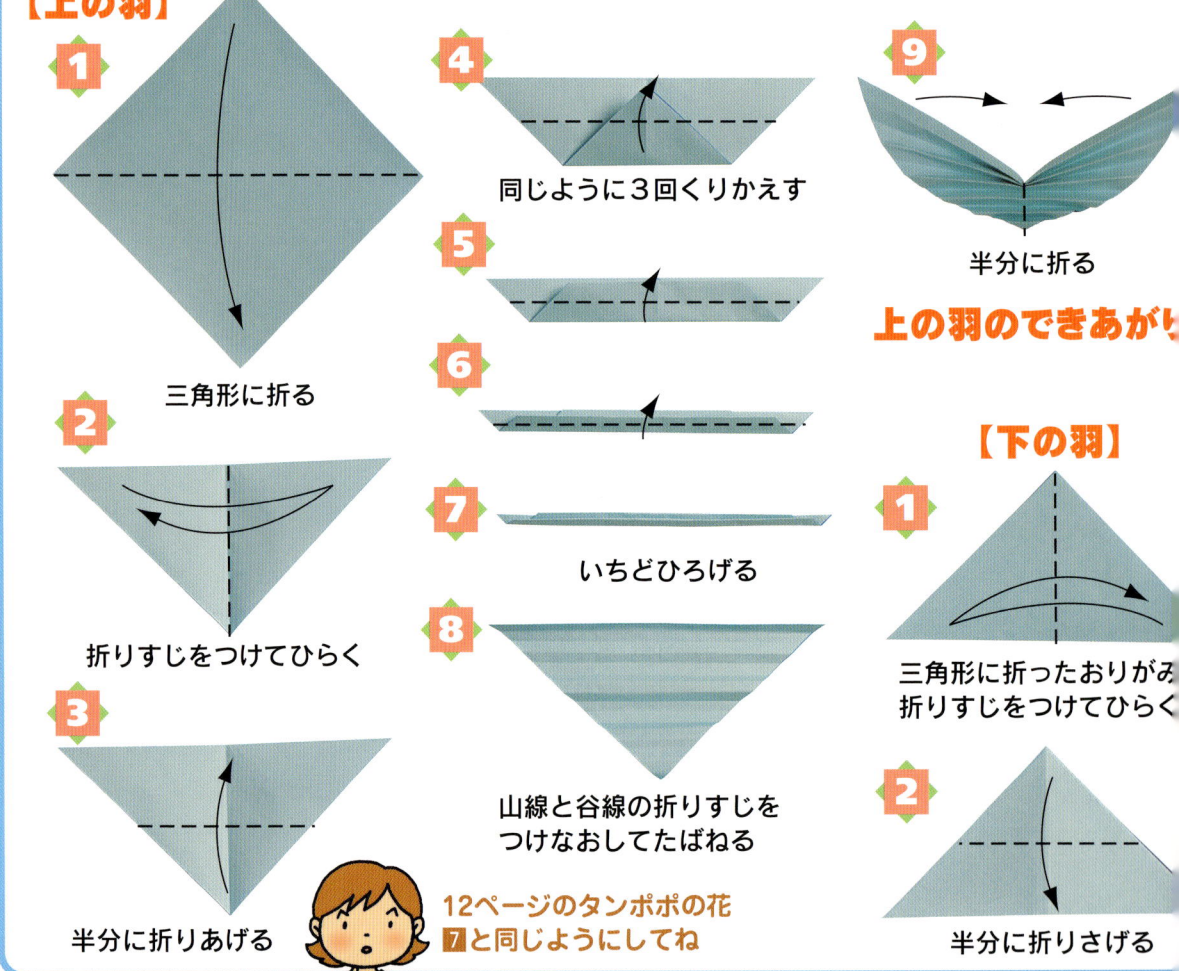

3

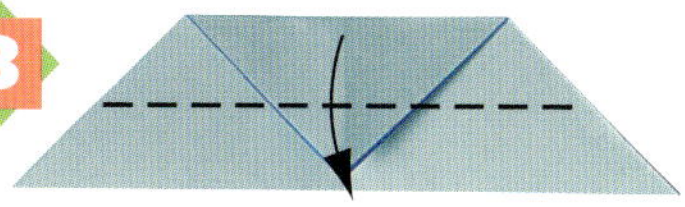

同じように２回折りさげる

4

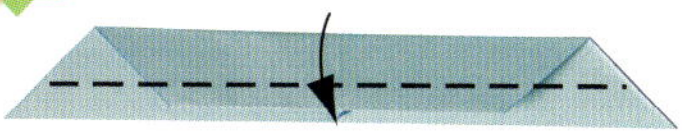

5

いちどひろげる

6

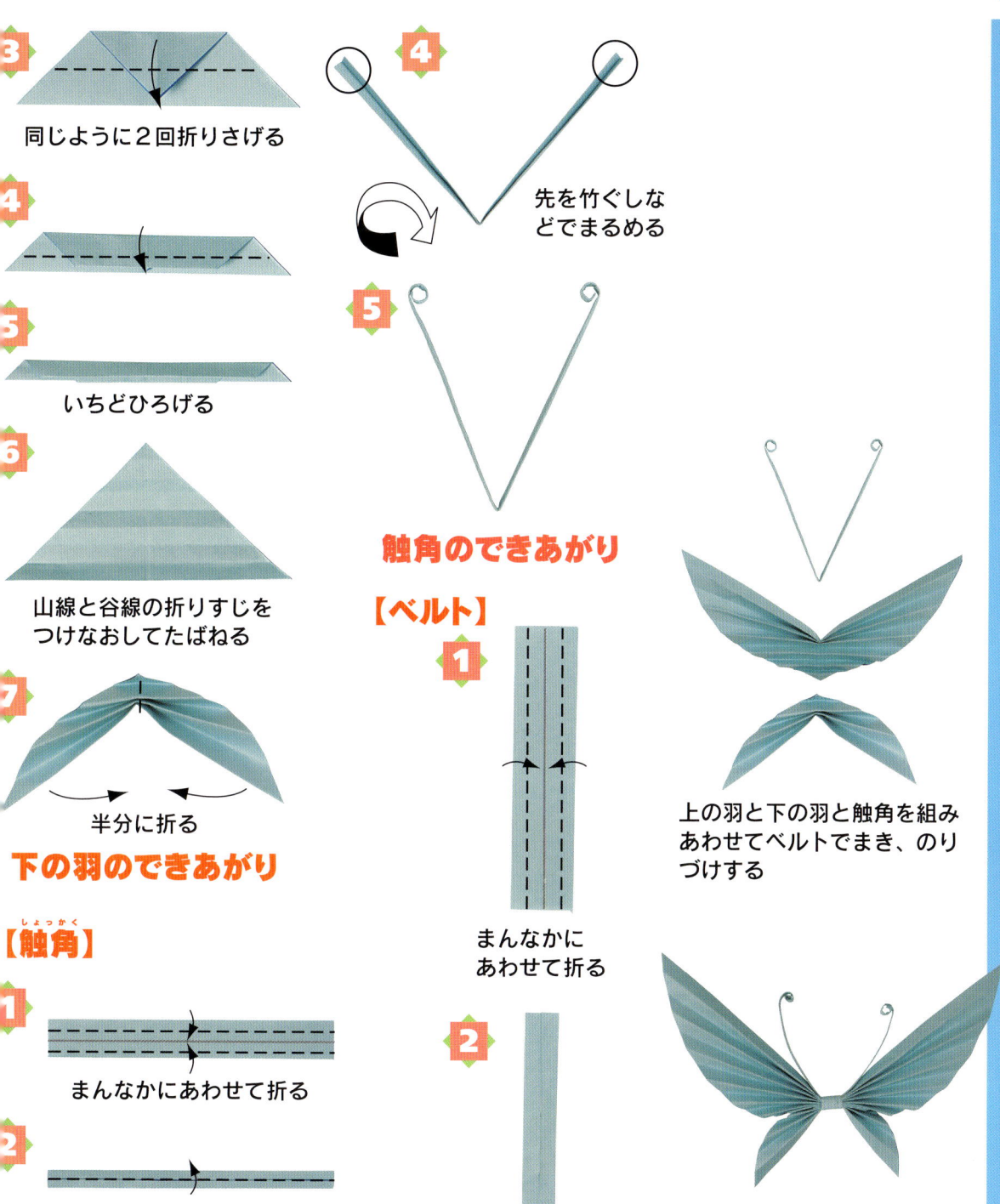

山線と谷線の折りすじを
つけなおしてたばねる

7

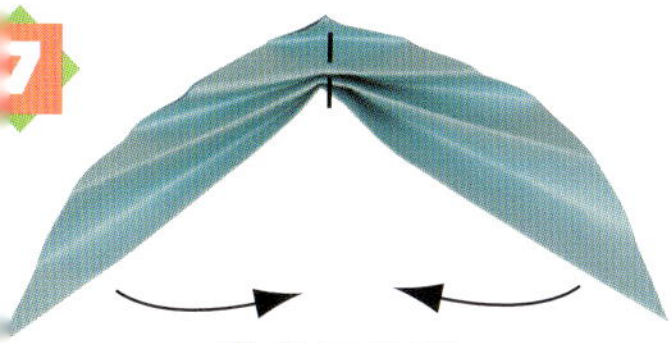

半分に折る

下の羽のできあがり

【触角《しょっかく》】

1

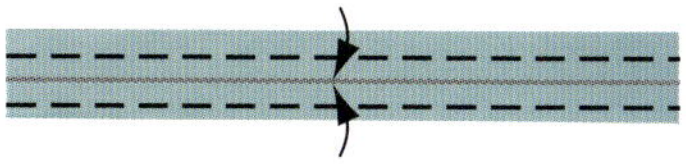

まんなかにあわせて折る

2

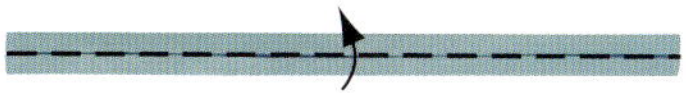

半分に折る

3

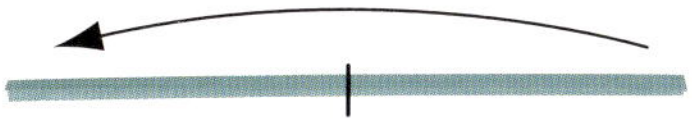

半分に折る

4

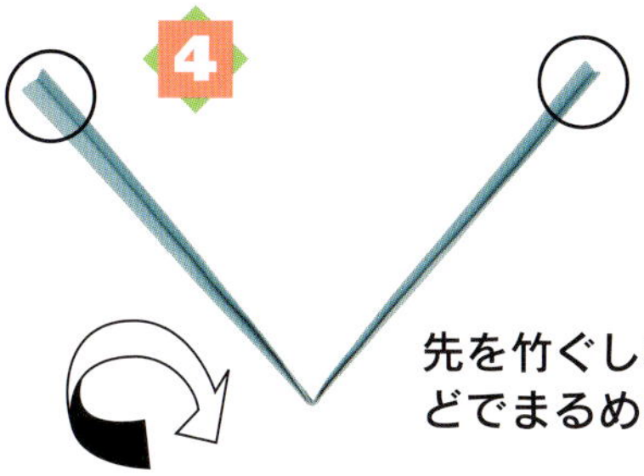

先を竹ぐしな
どでまるめる

5

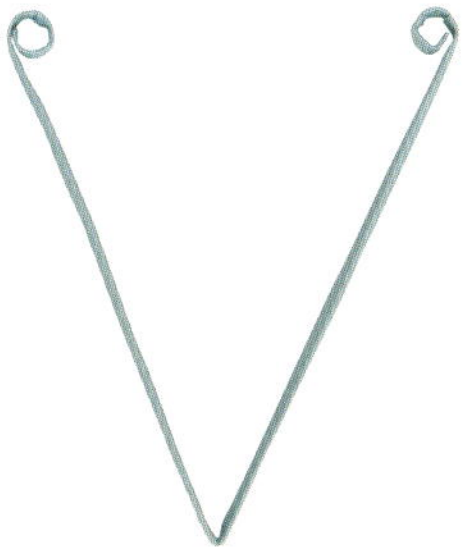

触角のできあがり

【ベルト】

1

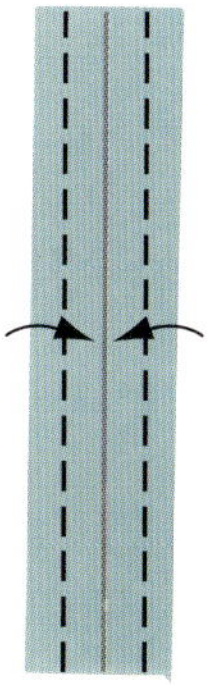

まんなかに
あわせて折る

2

ベルトのできあがり

上の羽と下の羽と触角を組み
あわせてベルトでまき、のり
づけする

ちょうちょの
できあがり

てんとうむし

サイズ

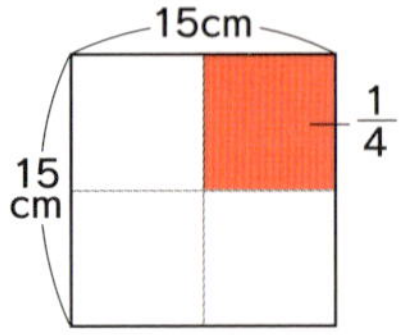

1

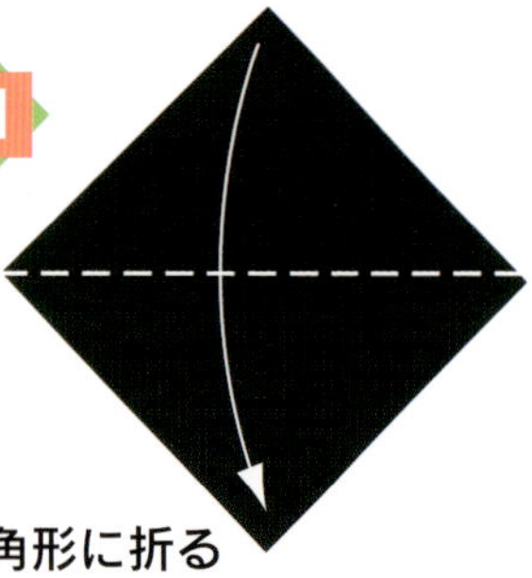

三角形に折る

2

折りすじを
つけてひらく

3

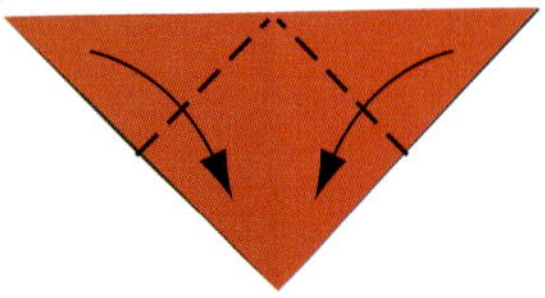

まんなかにあわせて折る

4

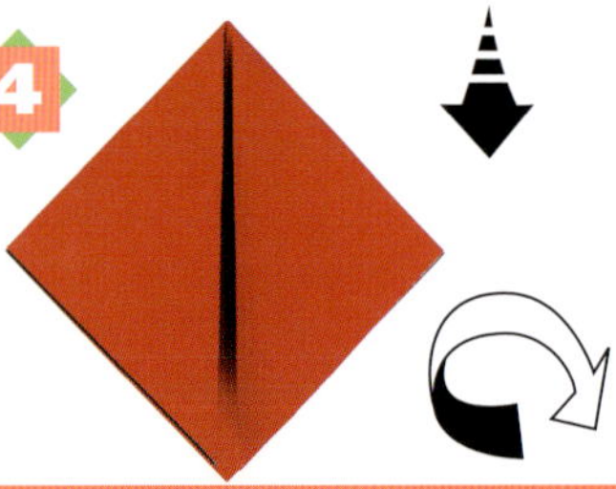

5

上の1枚を
折りあげる

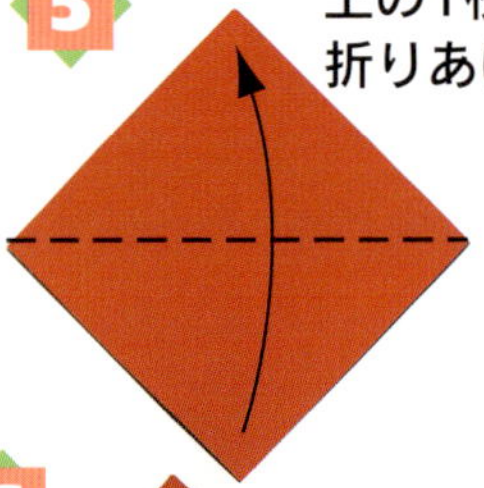

6

7

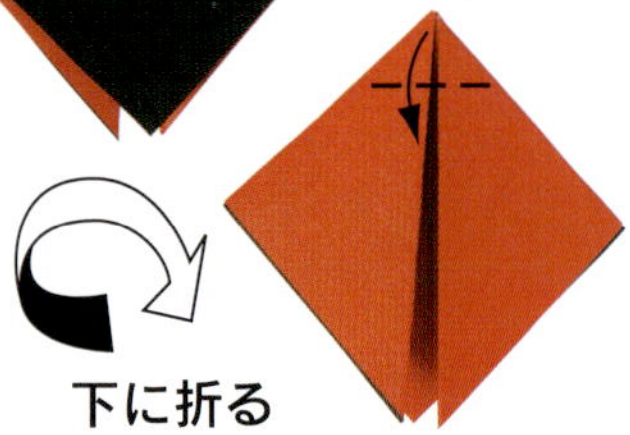

下に折る

8

もう一度
下に折る

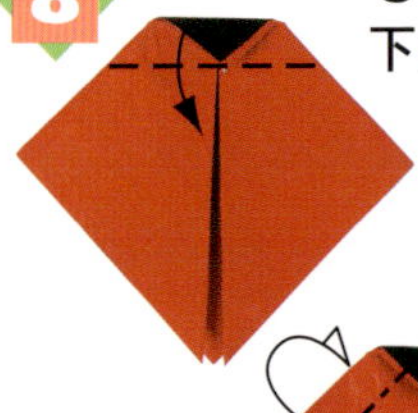

9

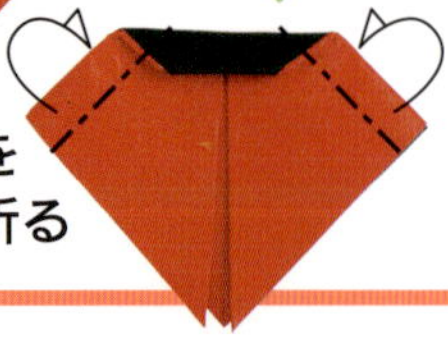

りょうはしを
うらがわに折る

10

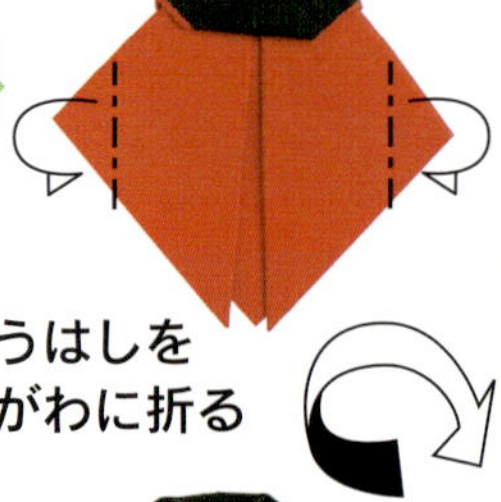

りょうはしを
うらがわに折る

11

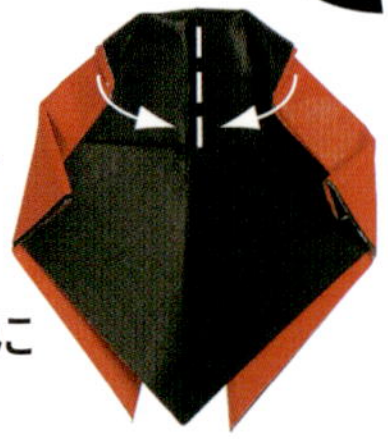

上の部分だけ
かるくうちがわに
折る

12

の中に指を入
れて、まんな
かの線のりょ
うがわをつま
んで山折りに
する

13

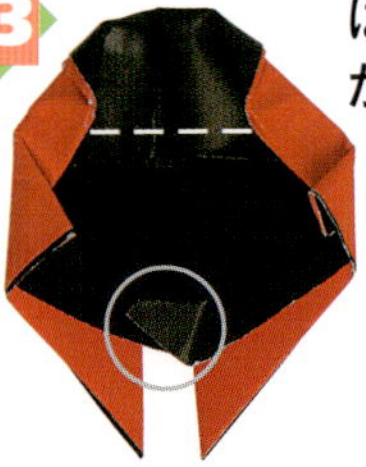

○のように
はしを折って
かるくもちあげる

14

せなかを立体にして
てんとうむしの
できあがり

シールをはったり、
マジックで●を
つけてみよう！

家

1

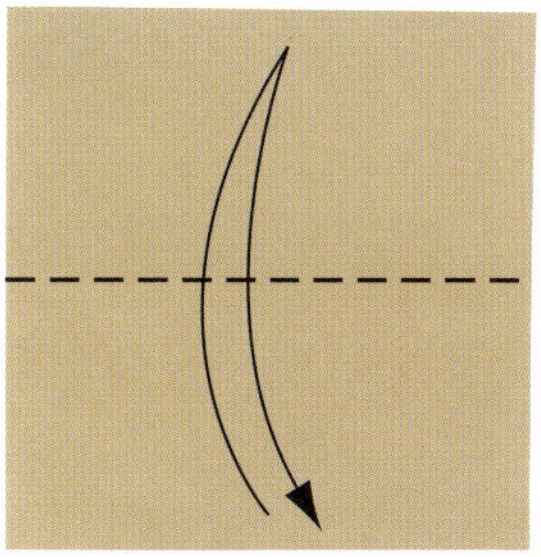

折りすじをつけてひらく

2

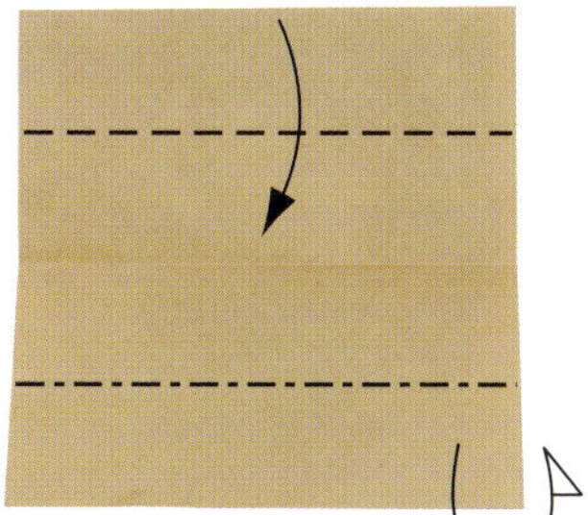

まんなかにあわせて
上を折りさげ、下を
うらがわに折りあげる

3

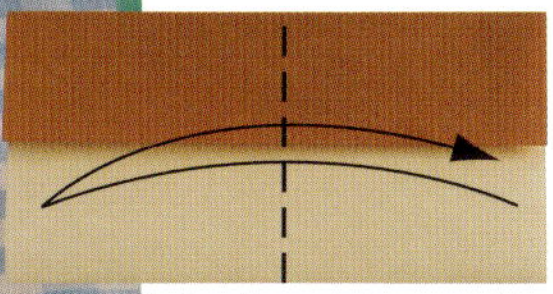

折りすじをつけてひらく

4

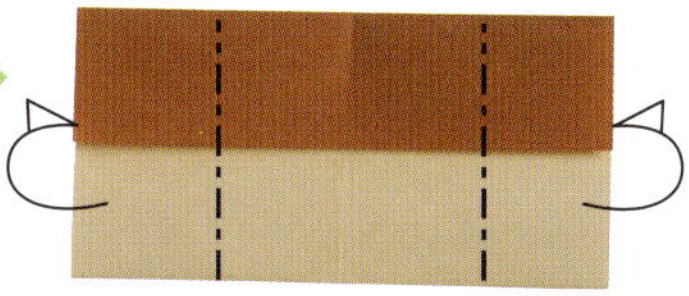

左右ともうらがわに折る

5

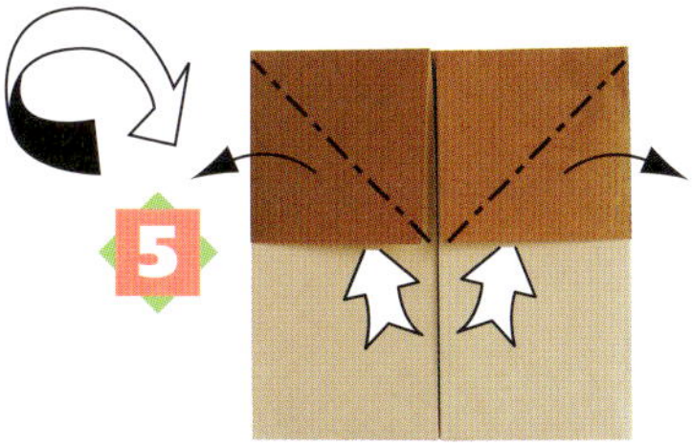

の中に指を入れて、
左右にひらく

6

7

家のできあがり

やねとかべが同じ色
の家もできるよ

1

❷にところを、上下ともまんなかにあわせて折り、折りすじをつけてひらく

2

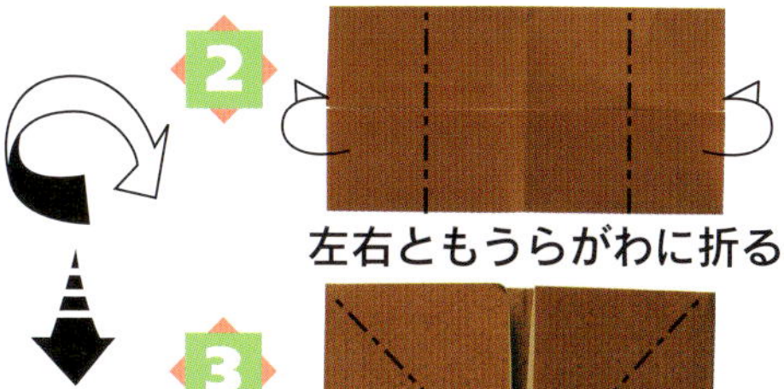

左右ともうらがわに折る

3

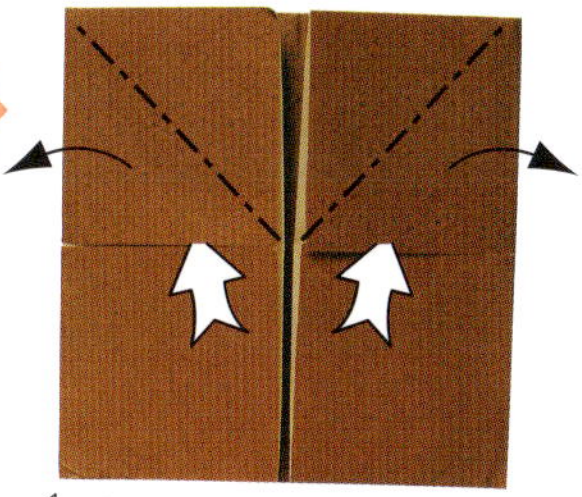

の中に指を入れて、
左右にひらく

4

5

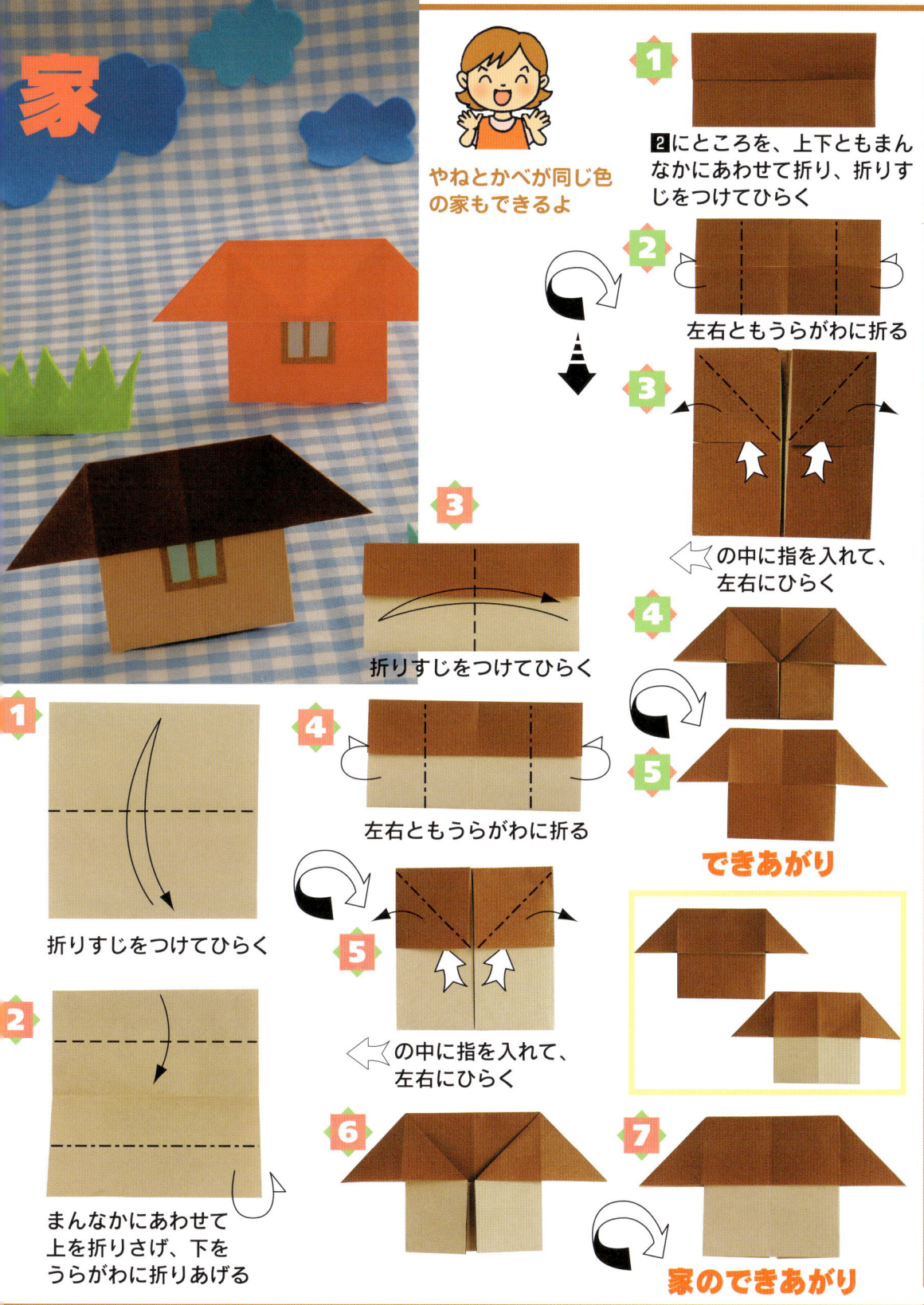

できあがり

犬

サイズ

あたま

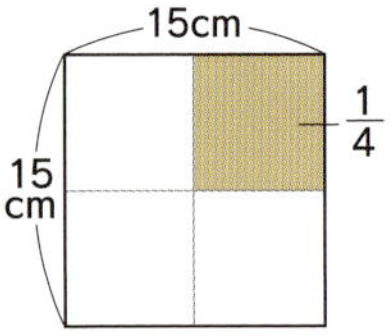
15cm
15 cm
1/4

からだ

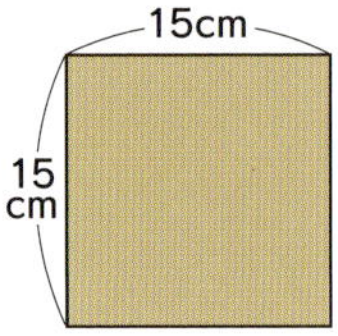
15cm
15 cm

子犬のサイズは、
からだが7.5cm×7.5cm、
あたまはその1/4だよ！

【あたま】

1

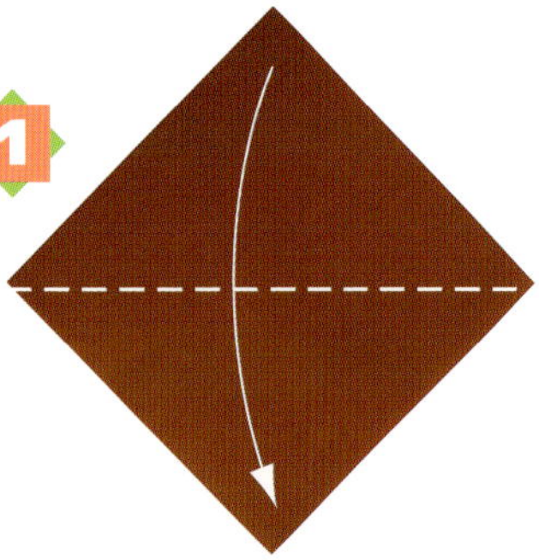

三角形に折る

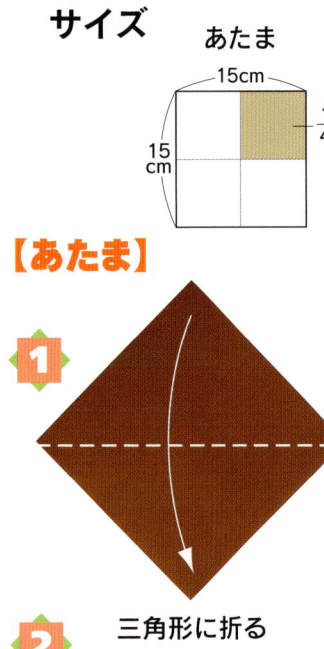

2

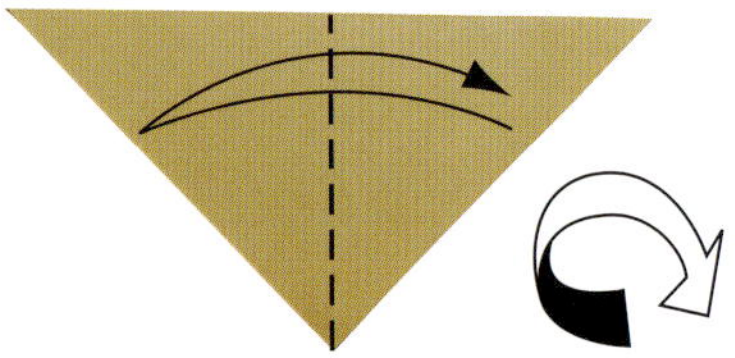

折りすじをつけてひらく。
山折りのほうをおもてにする

3

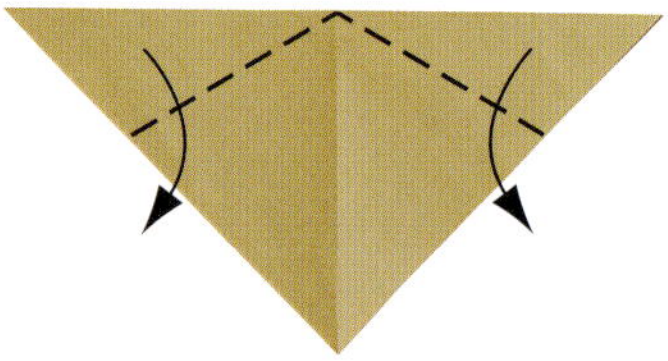

両はしを折る

4

うらがわに折る

5

1枚だけ折る

6

あたまのできあがり

【からだ】

1

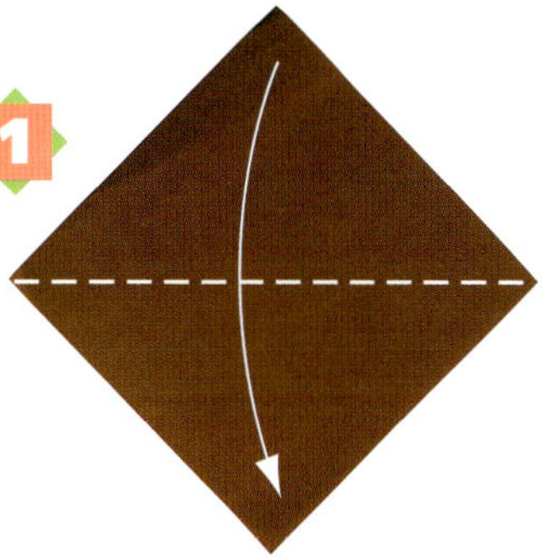

三角形に折る

2

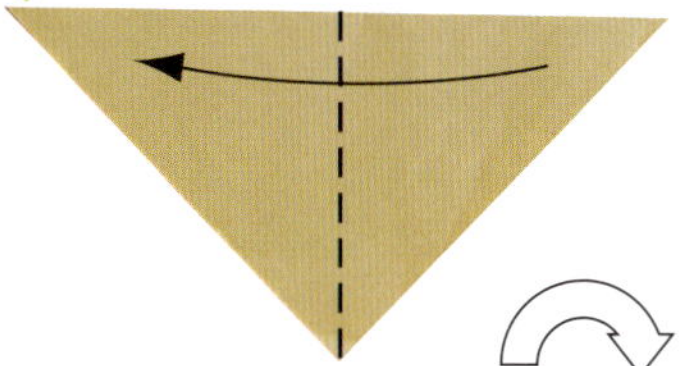

半分に折る

3

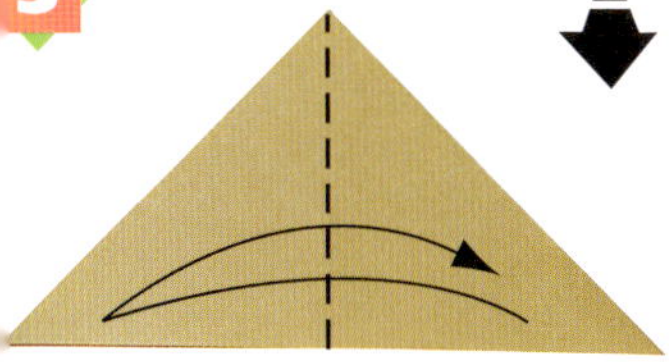

折りすじをつけてひらく

4

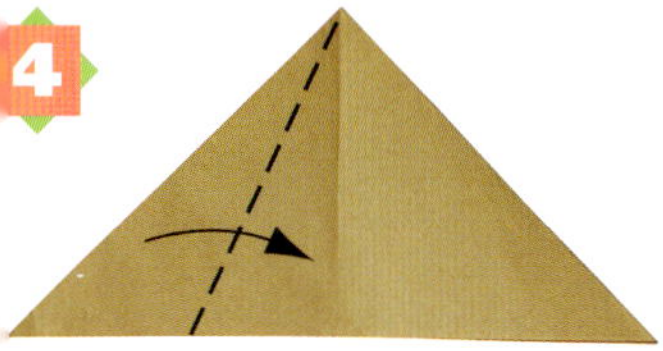

まんなかにあわせて折る

5

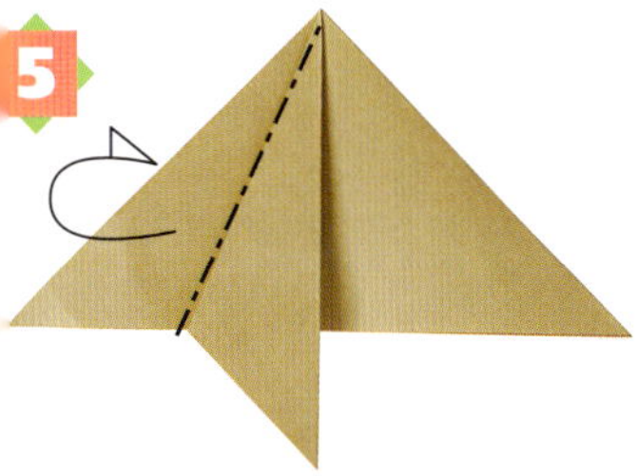

うらがわに折る

6

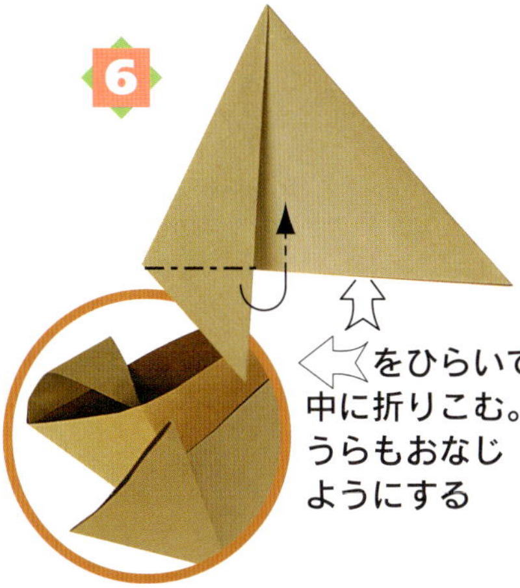

をひらいて
中に折りこむ。
うらもおなじ
ようにする

7

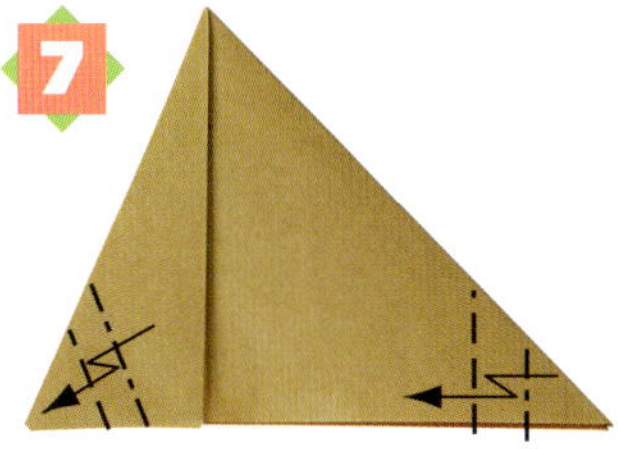

２つの角を段折りにする

8

いちどひらく

9

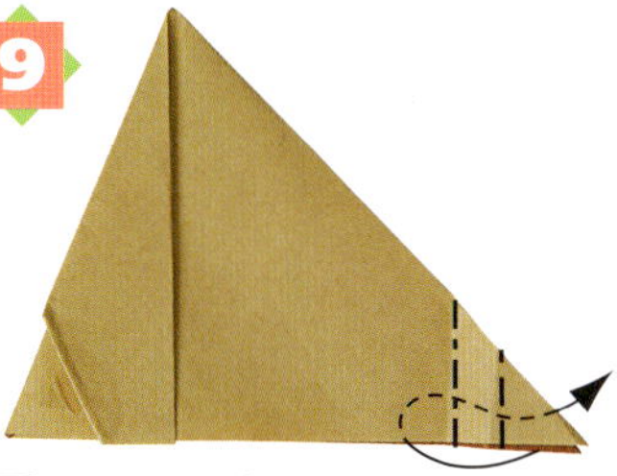

7でつけた折りすじを、
逆にして中わり折りをする

中わり折りを
ひらいたところ

10

からだのできあがり

【組みあわせ】

10の★をあたまではさんで
のりづけする。

犬のできあがり

おひなさま・おだいりさま

サイズ

人形・きもの

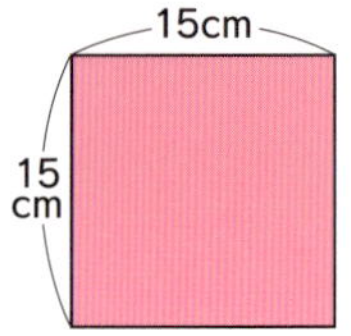

あたま

●おひなさま

●おだいりさま

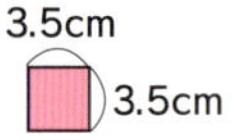

【おひなさまの人形】

1

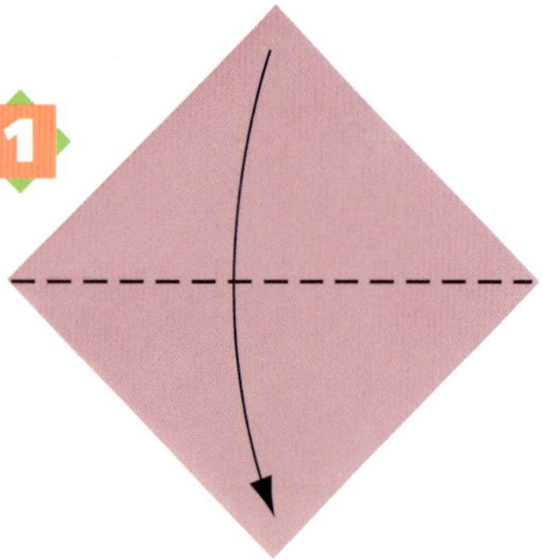

三角形に折る

2

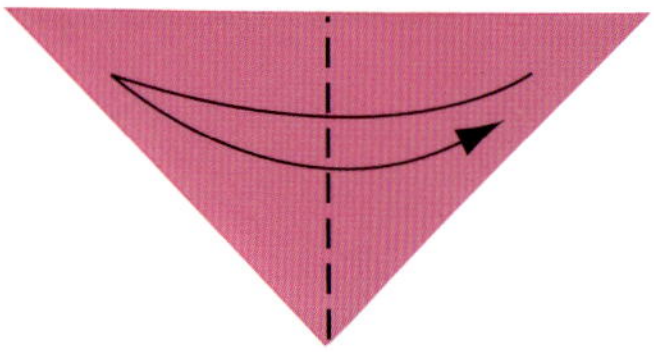

折りすじをつけてひらく

3

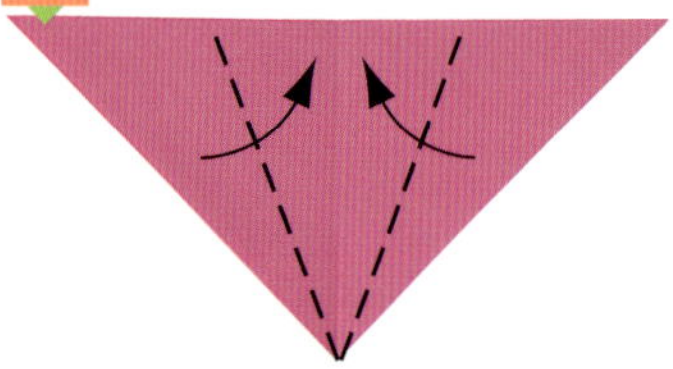

まんなかにあわせて折る

4

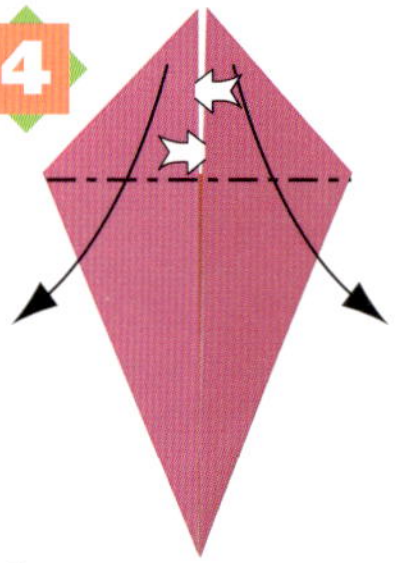

の中を5のようにひらいてつぶす

5

6

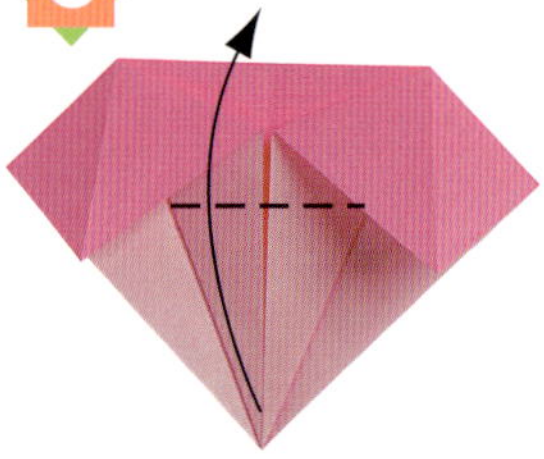

三角形を折りあげる

7

三角形にそって左がわからさきに折る

8

うらがわに折る

9

角を折る

10

11

人形のできあ

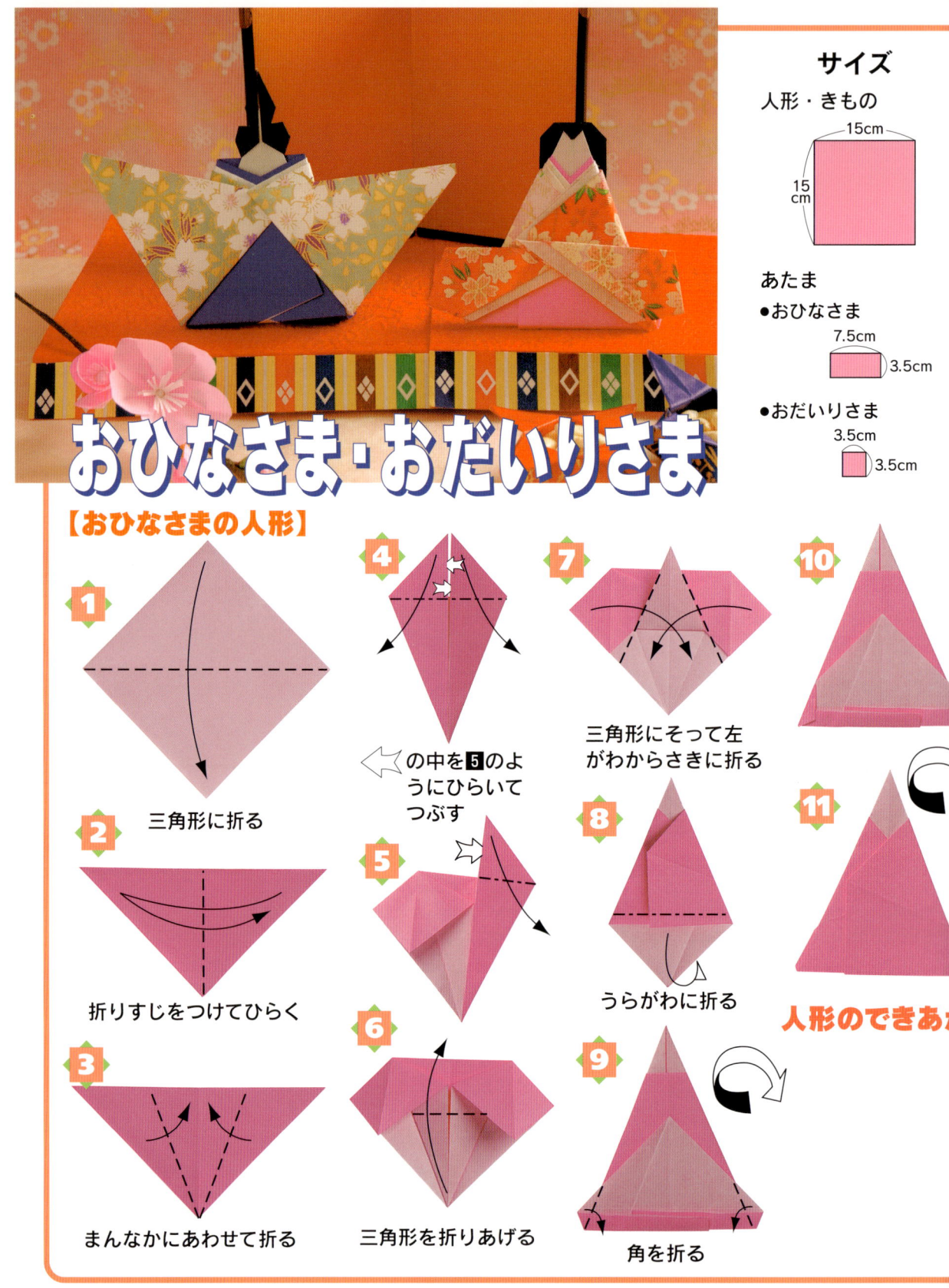

【きもの】

1

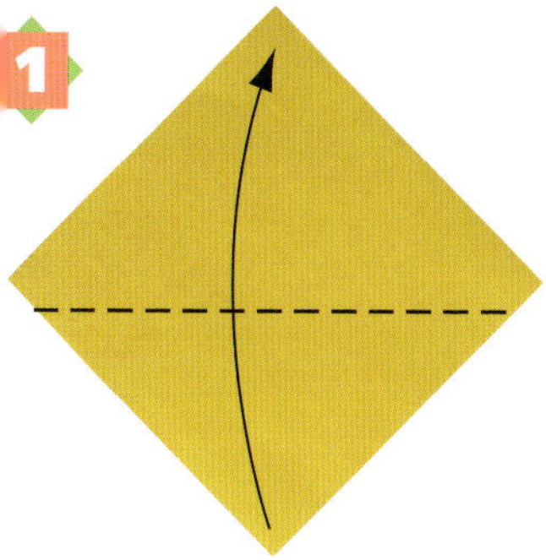

少しずらして
三角形を折りあげる

2

3

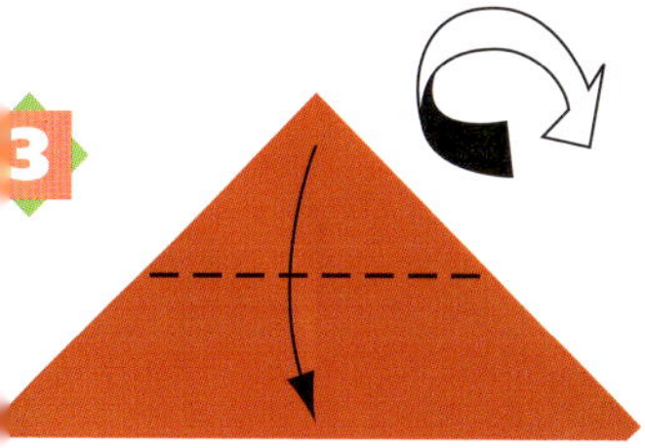

半分に折りさげる

4

いちどひらいて
★の三角形だけ折る

5

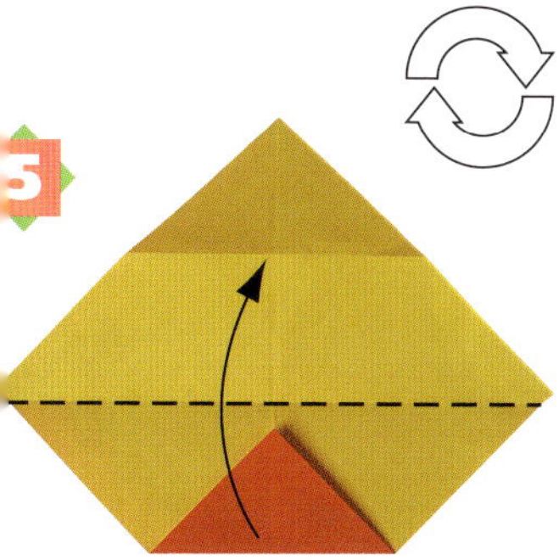

折りあげる

6

7

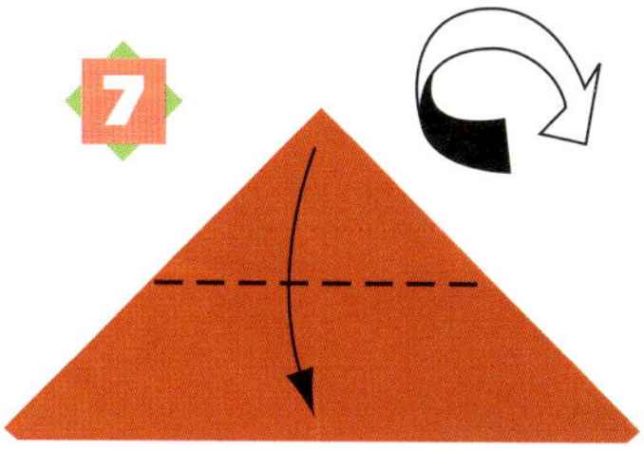

半分に折りさげる

8

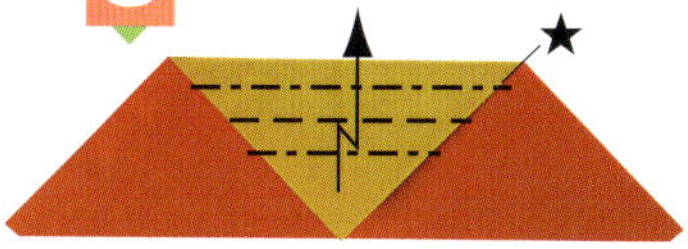

まず★の線を山おりして三
角形を上にずらすようにし、
そのあと段折りをする

9

きもののできあがり

【あたま】

1

折りすじを
つけてひらく

2

２つの角を折る

3

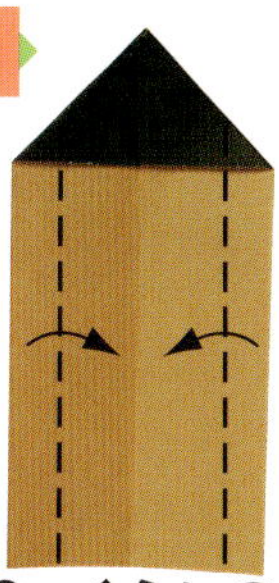

6㎜くらいの
はばで折る

4

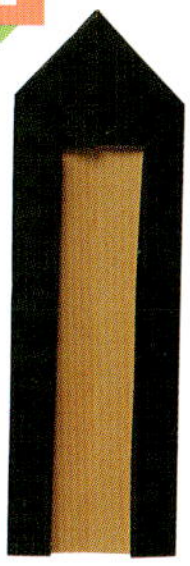

あたまのできあがり

【組みあわせ】

1

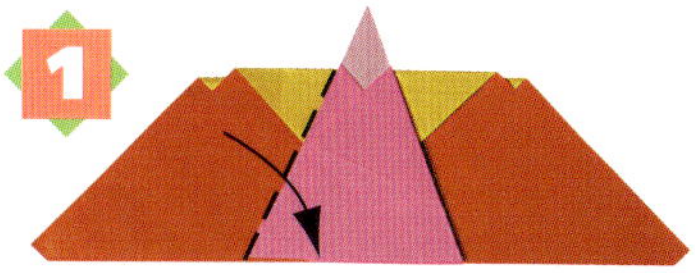

きものの中に人形をおき、
人形にあわせて左がわを折る

2

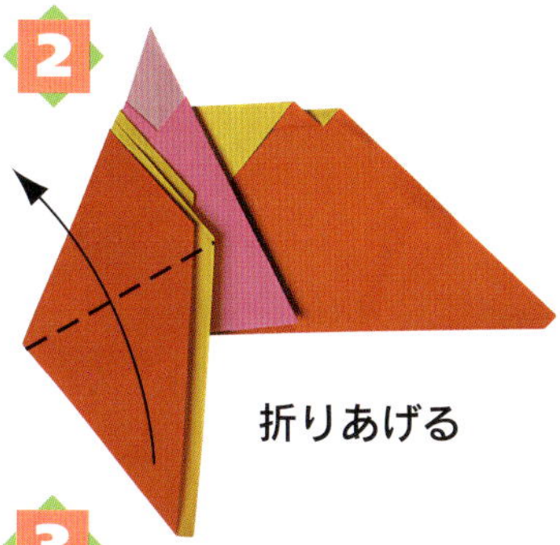

折りあげる

3

はしがあうように折りさげる

4

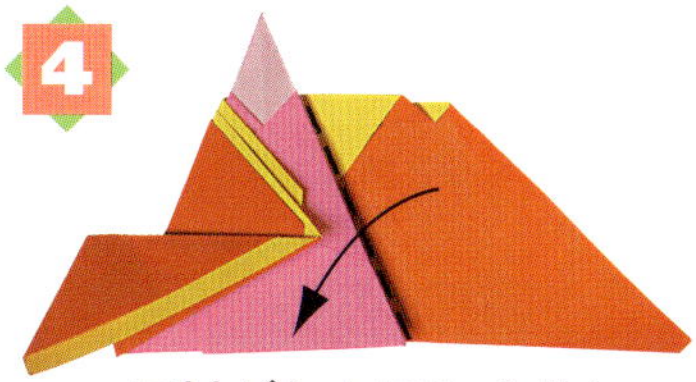

反対がわも同じように
折っていく

おひなさま・おだいりさま

5

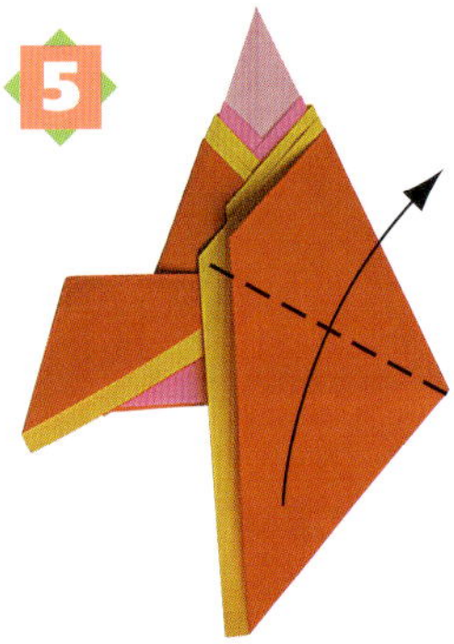

6

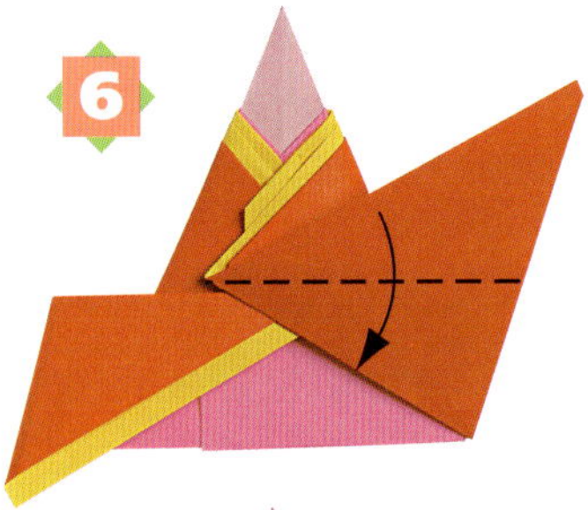

7

8

2つの角を折りあげる

9

10

11

あたまの角と人形の角を
あわせて折る

12

おひなさまのできあがり

【おだいりさまの人形】

1

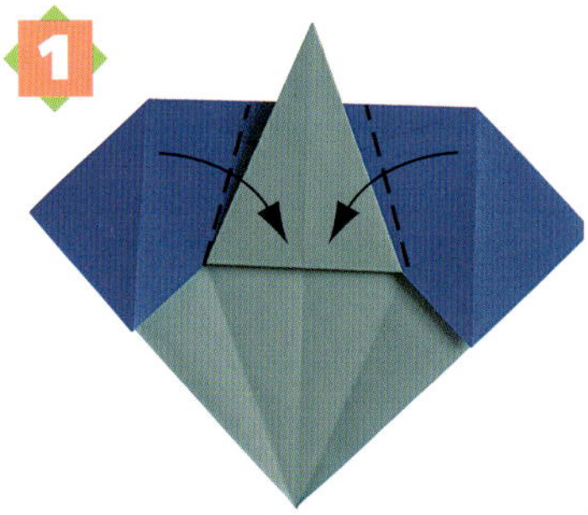

おひなさまの7からはじめる。
三角形にそわせず、少しはな
して左がわから折る

2

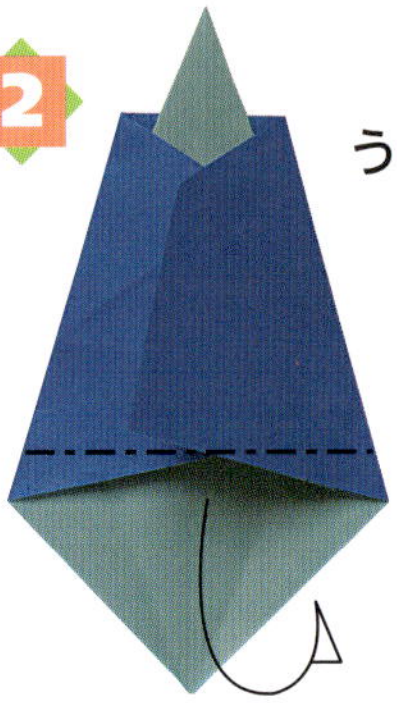

うらがわに折る

3

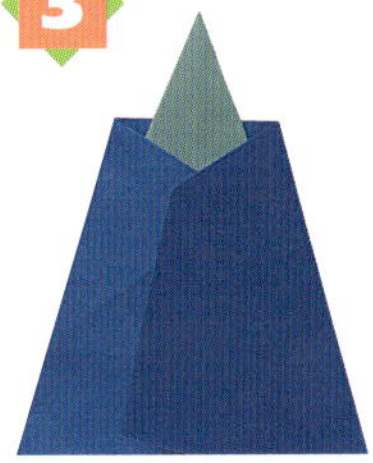

人形のできあがり

【きもの】

1

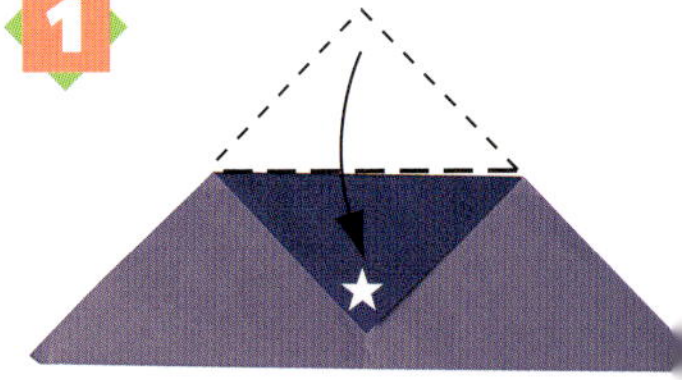

おひなさまのきもの7を、
★が下の線につかないように
折り下げてできあがり

【あたま】

1

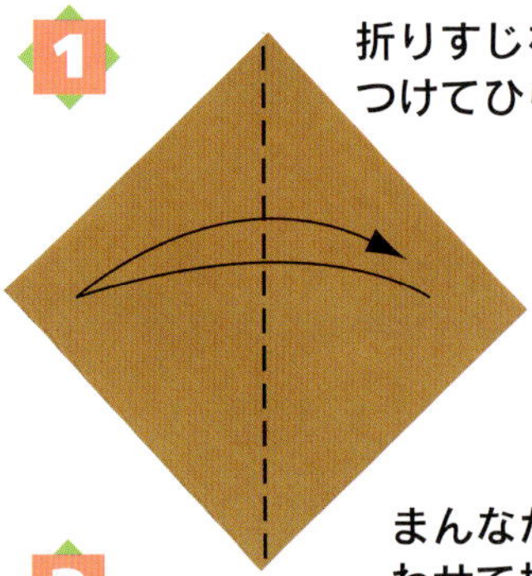

折りすじを
つけてひらく

2

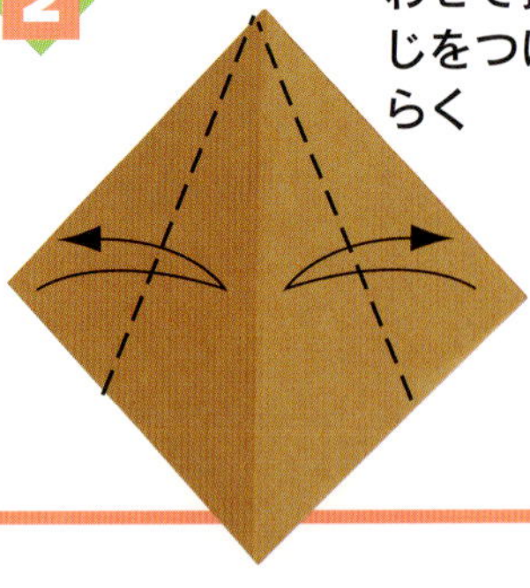

まんなかに
わせて折り
じをつけて
らく

3

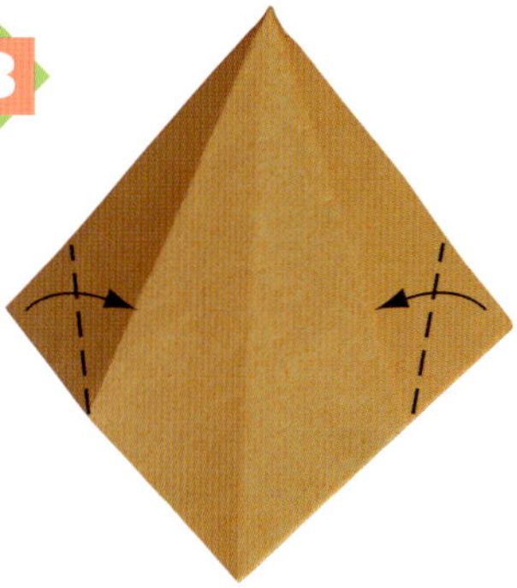

折りすじにあわせて折る

4

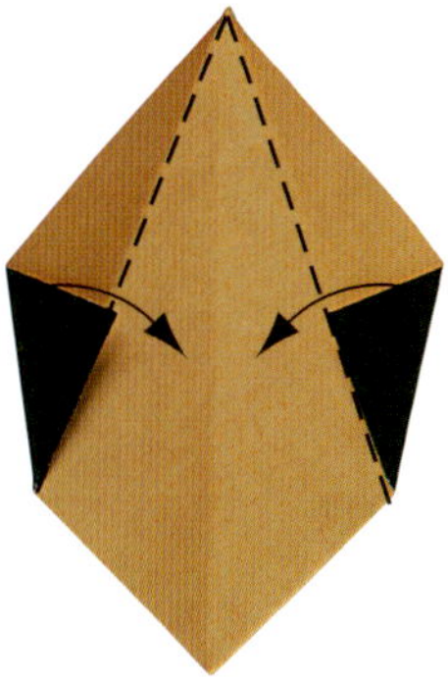

まんなかにあわせて折る

5

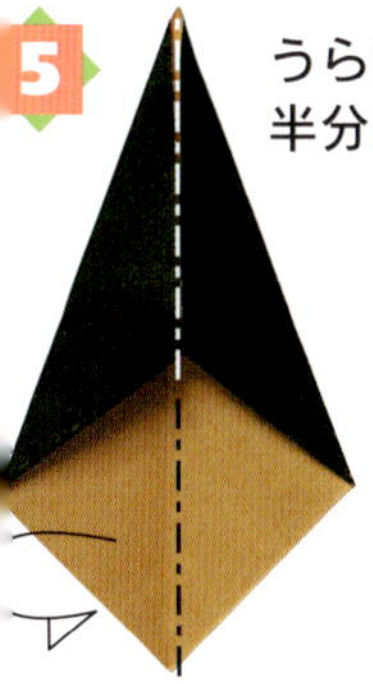

うらがわに半分に折る

6

約半分のところできりこみを入れて、うらがえす

7

きりこみを入れた2カ所を折る

8

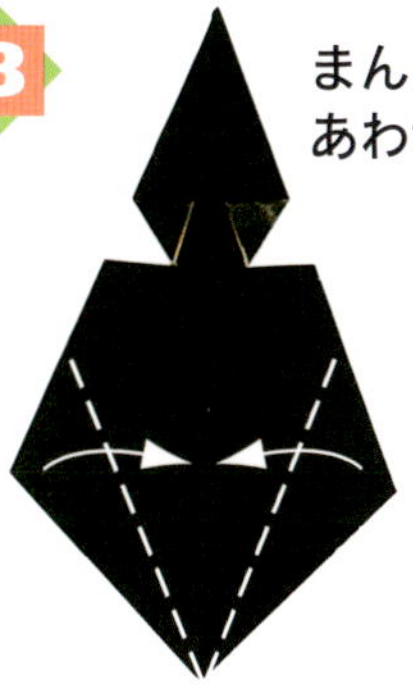

まんなかにあわせて折る

9

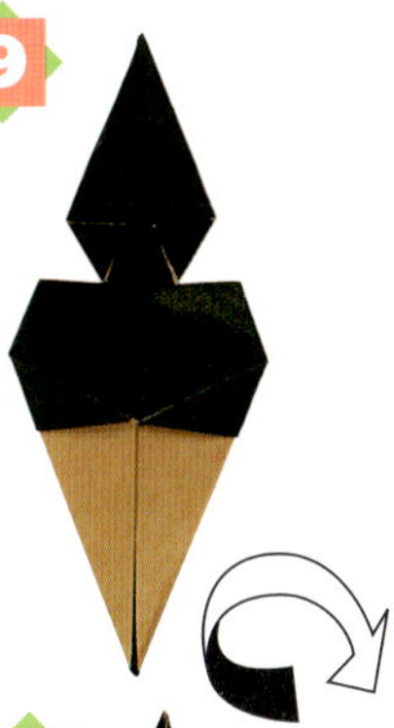

10

あたまのできあがり

【組みあわせ】

1

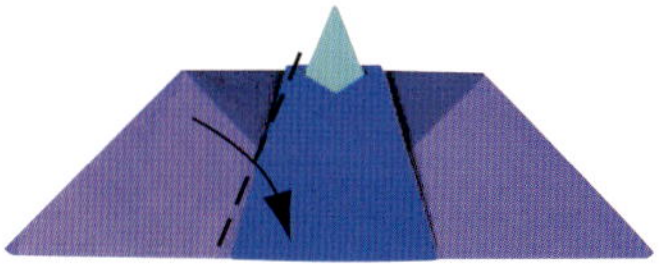

きものの中に人形をおき、人形にあわせて左がわを折る

2

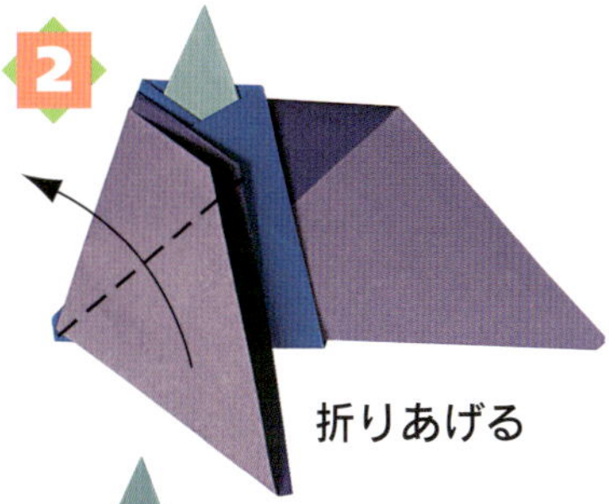

折りあげる

3

反対がわも同じように折っていく

4

5

6

人形の角をあたまにさしこむ

7

おだいりさまのできあがり

桜《さくら》の紋《もん》切《き》り

1

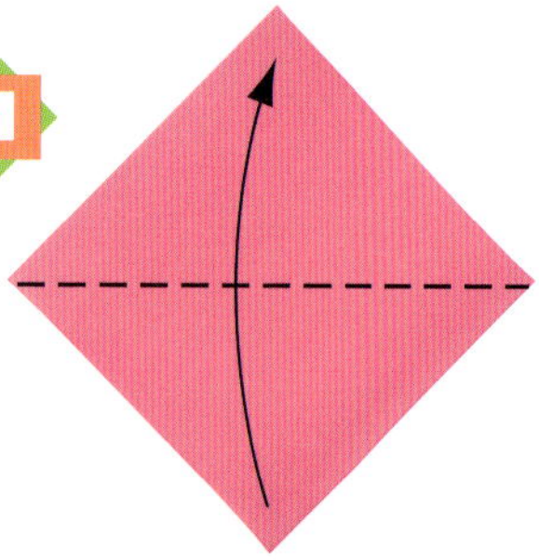

三角形に折る

2

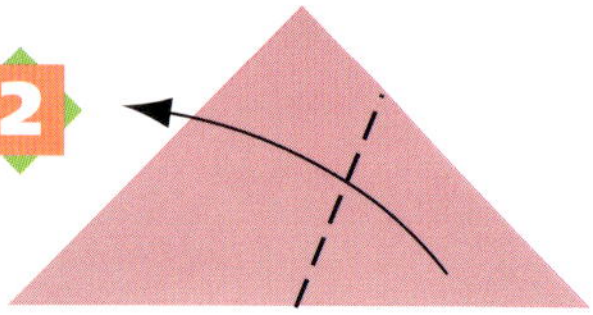

159ページの折り線Aにあわせて右がわを折る

まず折り型の説明を読んでね

3

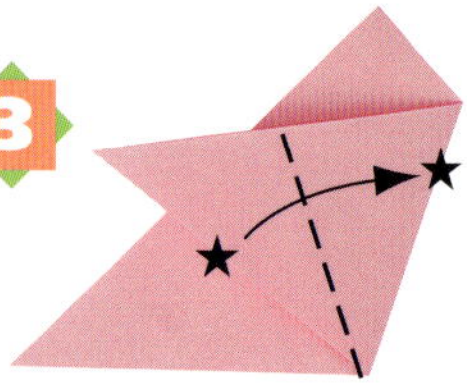

★の線があうように折る

4

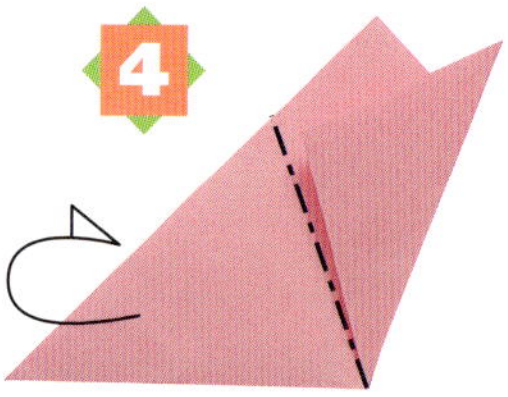

うらがわに折ってから、うらがえす

5

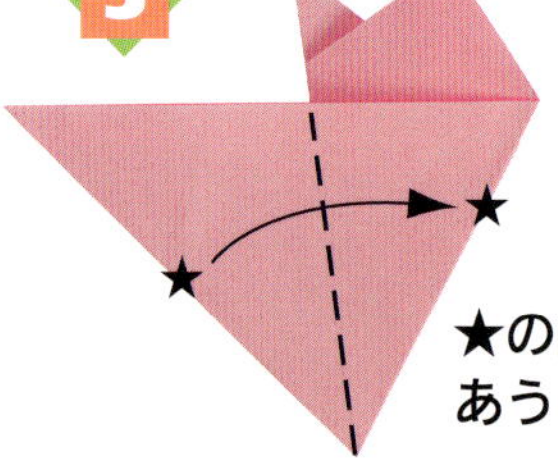

★の線があうように折る

6

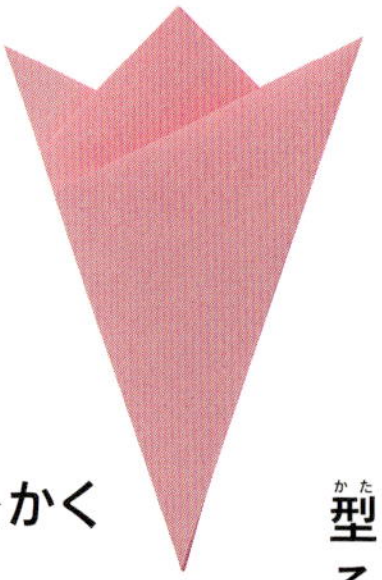

型《かた》をかく

7

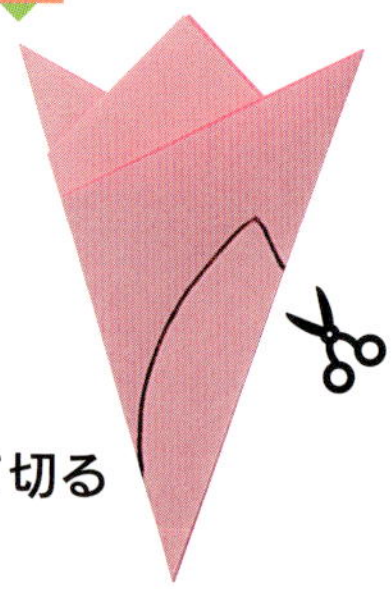

型《かた》にそって切る

8

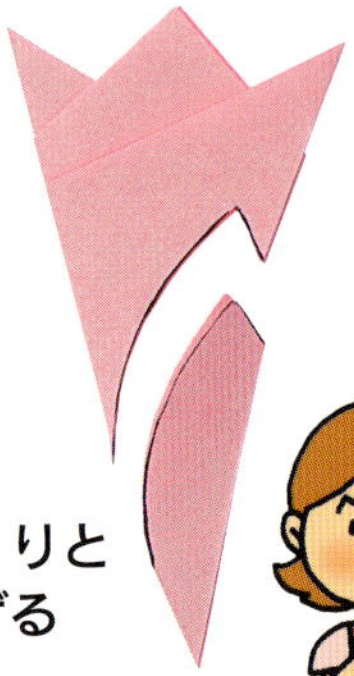

ゆっくりとひろげる

あわててひろげるとちぎれてしまうので、気をつけて！

9

桜《さくら》の紋《もん》切《き》りのできあがり

※桜の型（15㎝×15㎝用）コピーして型をつくると、6でかんたんにかくことができます

つのこう

8ページの正方基本形の折りかたで正方形まで折ってね

正方基本形からスタート

1

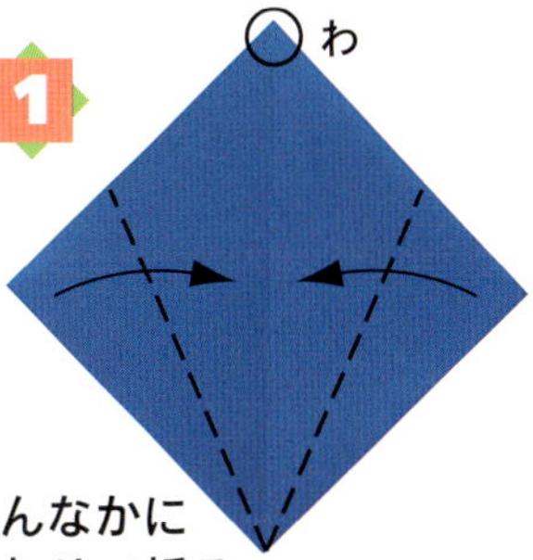

まんなかにあわせて折る

2

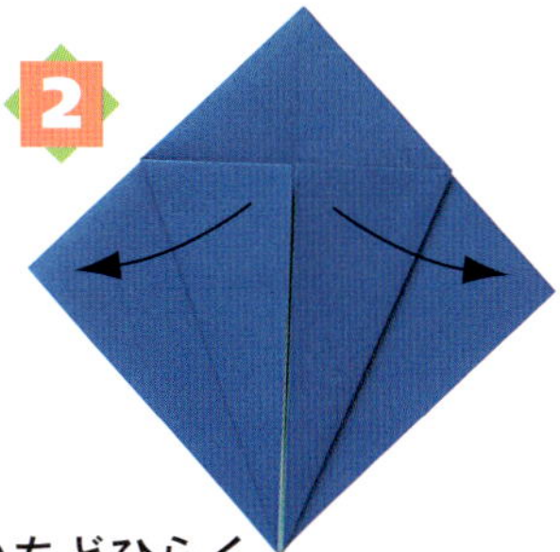

いちどひらく

3

をひらいてつぶす

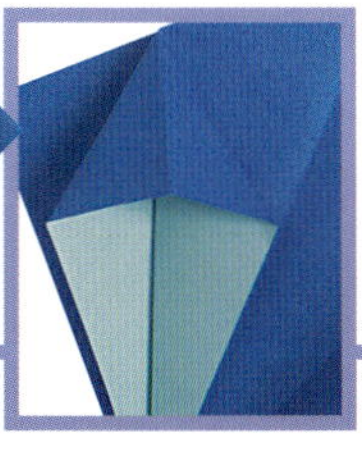

4

うらもおなじように折る

5

1枚めくる。うらもおなじようにめくる

6

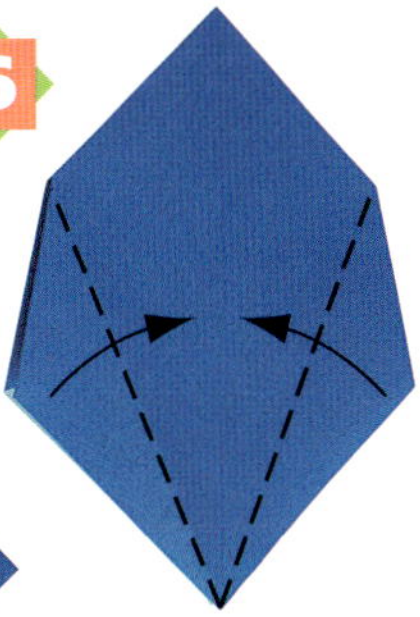

まんなかにあわせて折る

7

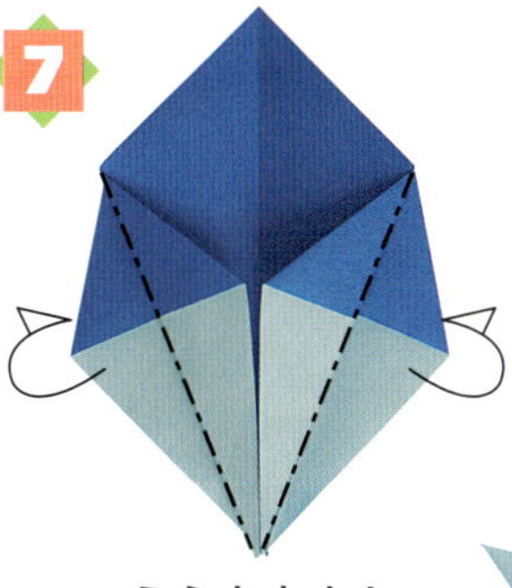

うらもおなじように折る

8

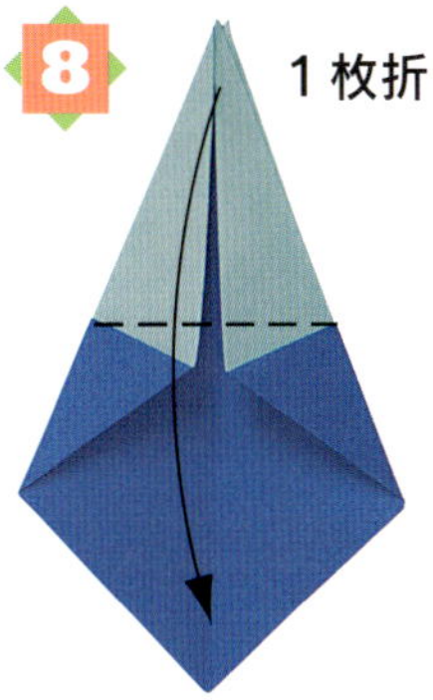

1枚折りさげる

9

めくってのこり3カ所も8とおなじように折る

10

★を持ってひろげ、中のかたちをととのえる

11

つのこうのできあがり

おかし入れ

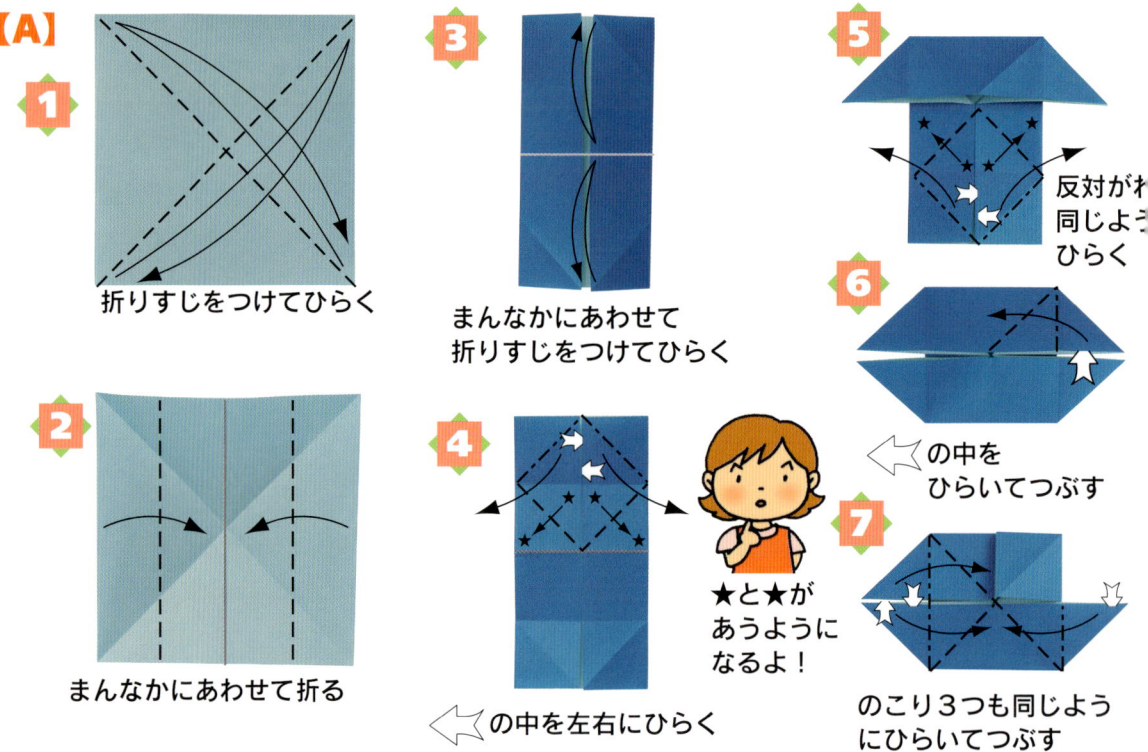

【A】

1

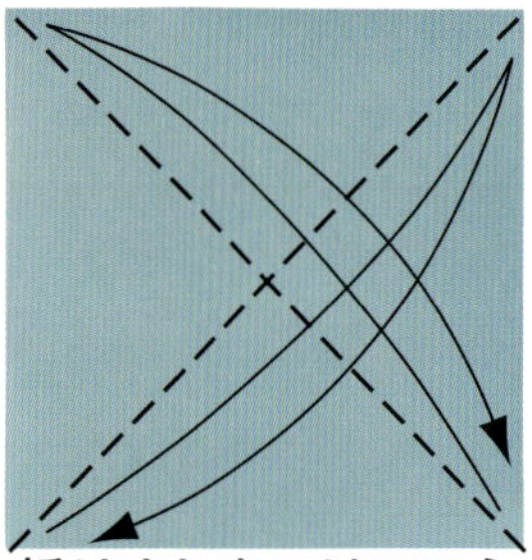

折りすじをつけてひらく

2

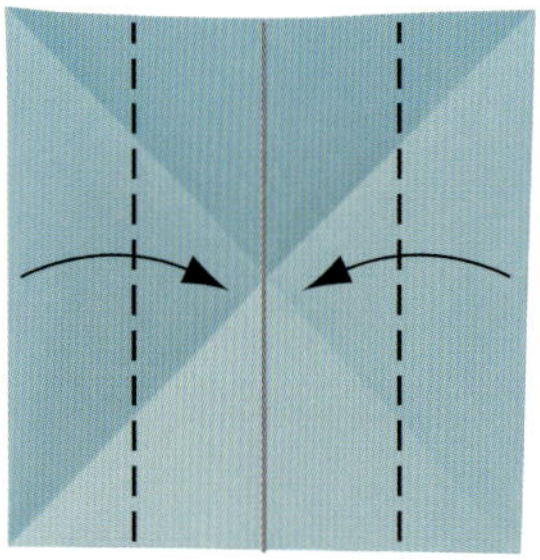

まんなかにあわせて折る

3

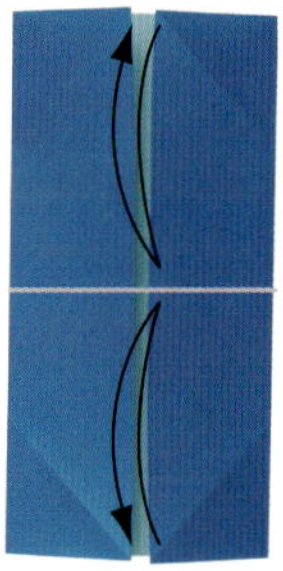

まんなかにあわせて
折りすじをつけてひらく

4

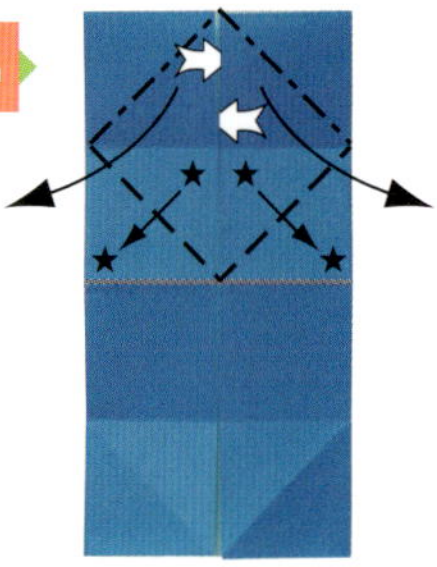

の中を左右にひらく

★と★が
あうように
なるよ！

5

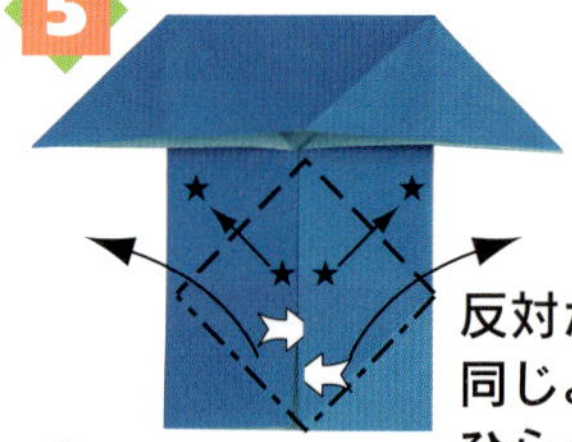

反対が
同じよう
ひらく

6

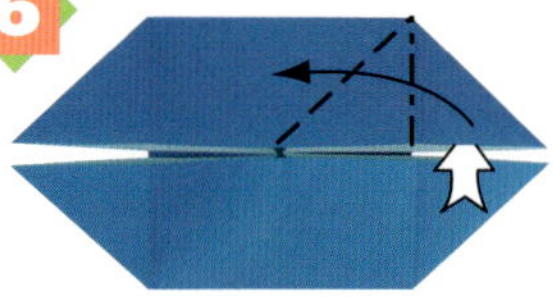

の中を
ひらいてつぶす

7

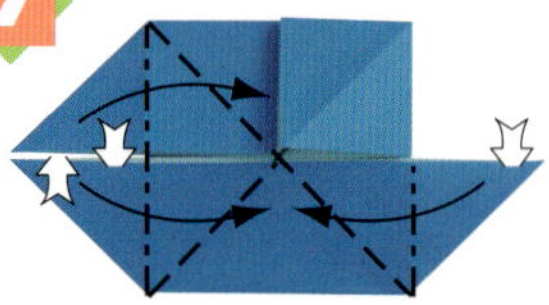

のこり３つも同じよう
にひらいてつぶす

8

８つともまんなかに
あわせて折る

9

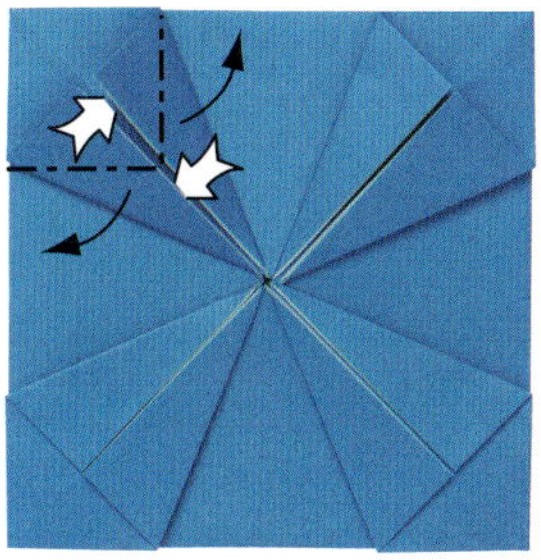

の中をひらいてつぶす

10

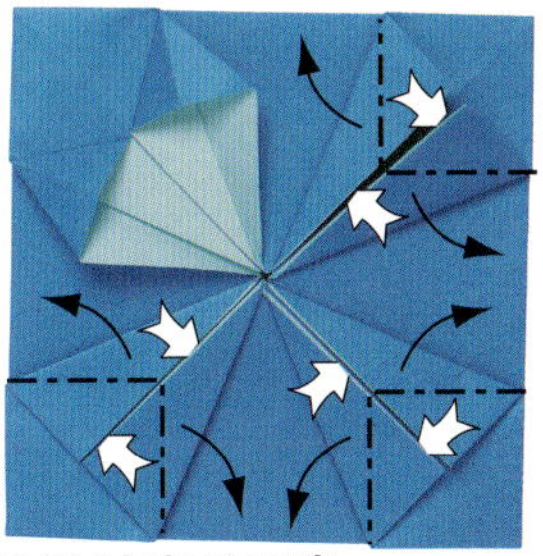

のこりすべてを
同じようにひらいてつぶす

11

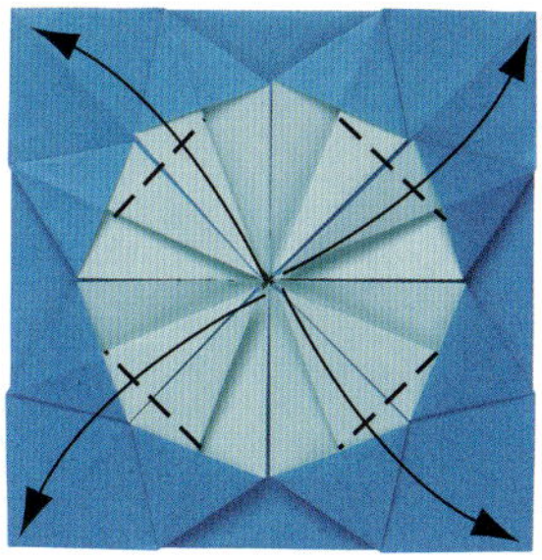

４つの角を折る

12

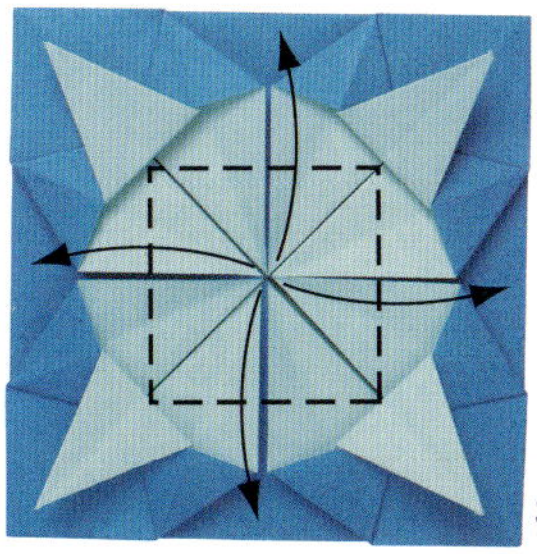

４つの角を
折る

13

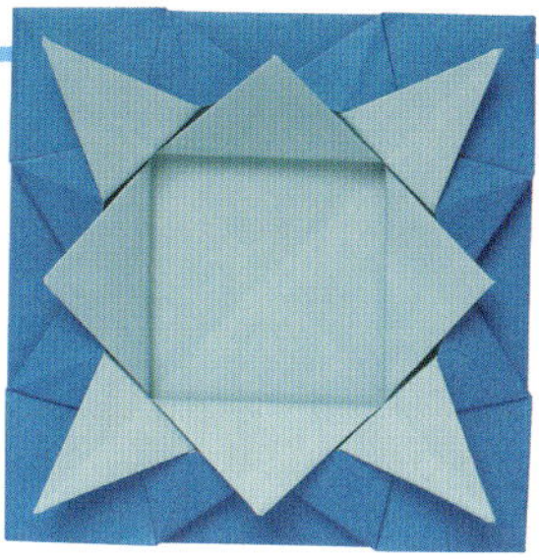

立体にする

14

四角にそって、底に
つめですじをつける

15

角の部分に指をいれ、外
がわからたてにつまむよ
うにしてかたちをつくる

16

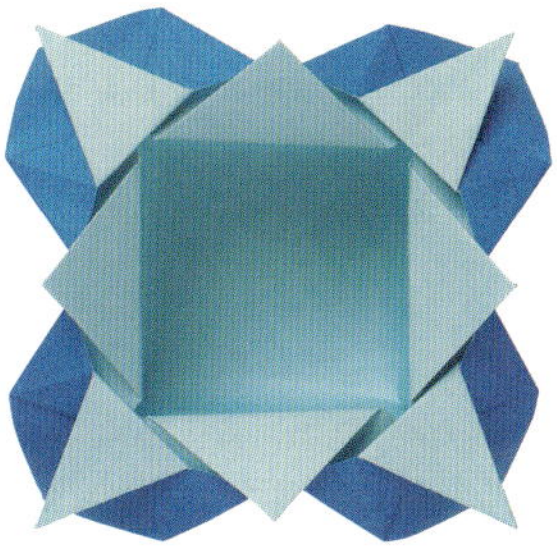

**おかし入れAの
できあがり**

【B】 Aの8からスタート

1

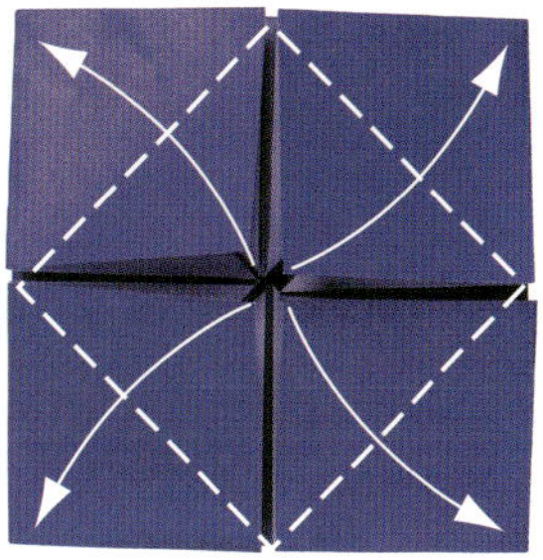

４つの角を折る

2

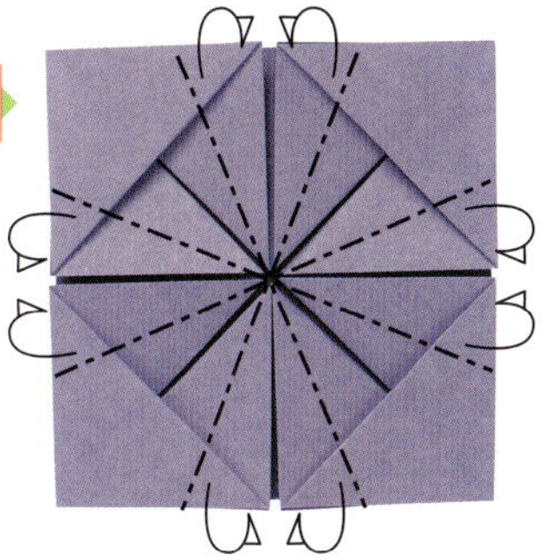

折り線にそって８つの角を
うらがわに折る

3

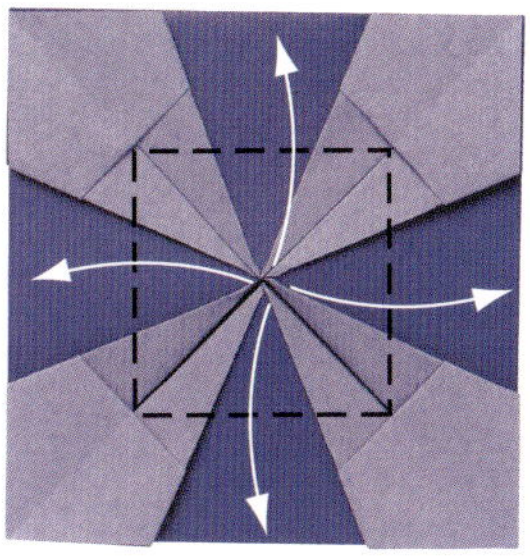

４つの角を折る

4

立体にする

Aの14・15の
ようにしてね

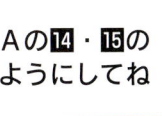

いちご

1

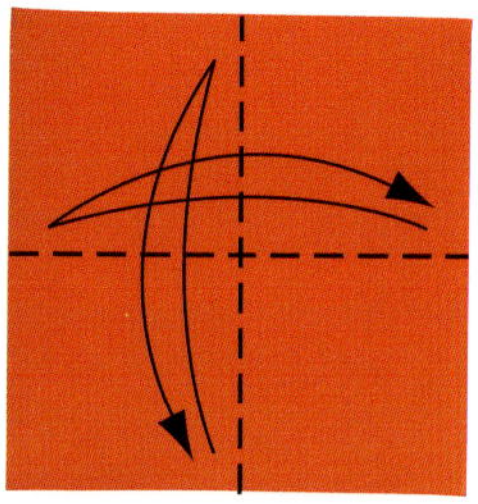

折りすじをつけてひらく

2

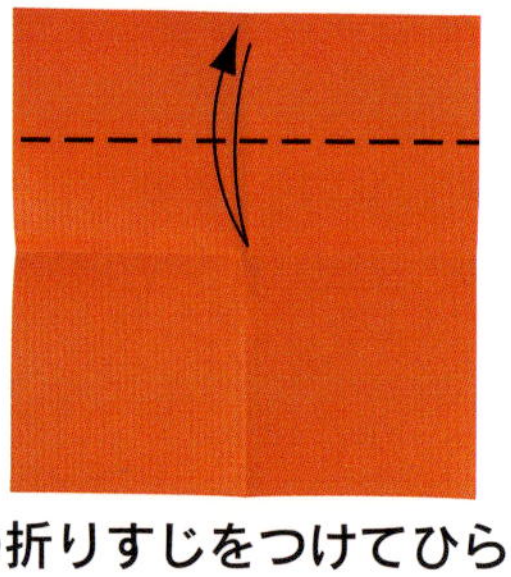

半分の折りすじをつけてひらく

3

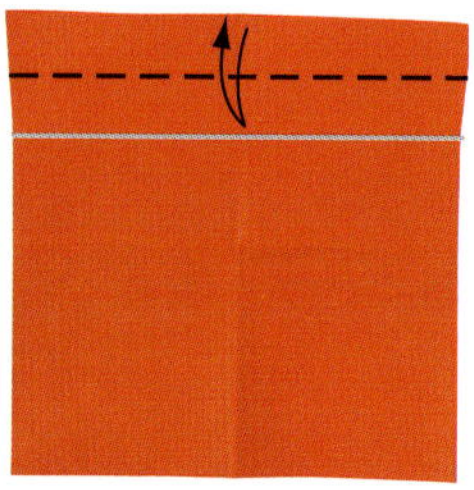

さらに半分の折りすじを
つけてひらく

4

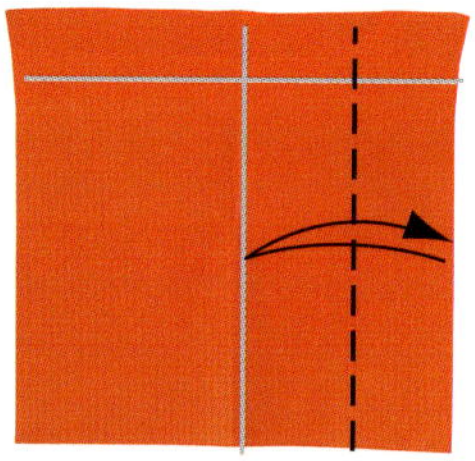

たてにもおなじように
折りすじをつけていく

5

6

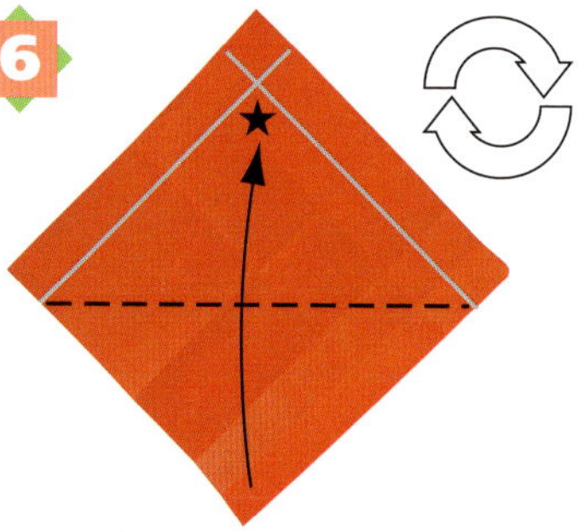

★にあわせて折る

7

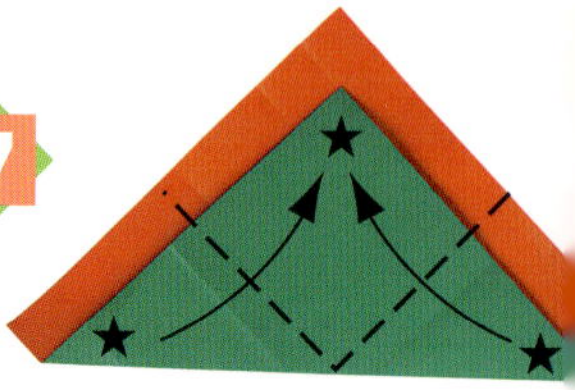

★があうように折る

8

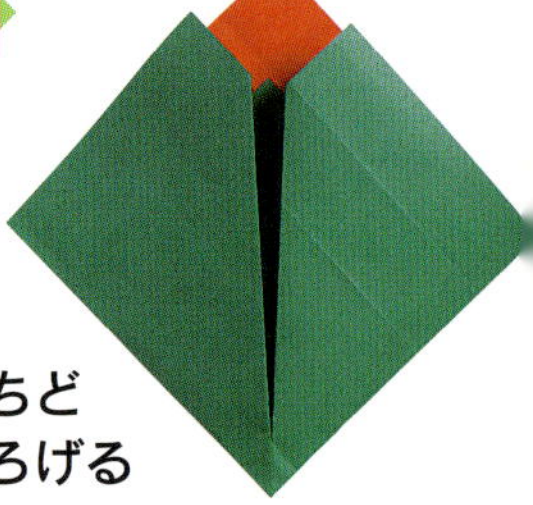

いちど
ひろげる

9

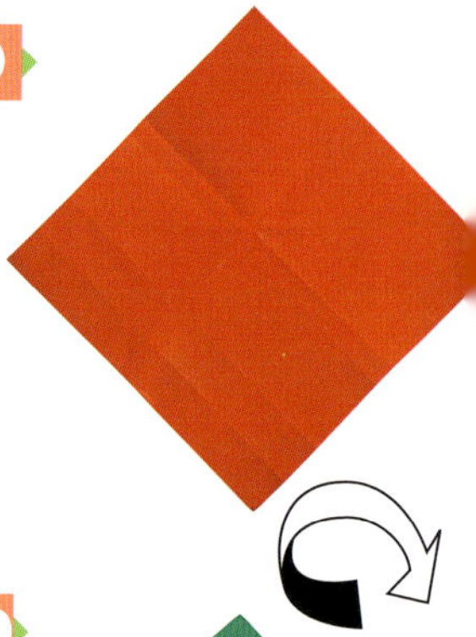

10

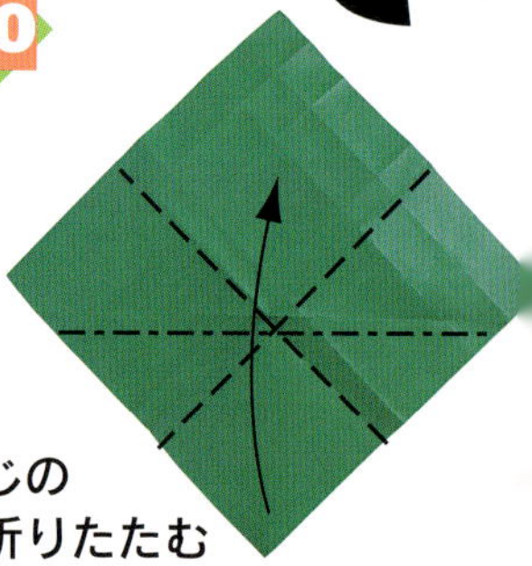

折りすじの
ように折りたたむ

11

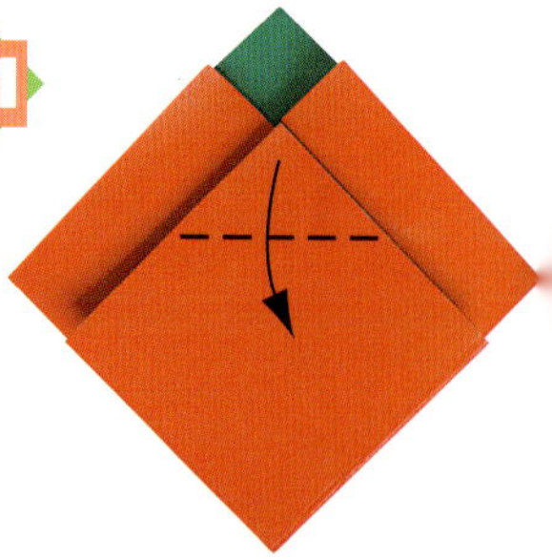

折りさげる

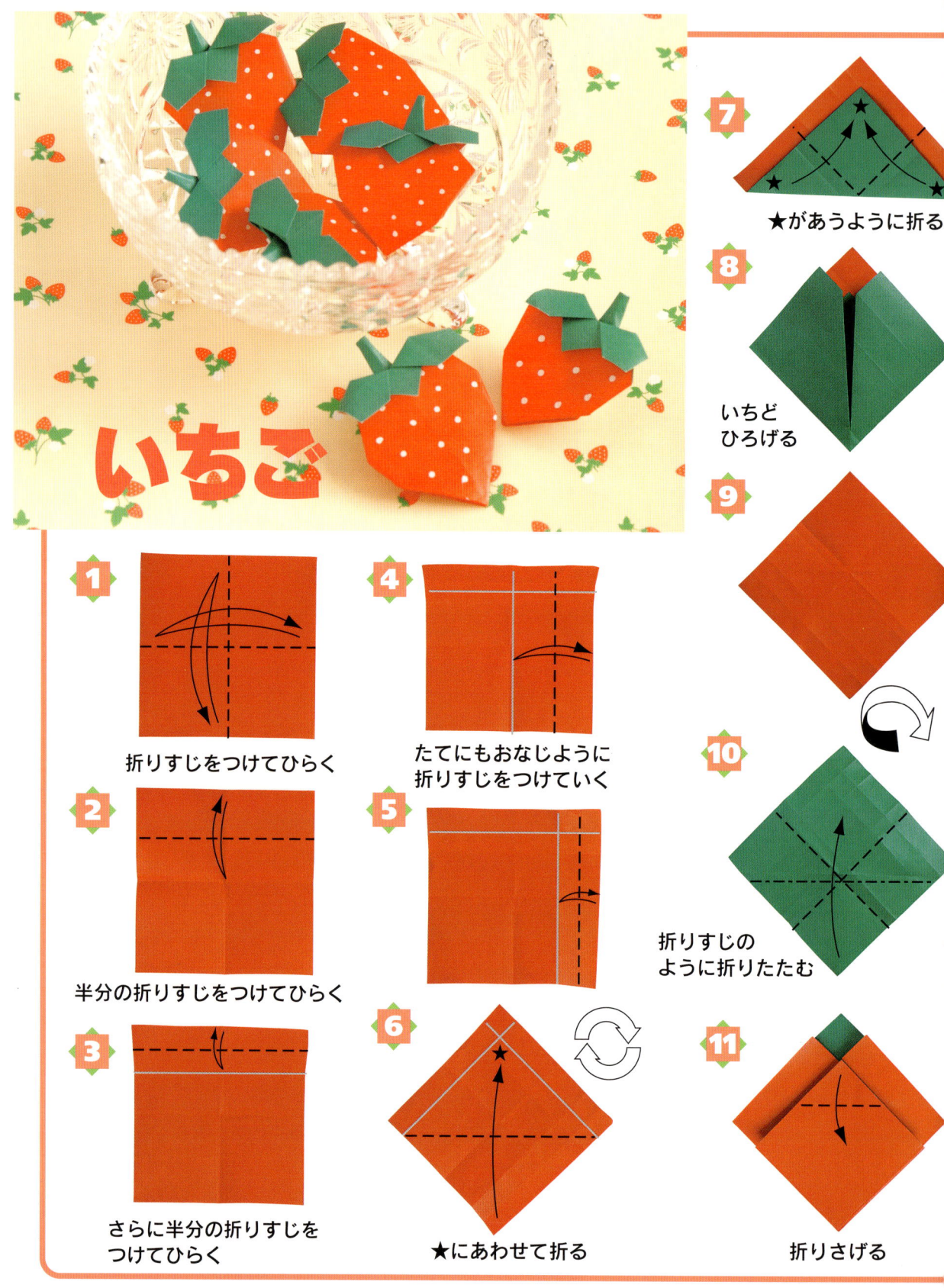

12

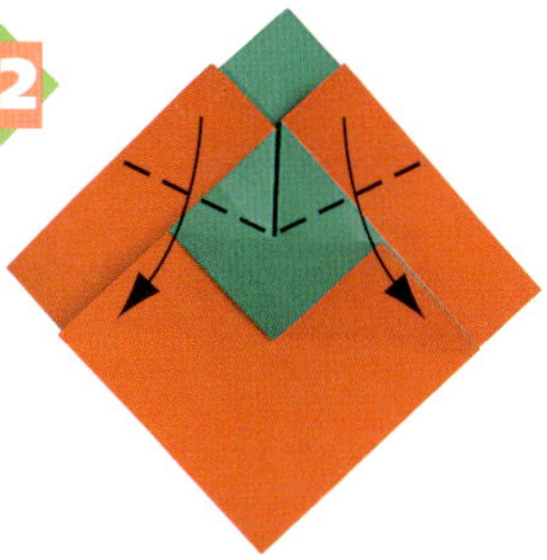

ななめに折る

13

14

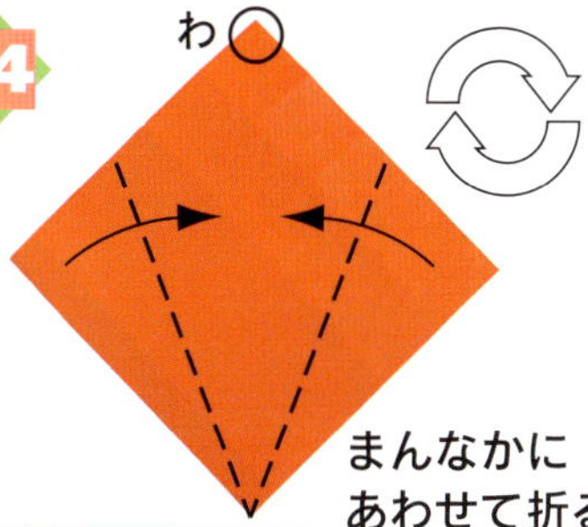

まんなかに
あわせて折る

★は折らないようにする

15

をひらいて
つぶす

16

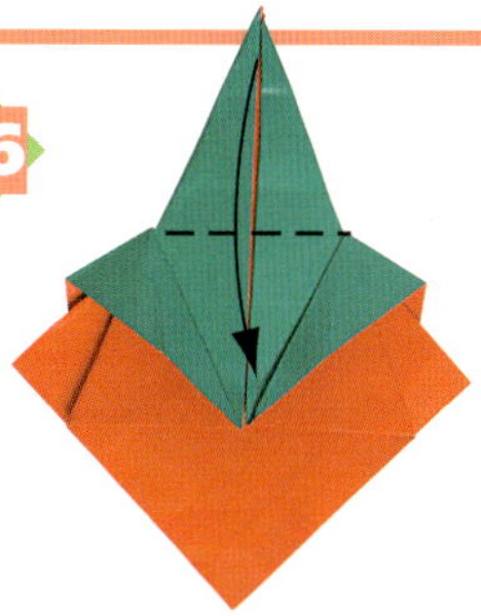

折りさげる

17

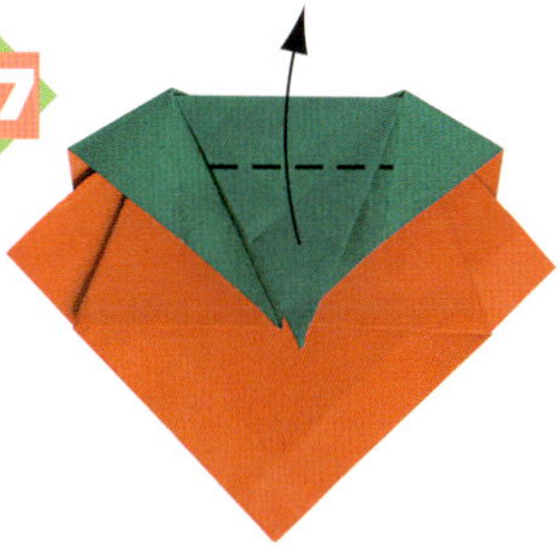

上に折る

18

もういちど折る

19

★をひらいて
つぶしながら、
へたを半分に折る

20

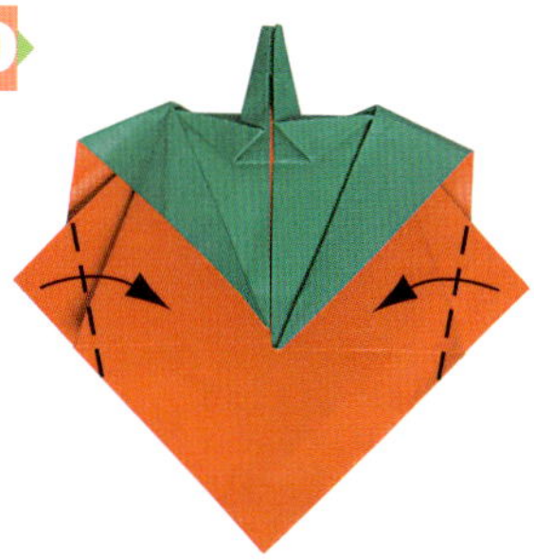

左右を折る

21

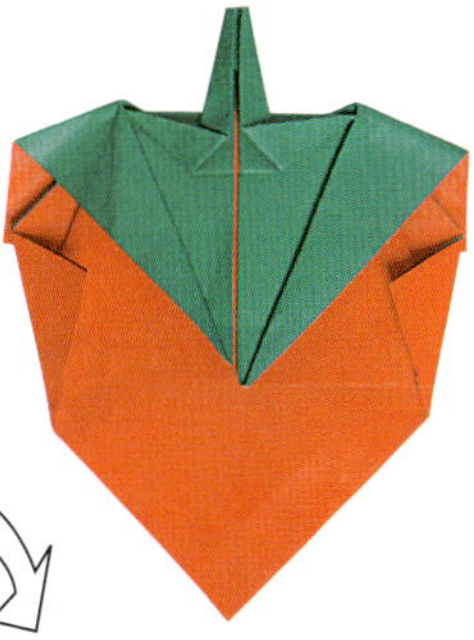

22

いちごのできあがり

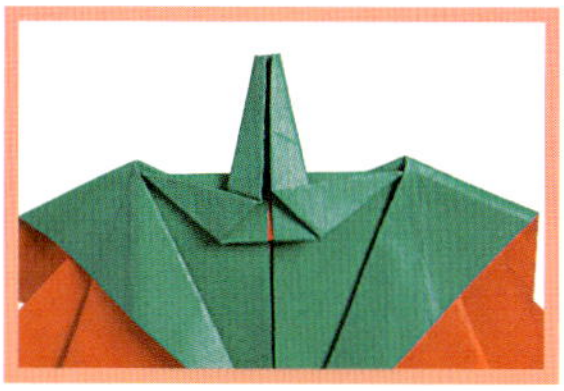

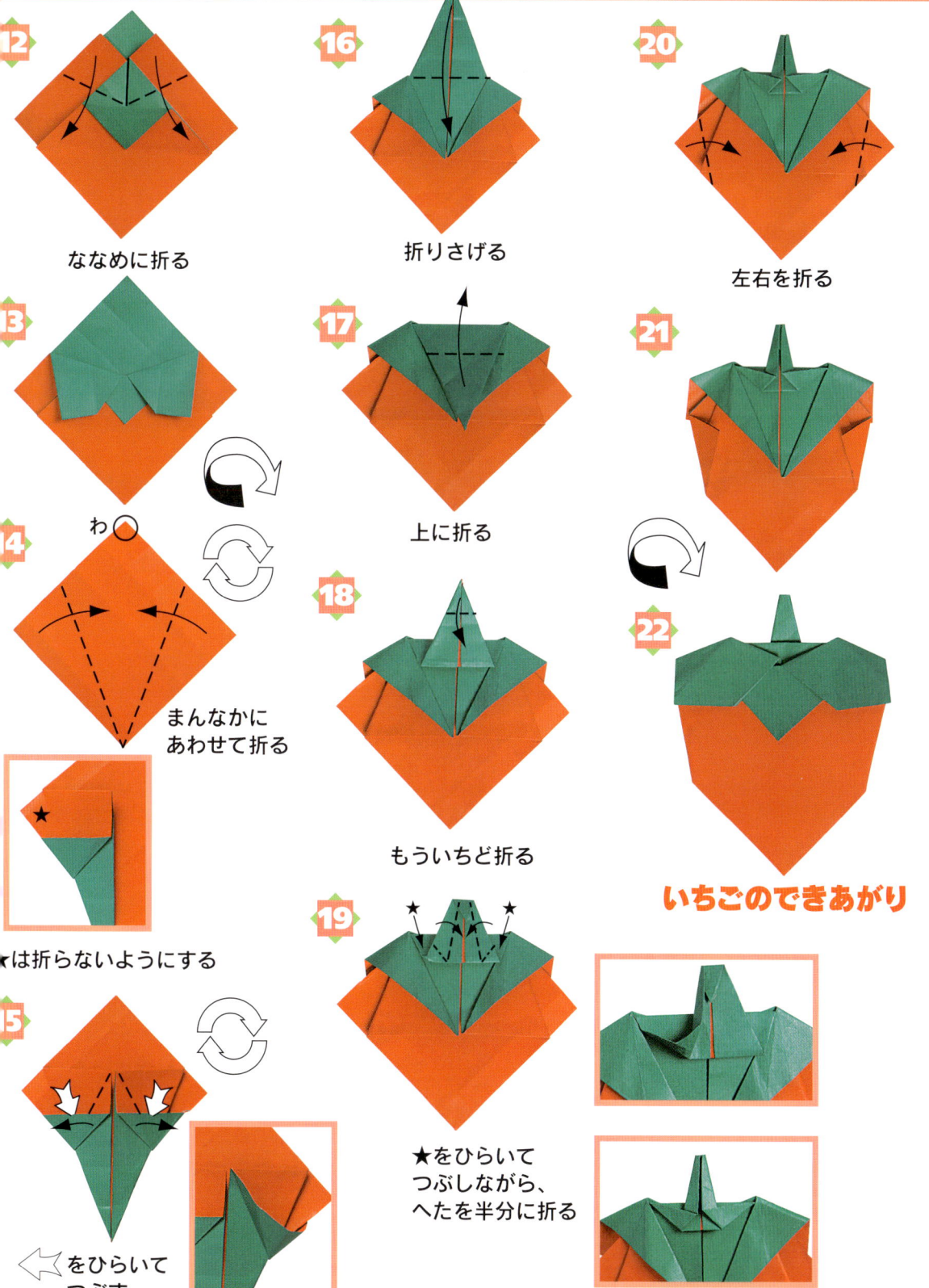

白鳥の親子

サイズ

白鳥の親

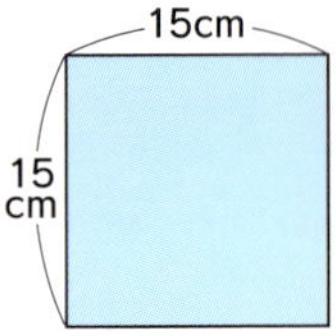

白鳥のこども

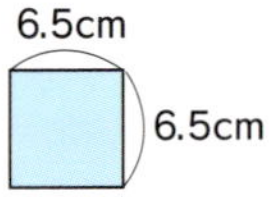

【白鳥の親】

1

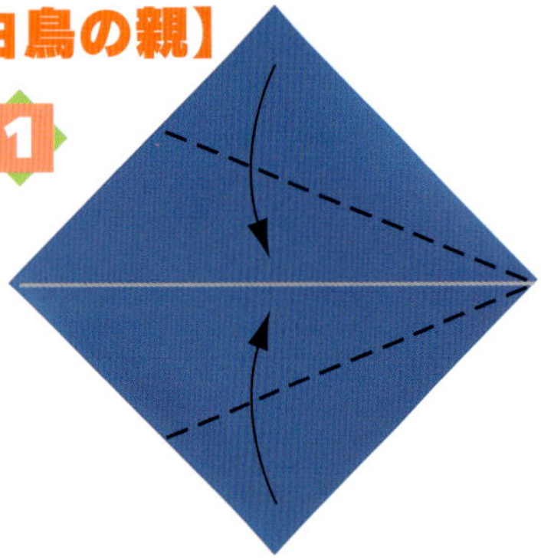

まんなかにあわせて折る

2

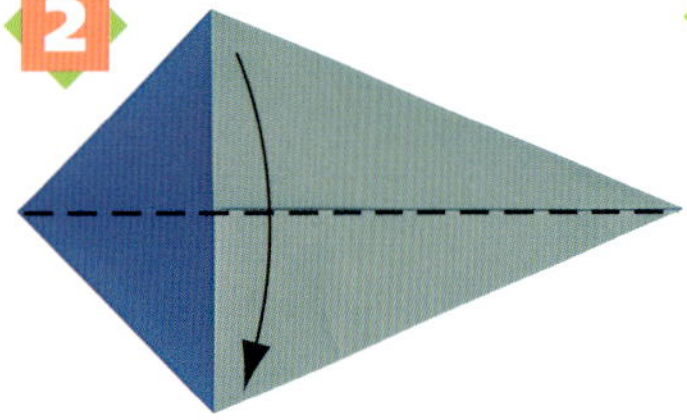

半分に折る

3

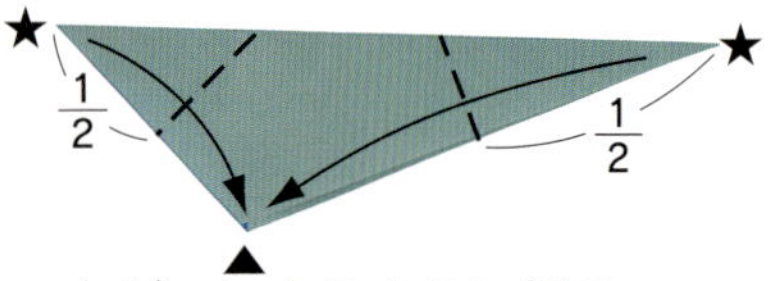

★が▲にあうように折る

4

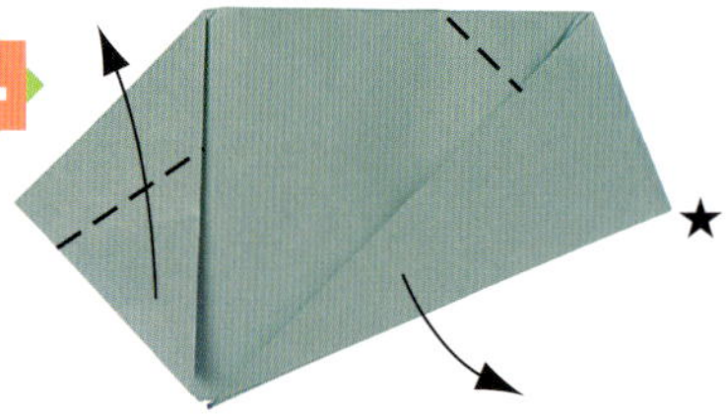

左の三角形は折り線のところで折りあげる。右の三角形は★の角をずらさないように、右下にひきさげる

5

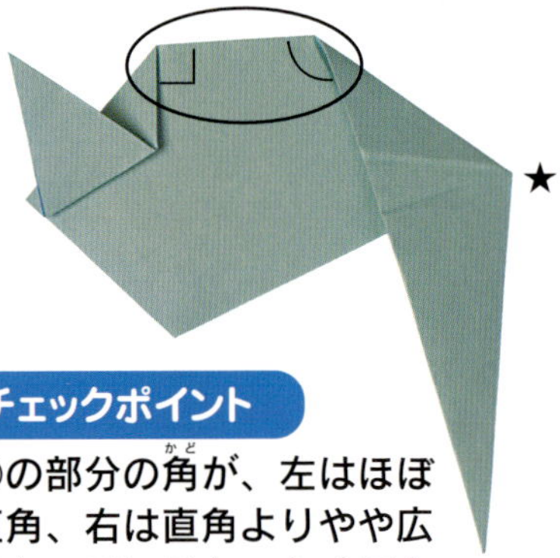

チェックポイント

○の部分の角《かど》が、左はほぼ直角、右は直角よりやや広くなっているか、かくにんしてから、いちどひらく

6

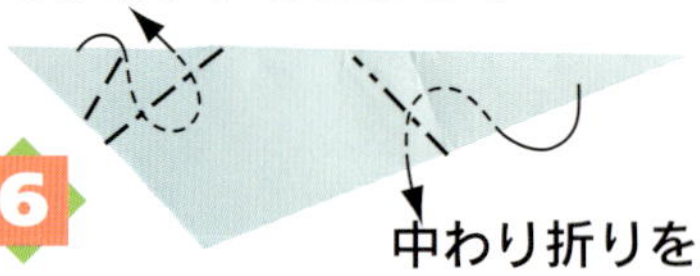

中わり折りをする

7

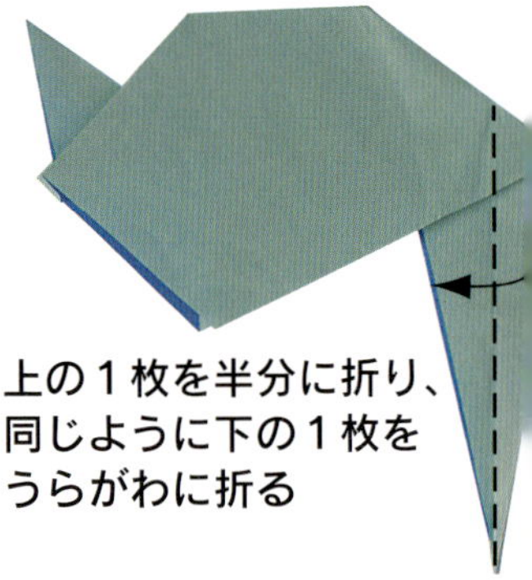

上の１枚を半分に折り、同じように下の１枚をうらがわに折る

8

⇦をひらいて上に折ってからとじる

9 中わり折りをする

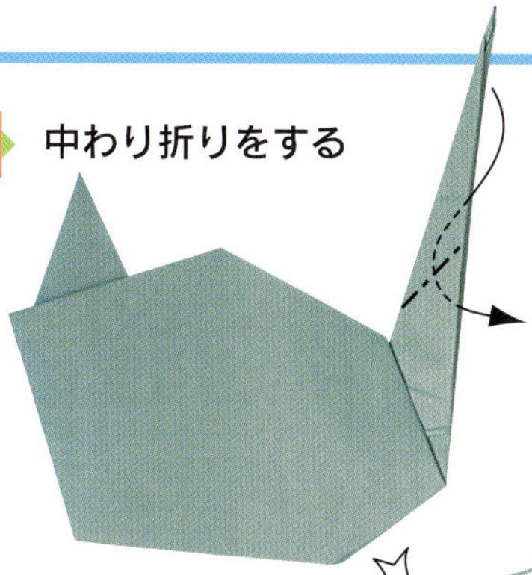

10

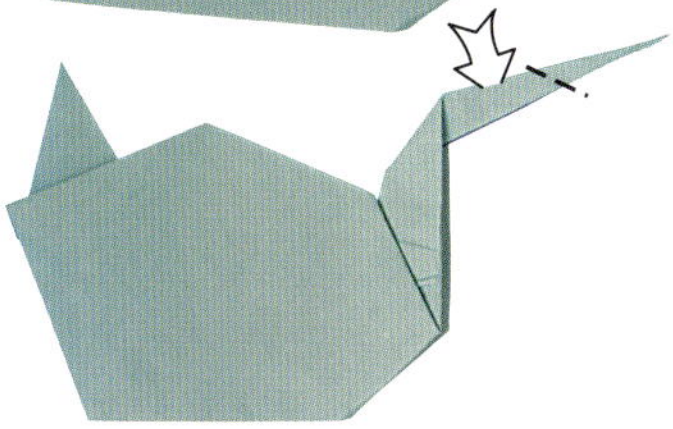

かぶせ折りをする

11

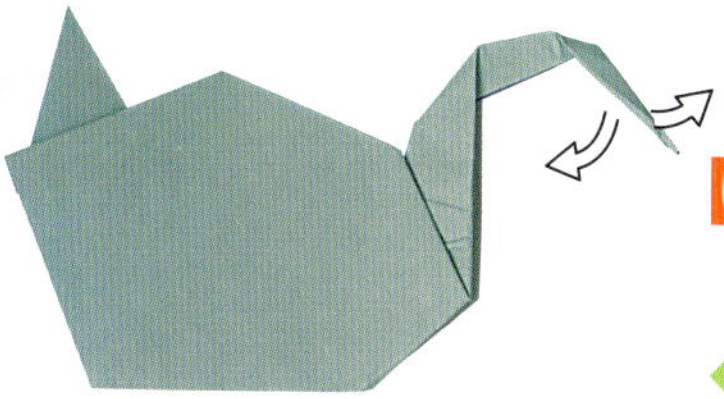

顔のうらから１枚めだけを左右にひらき、顔のはばをひろげて、もういちどかぶせ折りをととのえる

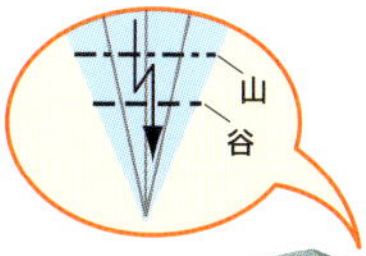

12

顔のさきをひらいて段折りでくちばしを折る

13

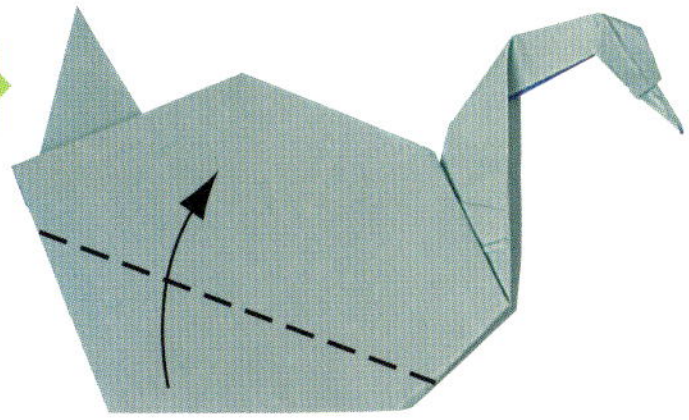

１枚だけ折りあげる

14

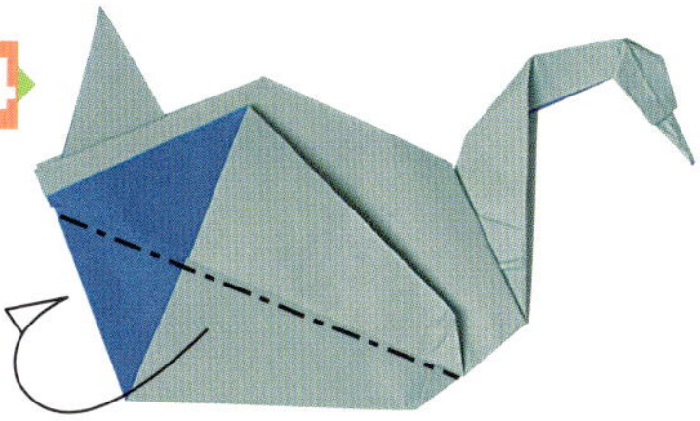

のこりの１枚もうらがわに折りあげる

15

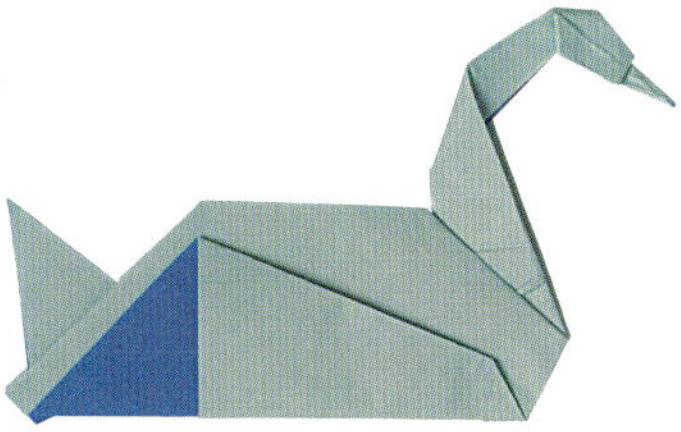

白鳥のできあがり

【白鳥のこども】

1

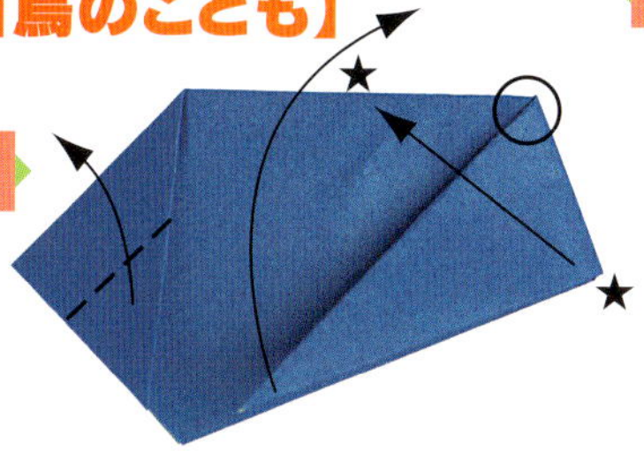

白鳥の親の❹まで同じように折る。左の三角形は、折り線のところで折りあげる。右の三角形は○の角をずらさないように、右上にひきあげる

2

左の三角形は中わり折りにする。右の三角形は⇨をひらいてかぶせ折りにする

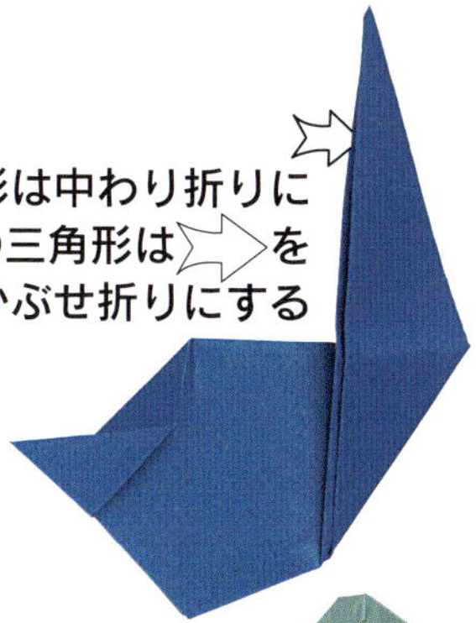

3

首を半分に折る

4

いちどひらいてから、かぶせ折りをする

5

１枚だけ上に折りあげる。くちばしのさきは指で上にそらす

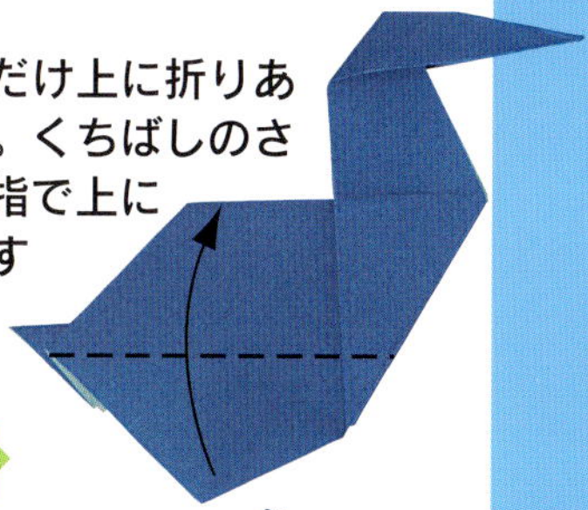

6

のこりの１枚もうらがわに折りあげる

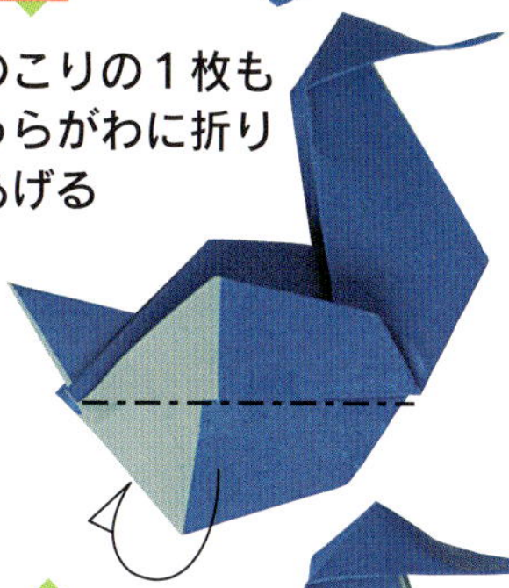

7

白鳥のこどもできあがり

親子でなかよく…

ふね・ボート

【ふね】

1

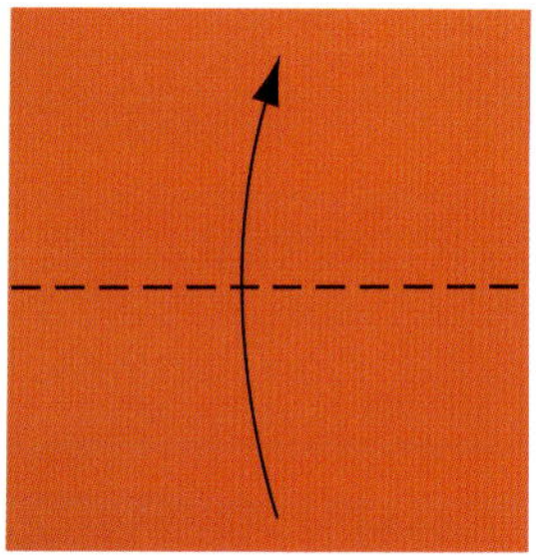

半分に折る

2

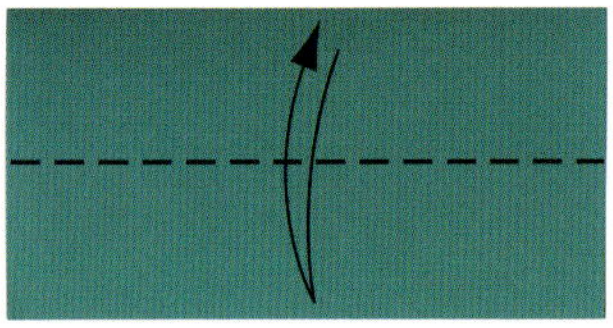

折りすじをつけてひらく

3

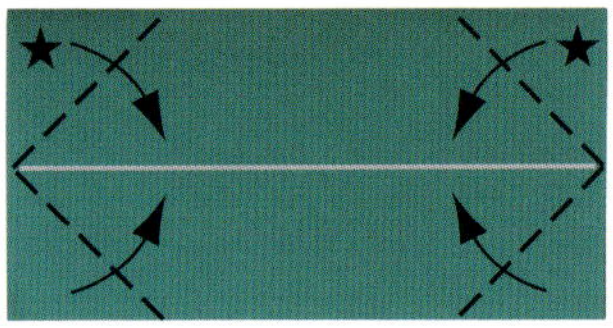

★の２つの角は、上の１枚だけを折り、下の２つの角はそのまま折る

4

下の１枚の角をうらがわに折る

5

上の１枚を折りさげる

6

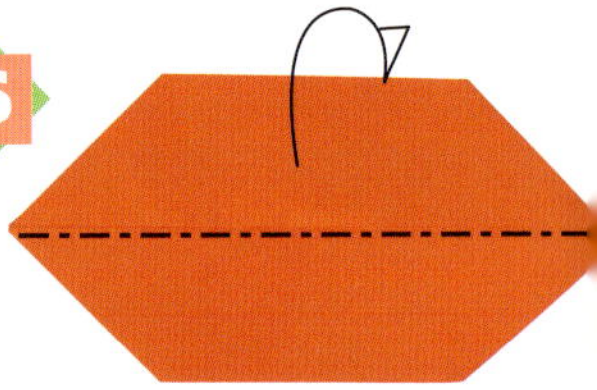

上の１枚をうらがわに折る

7

⇩の中をひらいてかたちをととのえる

8

ふねのできあがり

ボート】

1

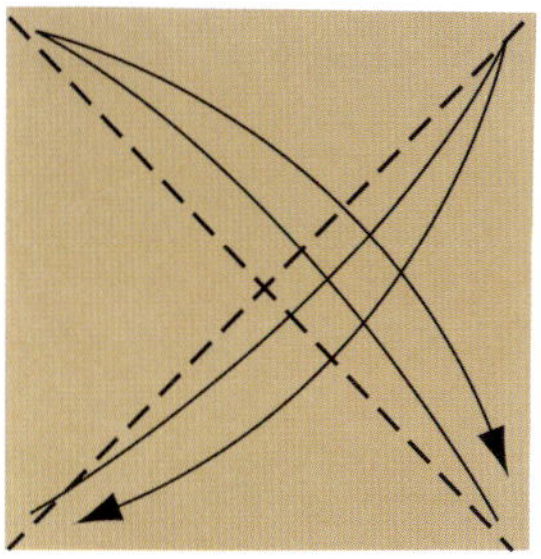

三角形の折りすじを
つけてひらく

2

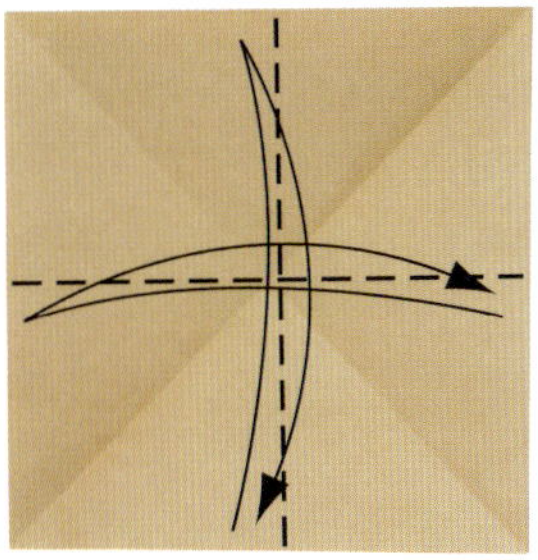

四角形の折りすじを
つけてひらく

3

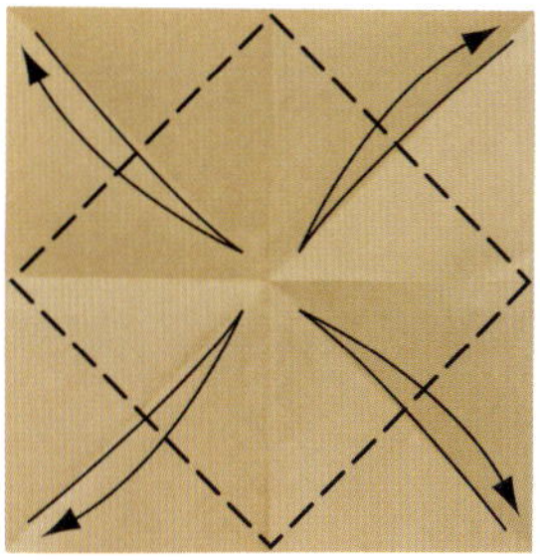

４つの角をまんなかにあわせ
て折りすじをつけてひらく

4

４つの角を折り
すじまで折る

5

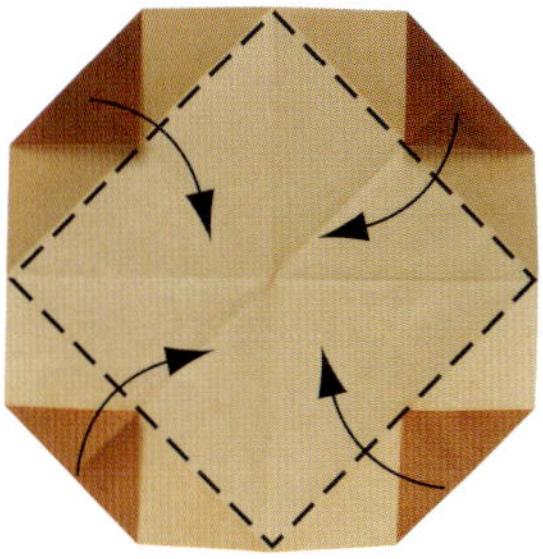

折りすじにそって折る

6

7

まんなかにあわせて折る

8

４つの角を折る

9

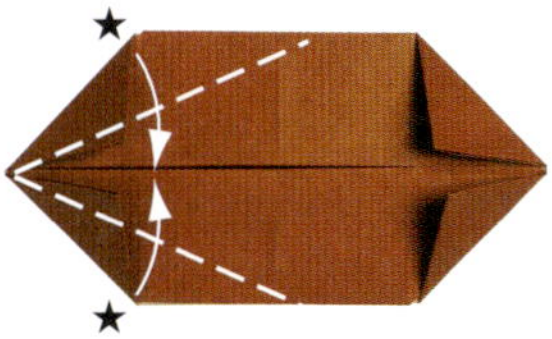

★の角がまんなかにあう
ように折る

10

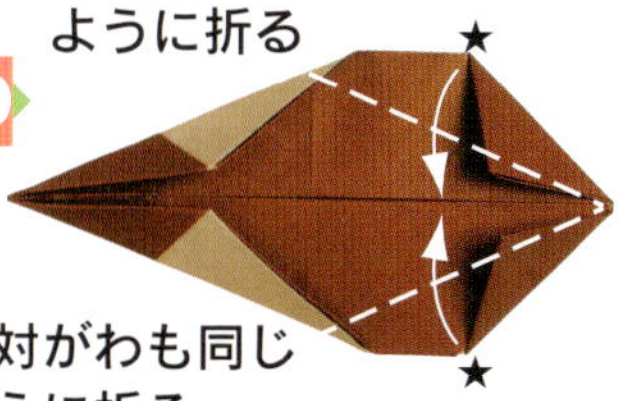

反対がわも同じ
ように折る

11

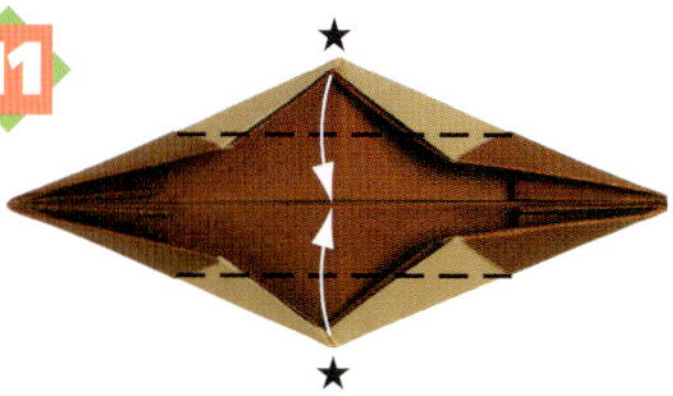

★の角がまんなかに
あうように折る

12

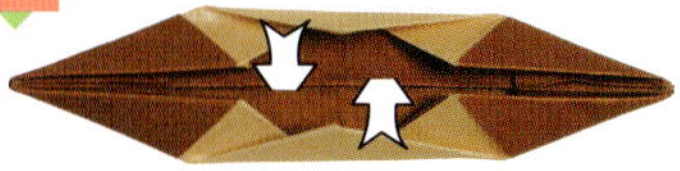

⇦の中をひらく

13

両はしを持って、
底の部分をおしあげる

14

指を下から⇨のところに
いれて、ひっくりかえす

かたほうずつひ
っくりかえすと、
うまくできるよ

15

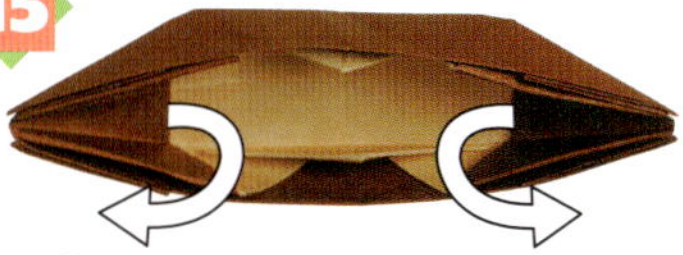

⇨のところをひきあげる

16

ボートのできあがり

紙ひこうき

サイズ

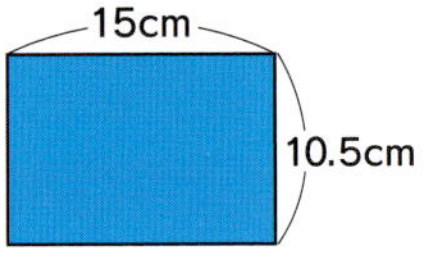

【いかひこうき】

1

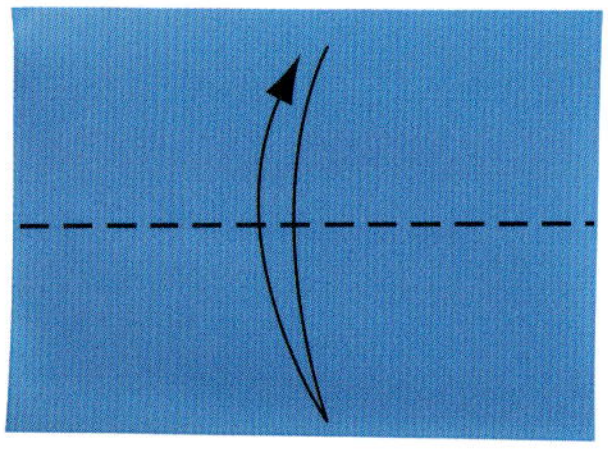

折りすじをつけてひらく

2

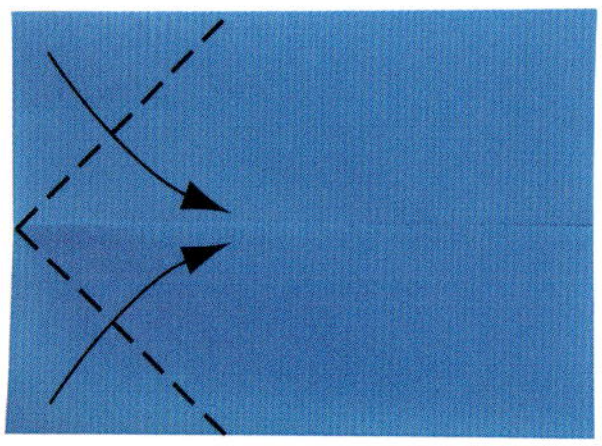

まんなかにあわせて折る

3

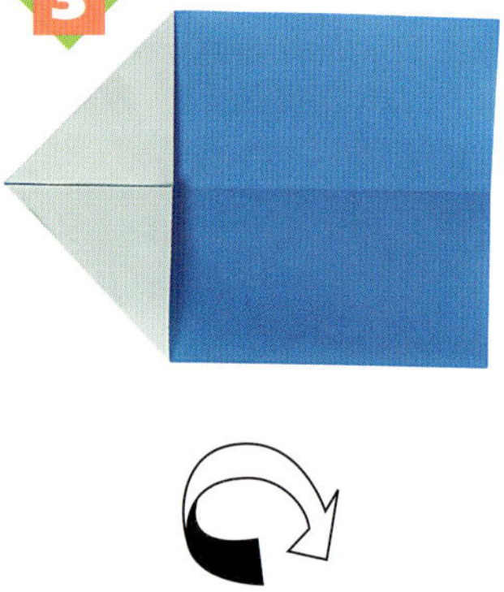

4

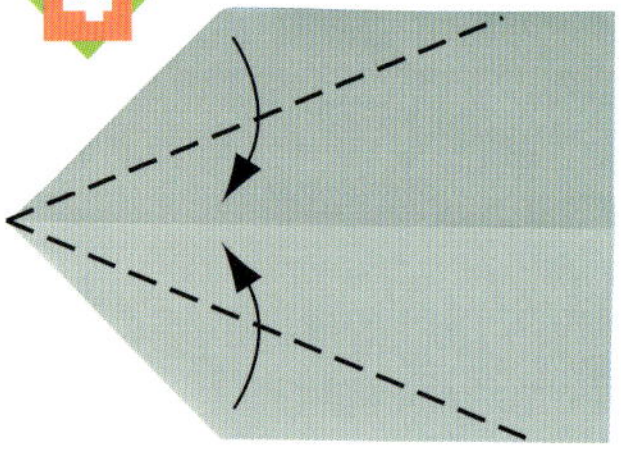

5のようにうらがわの三角形
はおもてにだすように折る

5

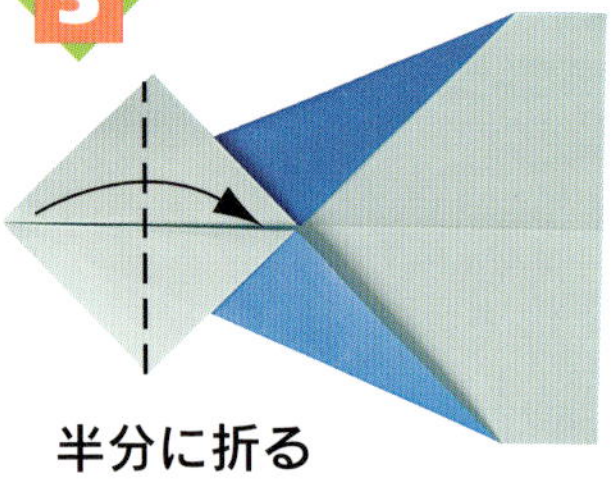

半分に折る

6

7

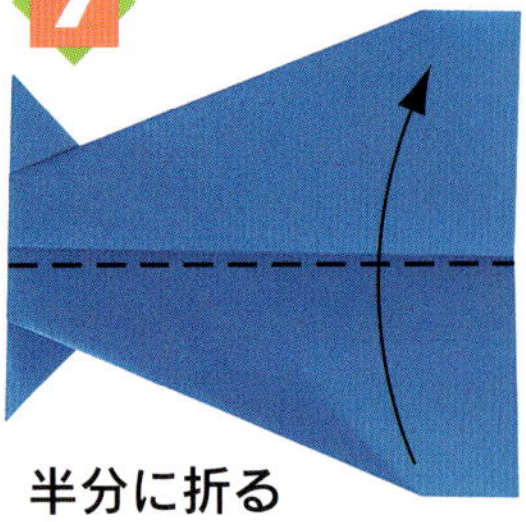

半分に折る

8

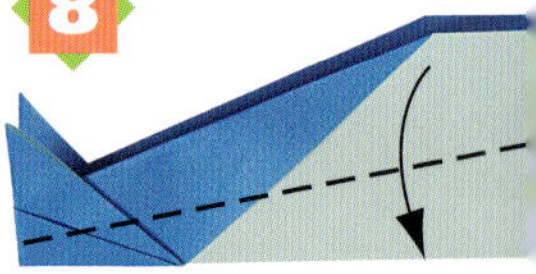

上の１枚を折りさげる

9

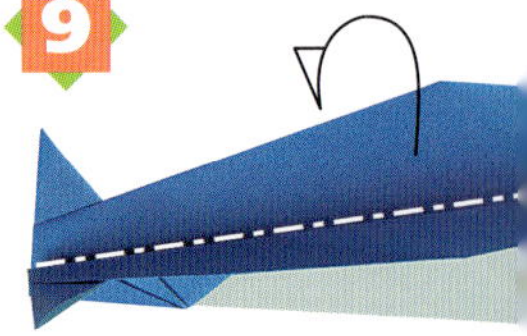

うらがわに折る

10

いかひこうきの
できあがり

紙ひこうきA】

1

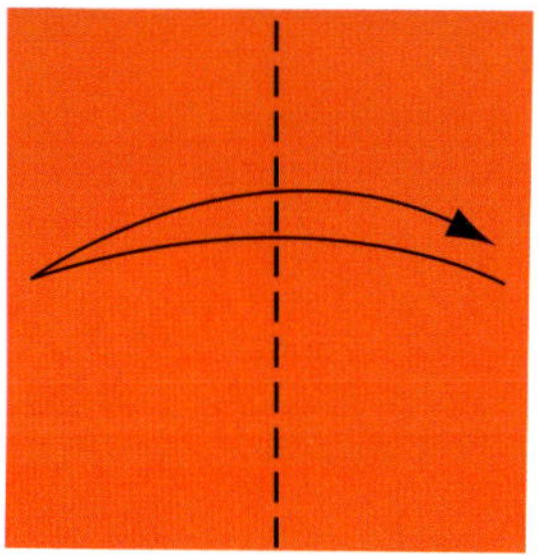

折りすじをつけて
ひらき、うらがえす

2

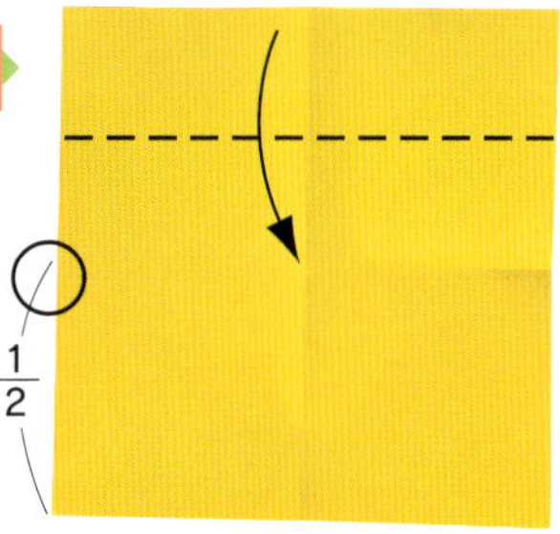

○のように、半分の
ところにめやすのた
めの折りすじをかる
くつけ、そのすじに
あうように折る

3

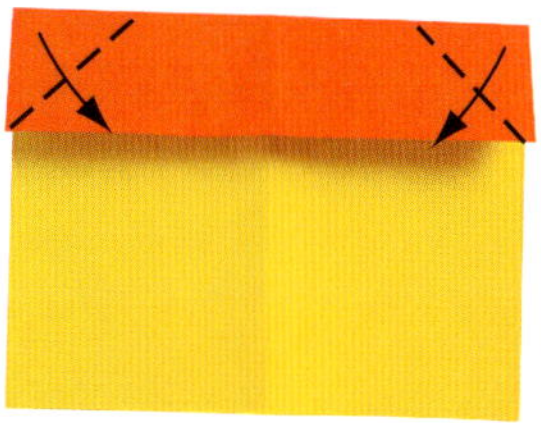

2つの角を折る

4

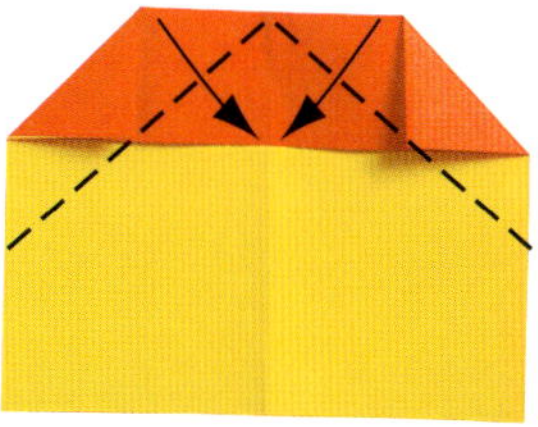

もういちど折る

5

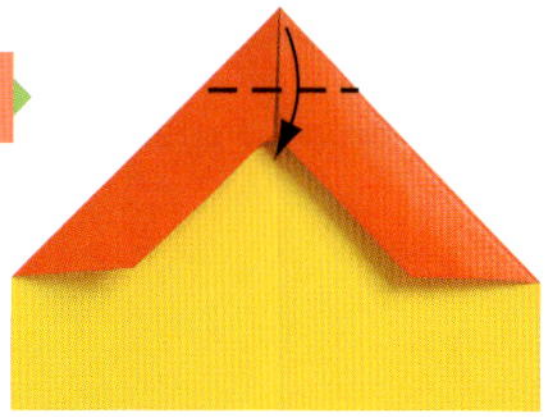

角をあわせて折りさげる

6

7

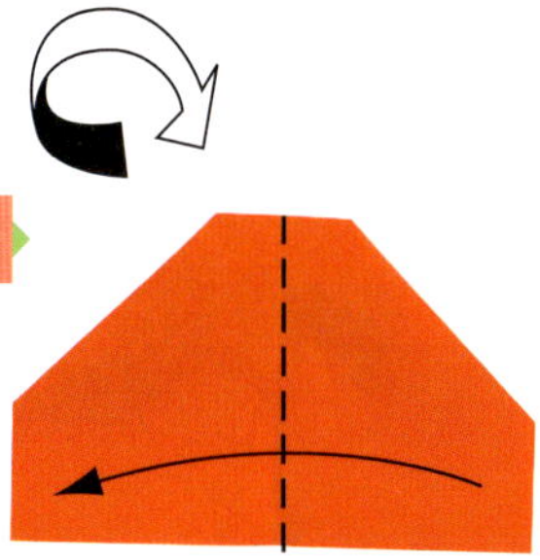

半分に折る

8

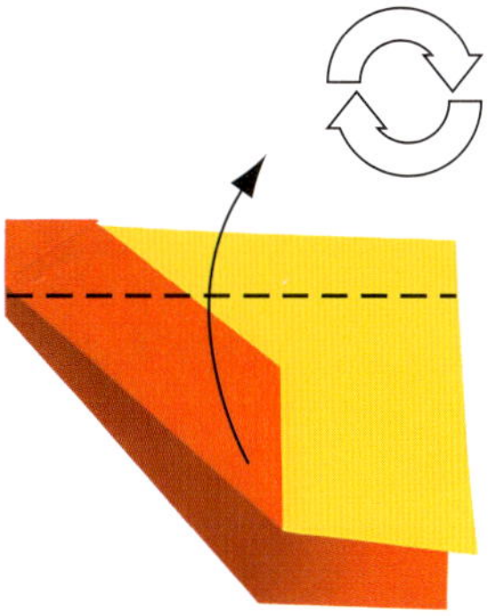

上の1枚を折りあげる

9

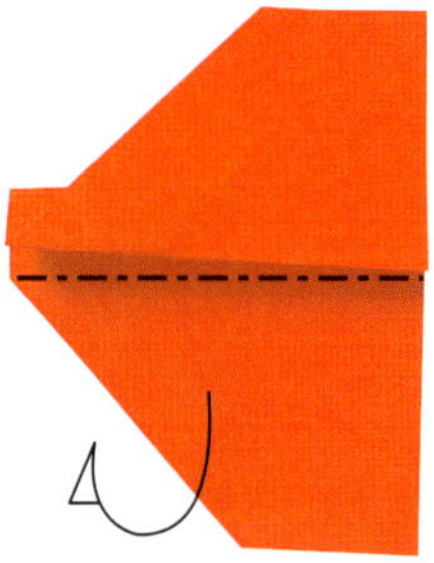

うらがわに折る

10

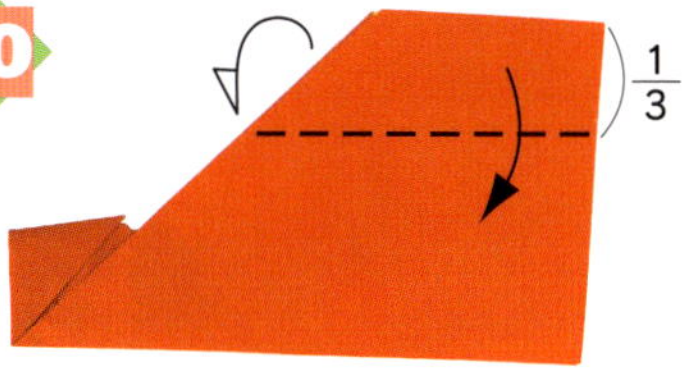

上の1枚を1/3ぐらいの
ところで折りさげる。下
の1枚はおなじようにう
らがわに折る

11

★の部分をえんぴつなど
でまるめる

12

**紙ひこうきAの
できあがり**

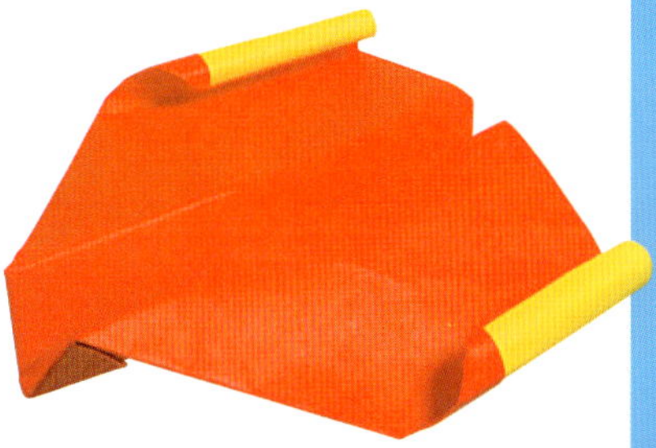

【紙ひこうきB】

サイズ

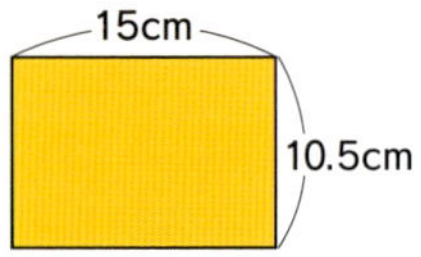

1

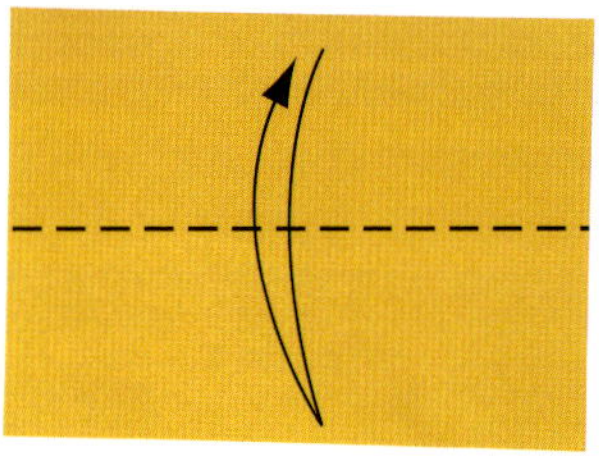

折りすじをつけてひらく

2

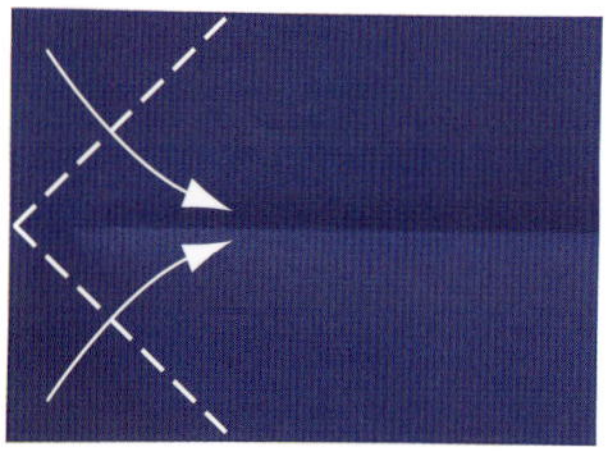

まんなかにあわせて折る

3

三角形を半分に折る

4

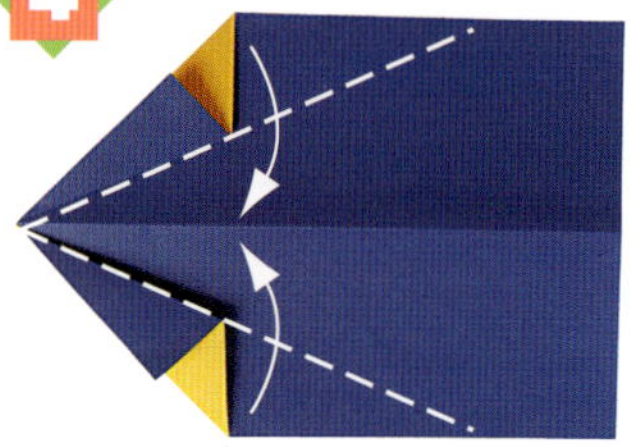

まんなかにあわせて折る

5

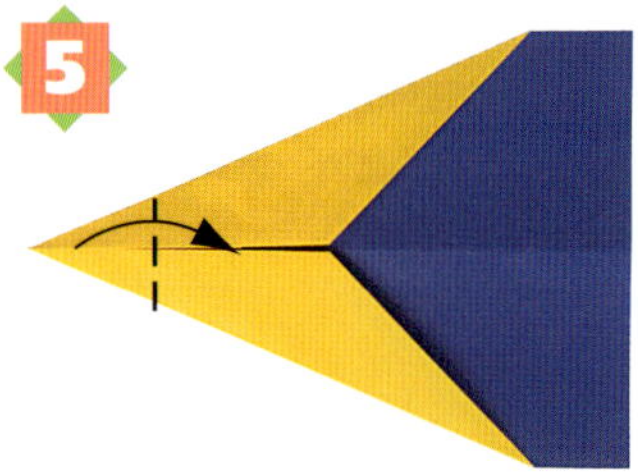

あたまの部分を折る

6

7

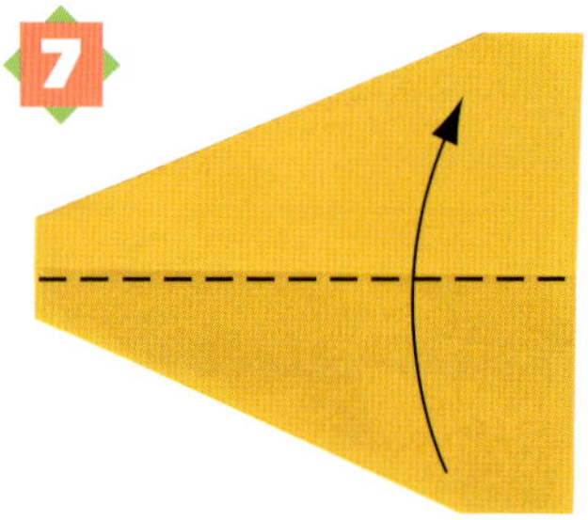

半分に折りあげる

8

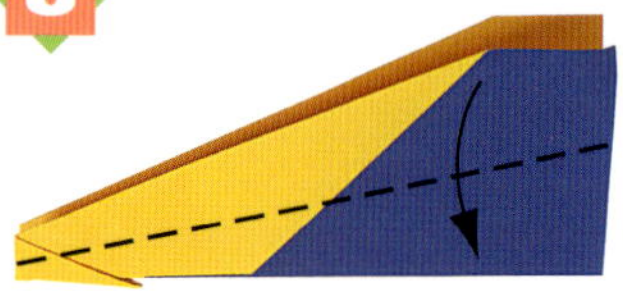

上の１枚を折りさげる

9

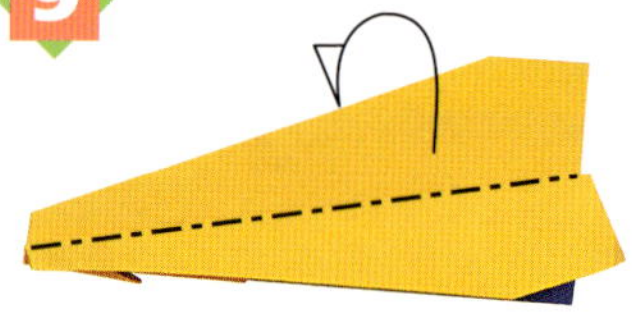

うらがわに折る

10

紙ひこうきBのできあがり

はと

1

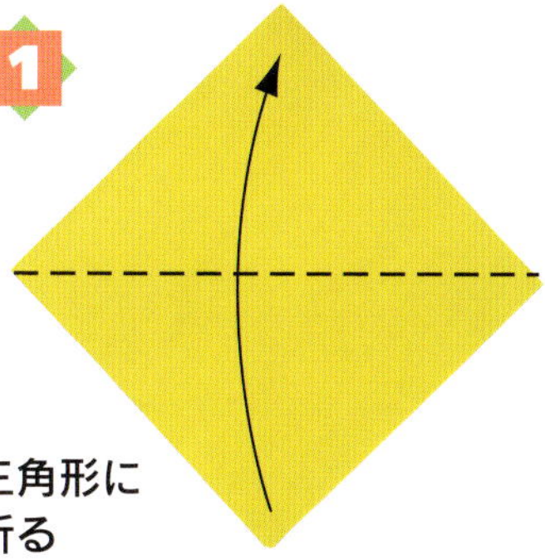

三角形に
折る

2

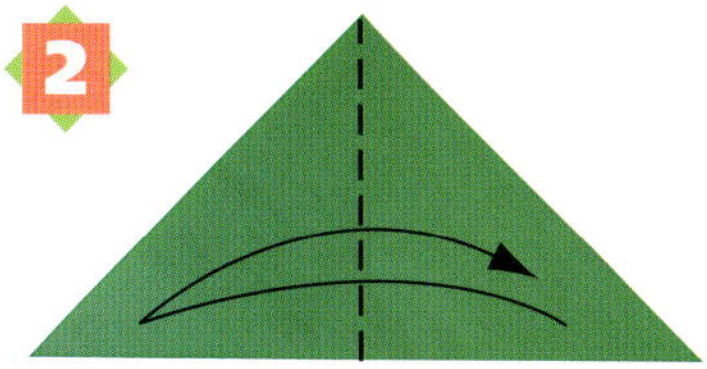

折りすじをつけてひらく

3

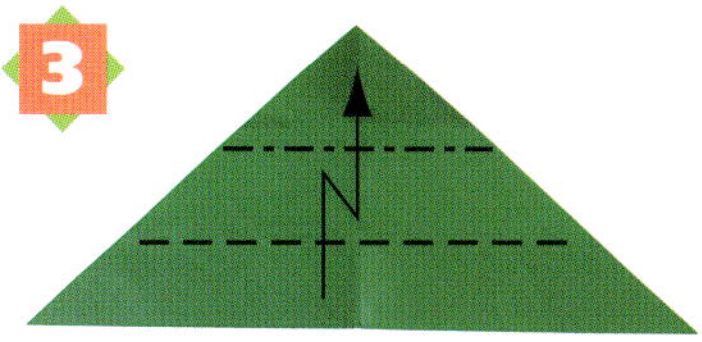

1/3のはばで段折りする

4

三角形をひらく

5

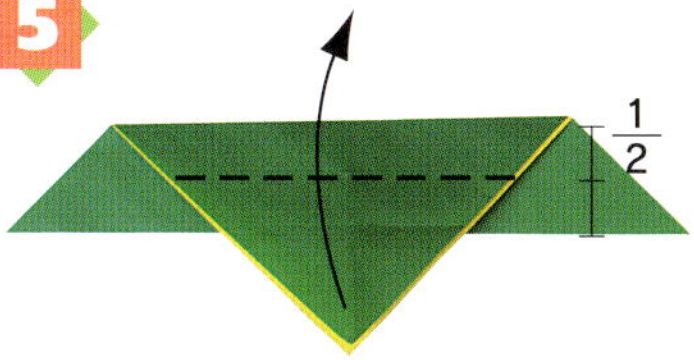

折りあげる

6

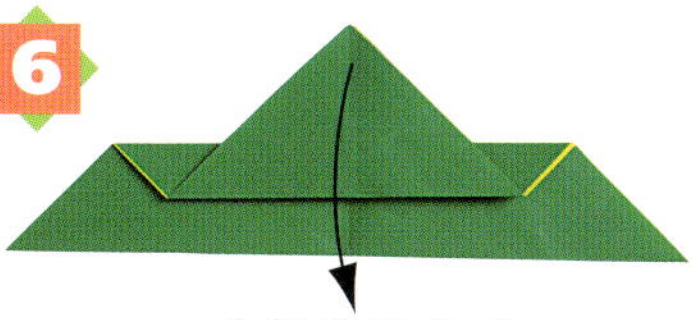

1 枚をひらく

7

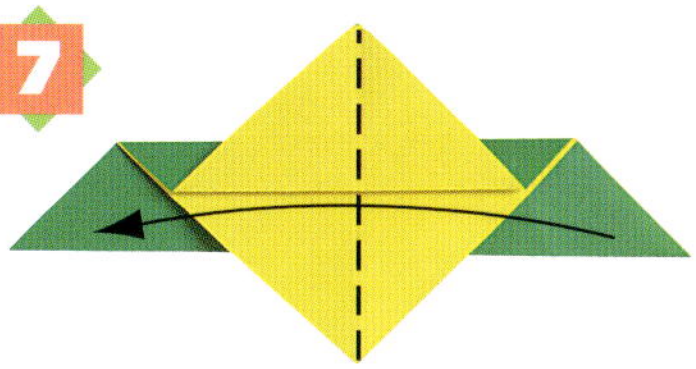

半分に折る

8

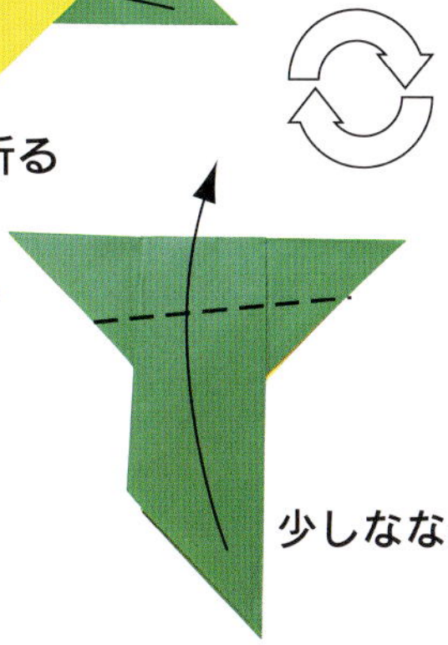

少しななめに折る

9

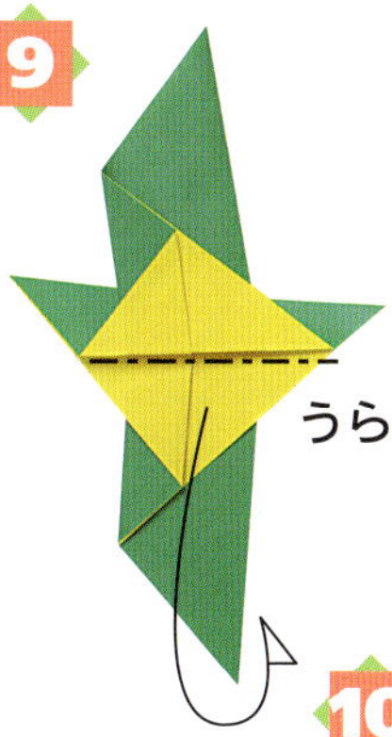

うらがわに折る

10

あたまを中わり折りにする

11

はとのできあがり

つばめ

1

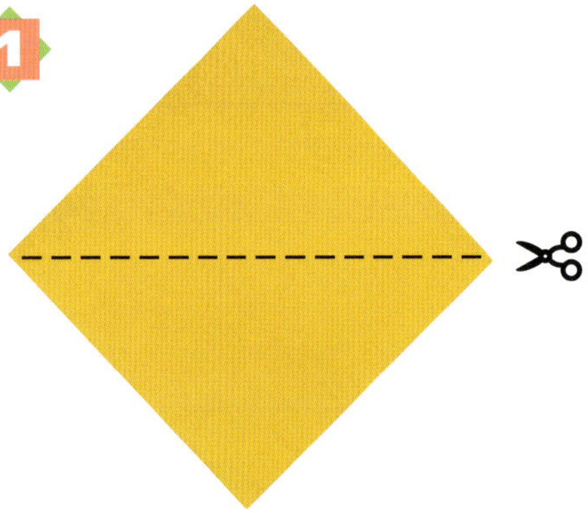

三角形に切る

2

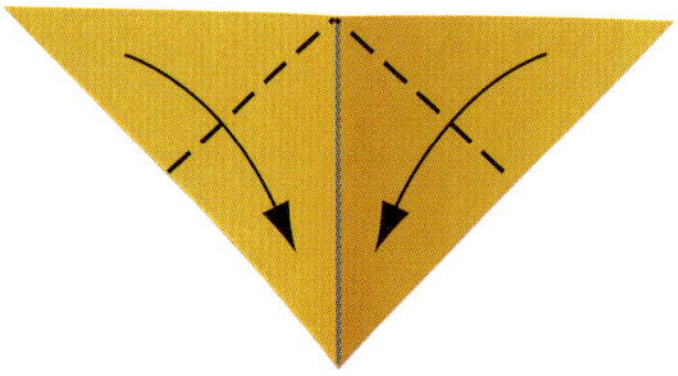

まんなかにあわせて折る

3

まんなかにあわせて折る

4

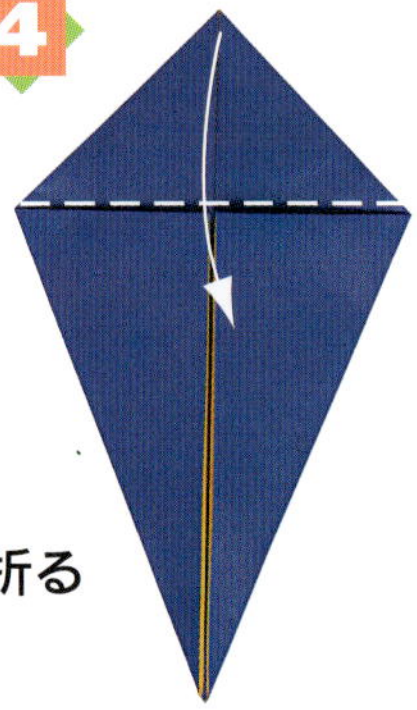

下に折る

5

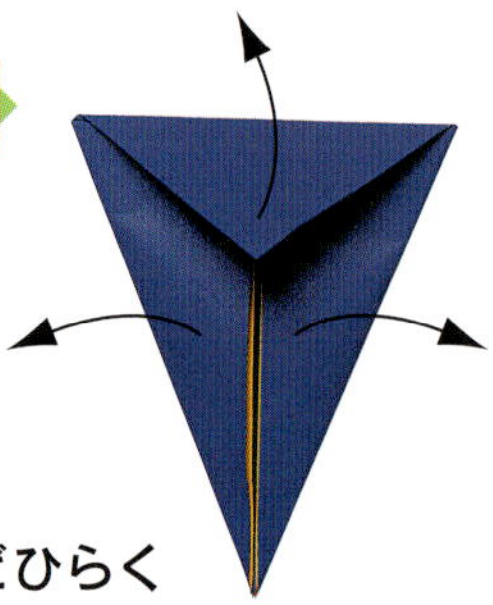

いちどひらく

6

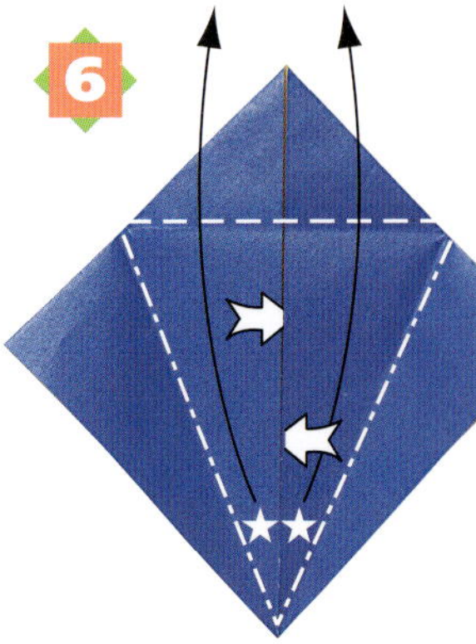

⇦の中をひらいて★を上に折りあげる

7

❻の右がわをひらいたところ。それぞれの★があうように折る

8

よこに折る

9

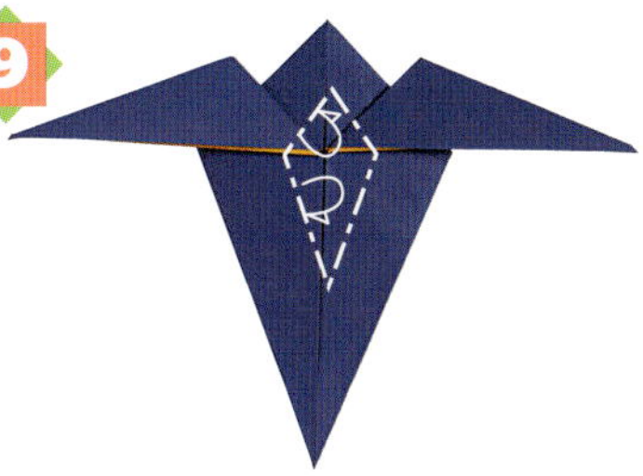

うちがわに折る

10

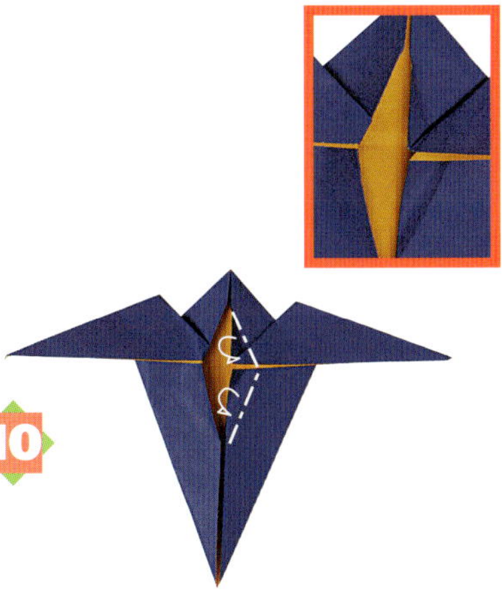

反対がわもおなじように折る

11

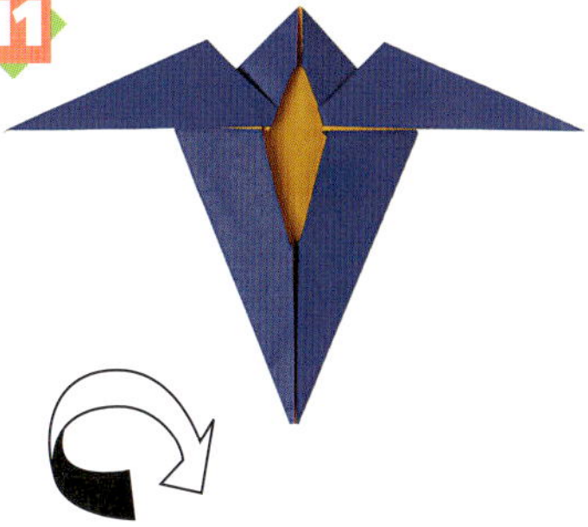

12

下のつばさはそのままにして、
両がわを折る

13

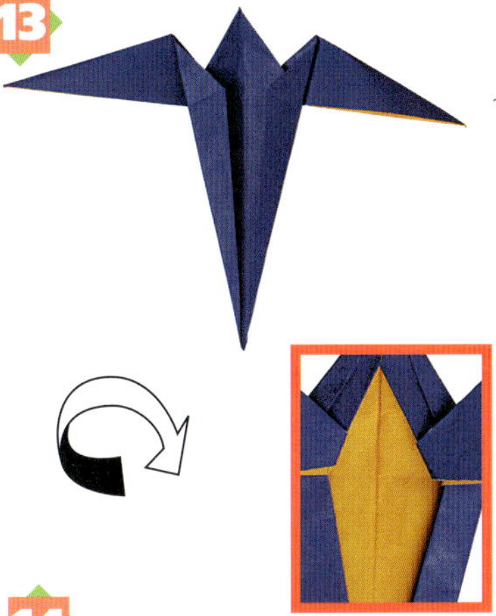

14

あたまの部分を
少しうちがわに折る

15

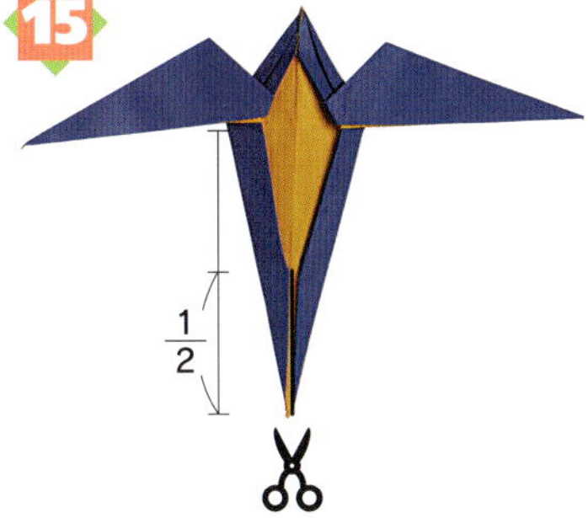

尾を体の半分くらいまで
切り…

16

半分に折って、あたまを
かぶせ折りにする

17

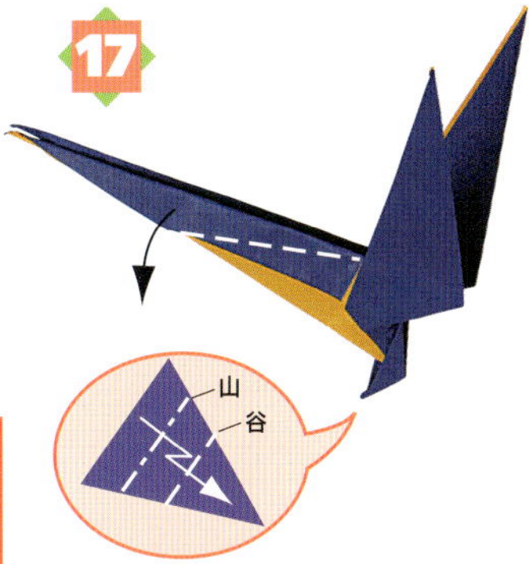

くちばしを段折りにして、
体の部分を手前とむこうが
わに折る

18

いちどひらいて、つばさのつ
けねをそれぞれ外がわに折る

19

つばめの
できあがり

かぶと・長かぶと

【かぶと】

1

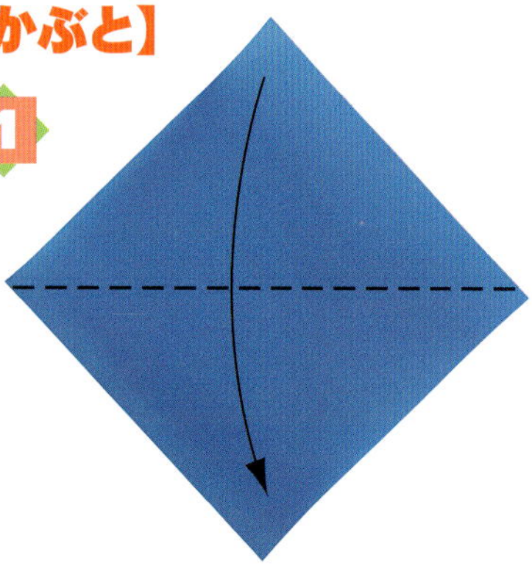

三角形に折る

2

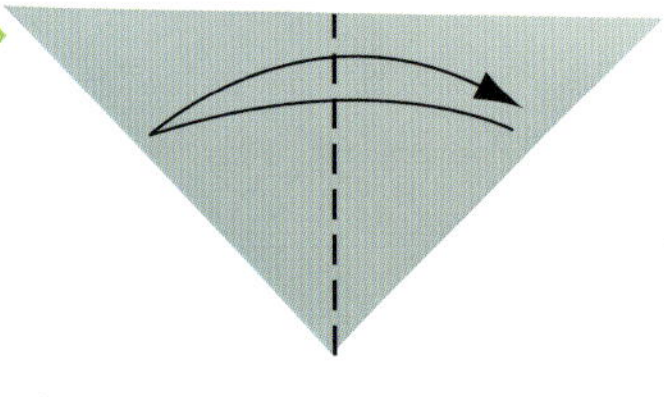

折りすじをつけてひらく

3

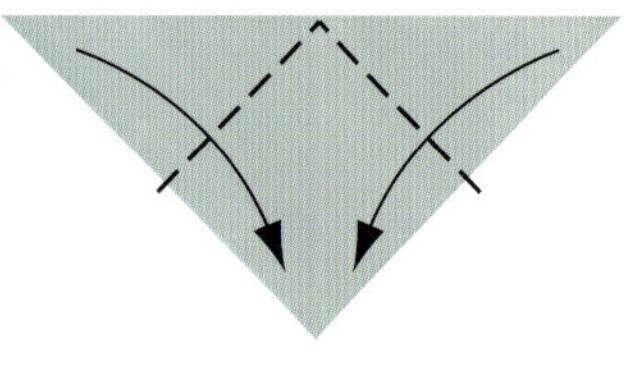

両はしを折りさげる

4

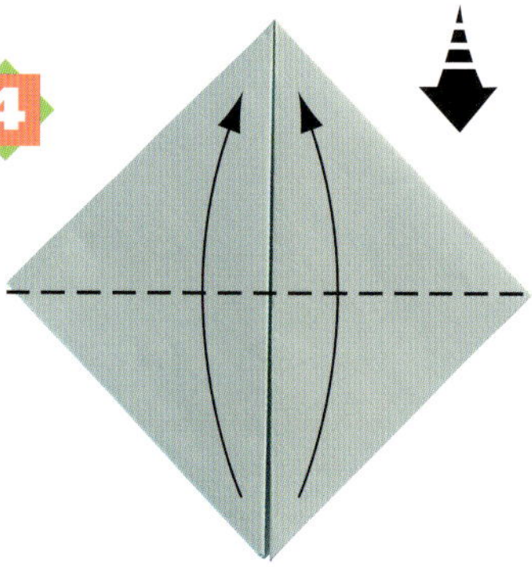

折りあげる

5

折りすじをつけてひらく

6

5でつけた折りすじにあわせて折る

7

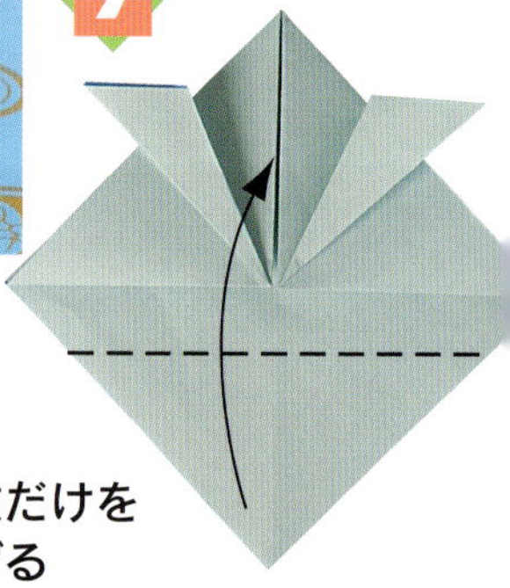

上の１枚だけを折りあげる

8

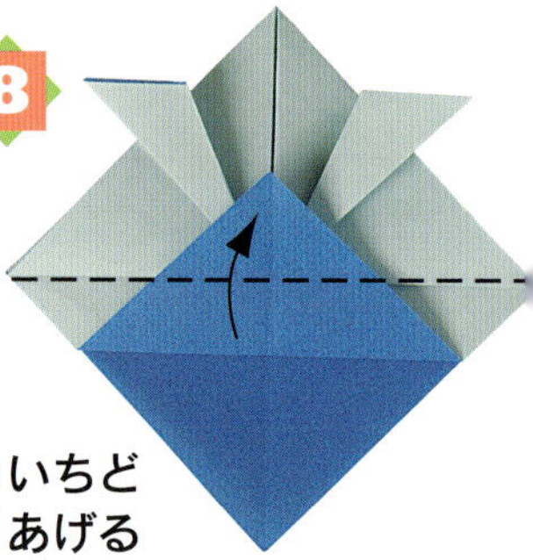

もういちど折りあげる

9

うらがわに折る

10

の中をひらいて、かたちをととのえる

11

かぶとのできあがり

【長かぶと】

1

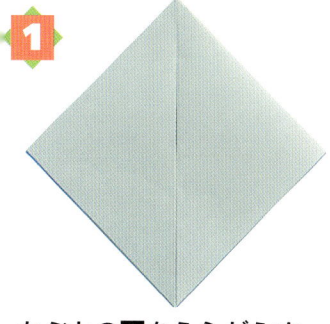

かぶとの4をうらがえす

2

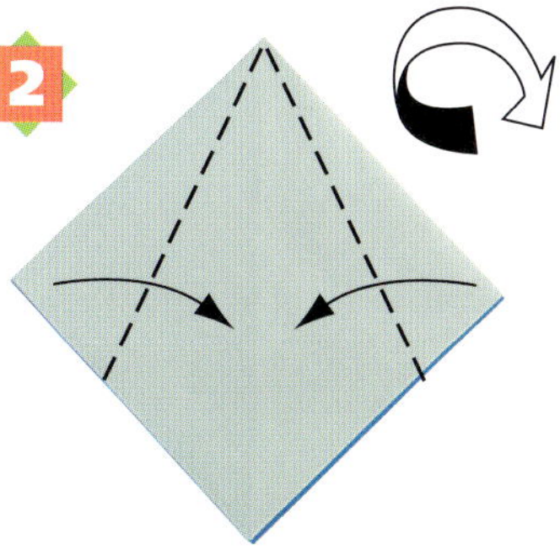

両はしを折る

3

うらがえして２カ所の角を折りあげる

4

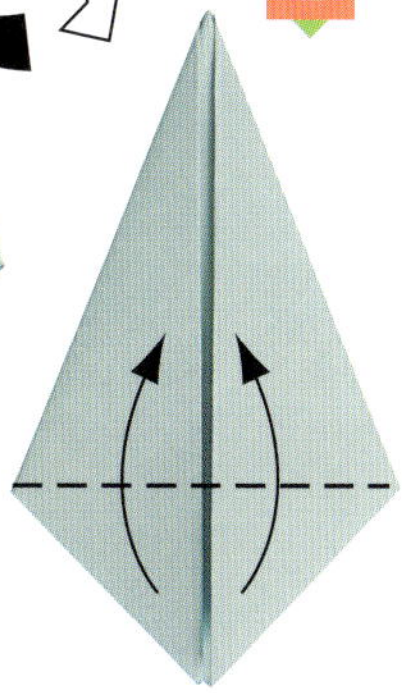

5

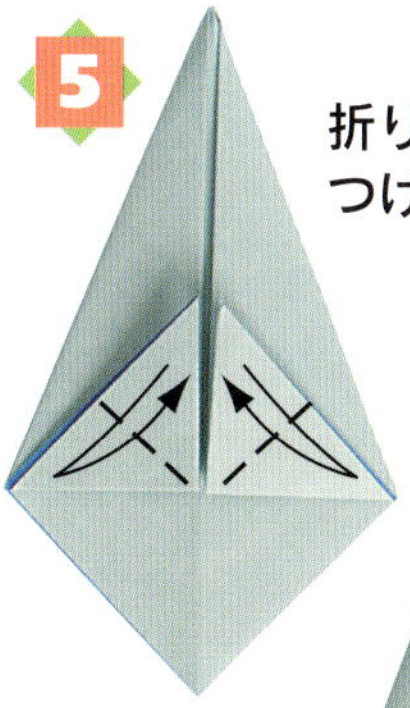

折りすじをつけてひらく

6

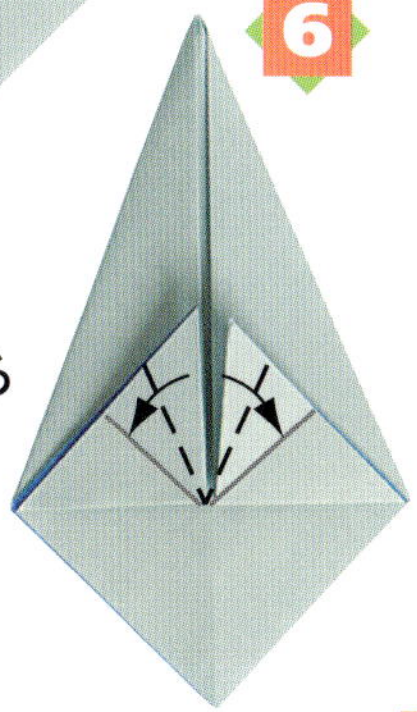

5でつけた折りすじにあわせて折る

7

上の１枚だけを折りあげる

8

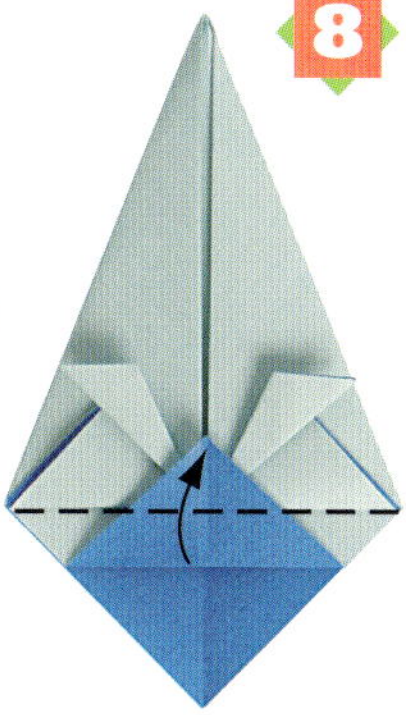

もういちど折りあげる

9

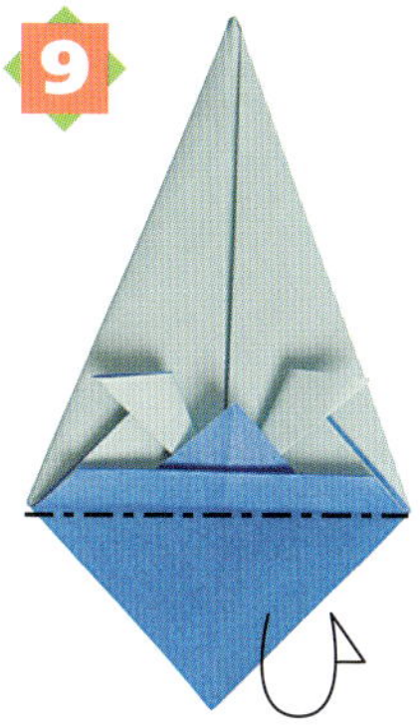

うらがわに折る

10

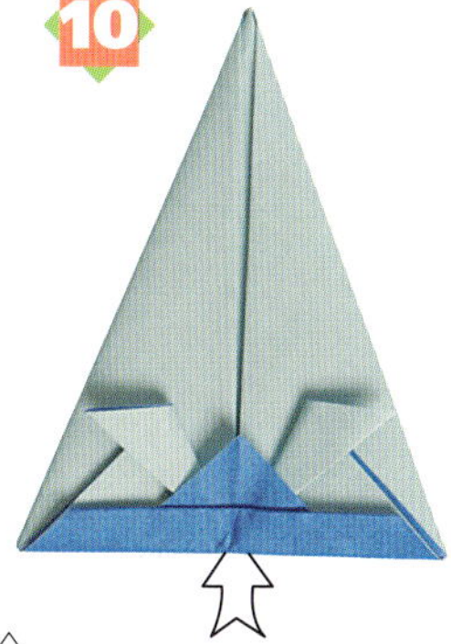

の中をひらいて、かたちをととのえる

11

長かぶとのできあがり

こいのぼり

※ジャーマンアイリスは参考作品です

1

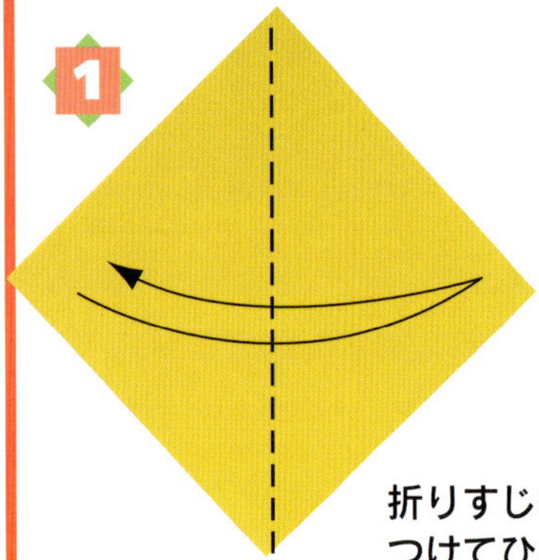

折りすじを
つけてひらく

2

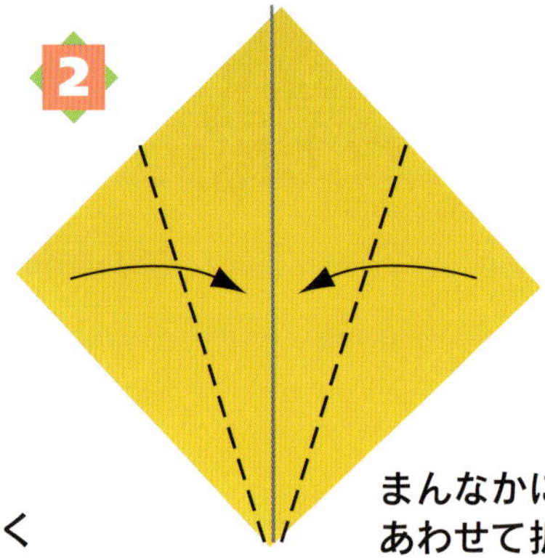

まんなかに
あわせて折る

3

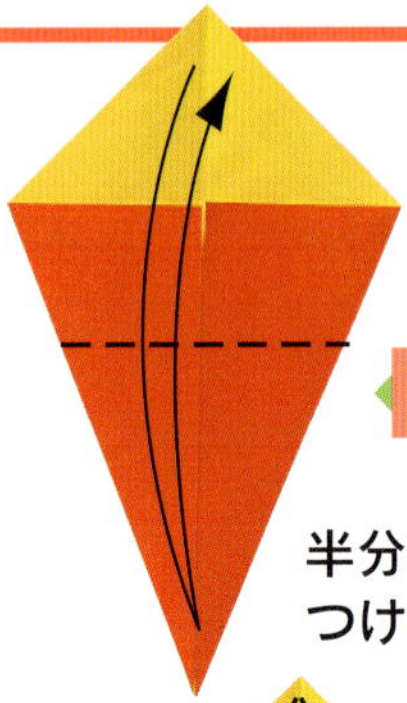

半分の折りすじ
つけてひらく

4

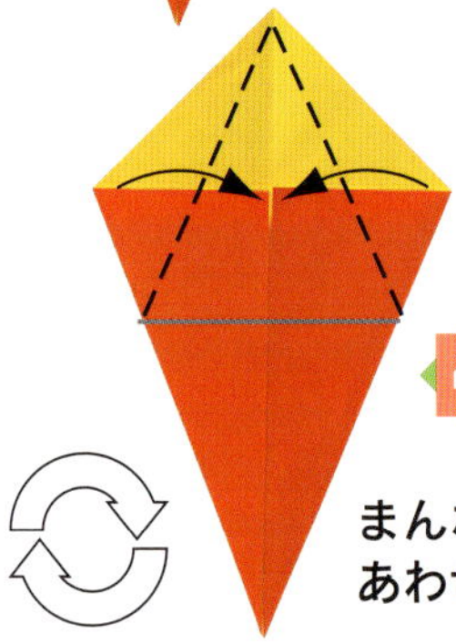

まんなかに
あわせて折

5

⇦の中を6のようにひら
反対がわにたおす

6

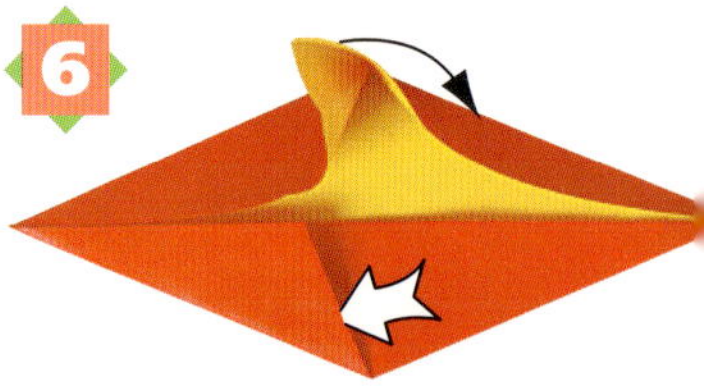

7

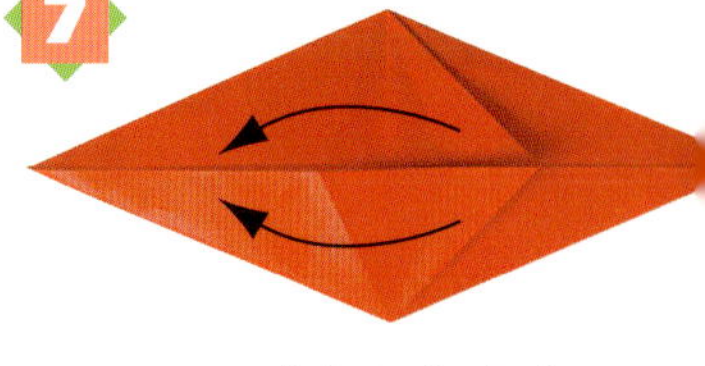

←のようにたおす

8

右がわを半分に折る

9

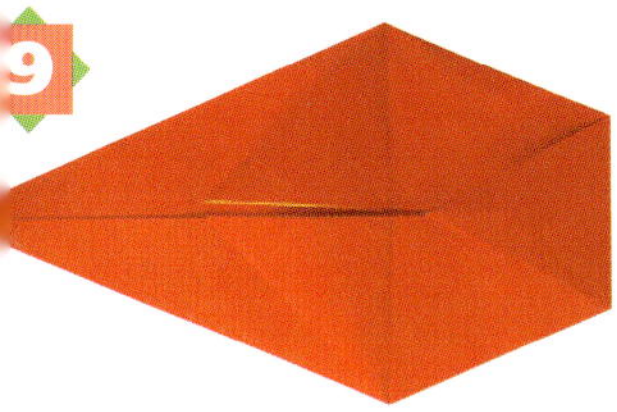

いちどひらく

10

11

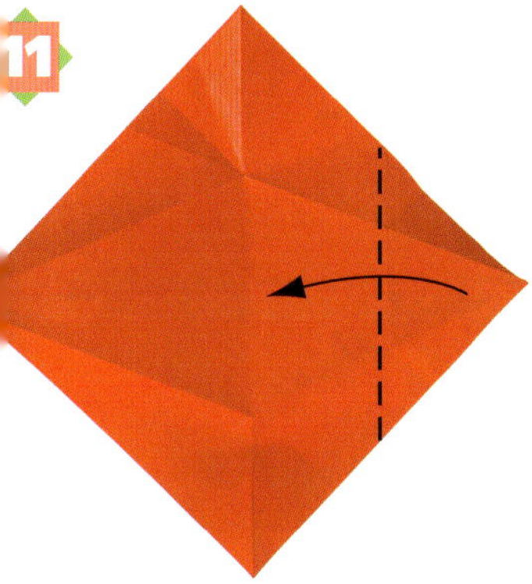

右がわをまんなかに
あわせて折る

12

13

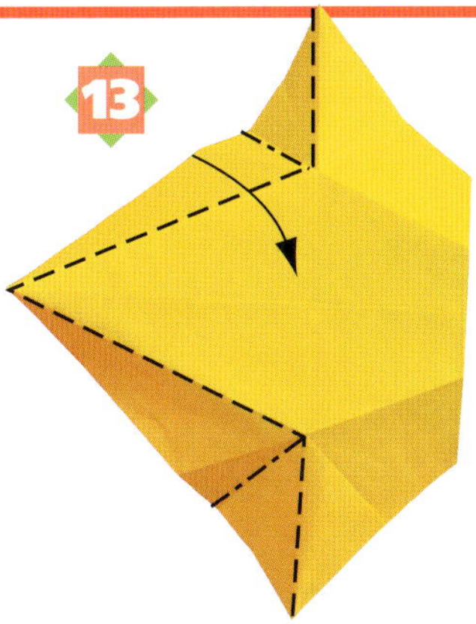

折りすじにそって折る。
下もおなじように折る

14

15

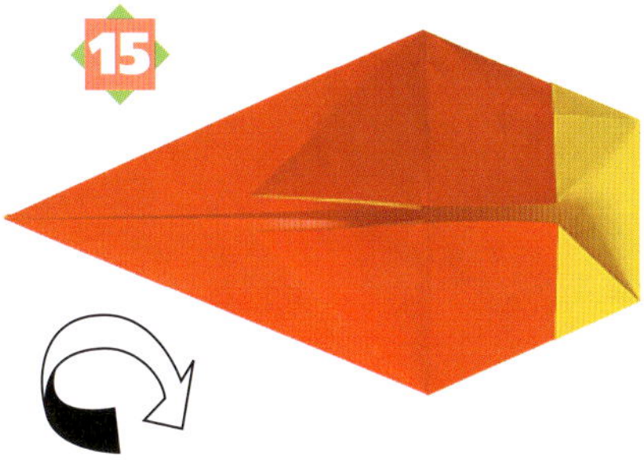

16

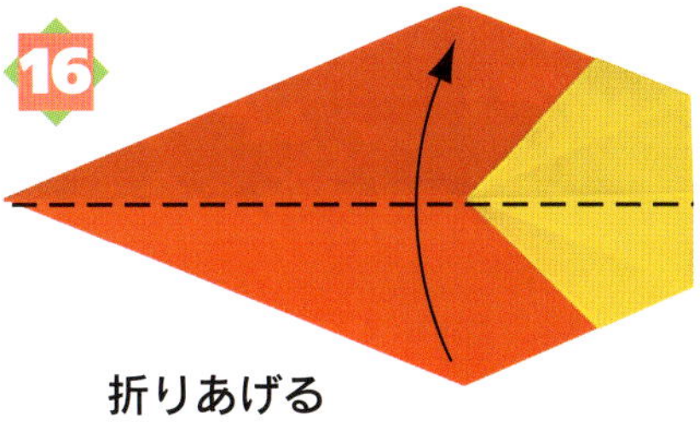

折りあげる

17

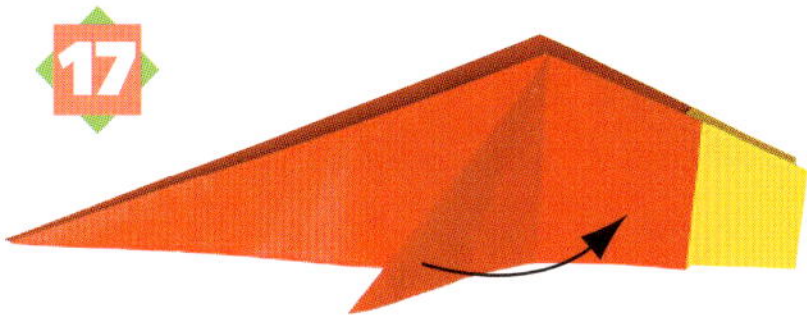

ひれを右にたおす

18

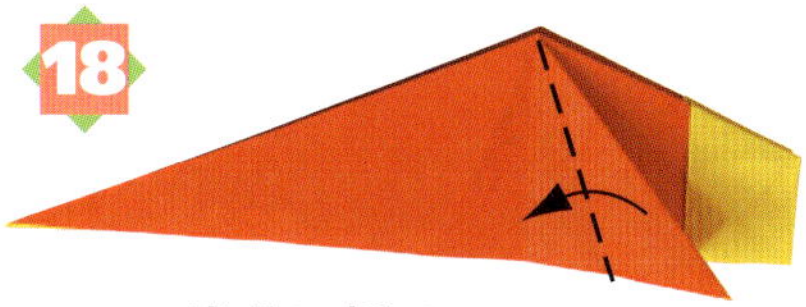

半分に折る。
うらもおなじように折る

19

中わり折りをする

20

こいのぼりの
できあがり

大きさのちがう
おりがみで親子の
こいのぼりをつくろう！

しゅりけん

1

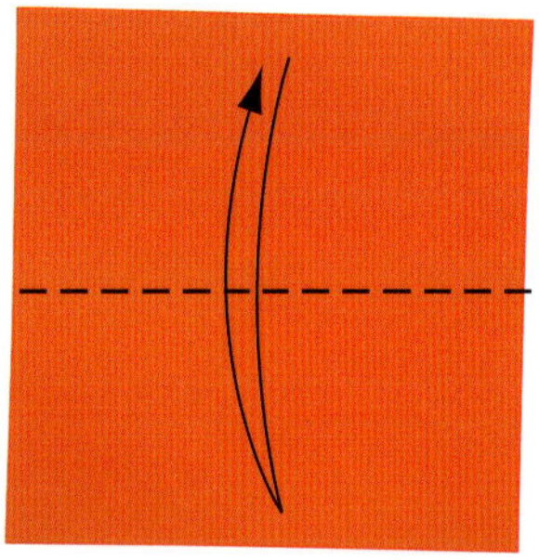

折りすじをつけてひらく

2

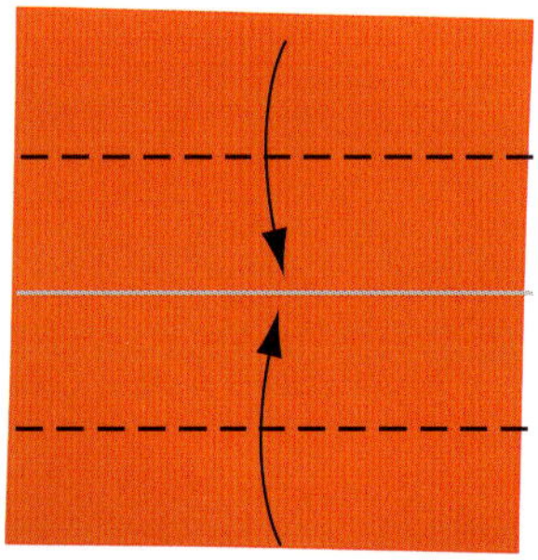

まんなかにあわせて折る

3

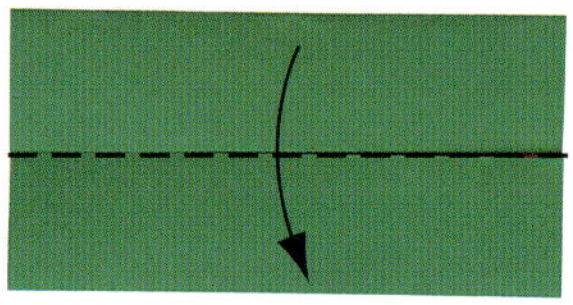

半分に折る

4

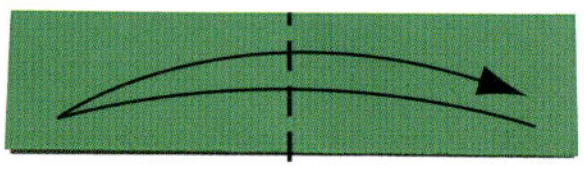

折りすじをつけてひらく

5

ちがう色のおりがみで、1〜4までをもうひとつつくる

6

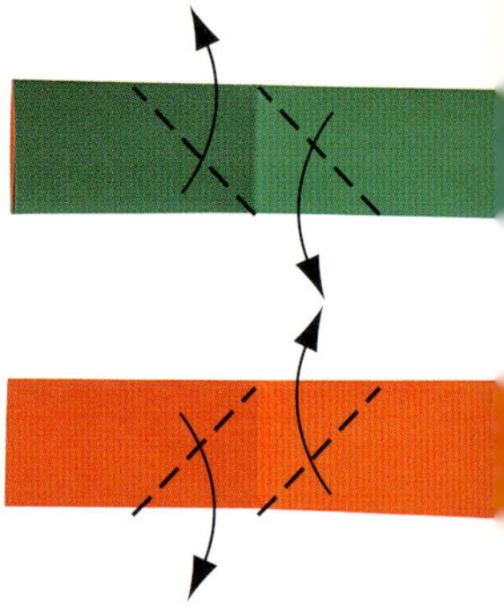

まんなかにあわせて左右を上下に折る

チェックポイント

みどりとオレンジは、上下の折りかたを反対にするのよ

7

8

折りすじのところで折る

9

★と★をあわせて、
たて・よこにかさねる

10

⇦のようにさしこむ

11

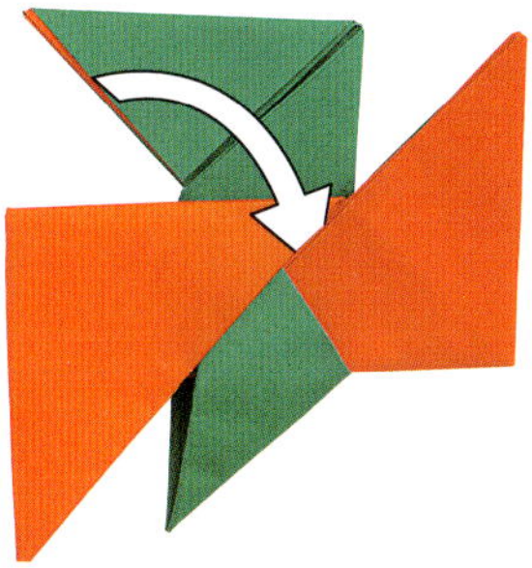

反対がわもさしこむ

うまくできたかな？
6のところでまちがえ
ないようにね

12

13

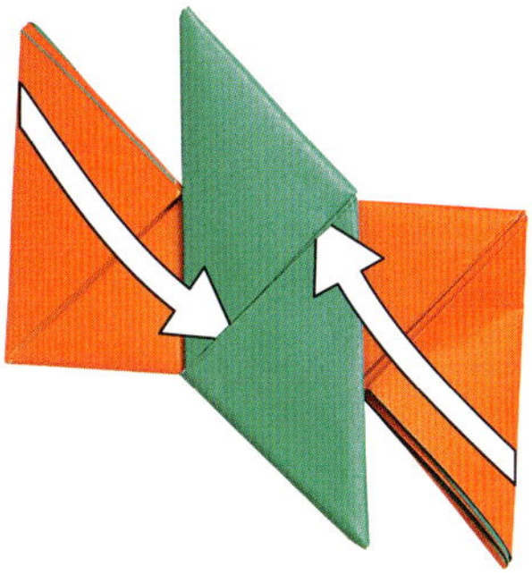

おなじようにさしこむ

14

**しゅりけんの
できあがり**

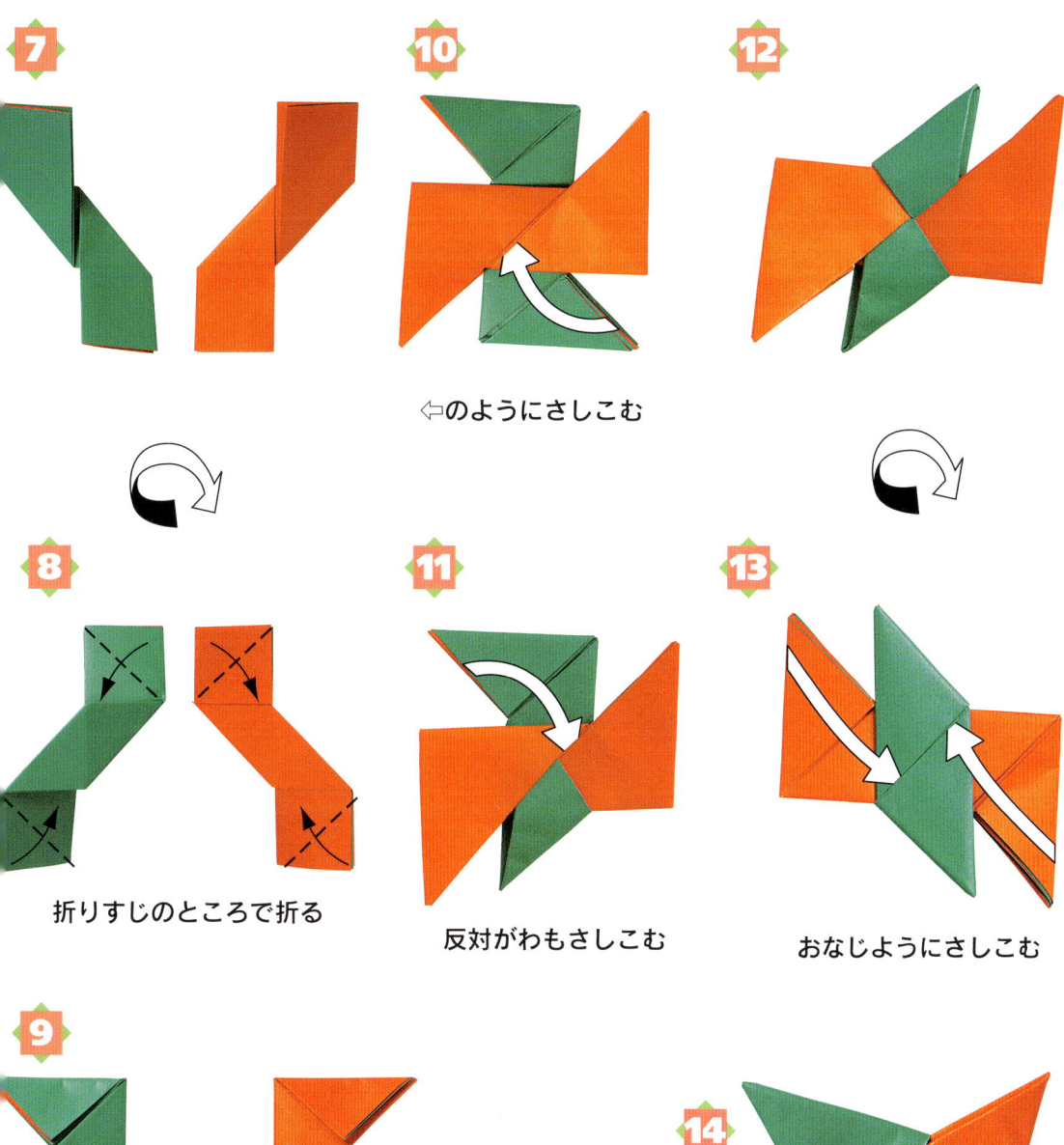

かざぐるま
（にそう舟・だまし舟）

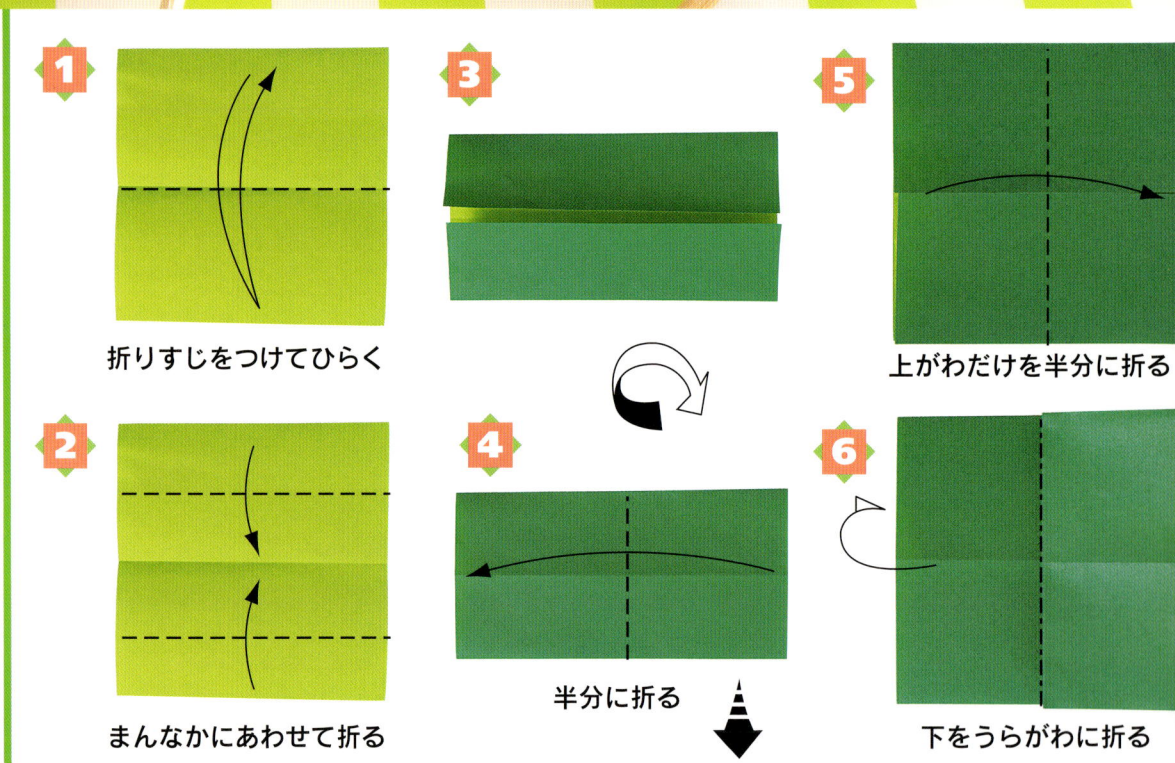

1

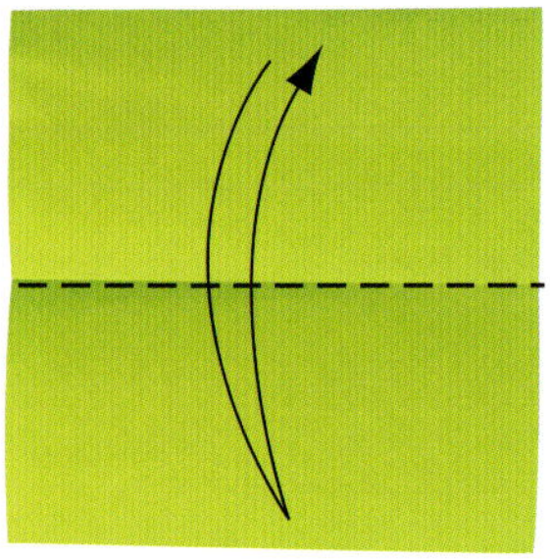

折りすじをつけてひらく

2

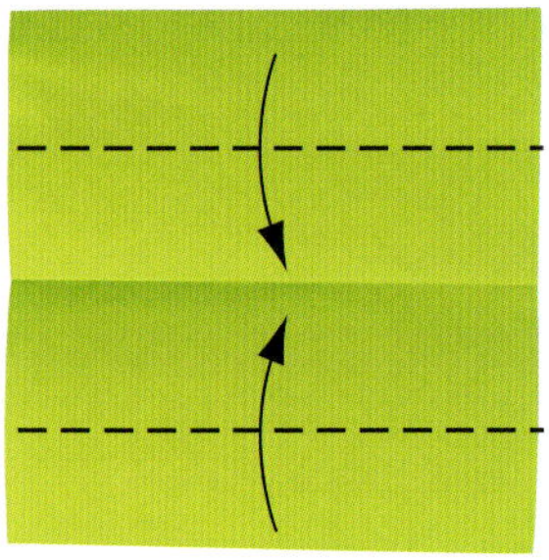

まんなかにあわせて折る

3

4

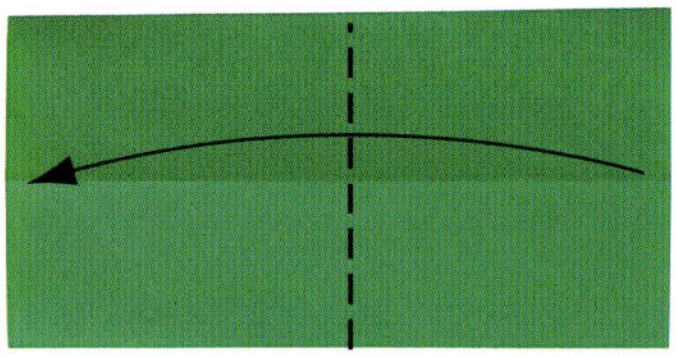

半分に折る

5

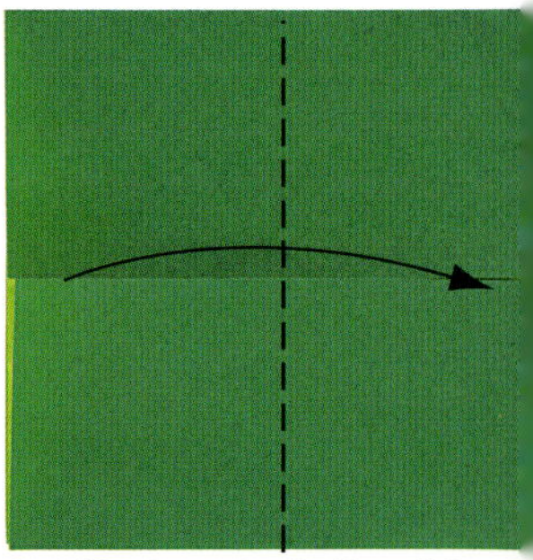

上がわだけを半分に折る

6

下をうらがわに折る

7

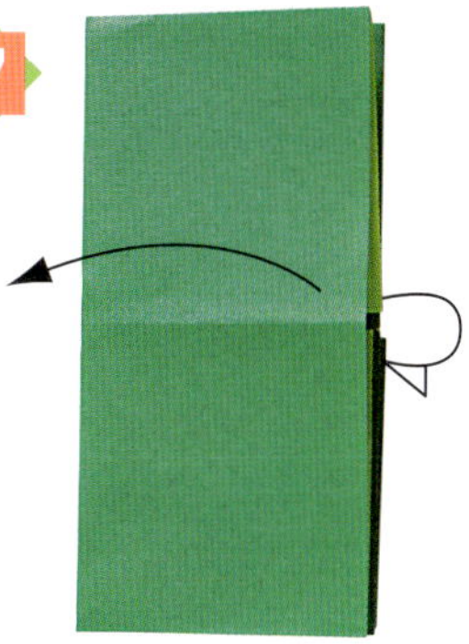

いちどひらく

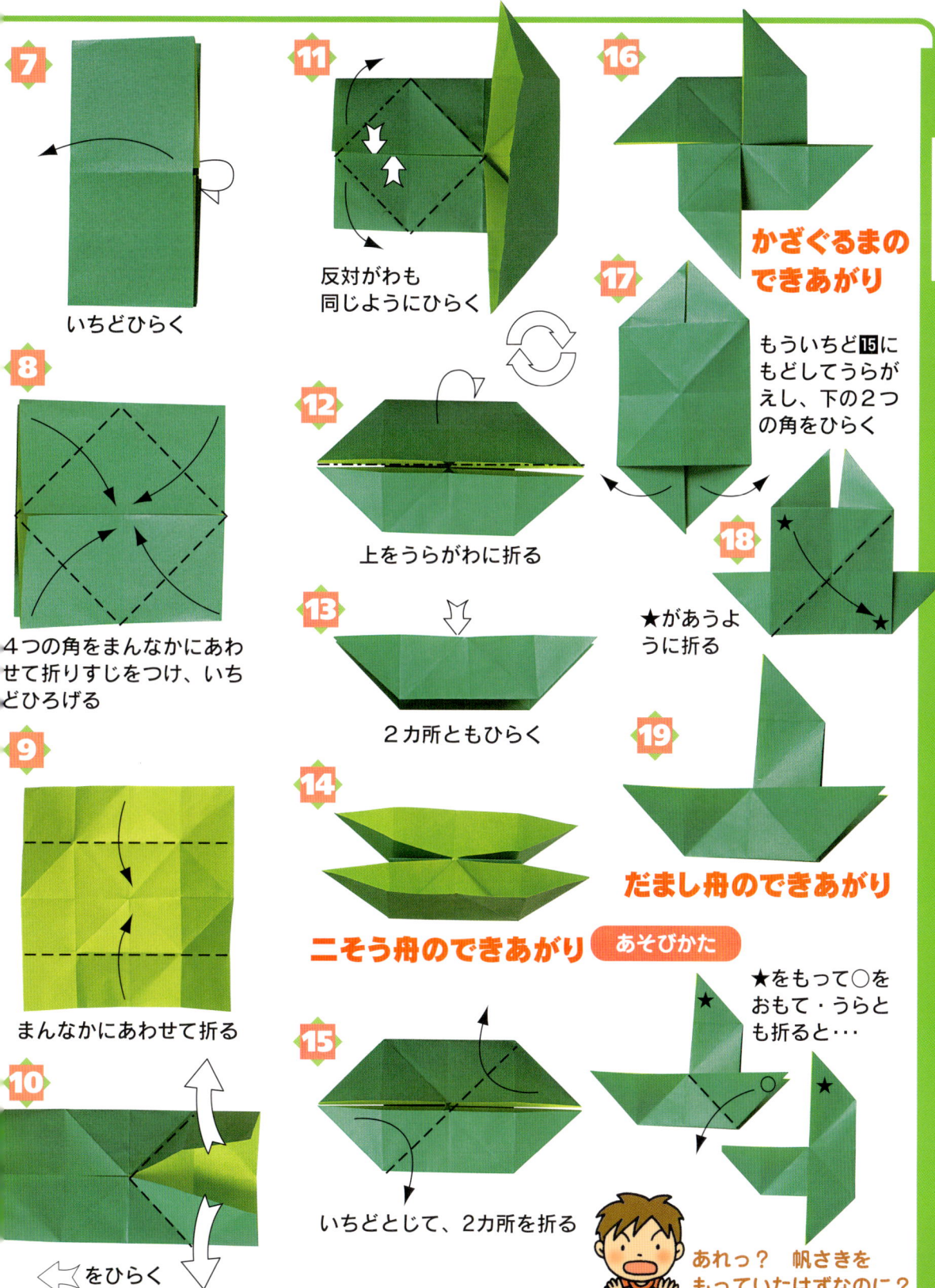

8

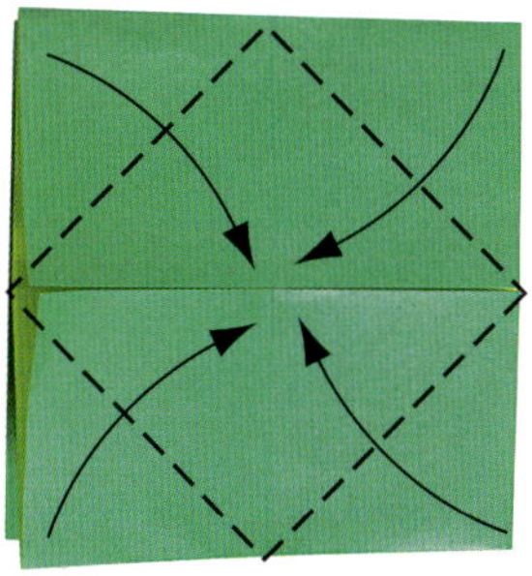

4つの角をまんなかにあわせて折りすじをつけ、いちどひろげる

9

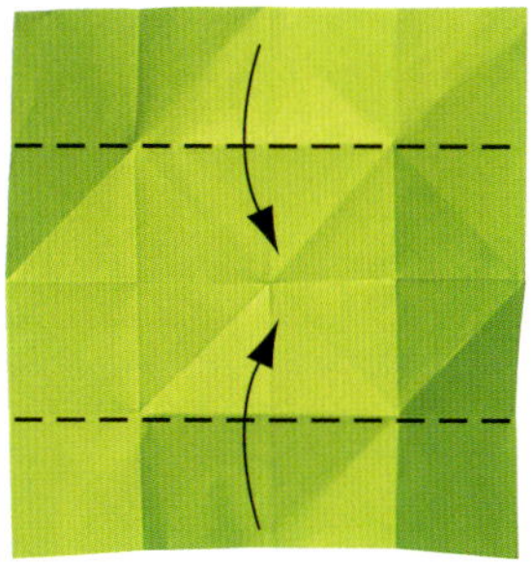

まんなかにあわせて折る

10

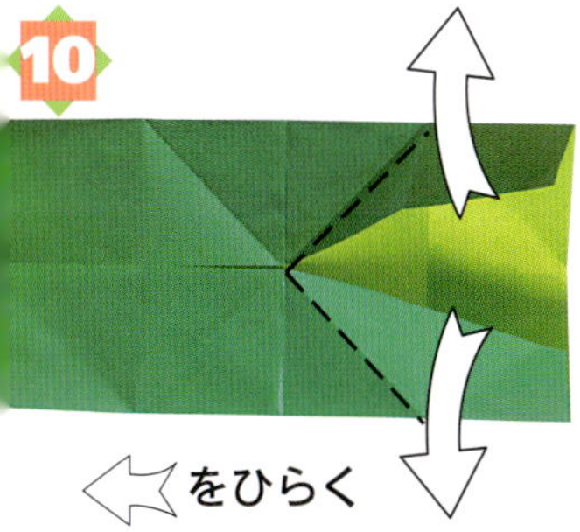

をひらく

11

反対がわも
同じようにひらく

12

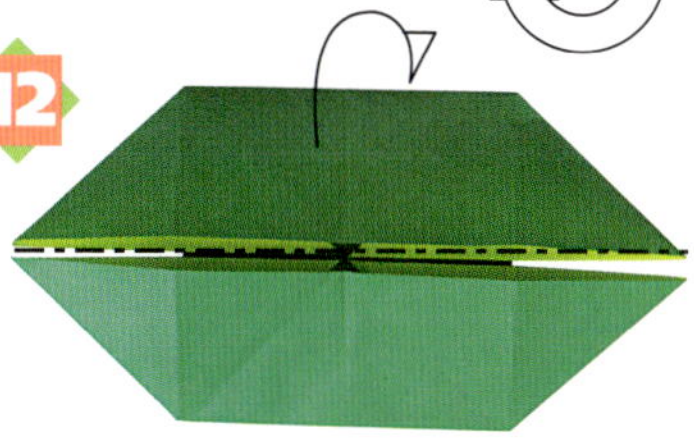

上をうらがわに折る

13

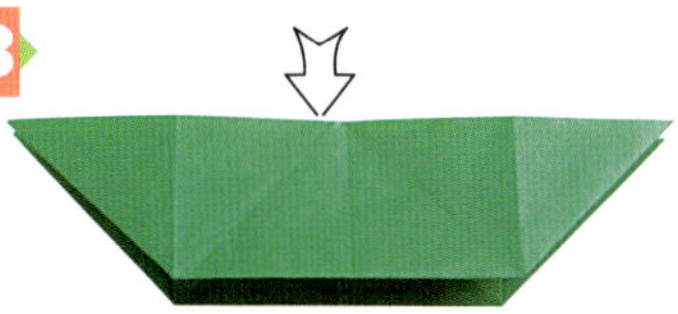

2カ所ともひらく

14

二そう舟のできあがり

15

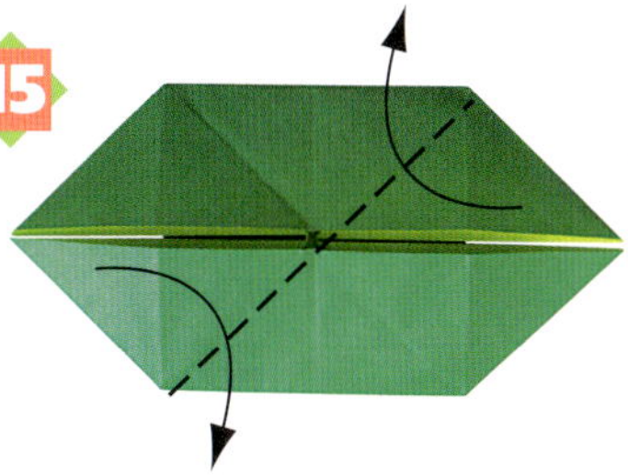

いちどとじて、2カ所を折る

16

かざぐるまのできあがり

17

もういちど15にもどしてうらがえし、下の2つの角をひらく

18

★があうように折る

19

だまし舟のできあがり

あそびかた

★をもって○をおもて・うらとも折ると･･･

あれっ？　帆さきをもっていたはずなのに？

カーネーションのブローチ

サイズ

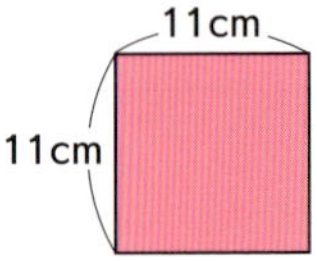

8ページの正方基本形の折りかたで正方形まで折ってね

正方基本形からスタート

【カーネーションの折りかた】

1

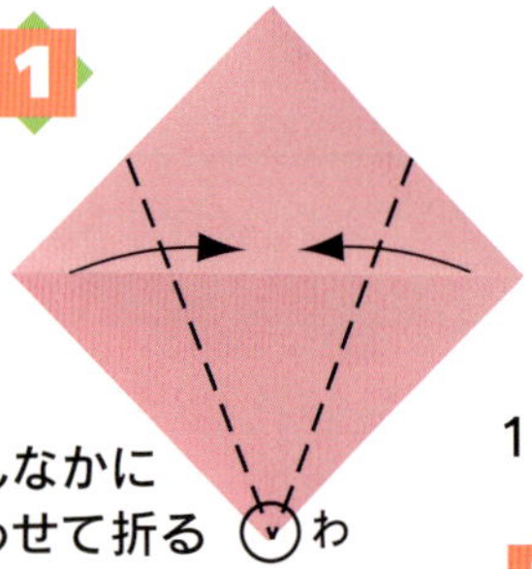

まんなかにあわせて折る

2

うらもおなじように折る

3

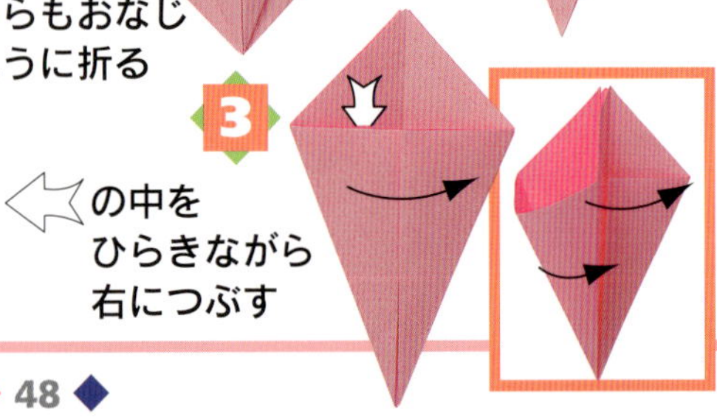

⇦の中をひらきながら右につぶす

4

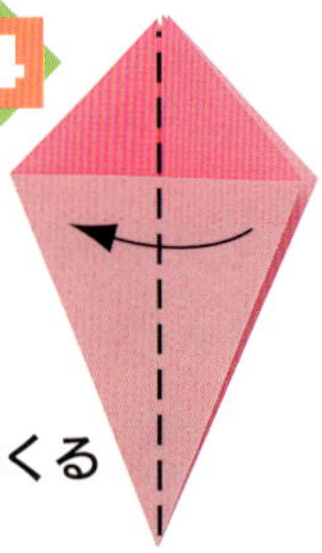

1枚めくる

5

❸とおなじように⇦の中をひらきながら左につぶす。のこり2ヵ所もおなじようにする

6

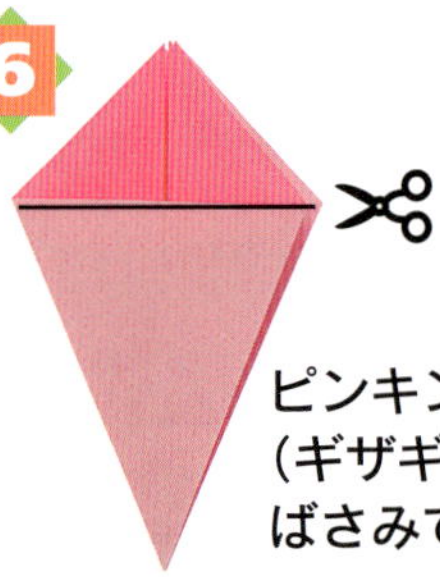

ピンキング（ギザギザ）ばさみで切る

ふつうのはさみで切っても、かわいいお花ができるよ

7

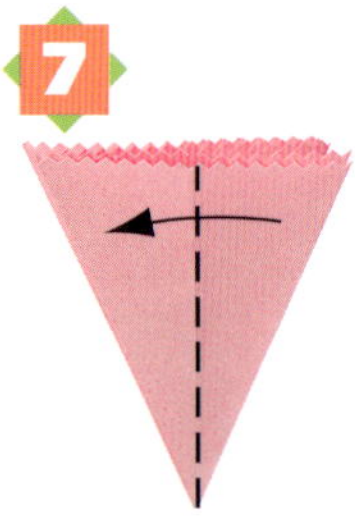

半分に折る

8

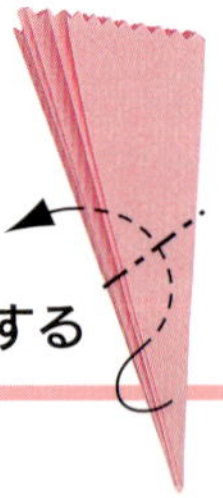

中わり折りをする

9

中わり折りした根もと（★のうちがわ）を持ち、花びらをひらいていく

ひらくと
に親指て
っかりす
をつける

10

うらがわ

11

カーネーションの できあがり

ブローチのつくりかた】 ブローチ制作／岡田その子

用意するもの

カーネーション　2輪

モール（みどり）　5本
ブローチピン　1個
リボン
はさみ
ボンド（木工用または手芸用）
ものさし
つまようじ

1

モールの先を指で2㎝くらいまげる

2

花の先をモールが通るように切る

3

モールを通しフックの部分にボンドをつけてひきこむ

手で少しおさえる

4

2本つくる

5

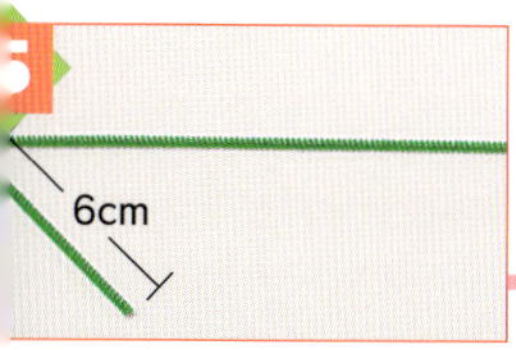

別のモールを6㎝くらいのところで折りまげる

6

からませて葉っぱのかたちにする

7

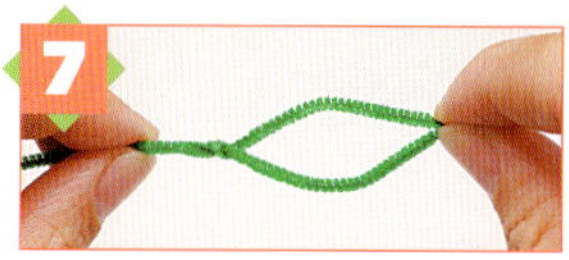

葉っぱの先をつまみ、かたちをととのえる

8

もう1本は大きさをかえてつくる

9

高さをかえて花を組む

10

低い花のうしろに小さい葉っぱ、高い花のうしろに大きい葉っぱを組む

11

別のモールで根もとをねじってとめる

12

くきの部分にボンドをつけて、ねじったモールの1本を下にまきつけていく

13

まいたモールの上にボンドをつけ、ブローチピンをのせてのこりの1本をまく

14

ブローチピンにもボンドをつけてまいていき、しっかり固定する

15

くきを少しまげ、全体のバランスを考えて切る

16

リボンをちょう結びにする

17

カーネーションのブローチのできあがり

バッグ

1

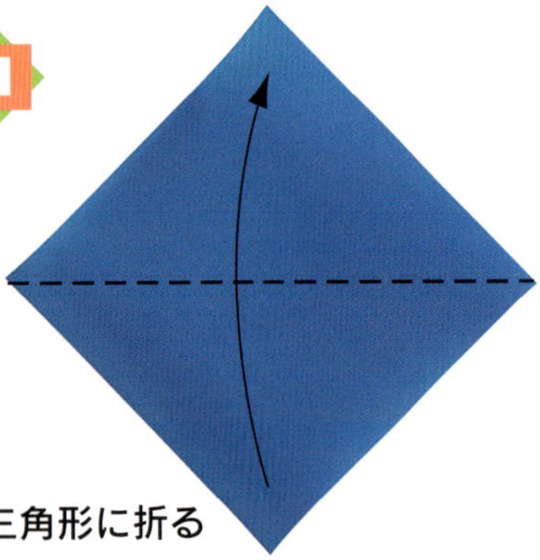

三角形に折る

2

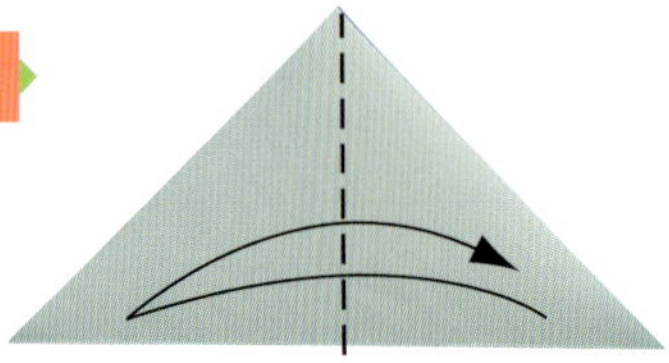

折りすじをつけてひらく

3

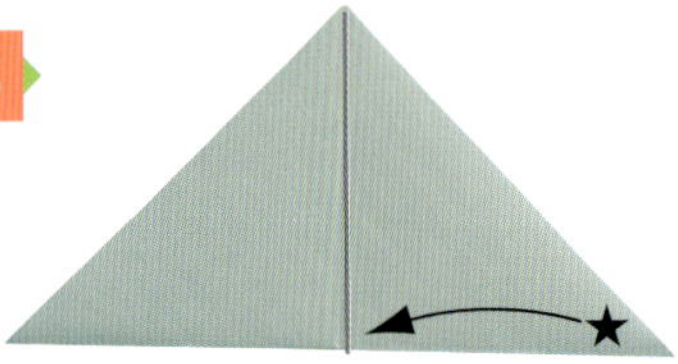

折るめやすのしるしをつけるために★をまんなかにあわせて、下にだけかるくあとをつける

4

▲のところだけを指でおさえてしるしをつける

5

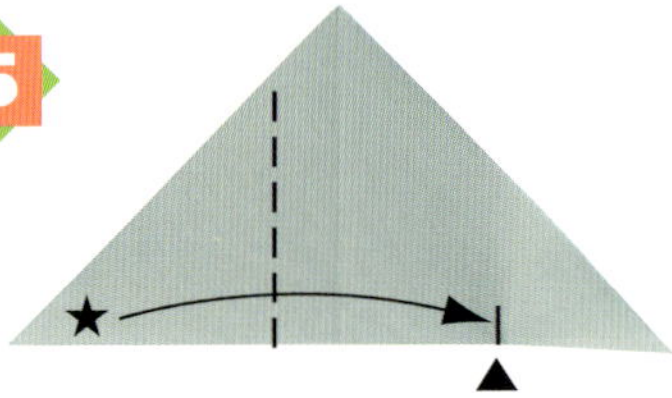

4でつけたしるしに★をあわせて折る

6

いちどひらく

7

4とおなじように、ま
んなかにあわせてかる
くしるしをつけてから
ひらく

8

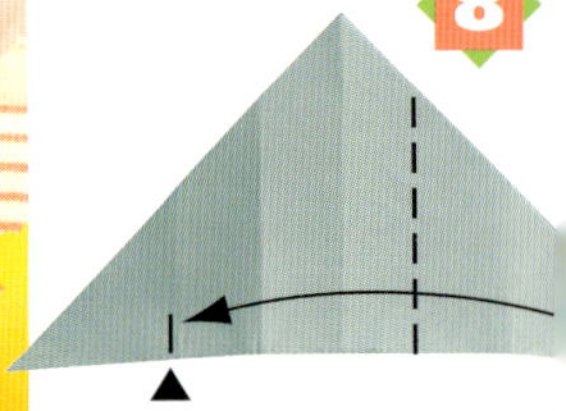

7でつけたしるしに
★をあわせて折る

9

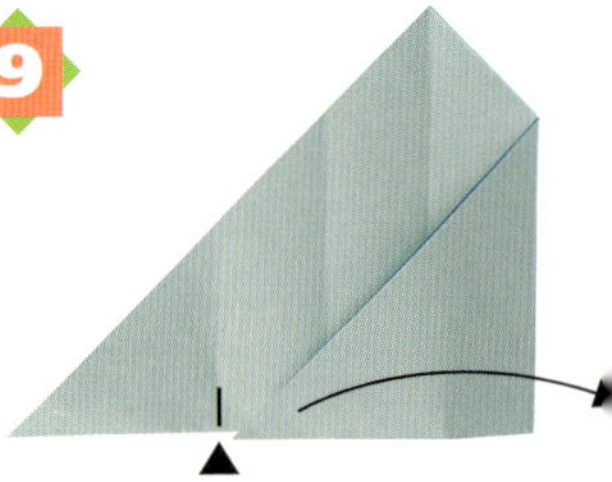

いちどひらく

10

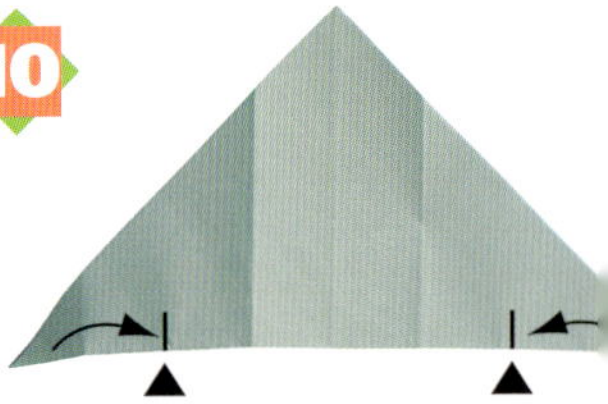

左右の角《かど》をそれぞれ▲のし
しにあわせて、もうひと
つかるくしるしをつける

11

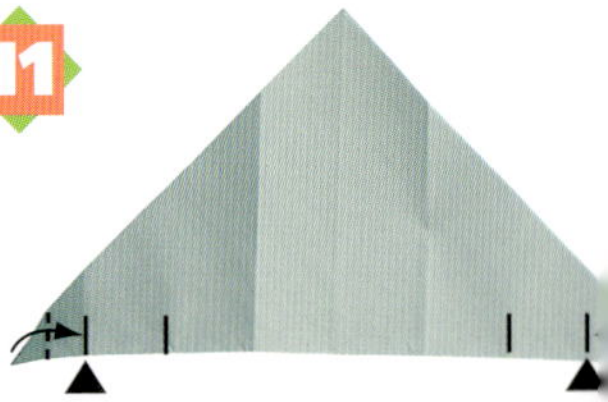

10でつけたしるしにあわせ
左右の角を折る

12

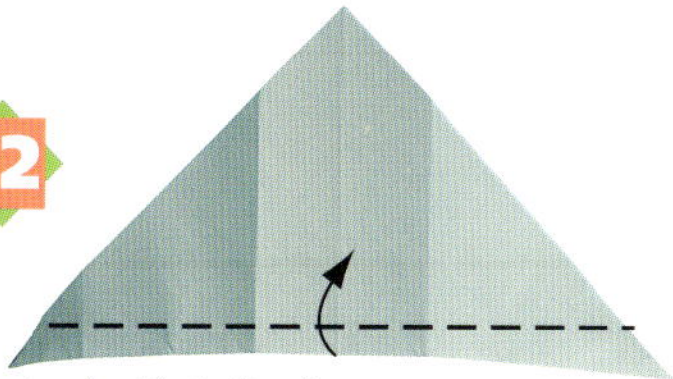

いちどひらく。
下を１㎝くらい折る

13

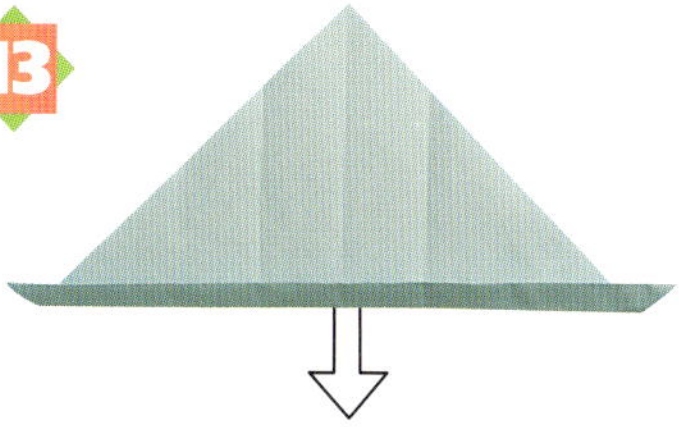

下になっているおりがみを
ひろげる

14

★の部分をつまんでおこす

15

半分に折る

16

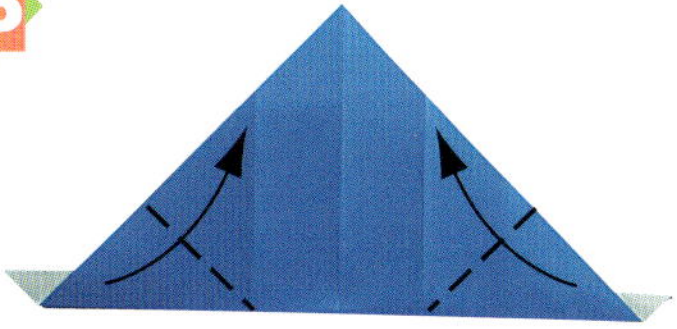

折りすじにあわせて折る

17

半分に折る

18

いちどひらく

19

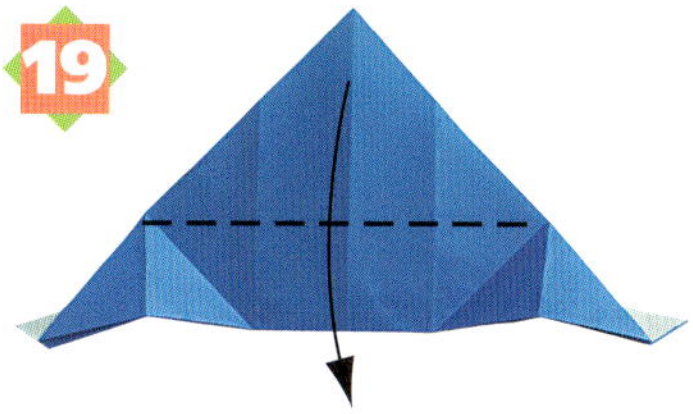

上の１枚を折りさげる

20

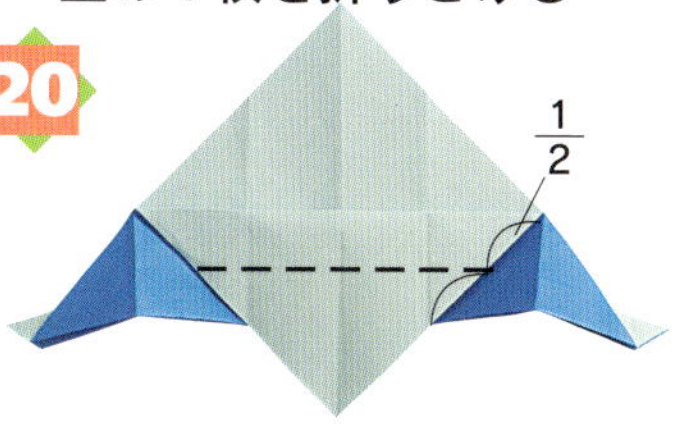

半分くらいのところで
折りあげる

21

うらがわに折る

22

★の部分をつまんで、
いちどひらく

23

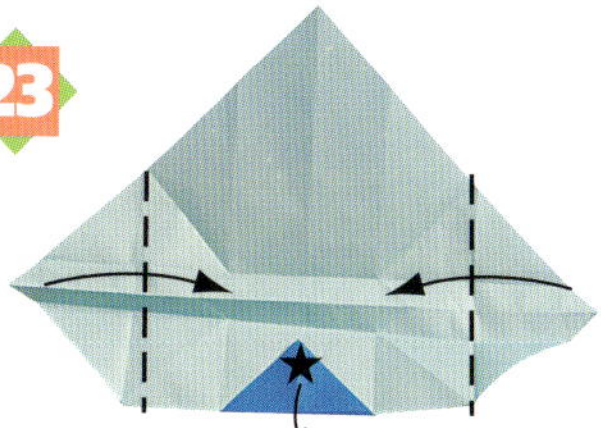

★の三角形と底をひら
いて左右を折る

24

○の下に
親指をいれて、
うちがわに折る

25

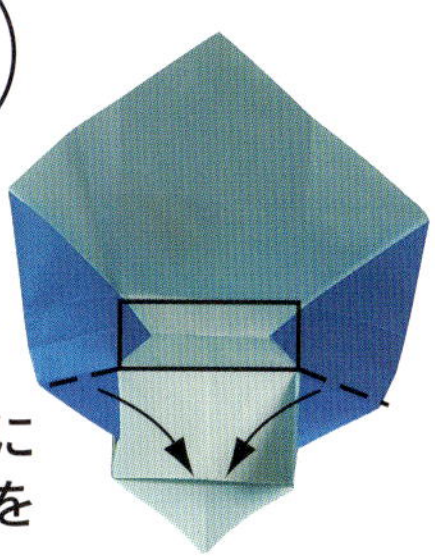

24でうちがわに
折った三角形を
かさねる

26

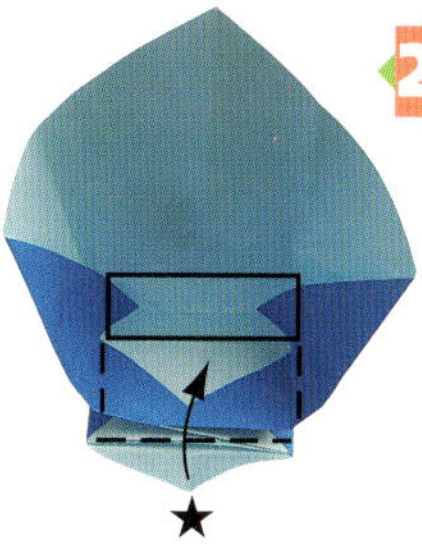

★の三角形を
うちがわに折る

この三角形をのりづけ
すると、このあと折り
やすくなるよ

27

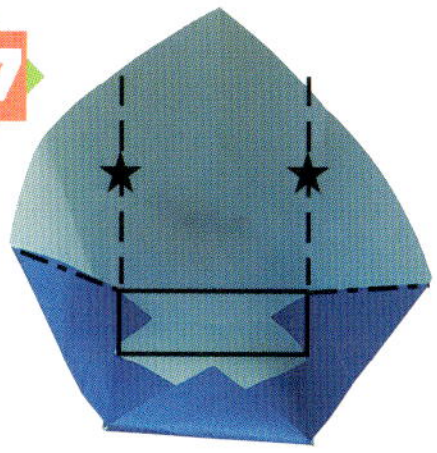

底にあわせて★の折りすじ
をしっかりつける
（6と8でつけた折りすじ）

28

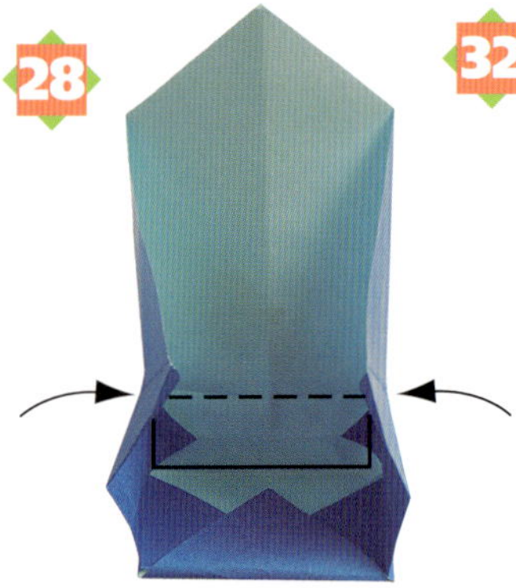

←のところにななめの
折りすじがあるので、
うちがわに折る

29

角《かど》が★のあたりにあう
ように折る

30

はじを少し折る

31

いちどひらく

32

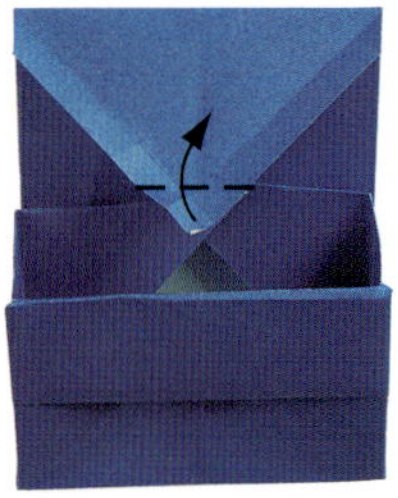

角《かど》を折りあげる

33

もういちど折る

34

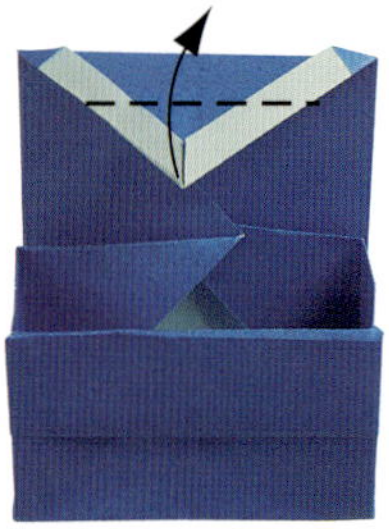

角《かど》が上に
でるように折る

35

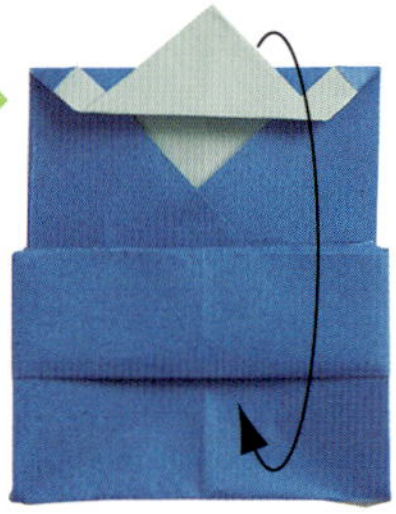

手前に折って
さしこむ

36

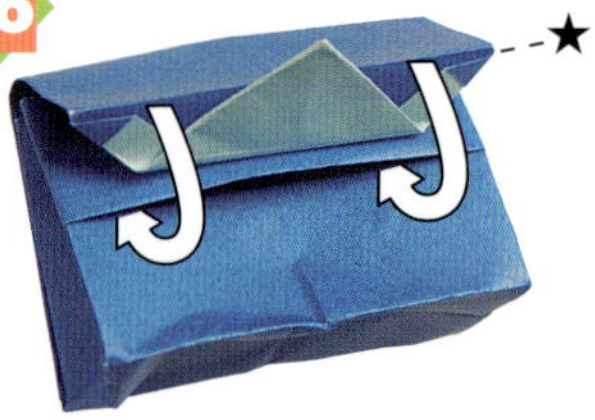

★の線のところまで
さしこむ

37

【持ち手と組みあわせ】

サイズ

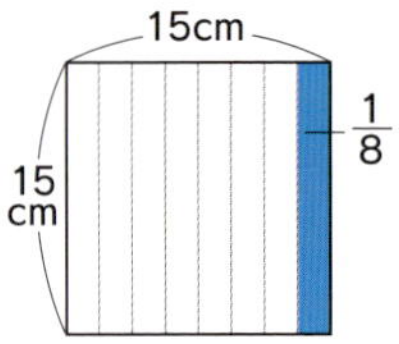

1

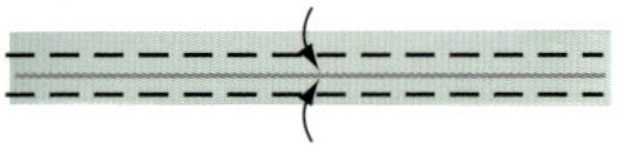

まんなかにあわせて、
かんのん折りをする

2

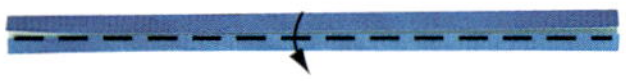

半分に折る

3

指でカーブをつける

4

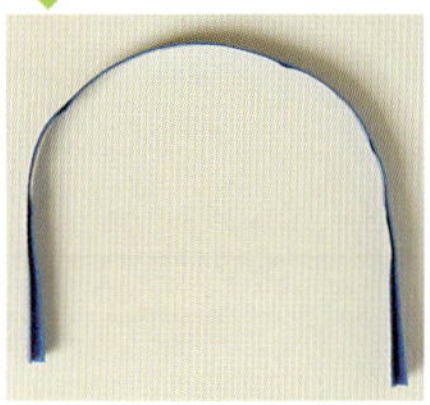

5

バッグをひらいて、
うちがわにつける

6

★

バッグの
できあがり

パラソル

サイズ

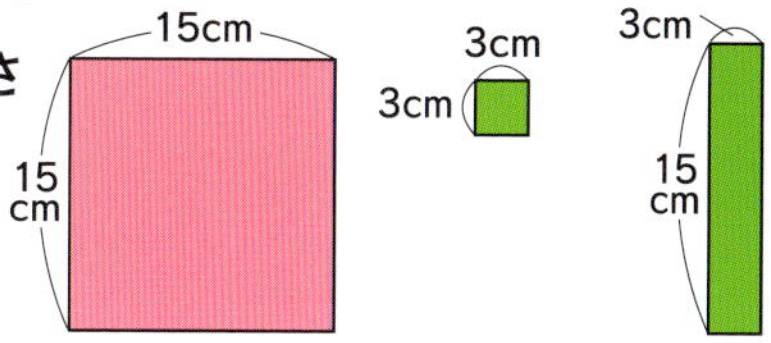
かさ
15cm
15
cm
中心
3cm
3cm
かさのえ
3cm
15
cm

1

三角形の折りすじをつけておく。小さい四角いおりがみをまんなかにあわせてはる

2

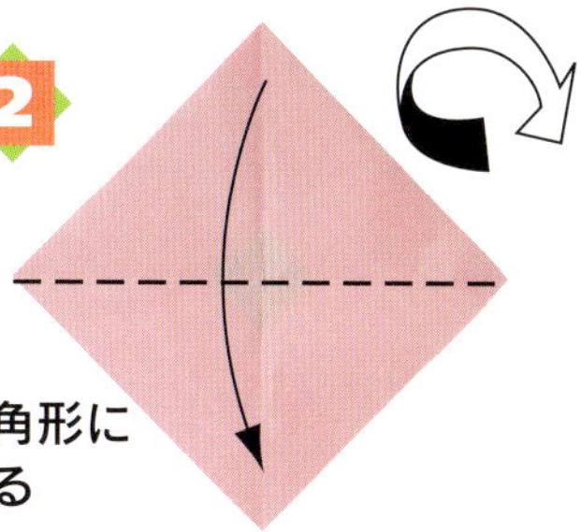

三角形に折る

3

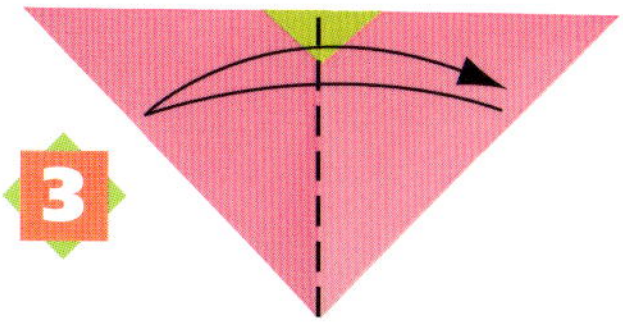

折りすじをつけてひらく

4

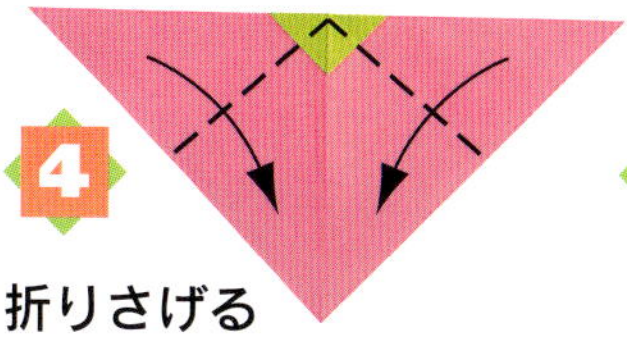

折りさげる

5

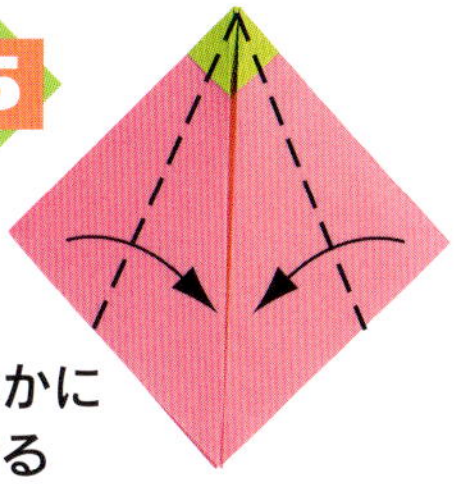

まんなかにあわせる

6

切る

7

半分に折る

8

かさの先を少しだけ切り、9の形に折りすじをかえる

【かさのえと組みあわせ】

1

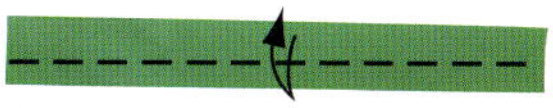

折りすじをつけてひらく

2

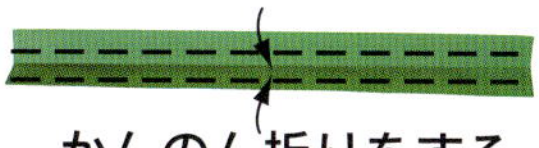

かんのん折りをする

3

もういちどかんのん折りをする

4

半分に折る

5

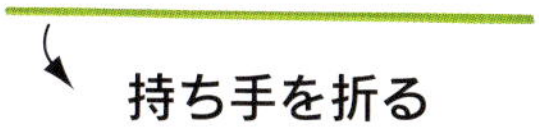

持ち手を折る

6

もういちど折る

7

8

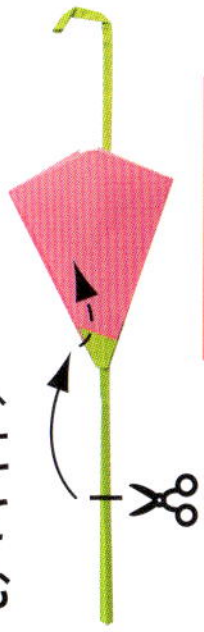

かさの中にさし、ちょうどよい長さになるように切って折りこむ

9

ひだをひらいてたたみなおす

10

ひだの中をのりでとめる

パラソルのできあがり

※かたつむりは参考作品です

あじさい・葉っぱ

【花】

1

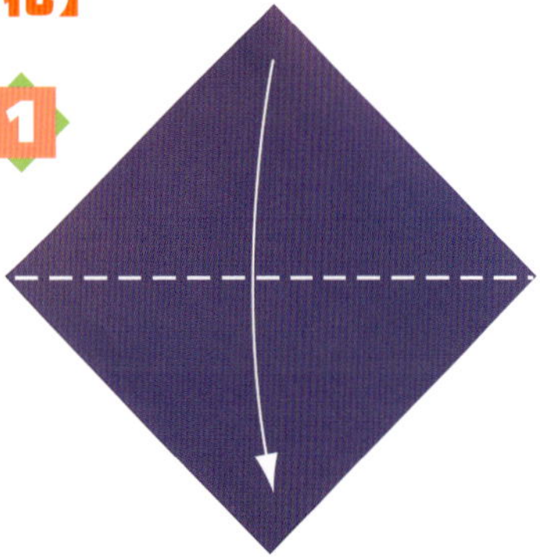

三角形に折る

2

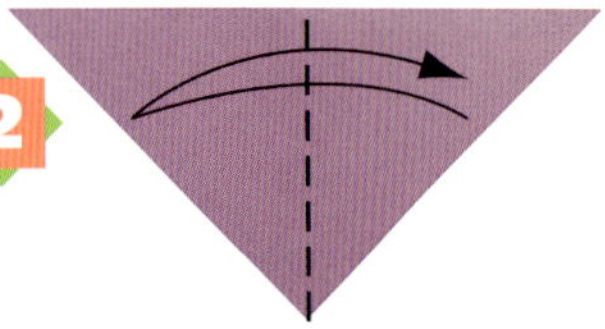

折りすじをつけてひらく

3

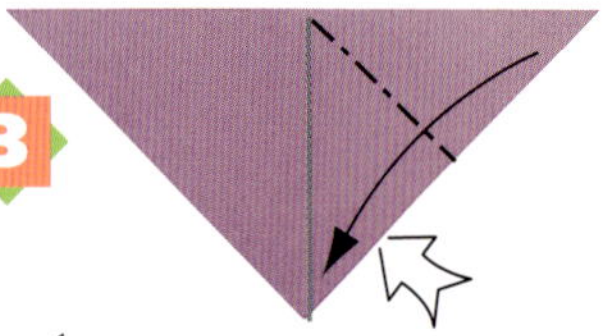

⇦の中をひらいて折る

4

5

うらがわもおなじように折る

6

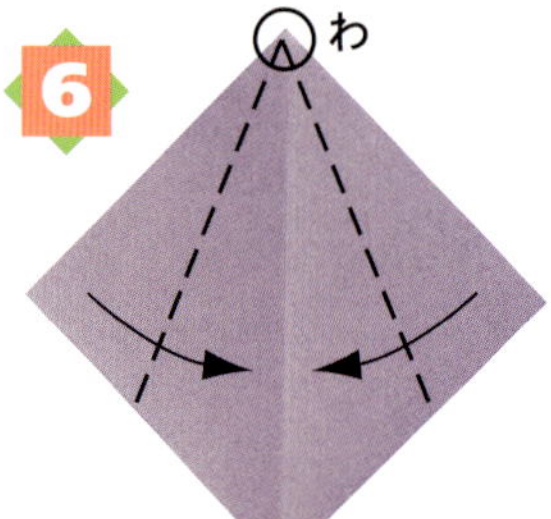

上の１枚を
まんなかにあわせて折る

7

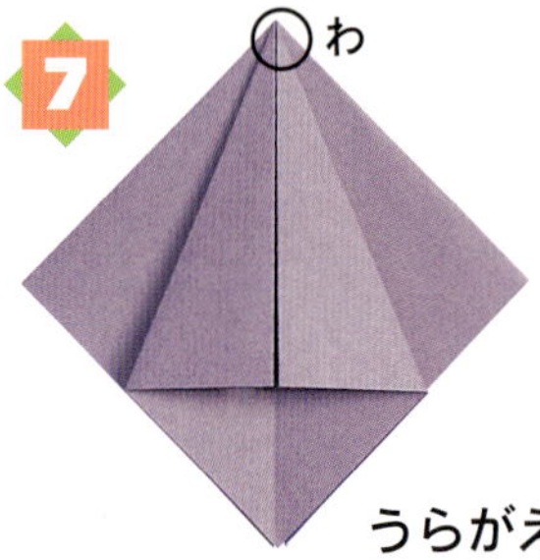

うらがえす

8

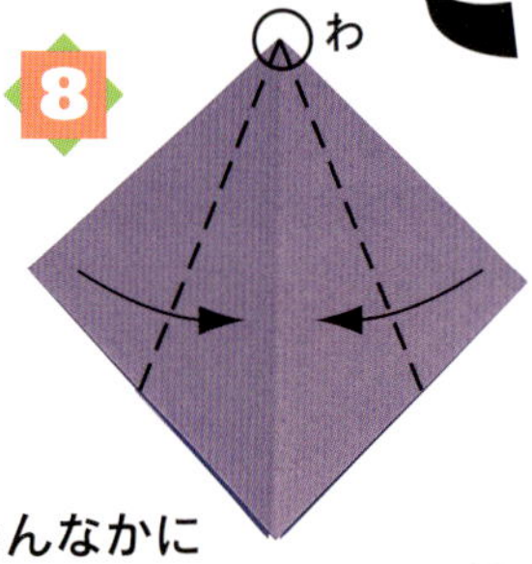

まんなかに
あわせて折る

9

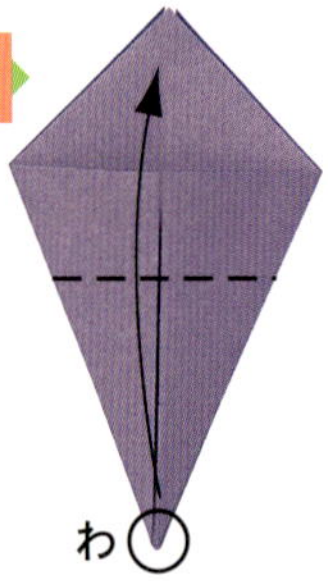

上に折りあげる

10

いちどひらく

11

上の１枚を折りさげる

12

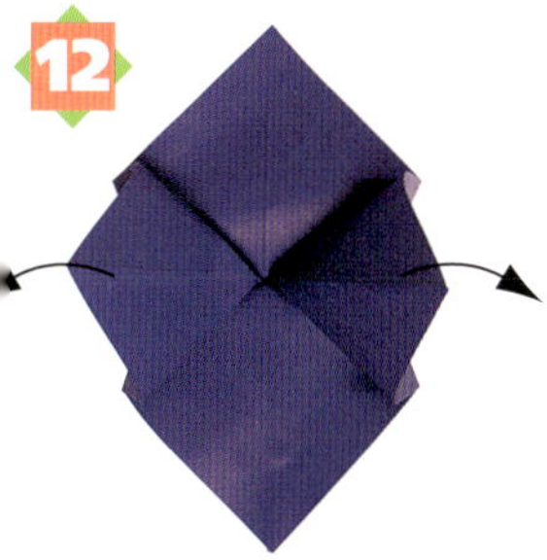

花びらをひろげる

13

14

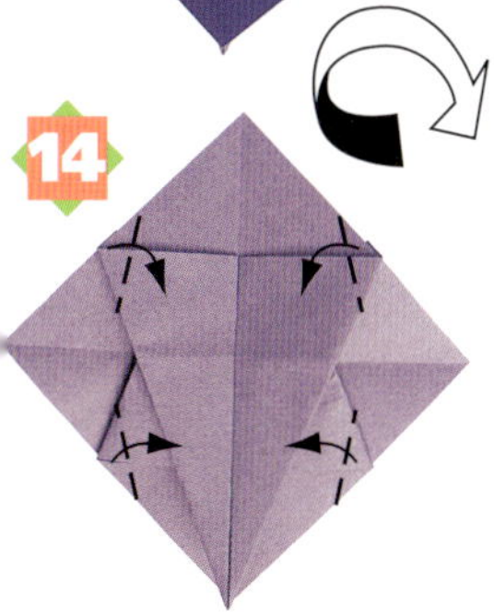

４つの角を折る

15

16

花のできあがり

小さめのおりがみで
たくさん折って、
組みあわせてみてね

イメージ写真は、7.5㎝×7.5㎝の
おりがみを使っています

【葉っぱ】

1

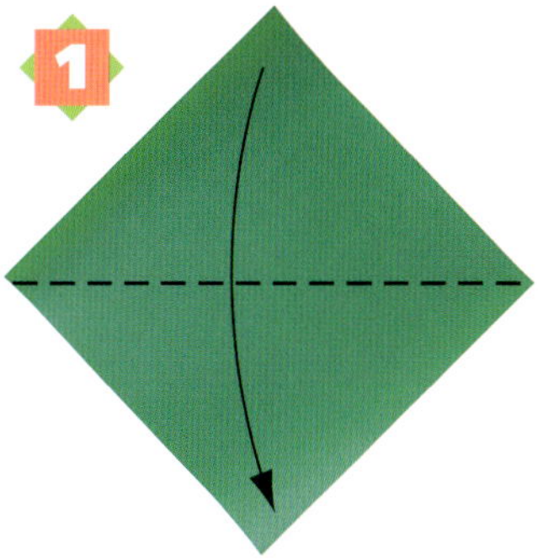

三角形に折る

2

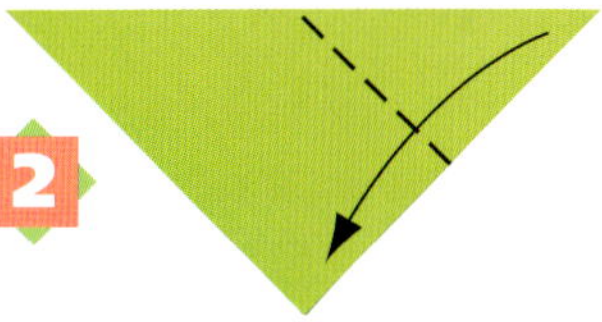

右がわを折りさげる

3

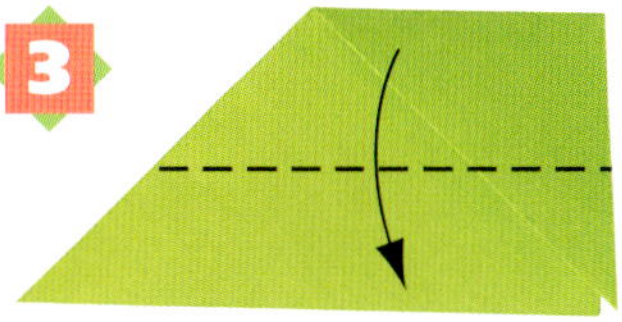

半分に折る

4

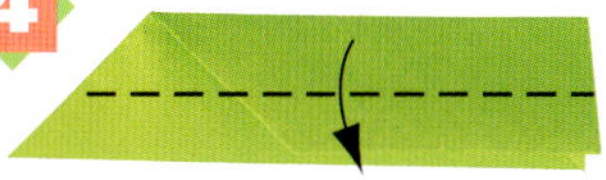

半分に折る

5

いちどひらく

6

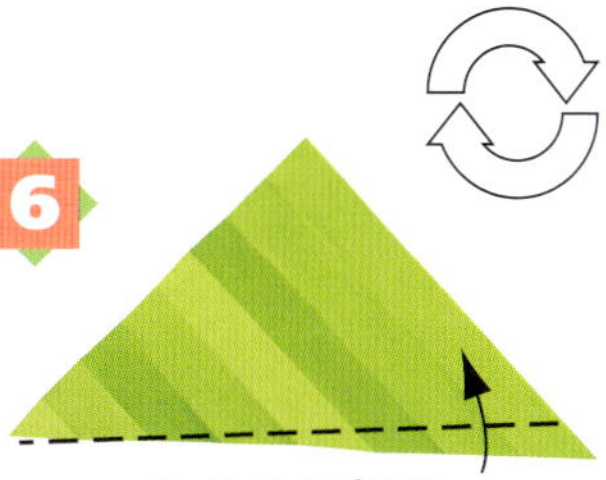

ななめに折る

7

折りさげる

8

折りさげる

9

いちどひらく

10

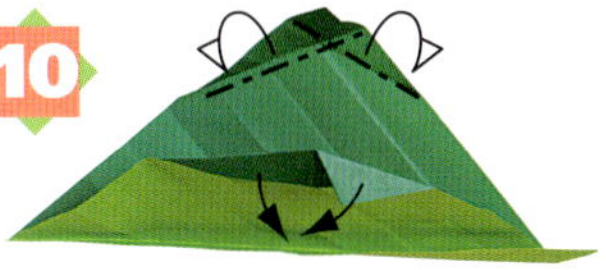

折りすじにそって、
それぞれそとがわに折る

11

葉っぱのできあがり

ぴょんぴょんかえる

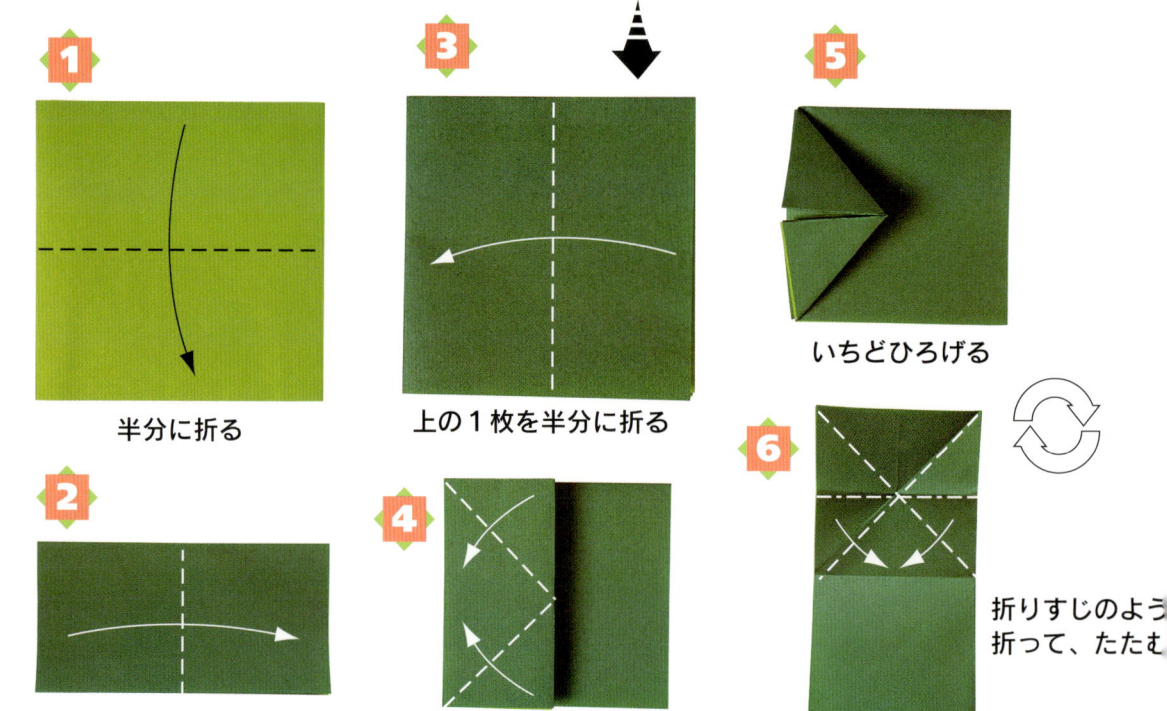

1

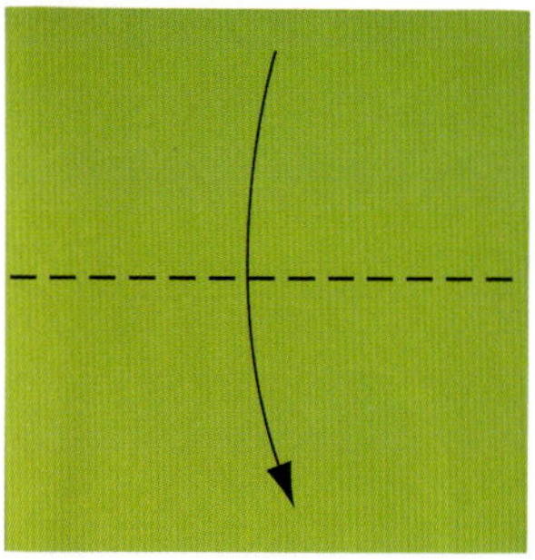

半分に折る

2

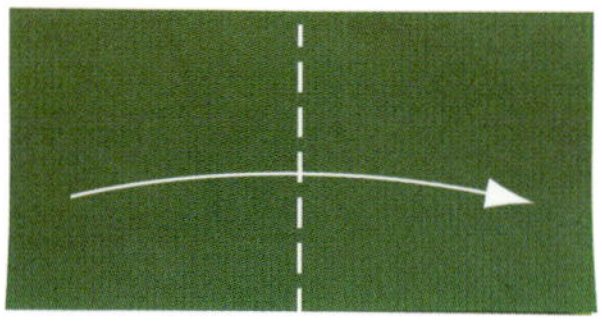

半分に折る

3

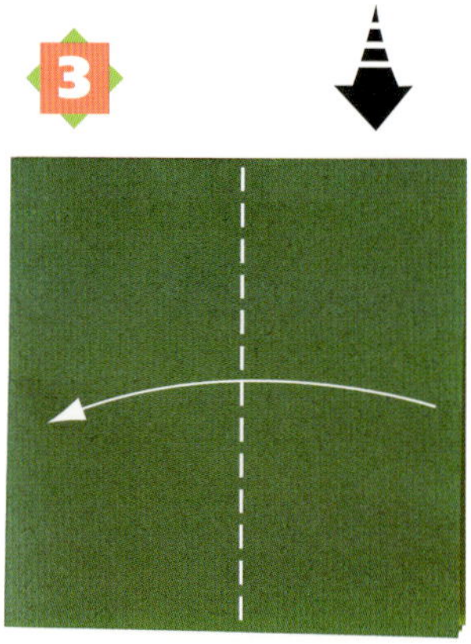

上の１枚を半分に折る

4

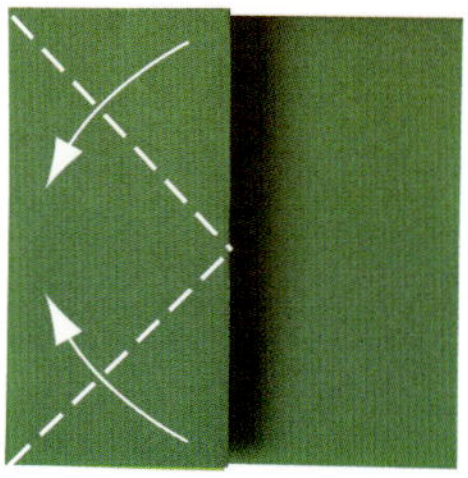

三角に折る

5

いちどひろげる

6

折りすじのよう
折って、たたむ

7

8

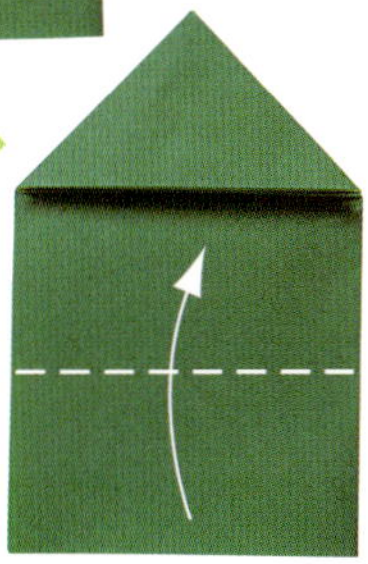

半分に折る

9

三角形を１枚めくる

10

半分に折る

11

三角形をもどして、反対がわもおなじようにする

12

半分に折ったら、三角形をもどす

13

折りあげる

14

半分に折る

15

三角形に折る

16

下の部分をいちどひろげる

17

をひらいて上につぶす

18

19

折りさげる

20

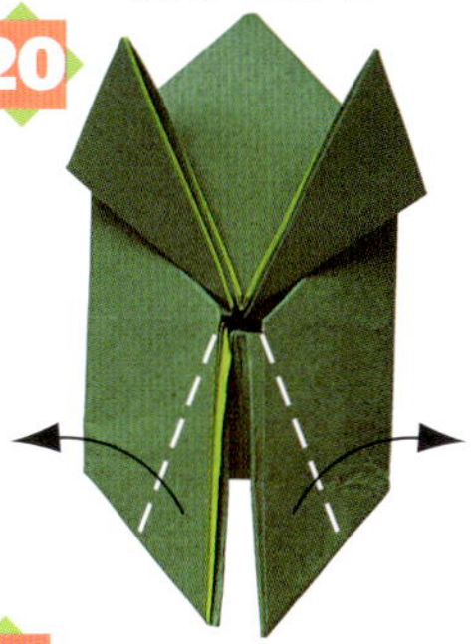

21

半分に折る

22

半分に折る

23

24

ぴょんぴょんかえるのできあがり

あそびかた

指でおさえてはなすとジャンプするよ！

かえる

1

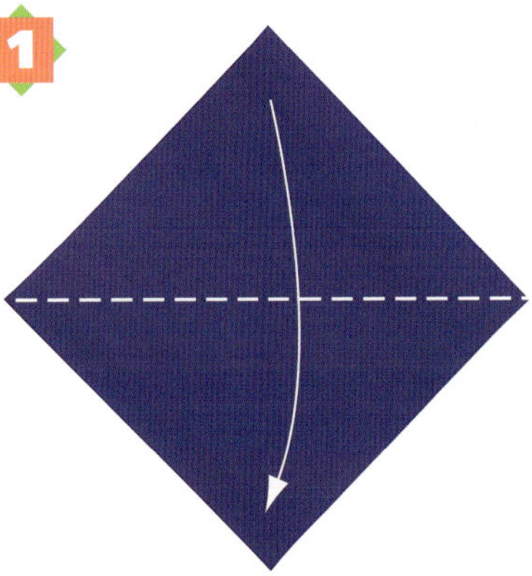

三角形に折る

2

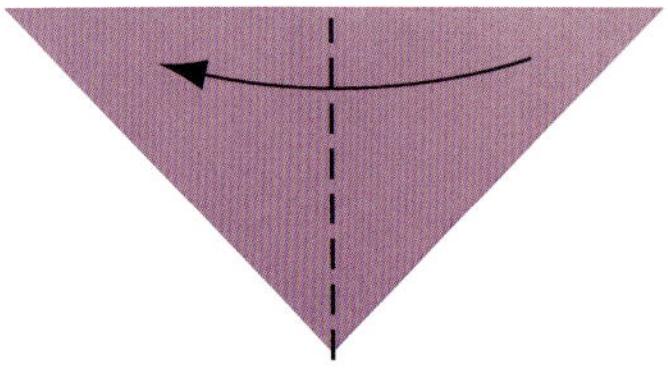

半分に折る

3

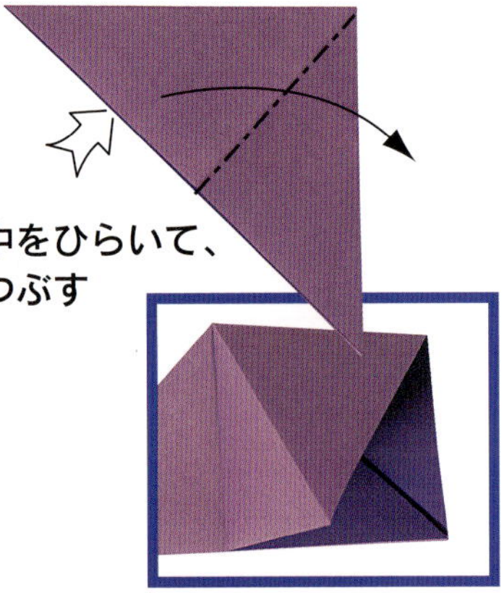

中をひらいて、
つぶす

4

うらがわもおなじように折る

5

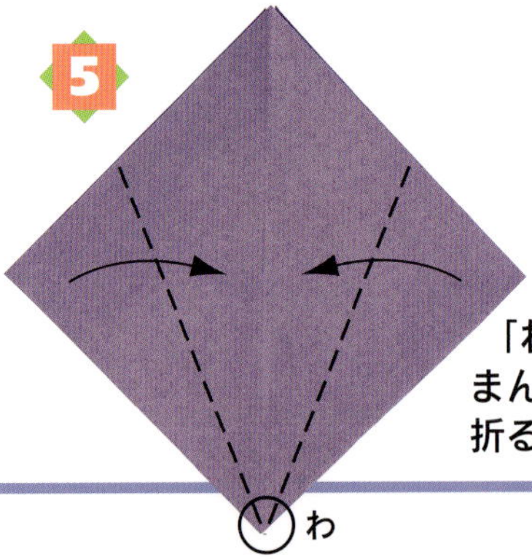

「わ」を下にして、
まんなかにあわせて
折る

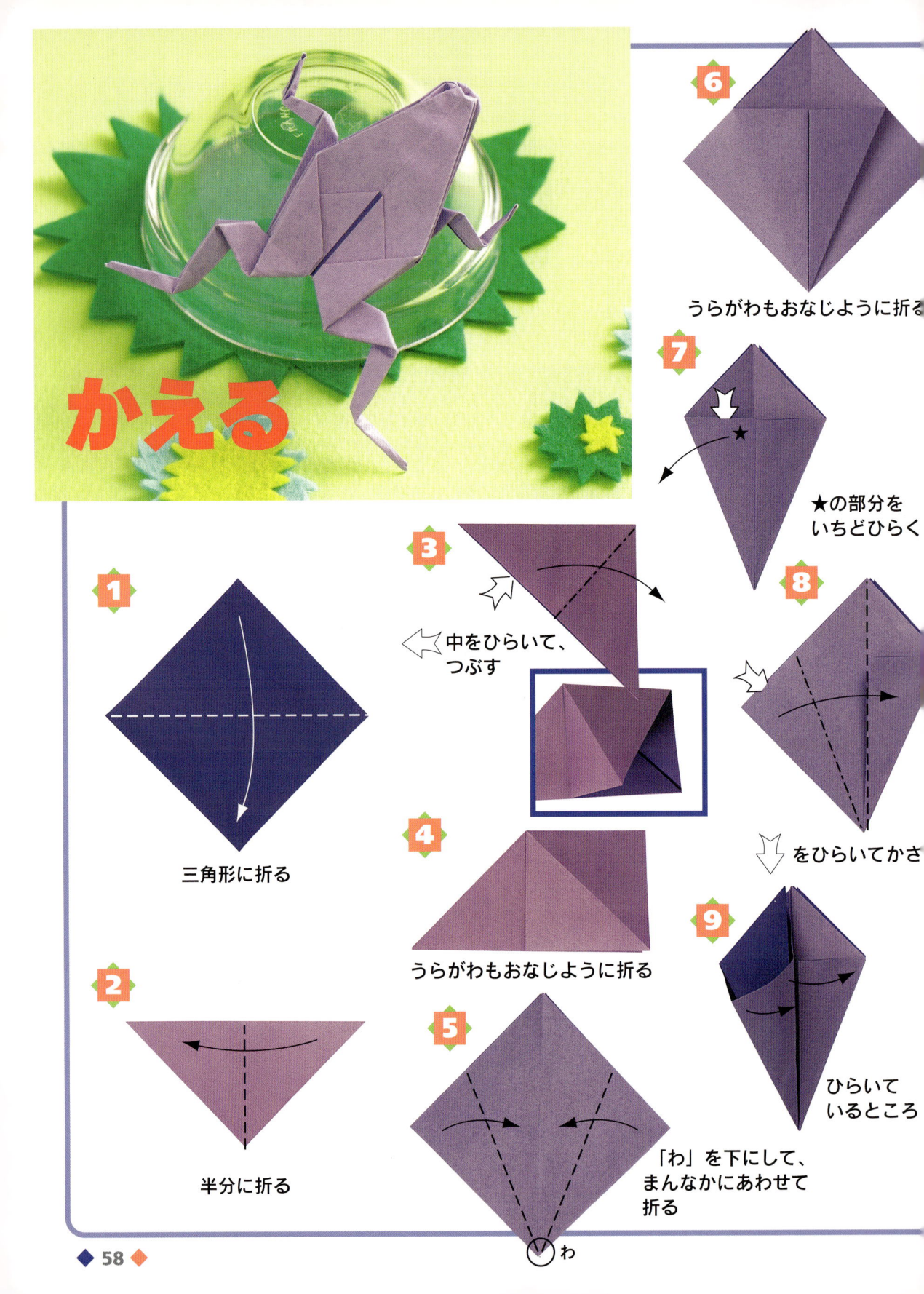

6

うらがわもおなじように折る

7

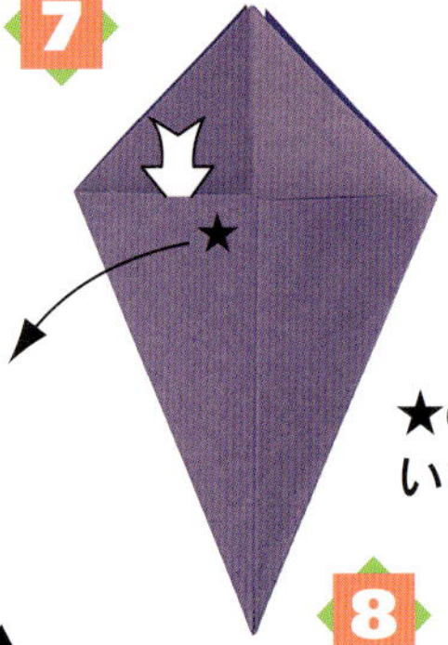

★の部分を
いちどひらく

8

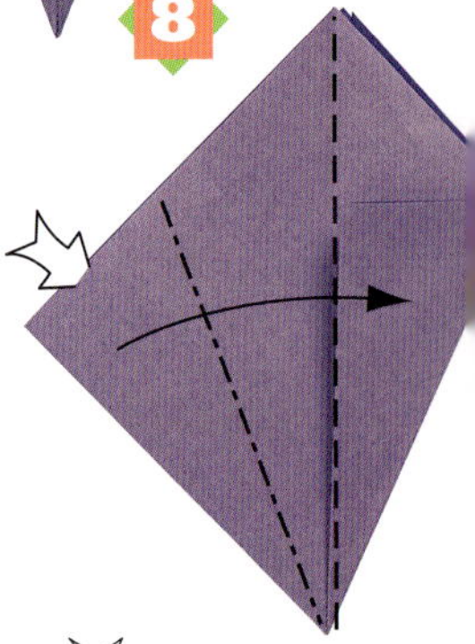

をひらいてかさ

9

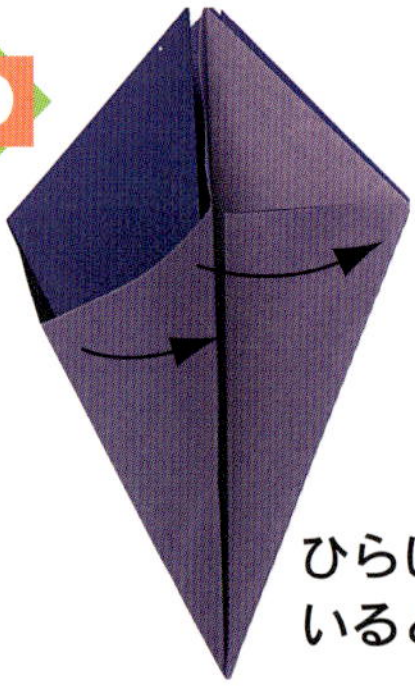

ひらいて
いるところ

10

★の部分を１枚めくる

11

おなじように ⇩ の
中をひらいてかさねる

12

ひらいているところ

13
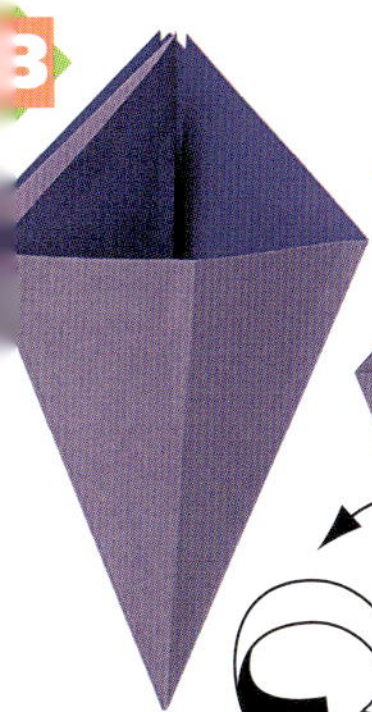

14
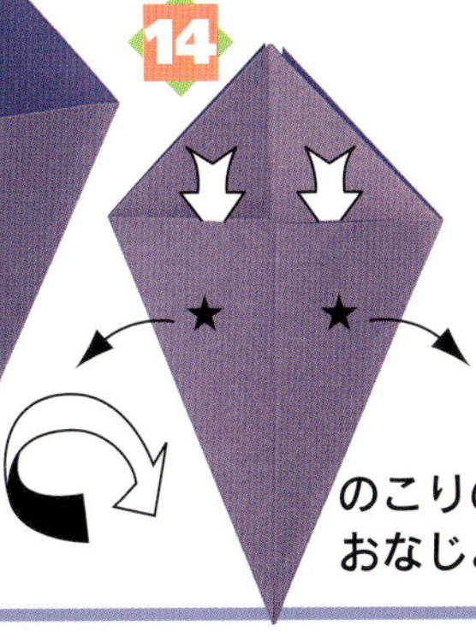
のこりの２カ所も
おなじように折る

15
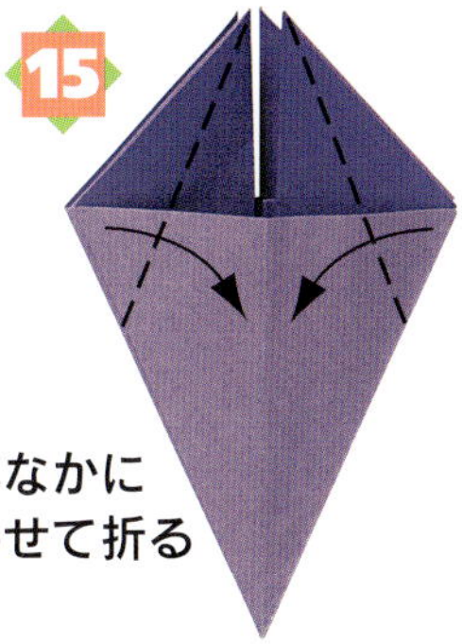
まんなかに
あわせて折る

16
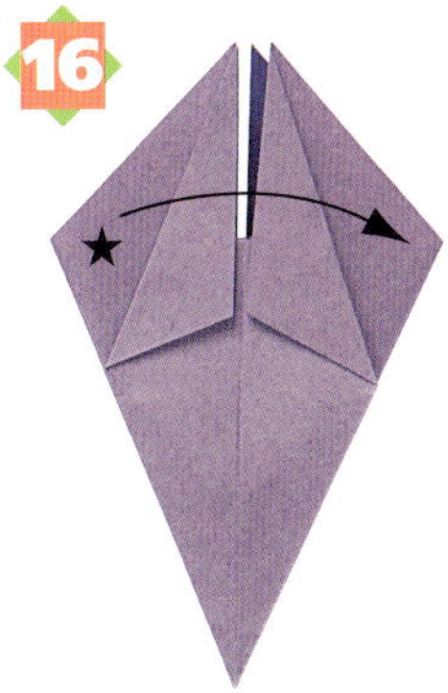
★の部分をめくる

17
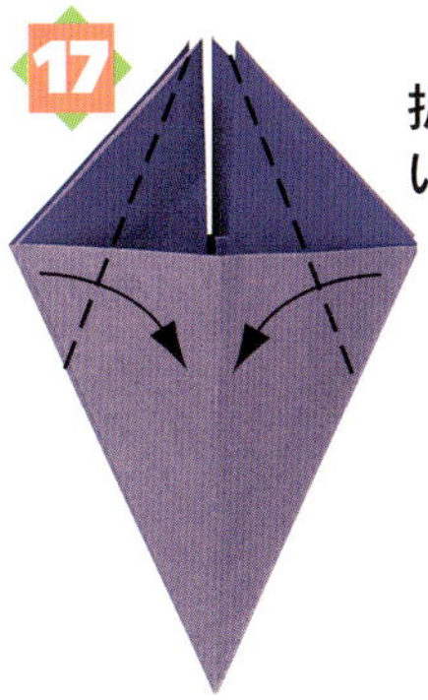
⓯とおなじように折り、
またくって、色の
ちがう部分をすべて折る

18

19

★の部分を
いちどひらいて、
中を折りあげる

20

折りあげて
いるところ

21
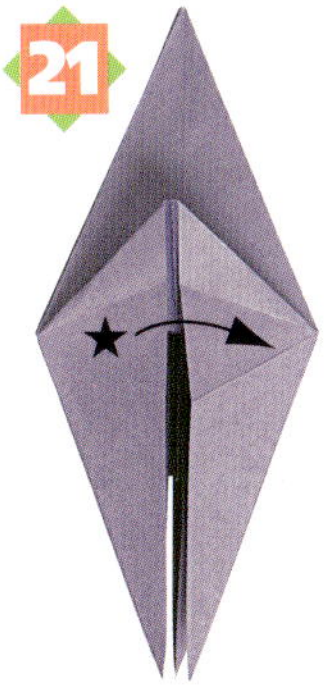
★をめくっていき、
のこり３カ所も
おなじように折る

22
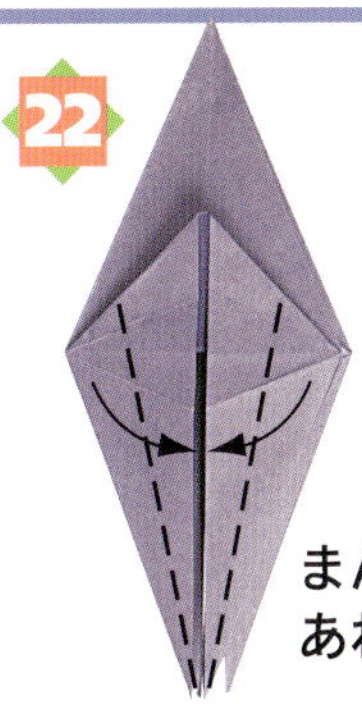
まんなかに
あわせて折る

23

★をめくっていき、
すべておなじよう
に折る

24

⇦ をひらいて、
半分のところで
折りあげる

25
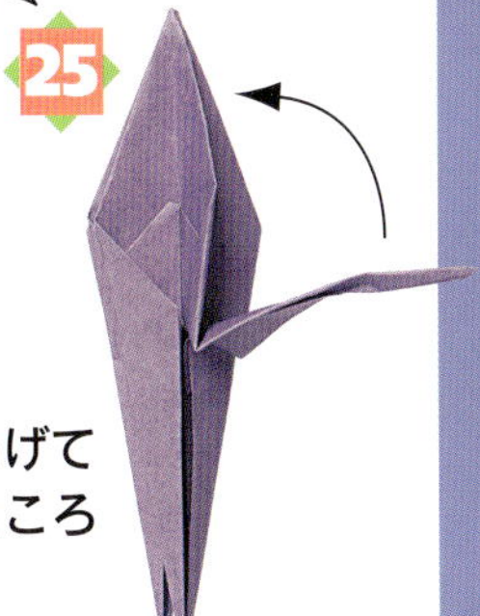
折りあげて
いるところ

26

反対がわも
おなじように折る

27
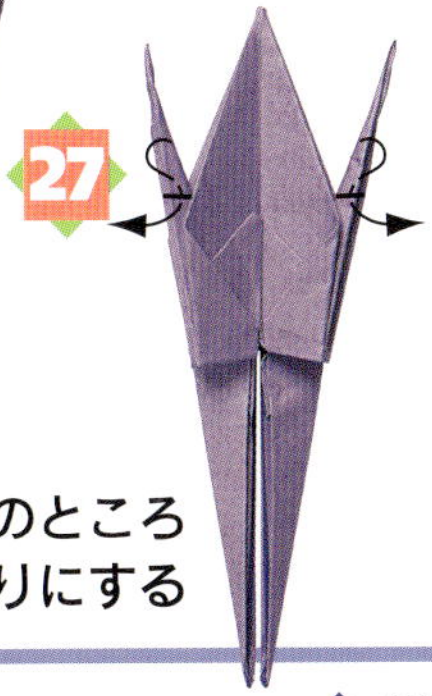
半分くらいのところ
で中わり折りにする

28

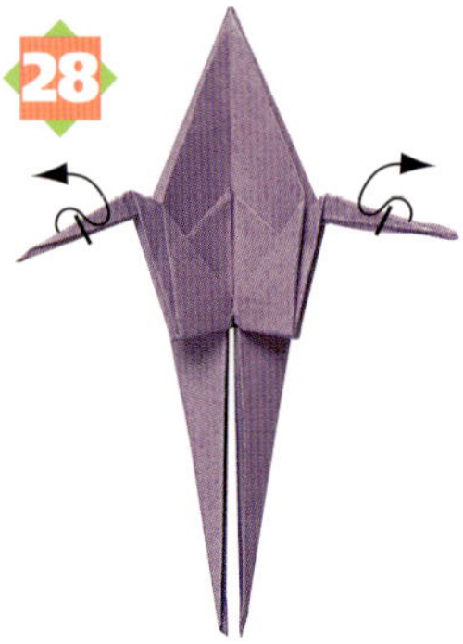

もういちど中わり
折りをする

29

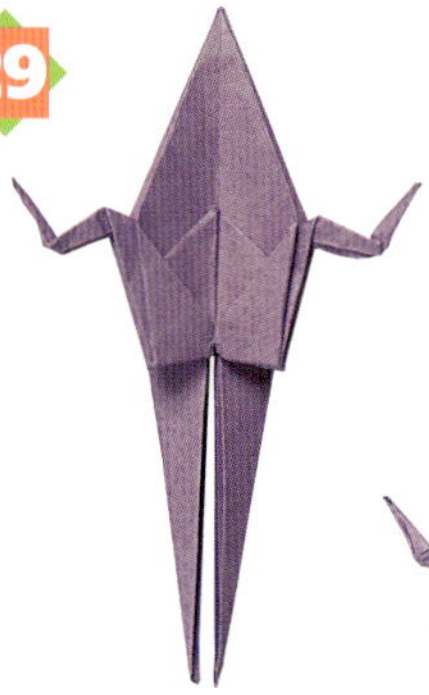

30

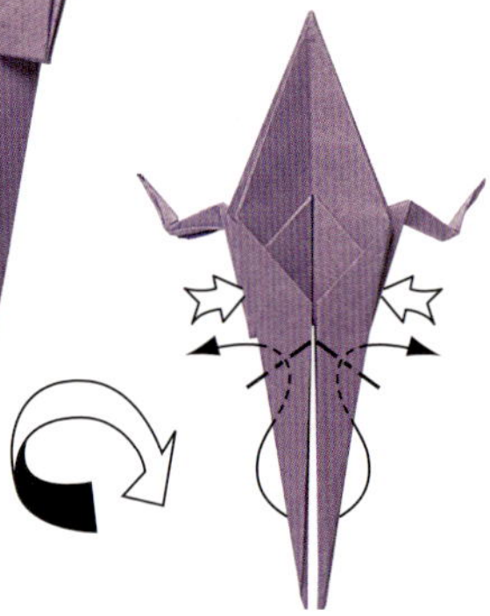

をひらいて、
中わり折りで
足をよこにだす

31

中わり折り
をする

32

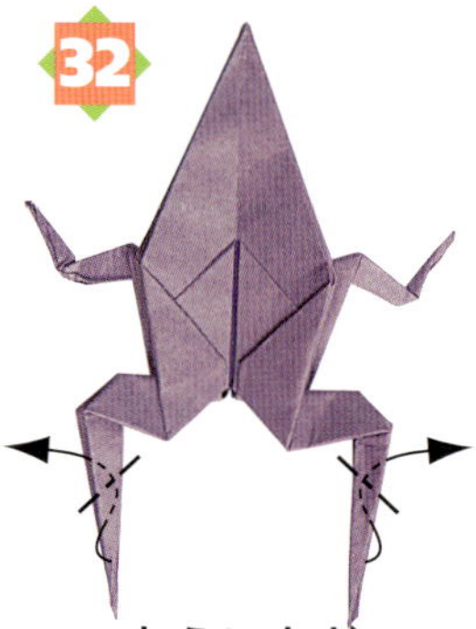

もういちど
中わり折りをする

33

息をふきこんで、
ふくらませる

34

かえるのできあがり

【おたまじゃくし】

1

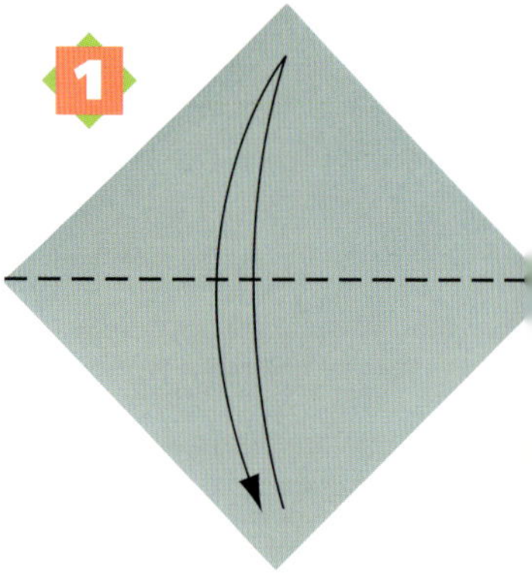

折りすじをつけてひらく

2

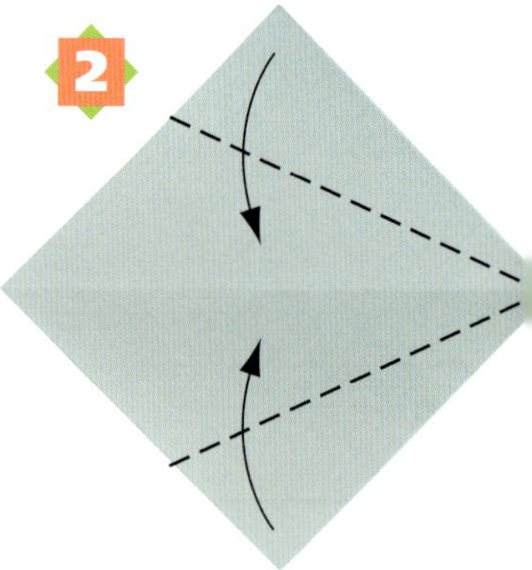

まんなかにあわせて折る

3

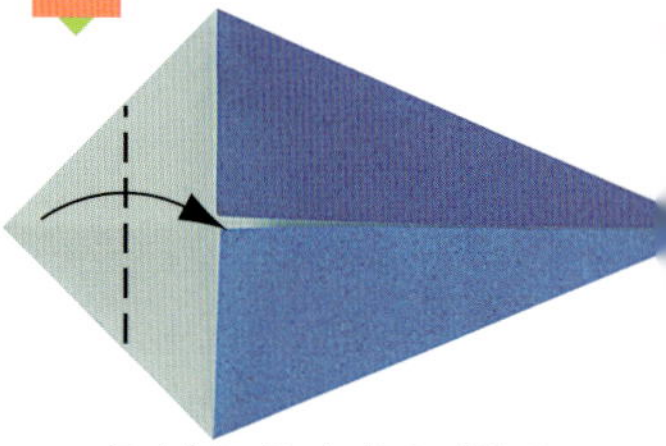

角があうように折る

4

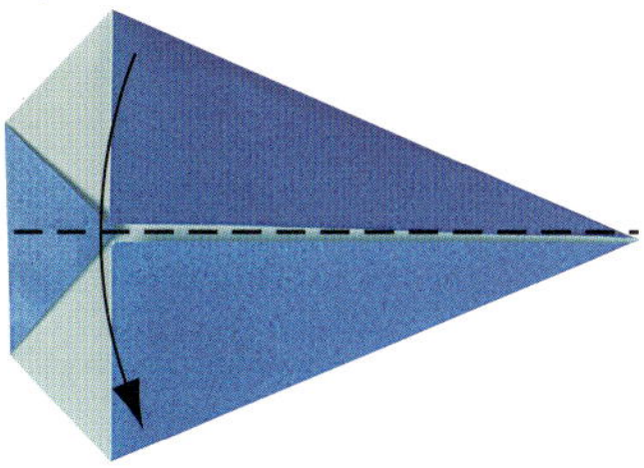

半分に折る

5

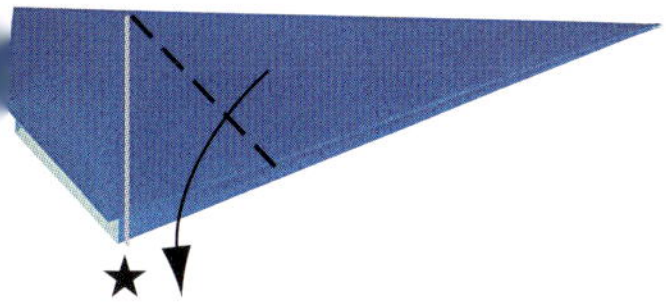

★の角にあうように折る

6

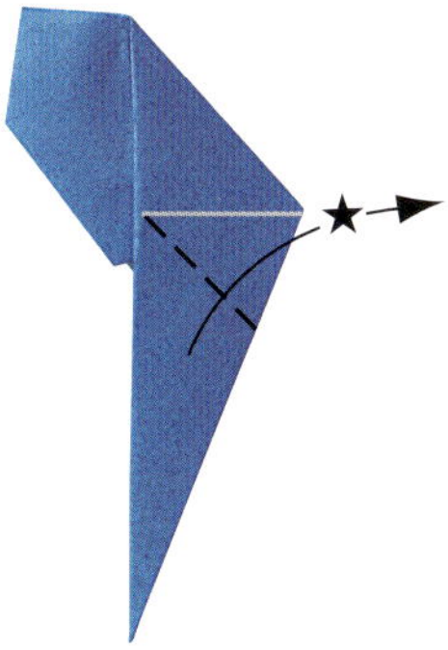

★の角にあうように折る

7

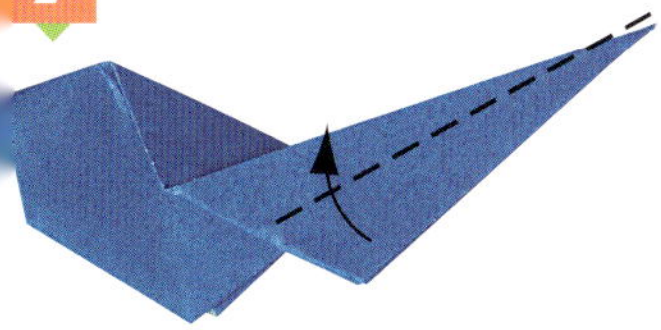

半分に折る

8

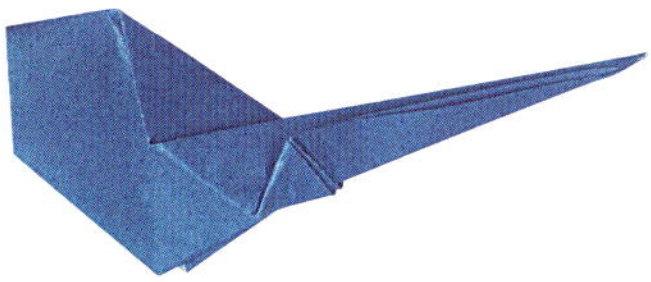

いちどひらく

9

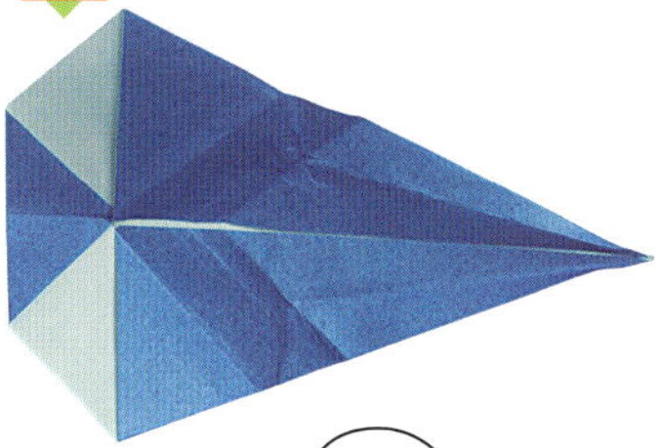

10

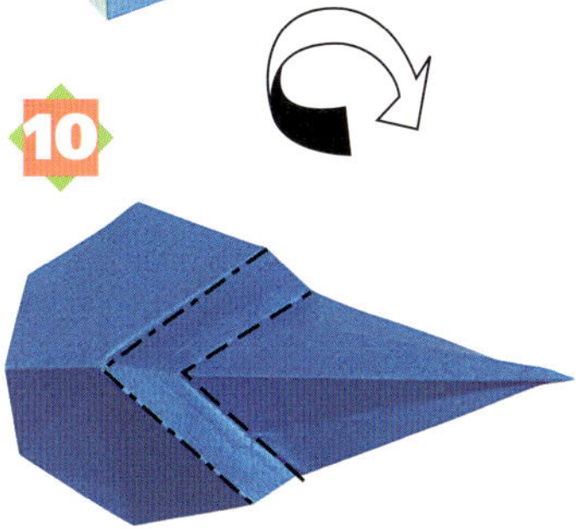

山折りと谷折りの
折りすじを、
しっかりとつけなおす

11

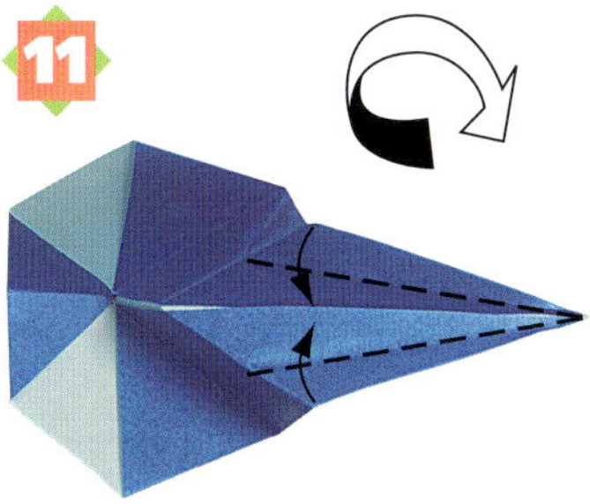

まんなかにあわせて折る

12

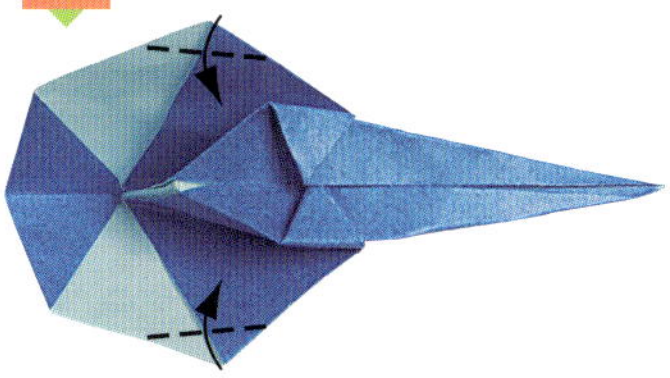

角を折る

13

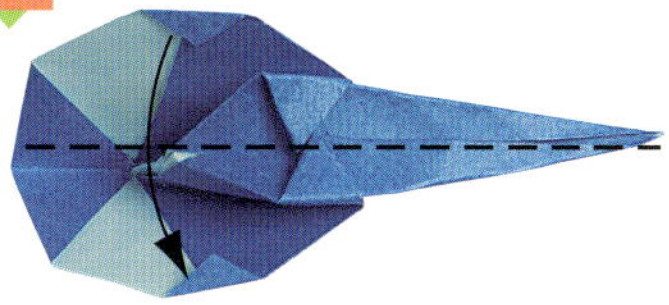

半分に折る

14

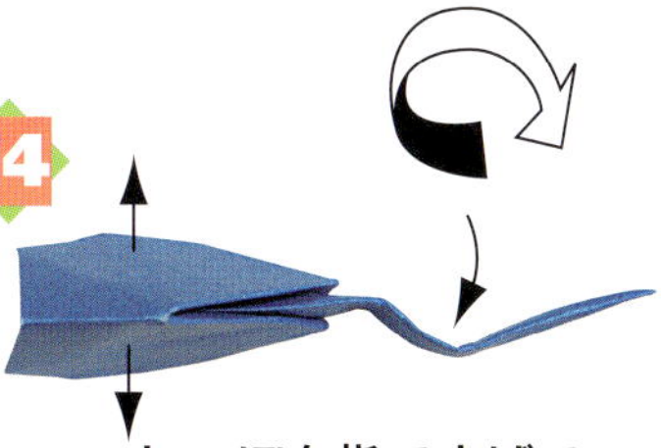

しっぽを指でまげて、
体の部分をひろげる

15

おたまじゃくしの
できあがり

イメージ写真の
オタマジャクシは、
7.5cm×7.5cmのおりがみで
折っています
※ありは参考作品です

ネクタイ

サイズ

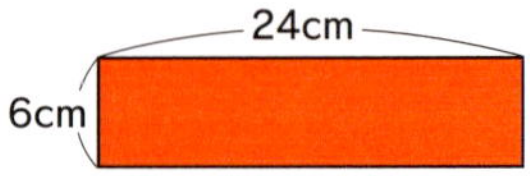

1

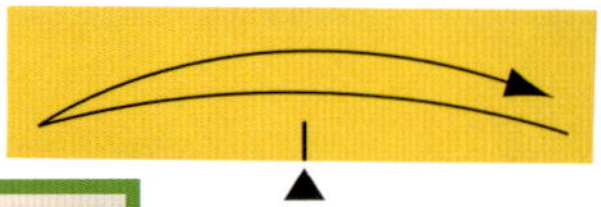

かるく半分に折り、めやすをつける

2

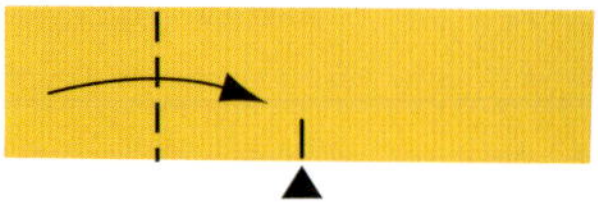

1でつけためやすにあわせて折る

3

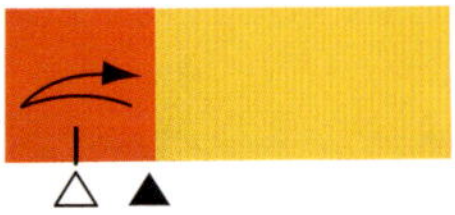

おなじようにかるく半分に折り、めやすをつける

4

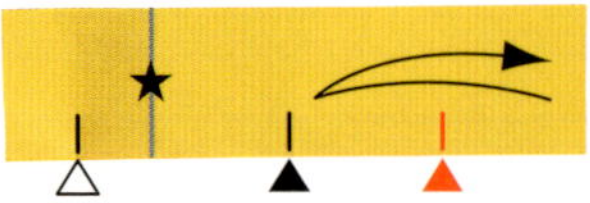

いちどひらいたところ。右がわも▲にあわせてかるく半分に折り、めやすをつける

5

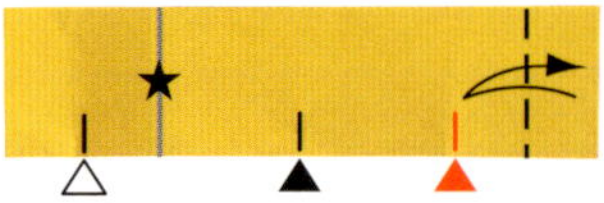

右がわを▲にあわせて、折りすじをつけてひらく

6

5までの★の折りすじを山折りにして、△にあわせて段折りをする

7

半分に折ってひらく

8

上はまんなかにあうように、下のほうはななめに折る

9

⇦の中をひらく

10

反対がわもおなじようにひらく

11

上の２カ所を折る

12

上を折る

13

下の２カ所を折る

14

15

ネクタイのできあがり

フレーム

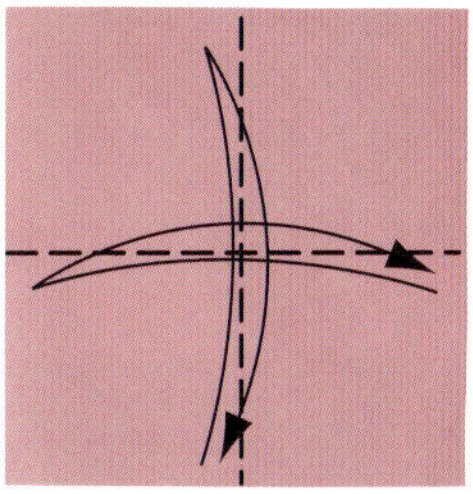

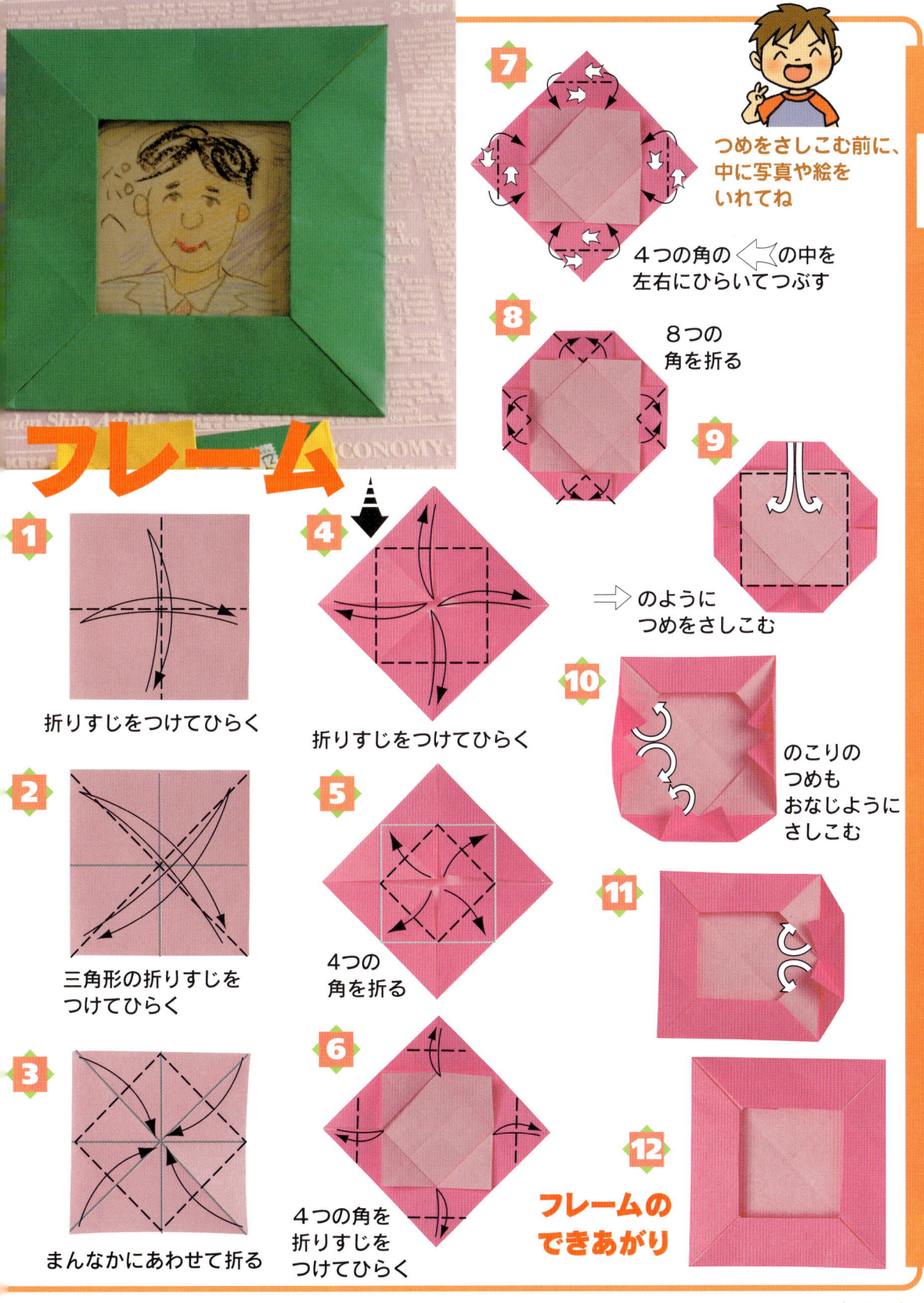

1

折りすじをつけてひらく

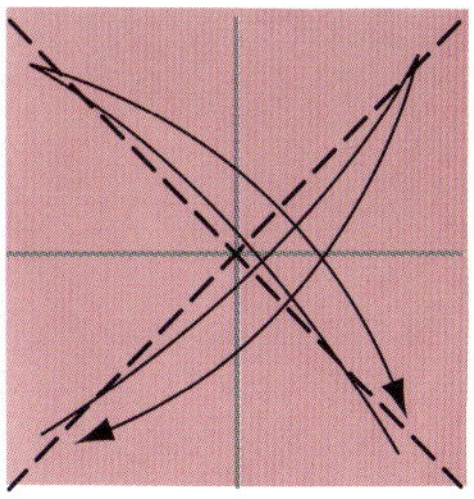

2

三角形の折りすじを
つけてひらく

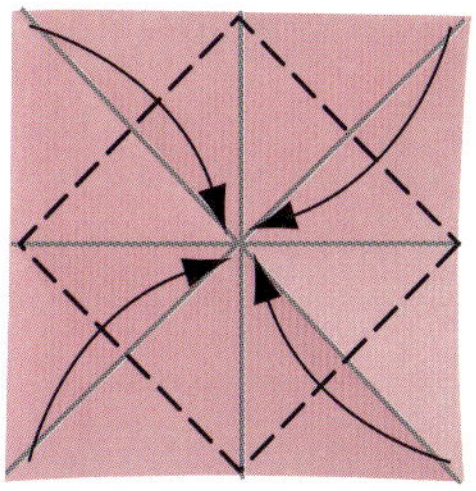

3

まんなかにあわせて折る

4

折りすじをつけてひらく

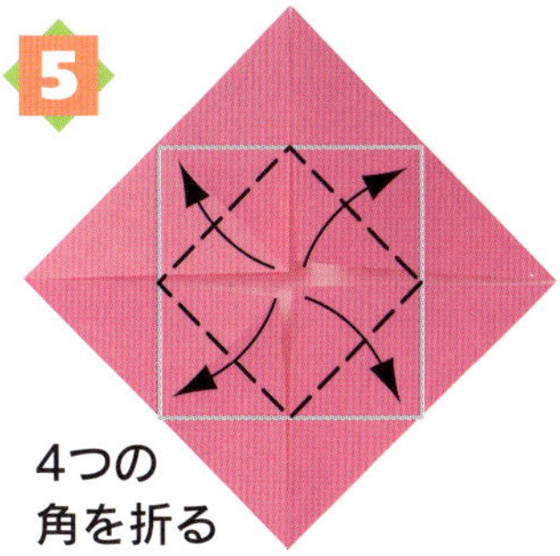

5

４つの
角を折る

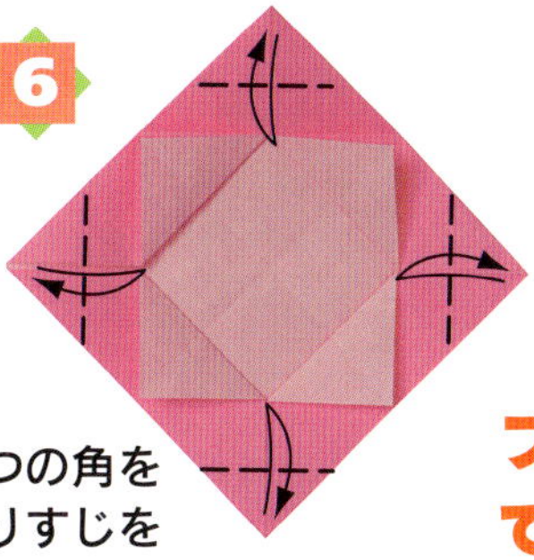

6

４つの角を
折りすじを
つけてひらく

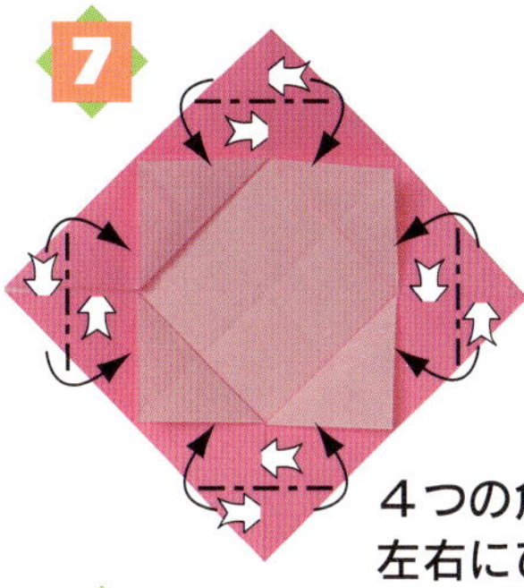

7

４つの角の ⇦ の中を
左右にひらいてつぶす

つめをさしこむ前に、
中に写真や絵を
いれてね

8

８つの
角を折る

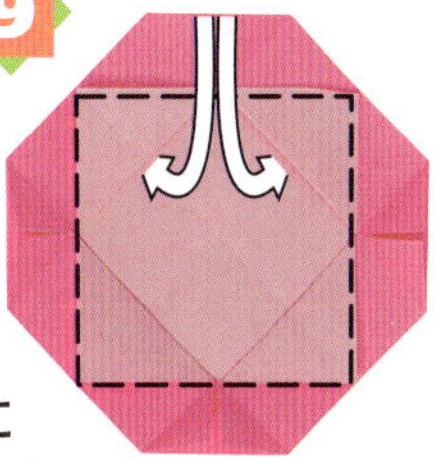

9

⇨ のように
つめをさしこむ

10

のこりの
つめも
おなじように
さしこむ

11

12

**フレームの
できあがり**

けいたい電話《でんわ》

1

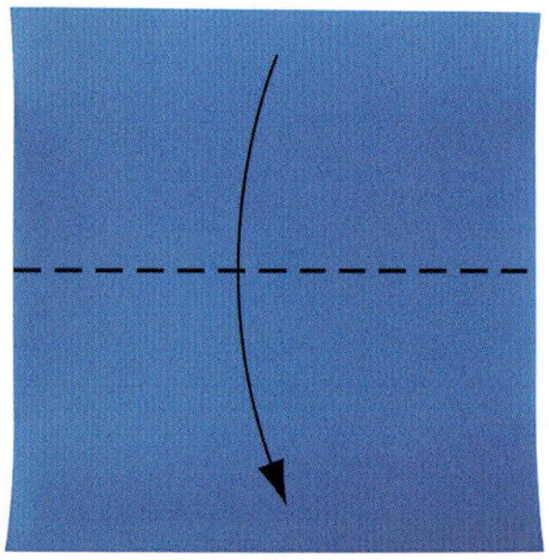

半分《はんぶん》に折《お》る

2

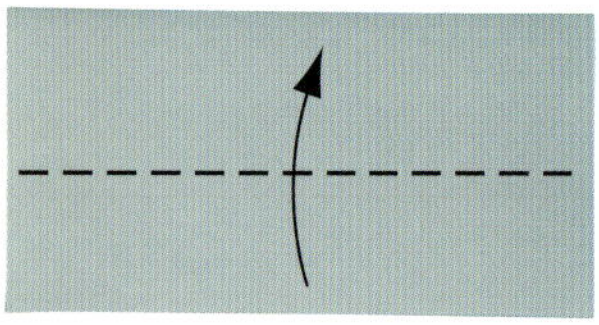

上《うえ》の１枚《まい》を折《お》りあげる

3

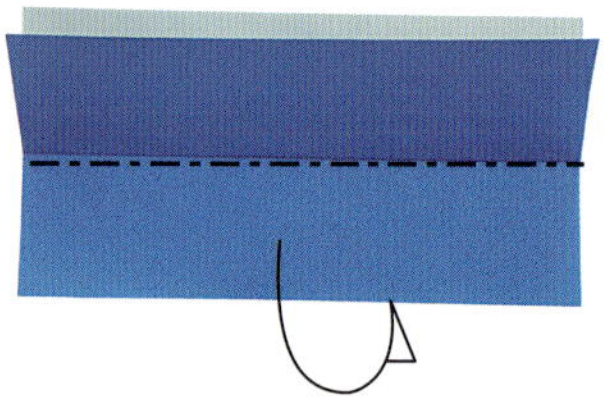

下《した》の１枚《まい》をうらがわに折《お》る

4

いちどひらく

5

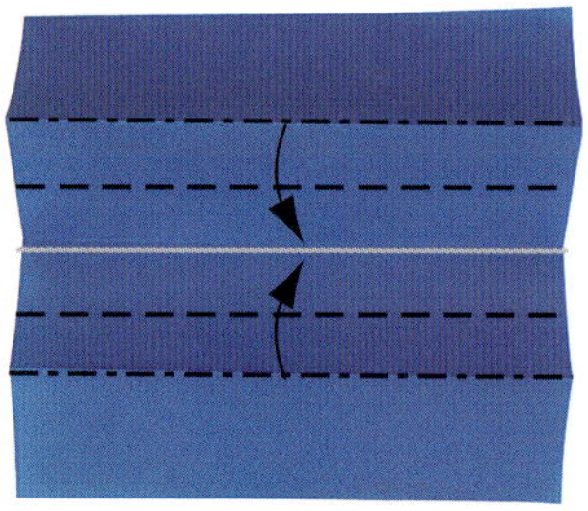

山折《やまお》り線《せん》を
まんなかにあわせる

6

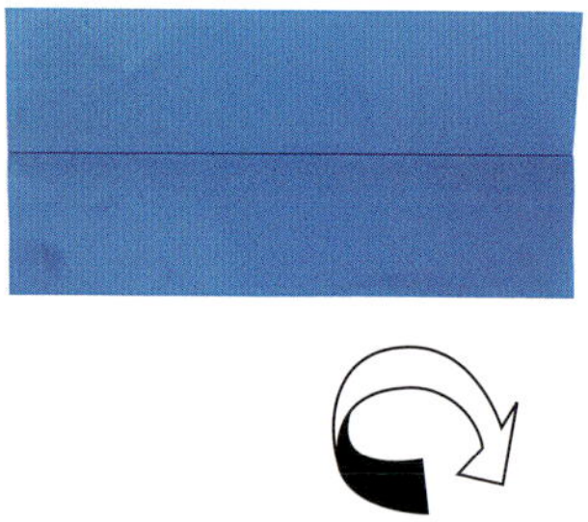

7

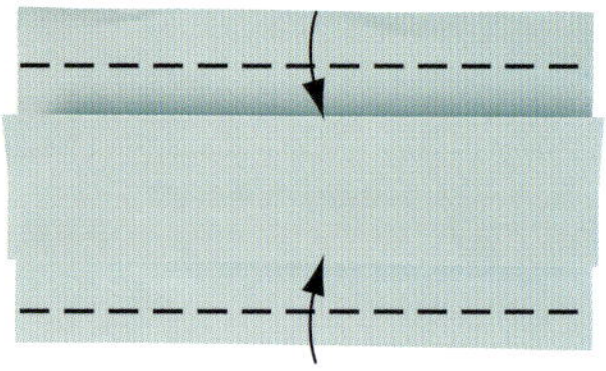

はしを折《お》る

8

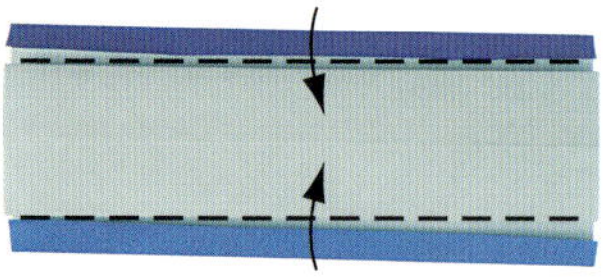

もういちど折《お》る

9

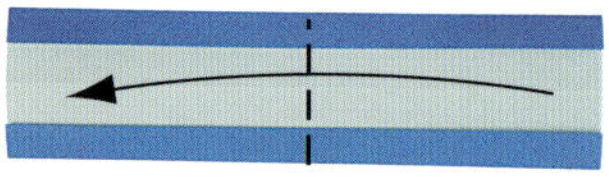

半分《はんぶん》に折《お》る

10

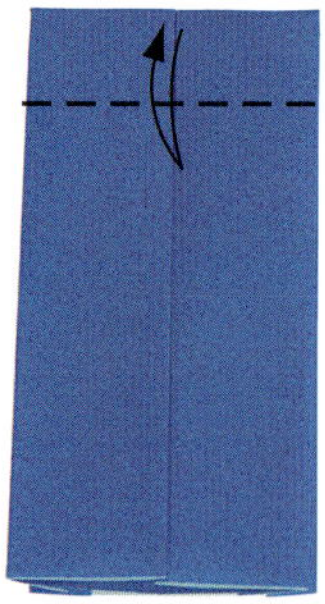

１㎝くらいのところで
折《お》りすじをつけてひらく

11

角を折る

12

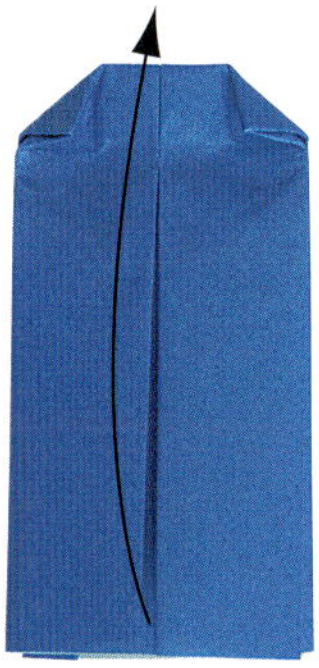

ひらく

13

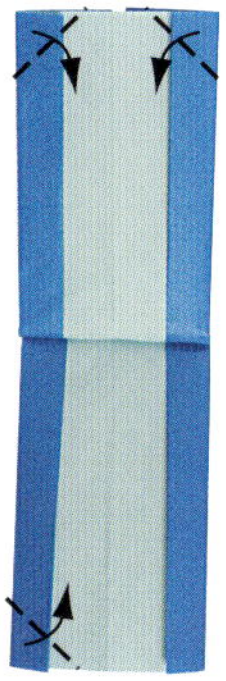

３カ所の角《かど》を折る

14

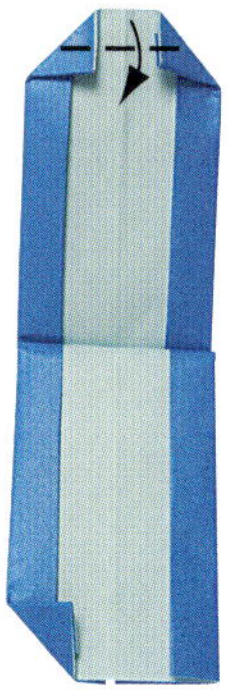

上を半分に折る

15

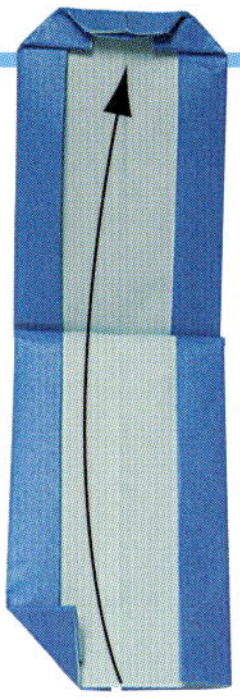

上に折る

16

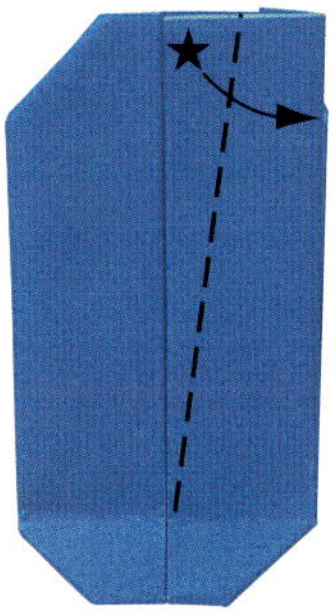

★がはしにあうように折る

17

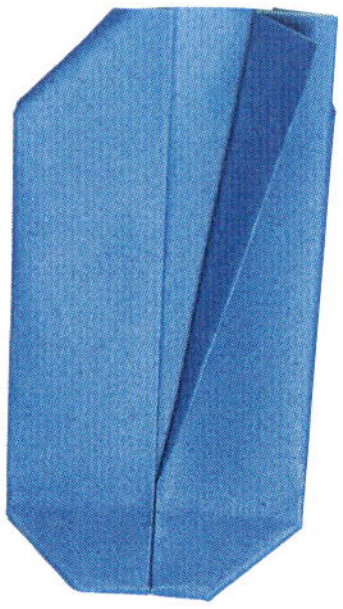

いちどひらく

18

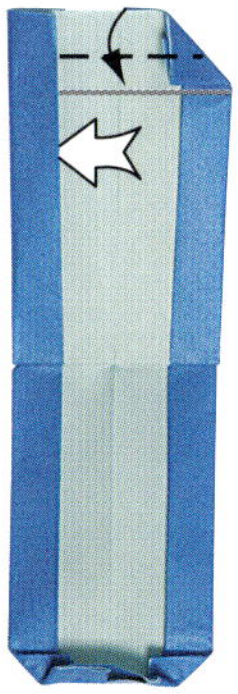

⇦の中をひらいて、
上を半分に折る

19

ひらいた部分をとじる

20

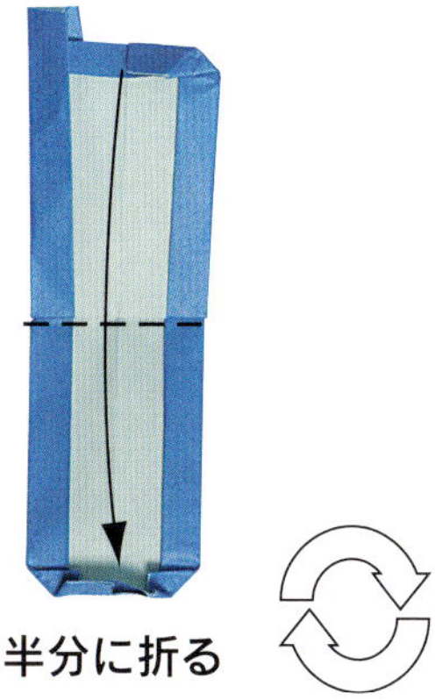

半分に折る

21

けいたい電話の できあがり

中にボタンを
かいてみてね

メモ帳

サイズ/正方形のおりがみ
ここでは24㎝×24㎝をつかっていま

1

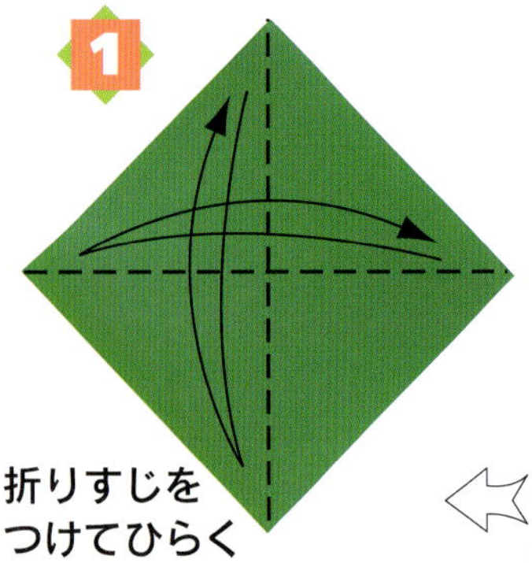

折りすじを
つけてひらく

2

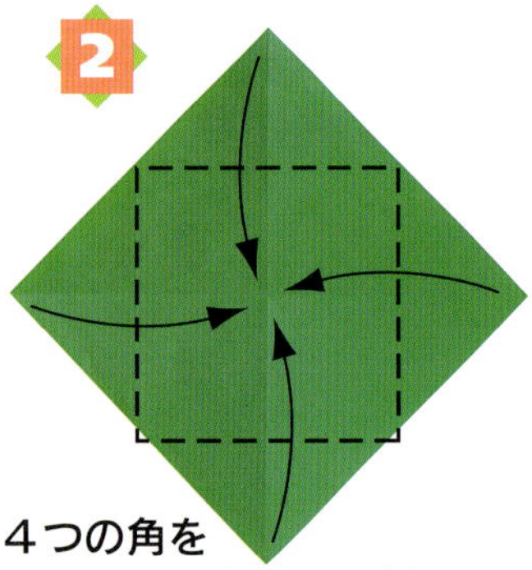

４つの角を
まんなかにあわせて折る

3

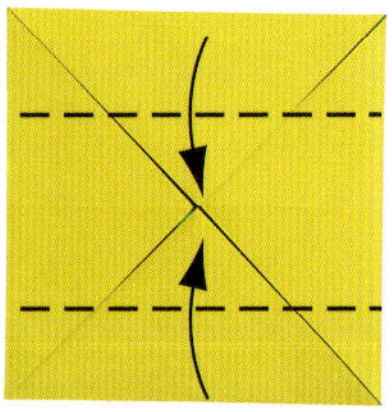

上下を折る

4

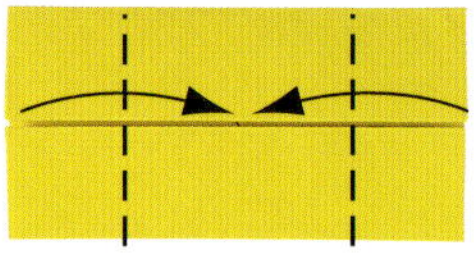

左右を折る

5

⇦の中を
ひらいて
折りたたむ

6

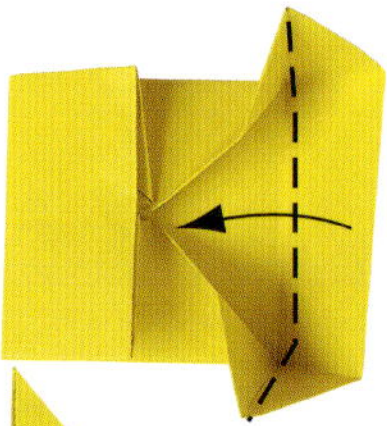

7

左がわも
おなじようにする

8

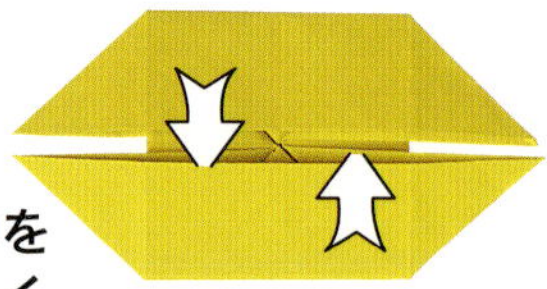

⇦の中を
ひらく

9

★の1枚をつまんで、
上にひらく

10

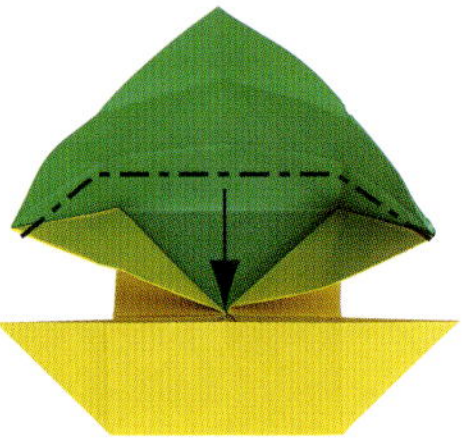

山折りにして
まんなかにあわせる

11

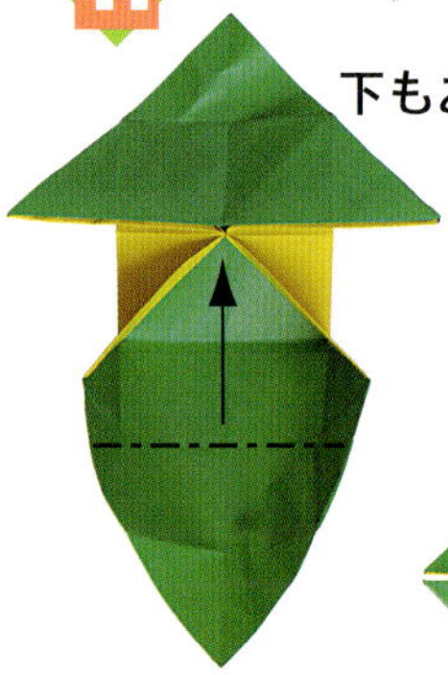

下もおなじようにする

12

上の1枚を折る

13

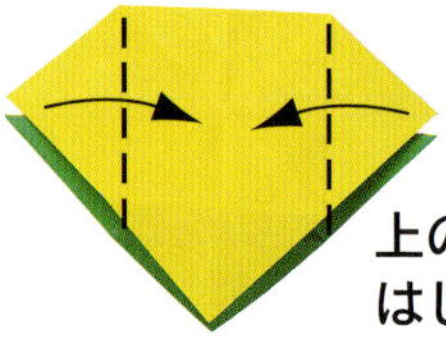

上の１枚の
はしをまんなか
あわせて折る

14

上の１枚を折りあげる

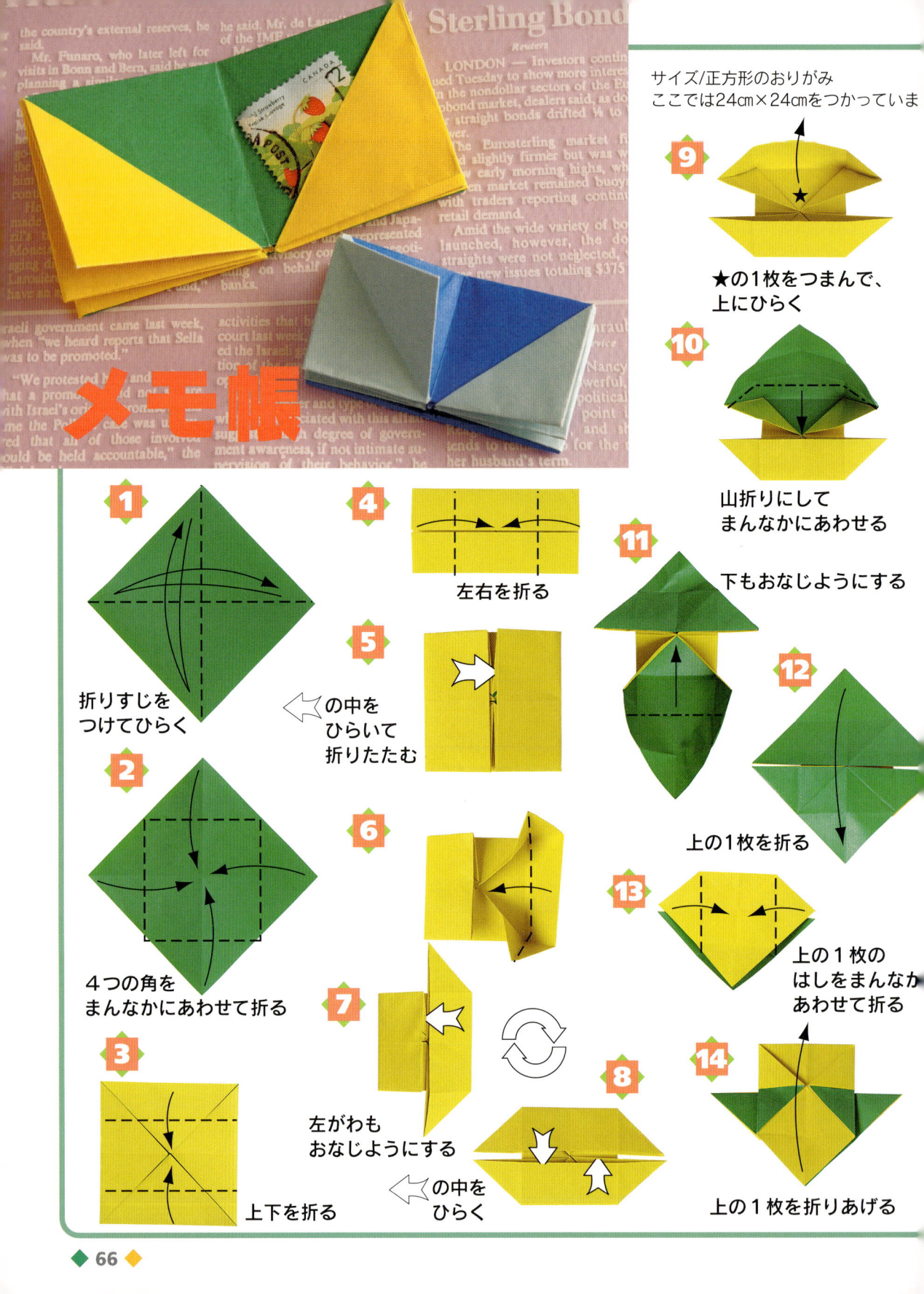

5

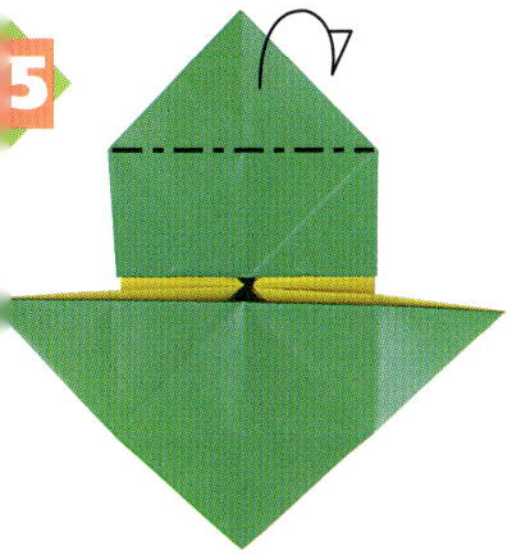

うらがわに折る

6

をつまんで下にひろげる

7

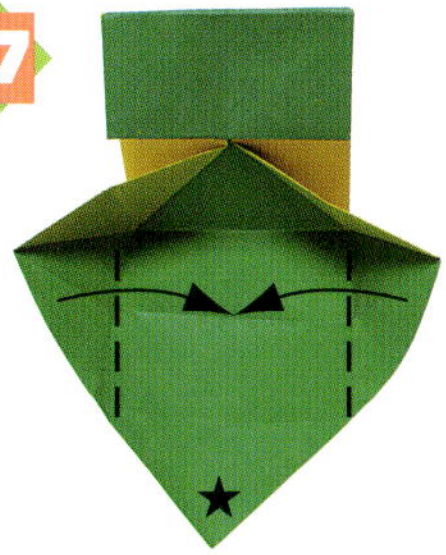

ひろげたところ。
いちど左右を折りたたむ

8

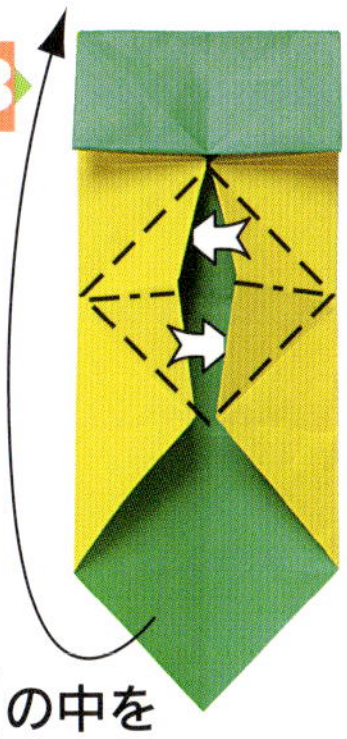

の中を
きながら
折りたたむ

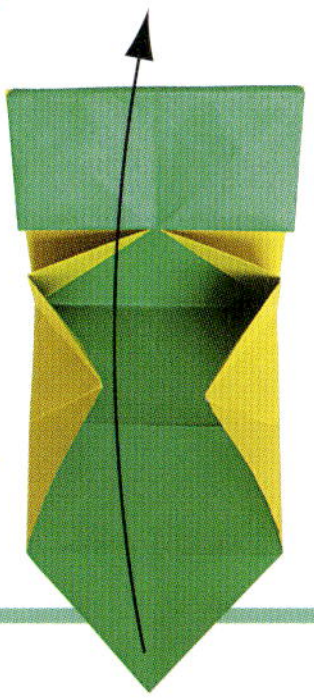

19

20

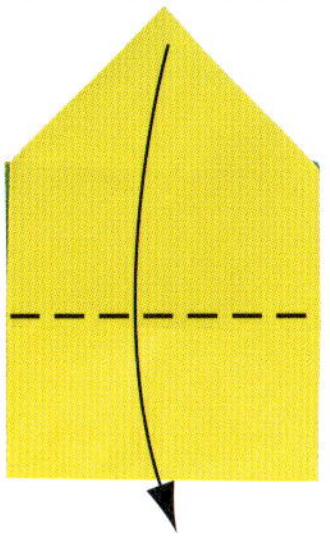

上の１枚を折りさげる

21

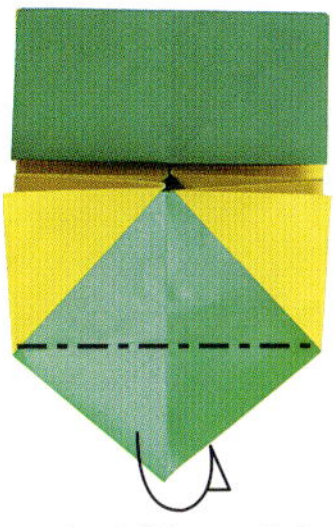

うらがわに折る

22

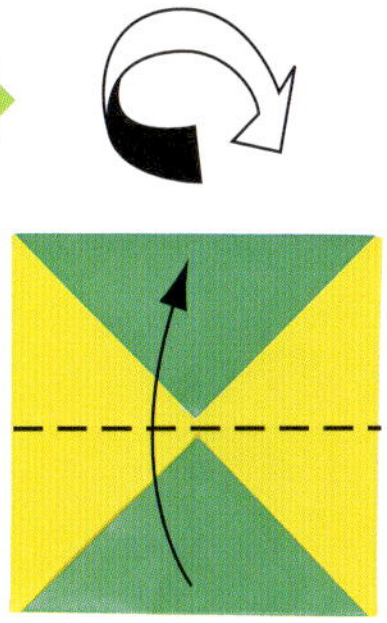

半分に折りあげる

23

★をめくる

24

▲を上に折りこむ

25

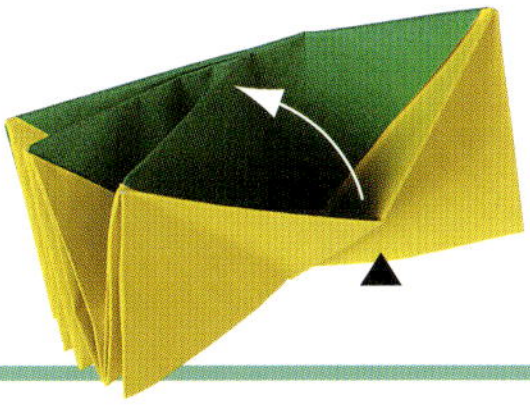

26

★をめくってもどす

27

反対がわもめくって
おなじようにする

28

29

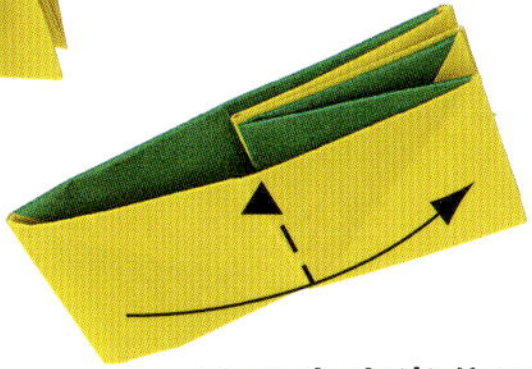

そのまま半分に
折りたたむ

30

メモ帳の
できあがり

つかいかた

1枚めくるとふつうの
メモ帳だけど…

もう１枚めくるとポケットになっているよ！

あやめ

58ページの“かえる”の18までおなじように折ってね

【花】

1

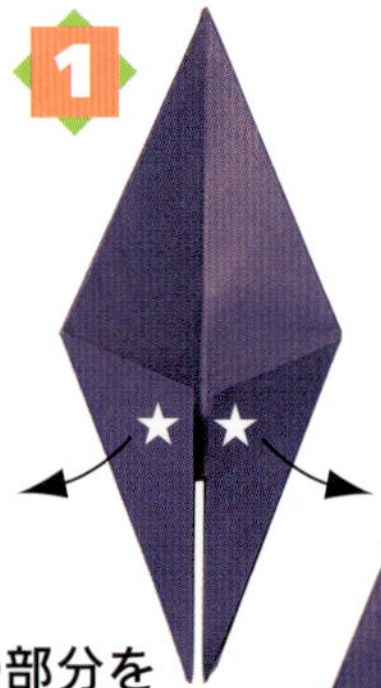

★の部分をいちどひらく

2

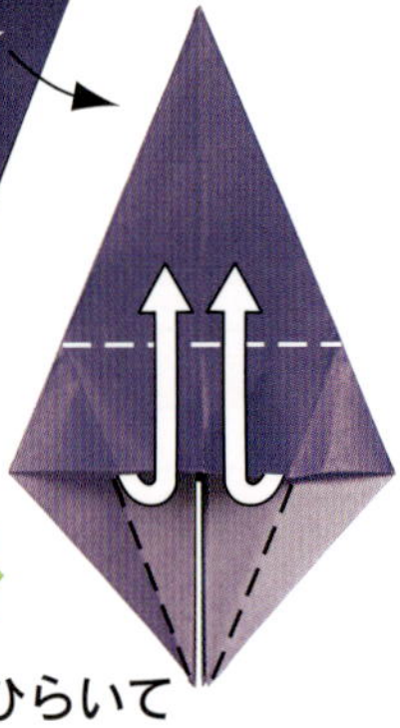

⇧の中をひらいて折りあげる

3

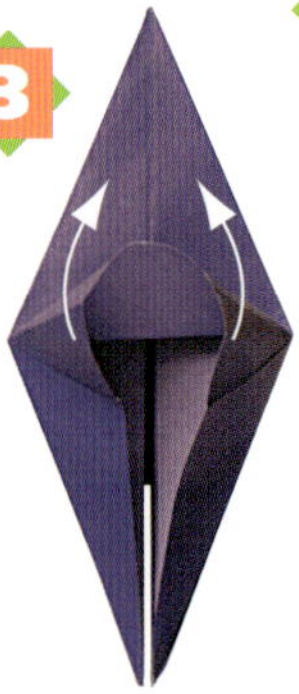

折りあげているところ

4

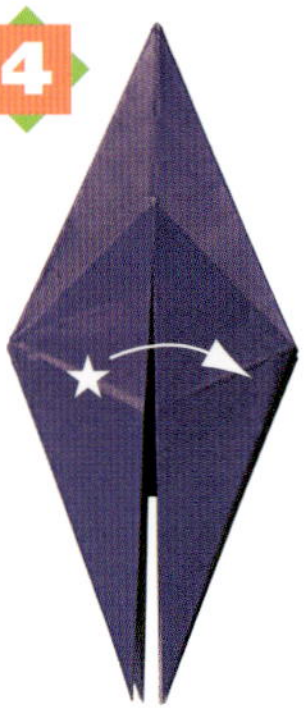

★をめくっていき、のこり3カ所もおなじように折る

5

★を折りさげる。めくって、のこり3カ所もおなじように折りさげる

6

★を1枚めくる

7

「わ」を下にして、まんなかにあわせて折る

8

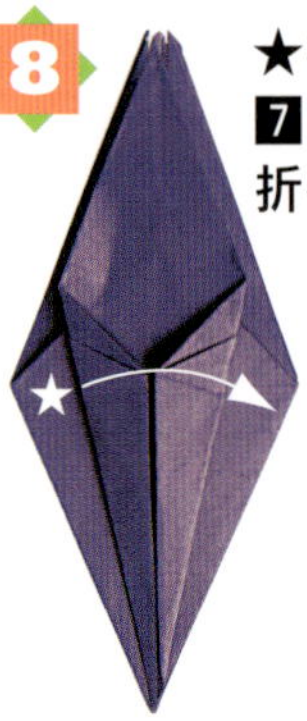

★を1枚めくり、7とおなじように折る

7のように
なにもないひしがたのところを折ってね。
ぜんぶで4カ所あるよ

9

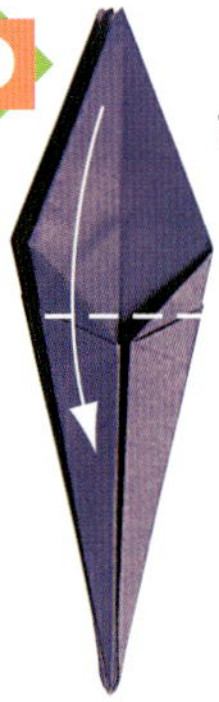

1枚折りさげる

10

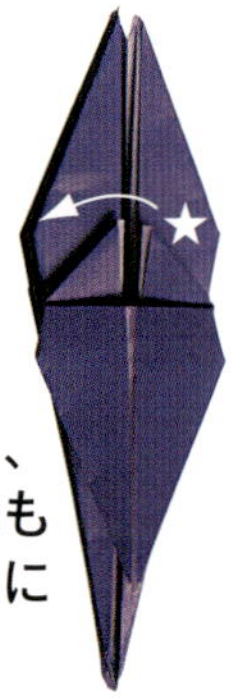

★をめくり、のこり3枚もおなじように折りさげる

11

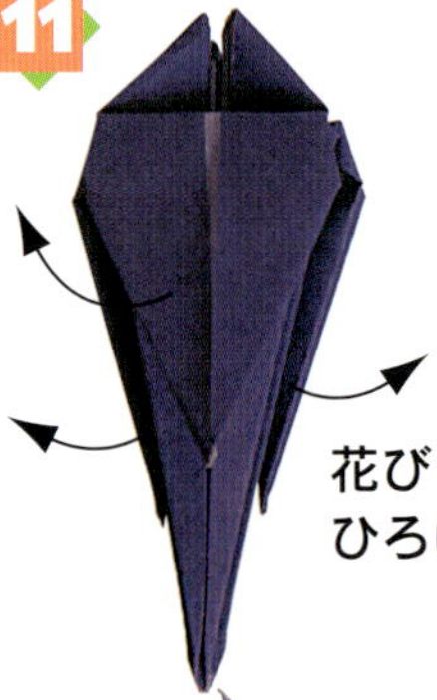

花びら4枚ひろげる

12

花のできあがり

【葉っぱ】

サイズ

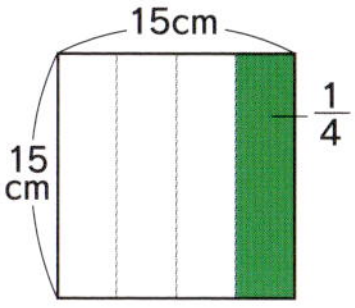

1

りすじを
けてひらく

2

三角に
折りさげる

3

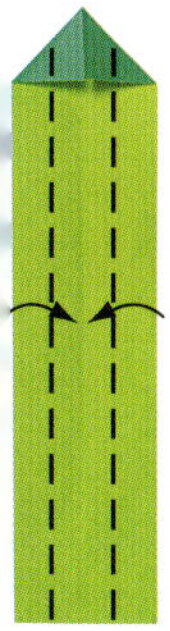

かんのん折り
をする

4

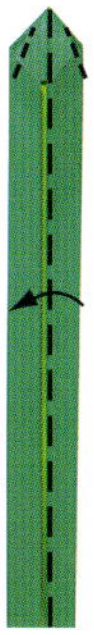

葉っぱの先を折り、
半分に折る

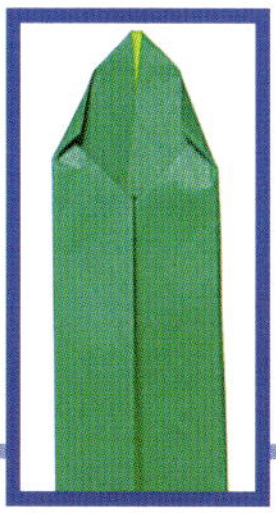

5

葉っぱのできあがり

何枚かつくる

【くき】

12ページの
“タンポポ” のくきと
おなじものをつくる

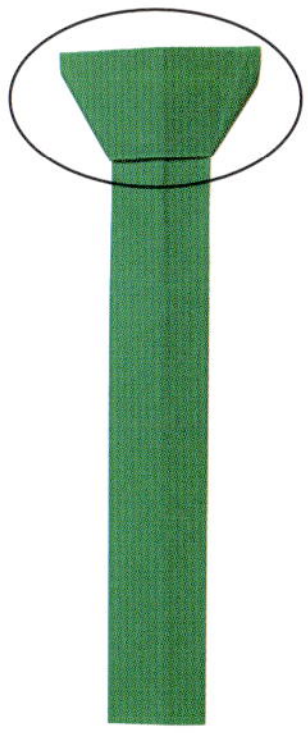

○の部分で花の下を
くるむようにして、
のりづけする

葉っぱを何枚か組みあわせてできあがり

【ゆり】 おまけ

1

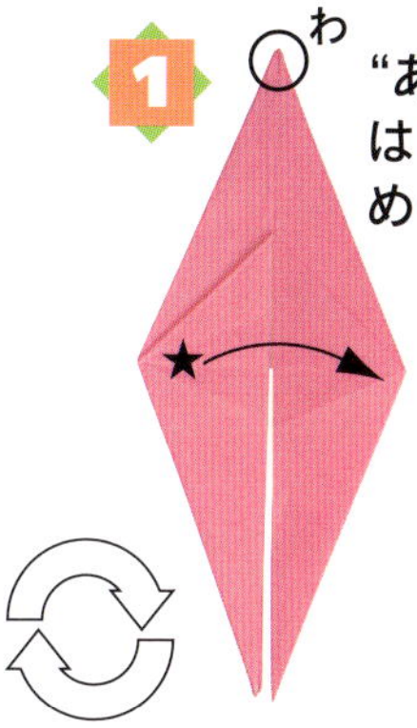

“あやめ”の**4**から
はじめる。★を
めくる

“あやめ” の**5**のように
三角形を折りさげないの
で注意してね

2

「わ」を
下にして、
まんなかに
あわせて折る

3

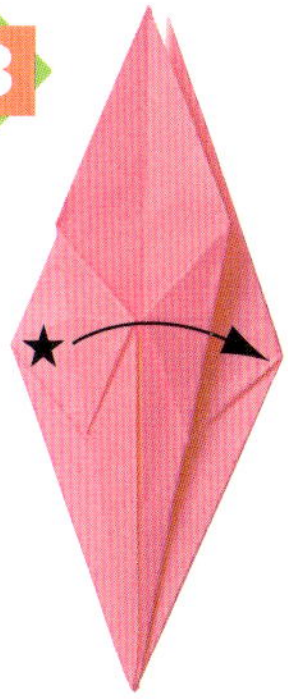

めくって**2**とおなじように折る。
なにもないひしがたの部分は、
すべておなじように折る

4

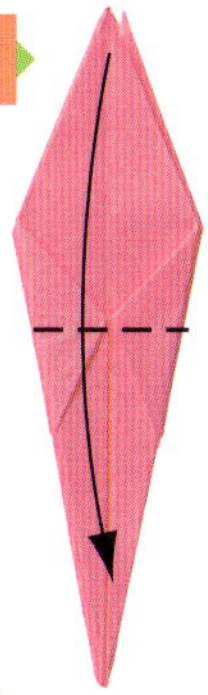

１枚折りさげる。
ほかの３カ所も
おなじように
折りさげる

5

花びらの先を
えんぴつなど
でまるめる

6

ゆりのできあがり

おりひめ・ひこぼし

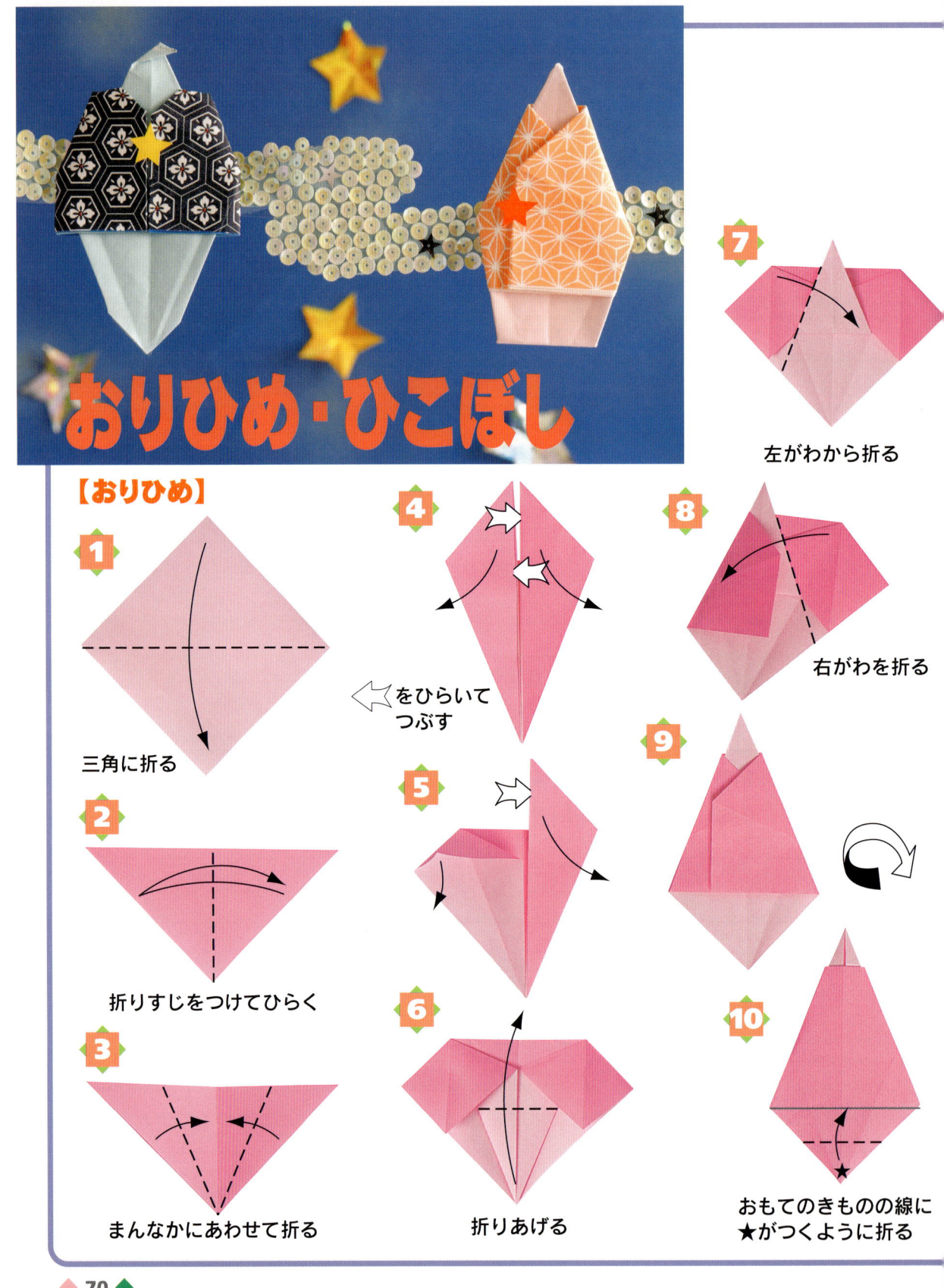

【おりひめ】

1

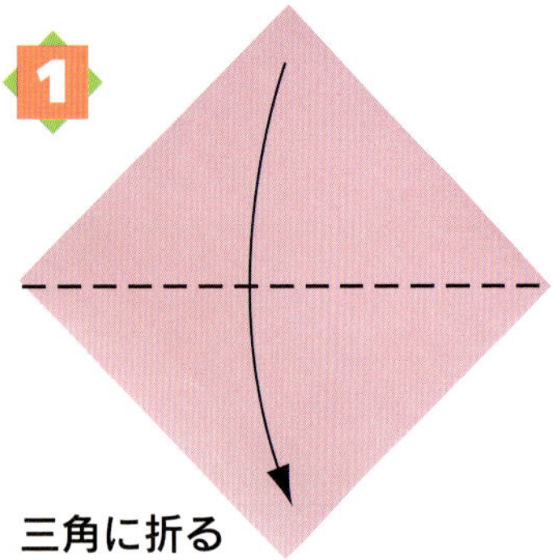

三角に折る

2

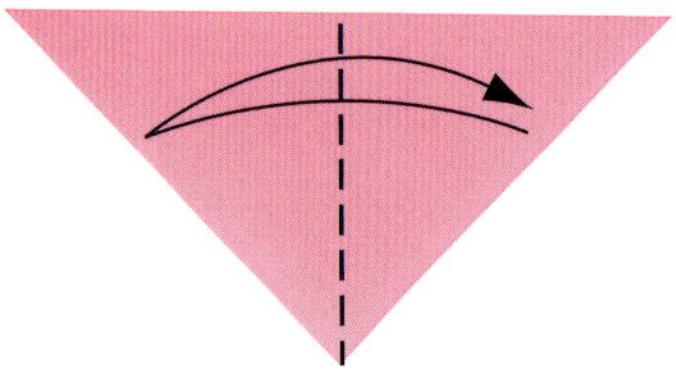

折りすじをつけてひらく

3

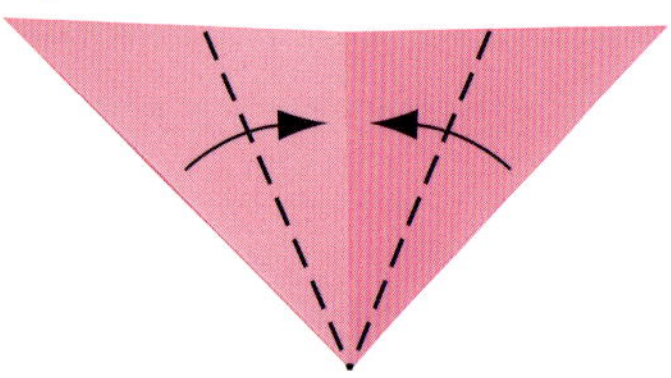

まんなかにあわせて折る

4

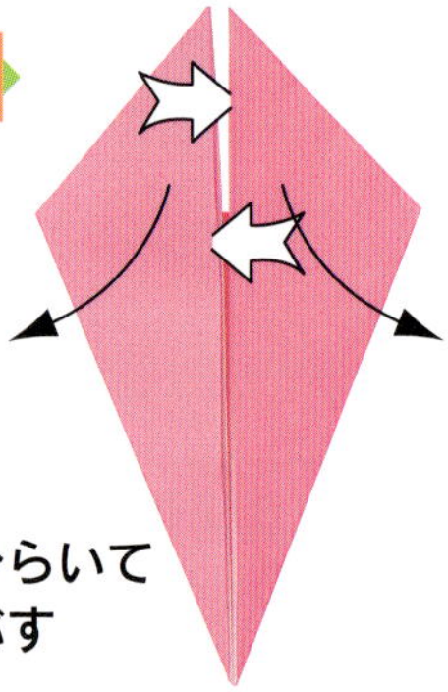

をひらいて
つぶす

5

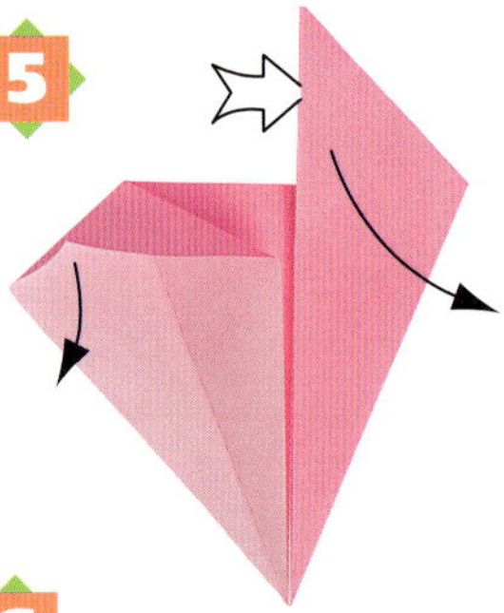

6

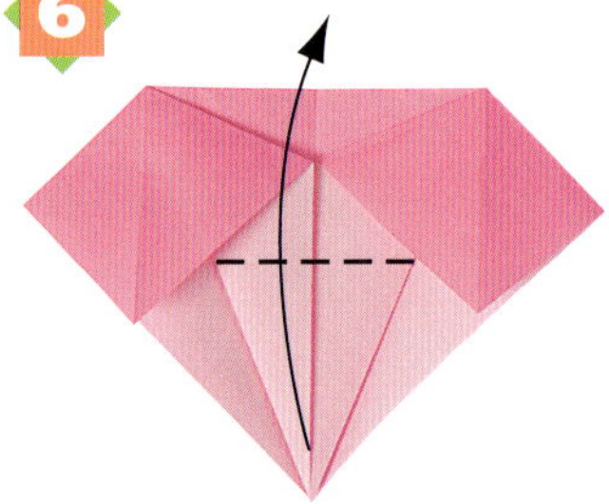

折りあげる

7

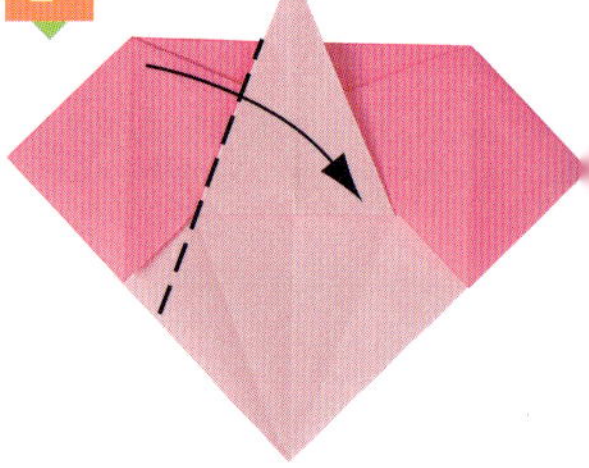

左がわから折る

8

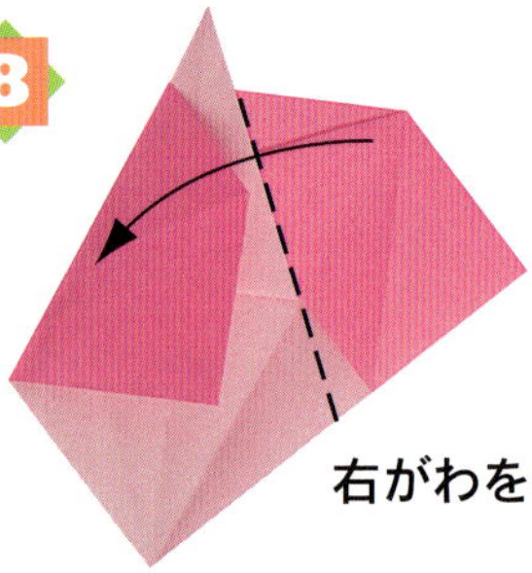

右がわを折る

9

10

おもてのきものの線に
★がつくように折る

11

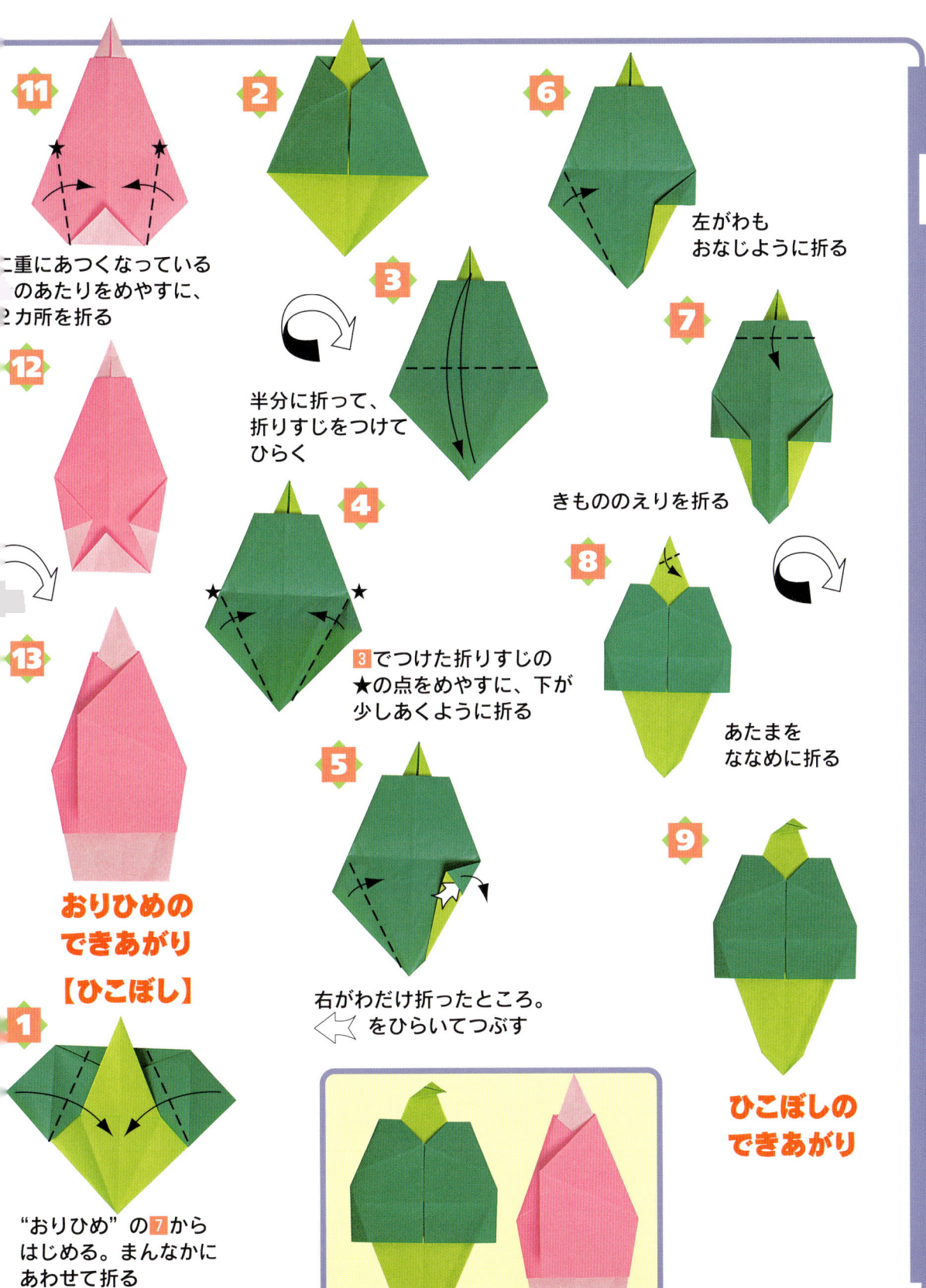

二重にあつくなっている
のあたりをめやすに、
2カ所を折る

12

13

**おりひめの
できあがり**

【ひこぼし】

1

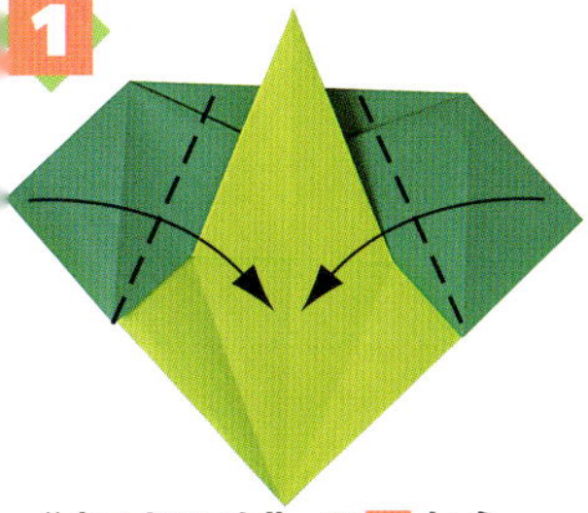

“おりひめ”の7から
はじめる。まんなかに
あわせて折る

2

3

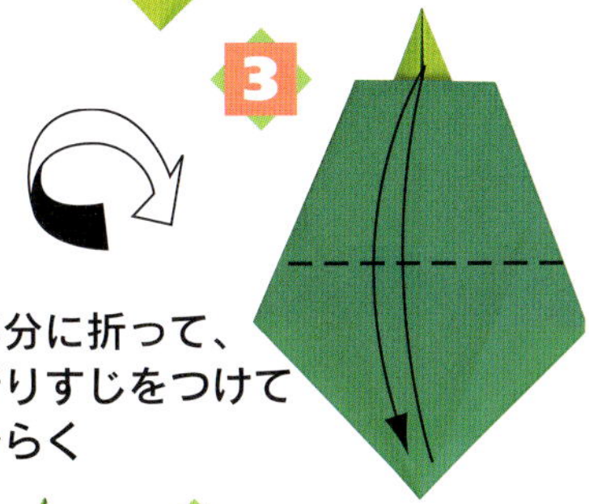

半分に折って、
折りすじをつけて
ひらく

4

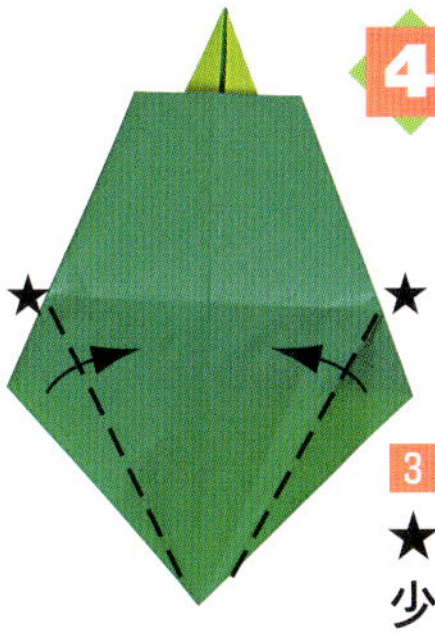

3でつけた折りすじの
★の点をめやすに、下が
少しあくように折る

5

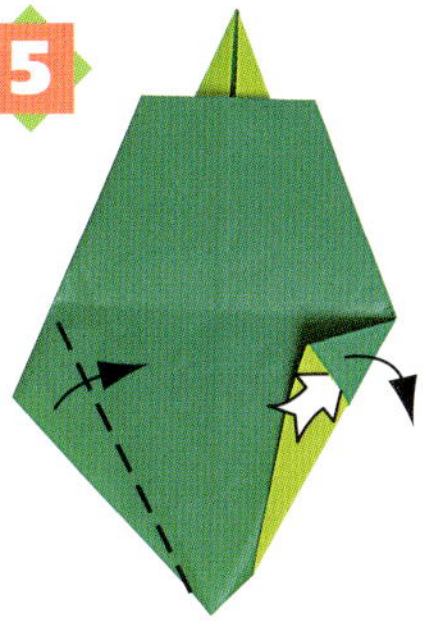

右がわだけ折ったところ。
⇦をひらいてつぶす

6

左がわも
おなじように折る

7

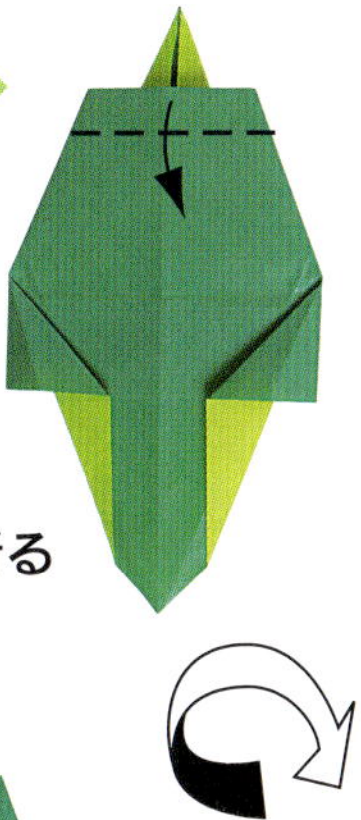

きもののえりを折る

8

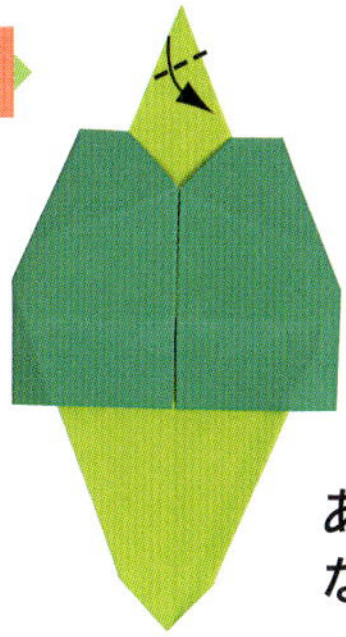

あたまを
ななめに折る

9

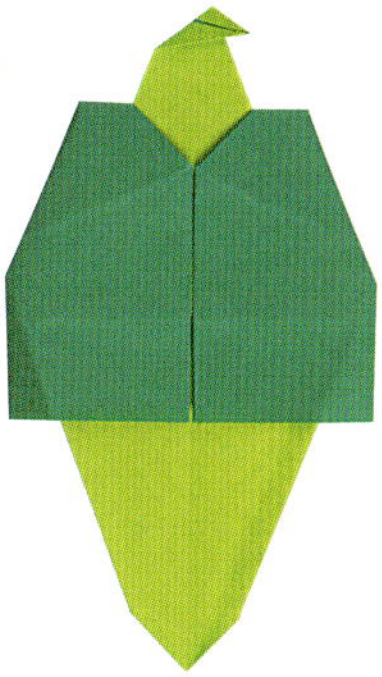

**ひこぼしの
できあがり**

ピアノがうまくなりますように。

七夕かざり・ほし

サイズ

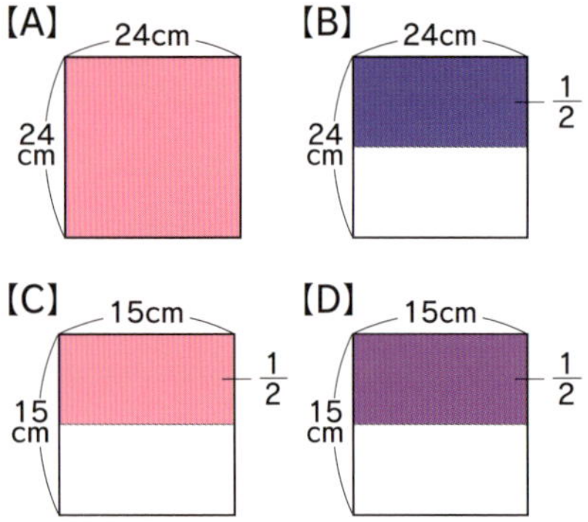
【A】
24cm
24
cm
【B】
24cm
24
cm
1/2
【C】
15cm
15
cm
1/2
【D】
15cm
15
cm
1/2

【A】

1

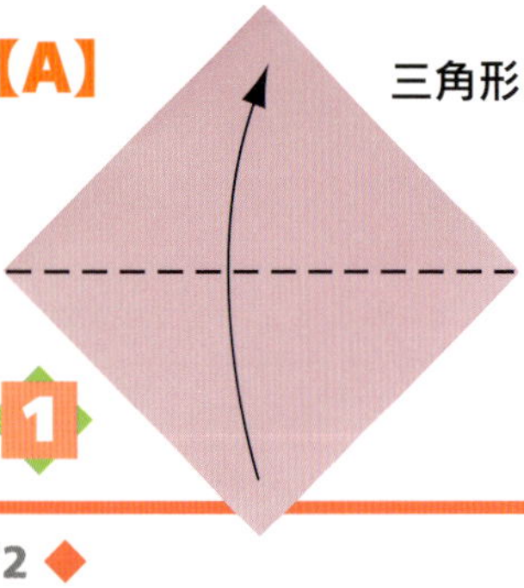

三角形に折る

2

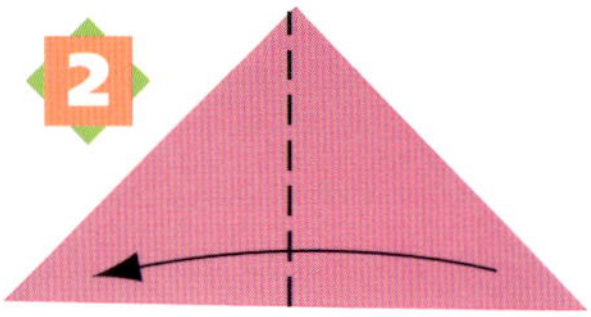

もういちど三角形に折る

3

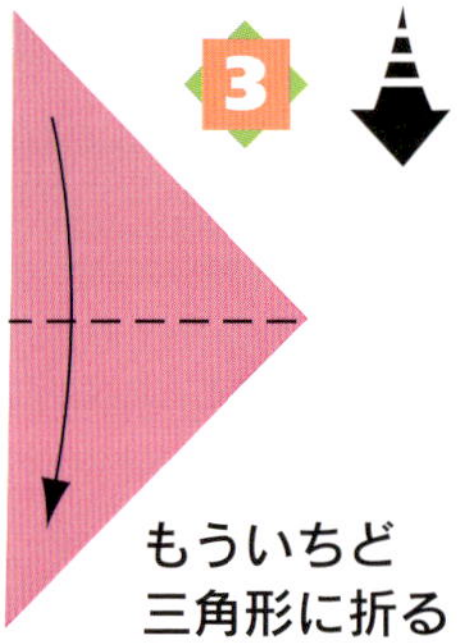

もういちど
三角形に折る

4

わ

8本の線を
たがいちがいに切る

5

やぶれないように、
そっとひらく

6

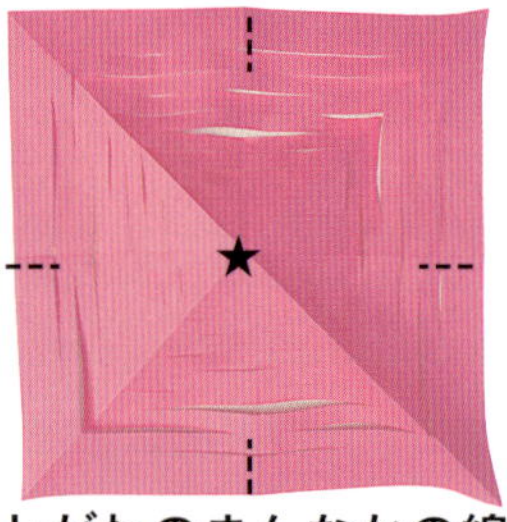

そとがわのまんなかの線を
しっかり谷折りになおして、
★をつまんでひっぱり、
かたちをととのえる

7

できあがり

ひもでつるす
きれいだよ

【B】

1

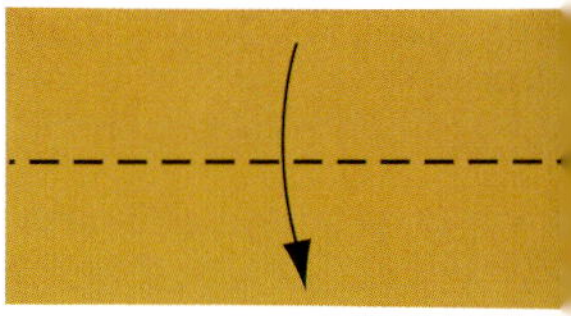

半分に折る

2

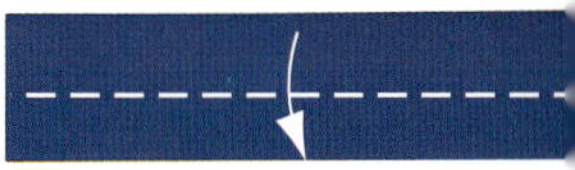

半分に折る

3

21本の線を
たがいちがいに切る

まずまんなかを切って、
左右10本ずつ切ると
うまくできるよ

4

やぶれないように、
そっとひらく

5

左右をひっぱる

6

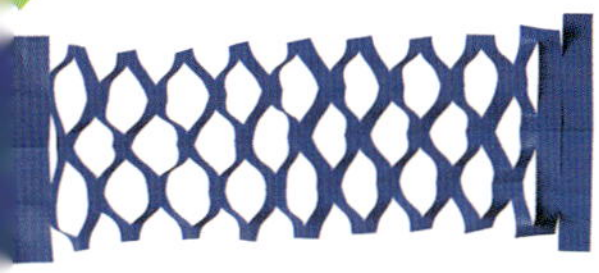

できあがり

C】

1

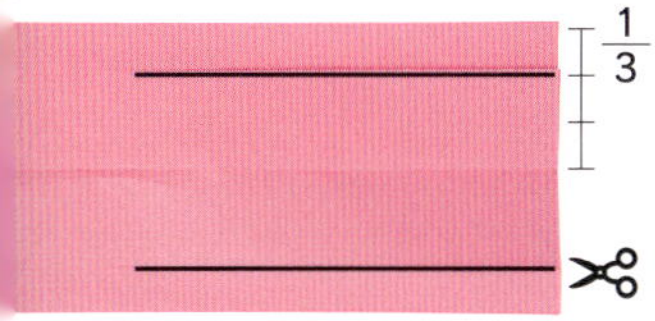

長方形のおりがみに半分
の折りすじをつけ、1/3
くらいのはばで切る

2

たがいちがいに
折る

3

できあがり

【D】

1

“C” の❶とおなじように
1/3くらいのはばで、た
がいちがいに切る

2

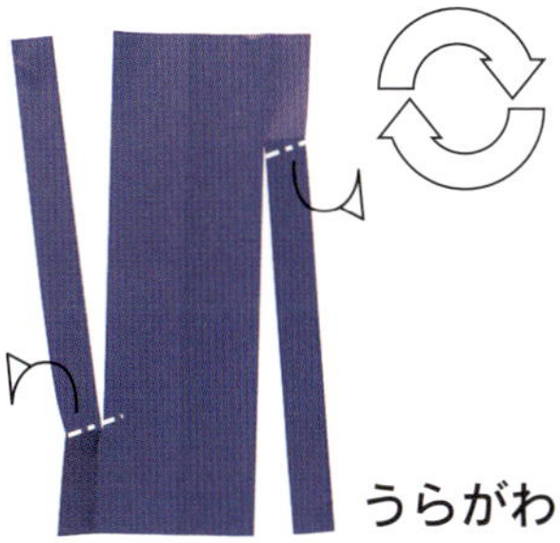

うらがわに折る

3

できあがり

【E】

1

ほそい長方形のおりがみ
で “わ” をつくり、つな
げる

2

できあがり

【ほし】

24ページの “桜の紋切り” の❻までおなじように折ってね

※うらが黄色のおりがみを
使っています

1

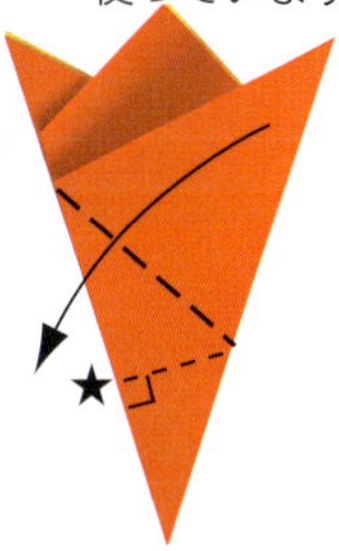

上の1枚を、折ったとき
に★がほぼ直角になるよ
うに折る

2

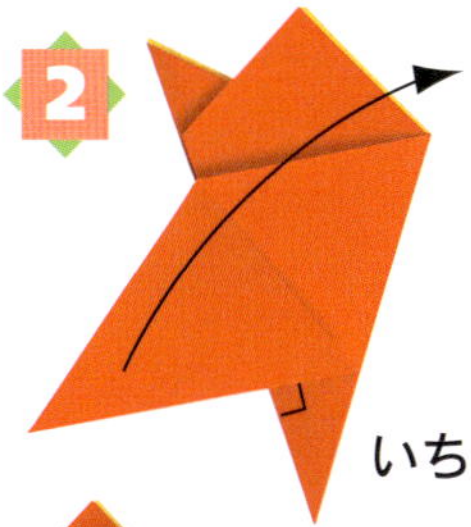

いちどひらく

3

折りすじの
線を切る

4

ひろげる

5

ほしのできあがり

はすの花・葉っぱ

【花】

1

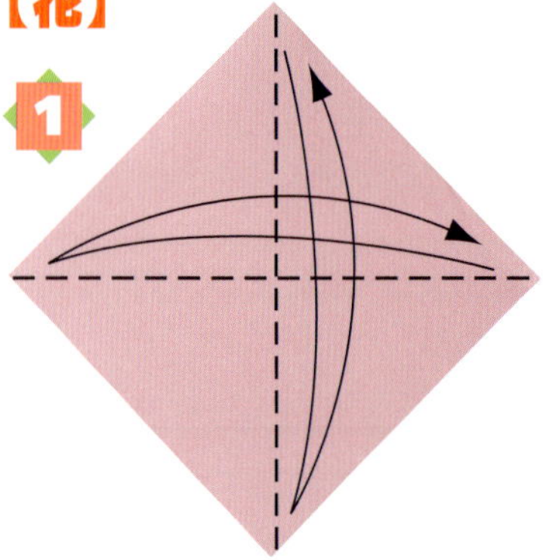

折りすじをつけてひらく

2

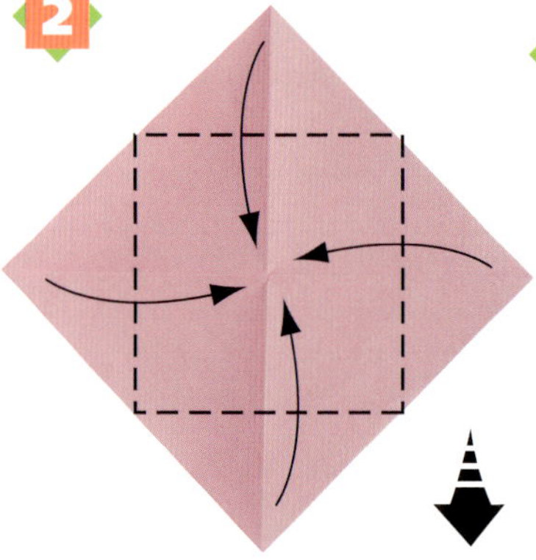

4つの角《かど》をまんなかに
あわせて折る

3

もういちど
おなじように折る

4

5

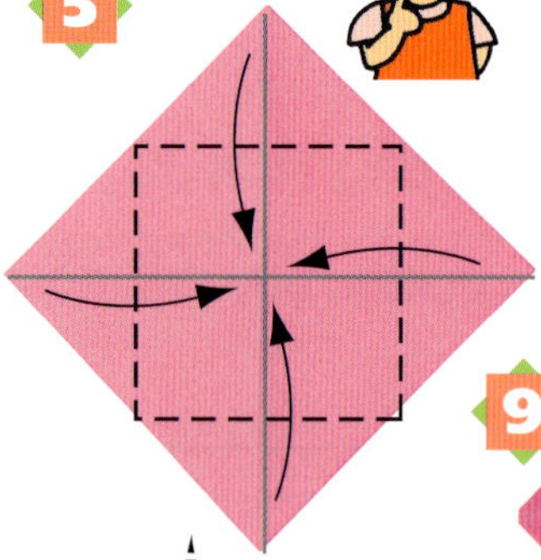

6

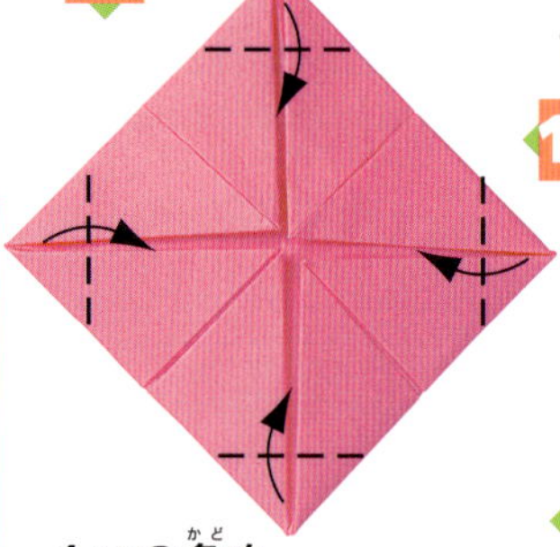

4つの角《かど》を
折る

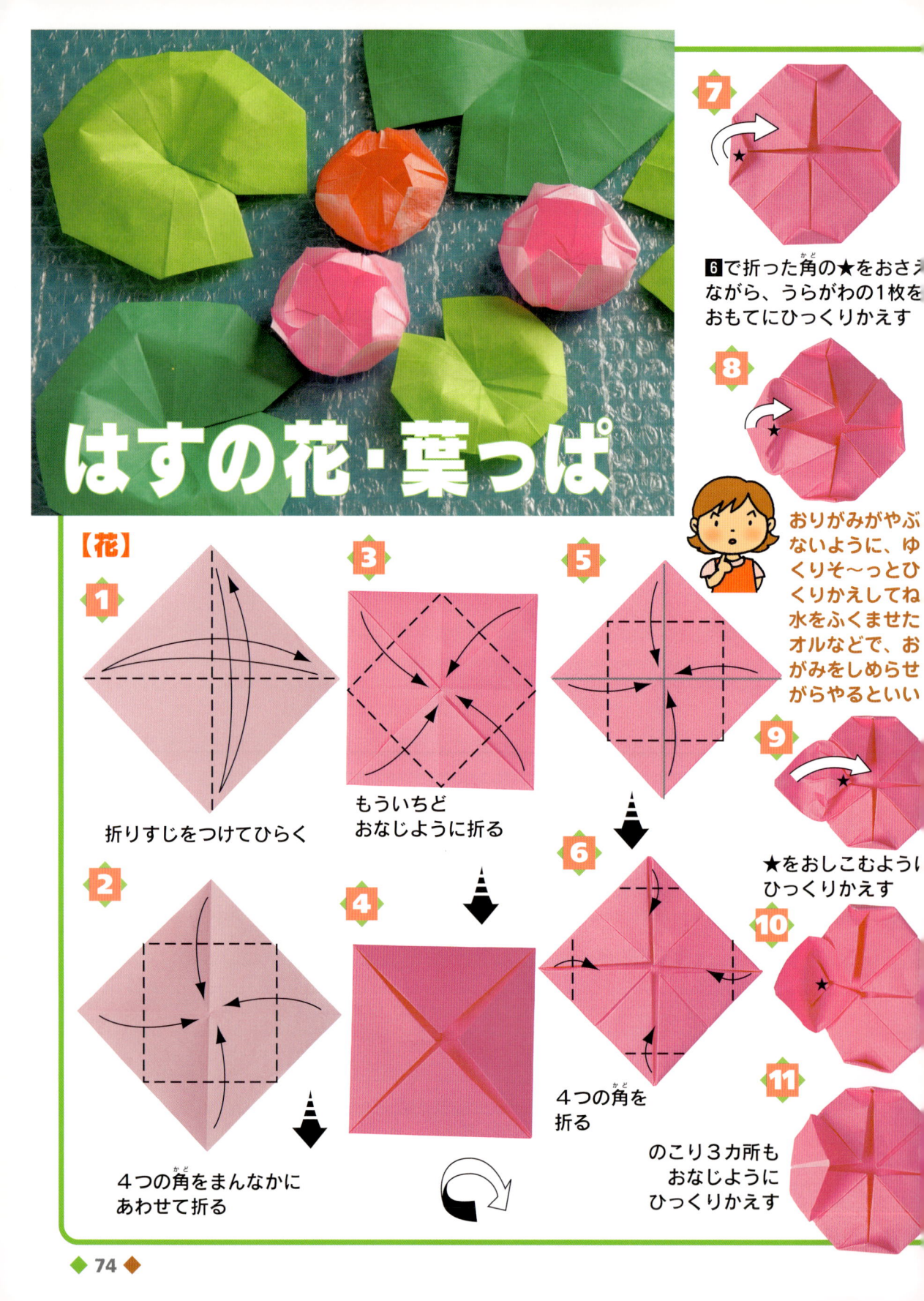

7

❻で折った角《かど》の★をおさえ
ながら、うらがわの1枚を
おもてにひっくりかえす

8

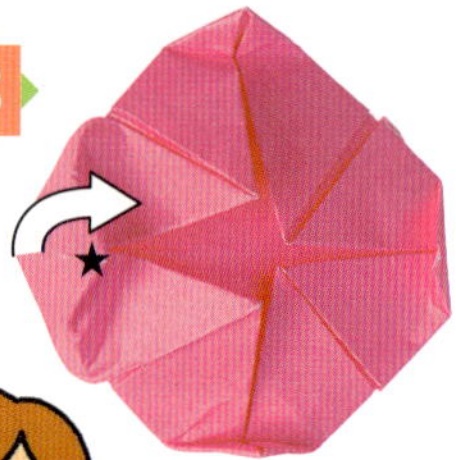

おりがみがやぶ
ないように、ゆ
くりそ～っとひ
くりかえしてね
水をふくませた
オルなどで、お
がみをしめらせ
がらやるといい

9

★をおしこむように
ひっくりかえす

10

11

のこり3カ所も
おなじように
ひっくりかえす

12

★のあたりを指でおしこ
むようにしながら、うら
の１枚をひっくりかえす

13

やぶれやすいので、ゆっ
くりひっくりかえす。

14

のこり３カ所もおなじ
ようにひっくりかえす

15

16

すの花のできあがり

【葉っぱ】

1

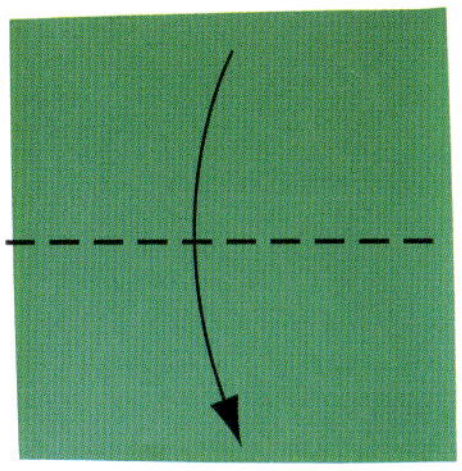

半分に折る

2

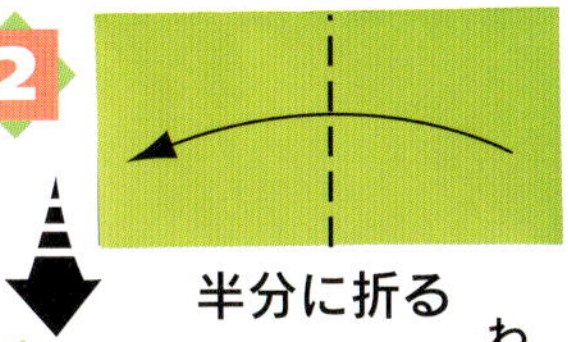

半分に折る

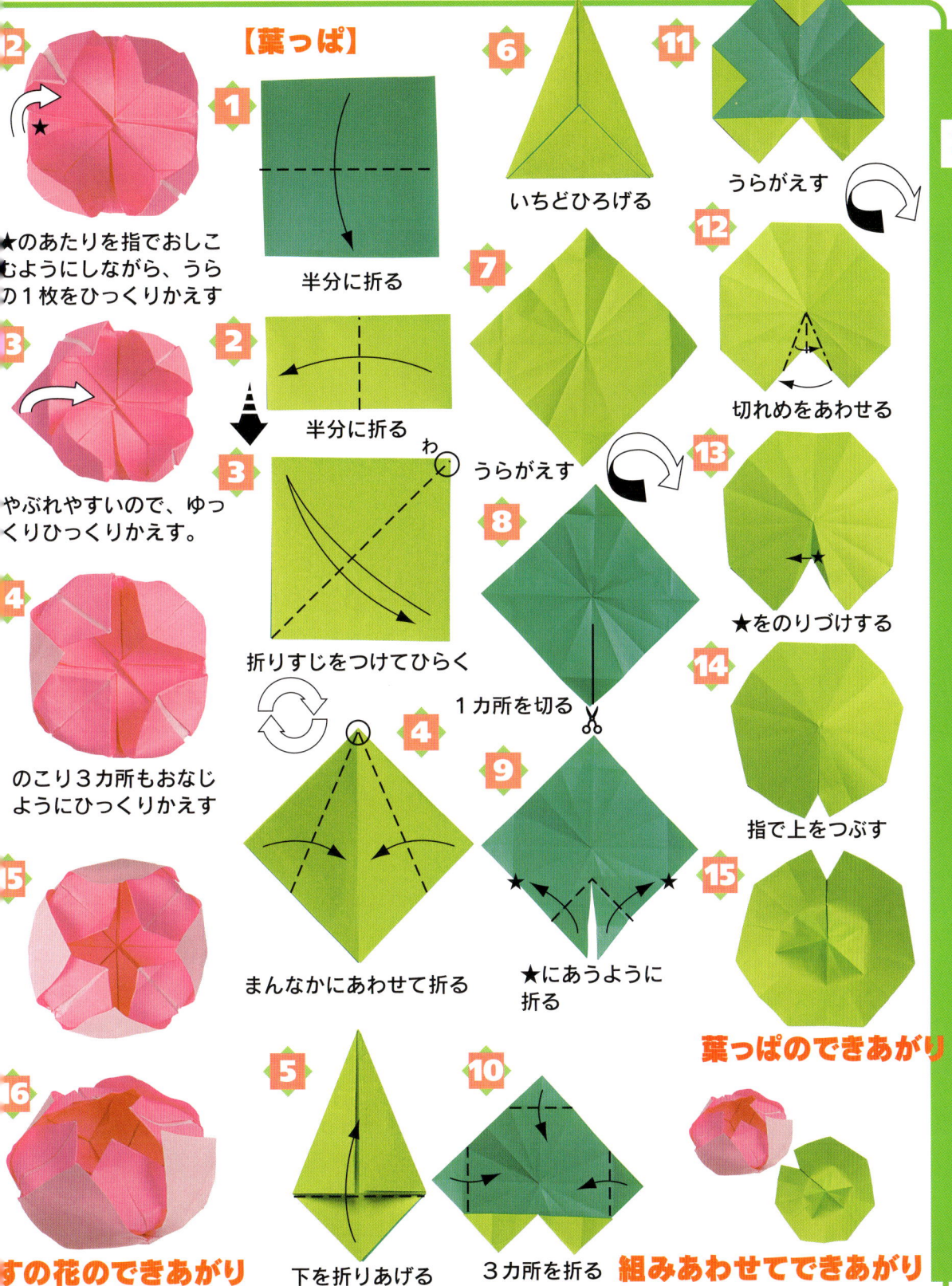

3

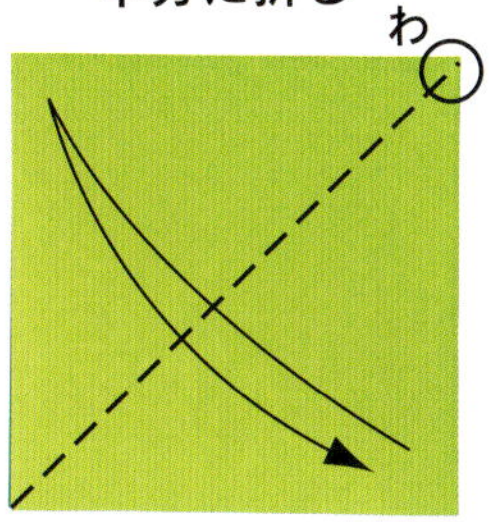

折りすじをつけてひらく

4

まんなかにあわせて折る

5

下を折りあげる

6

いちどひろげる

7

うらがえす

8

１カ所を切る

9

★にあうように
折る

10

３カ所を折る

11

うらがえす

12

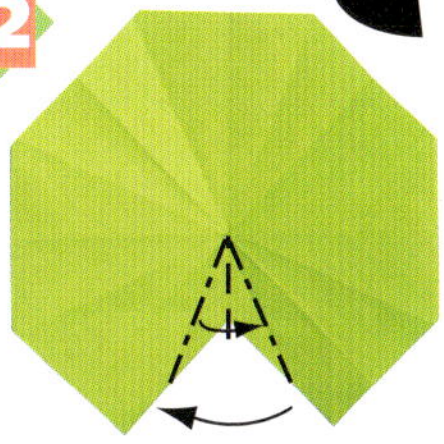

切れめをあわせる

13

★をのりづけする

14

指で上をつぶす

15

葉っぱのできあがり

組みあわせてできあがり

もも

8ページのふうせんの基本形の折りかたで三角形まで折ってね

ふうせんの基本形からスタート

1

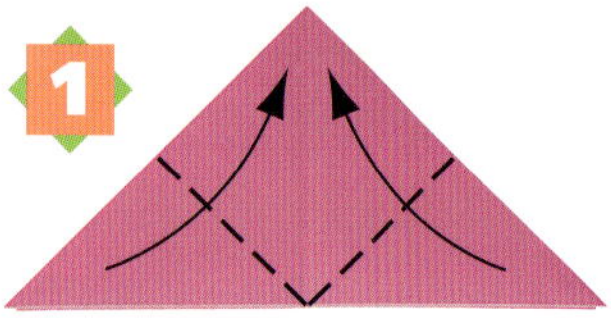

両はしを上にあわせて折る

2

うらもおなじように折る

3

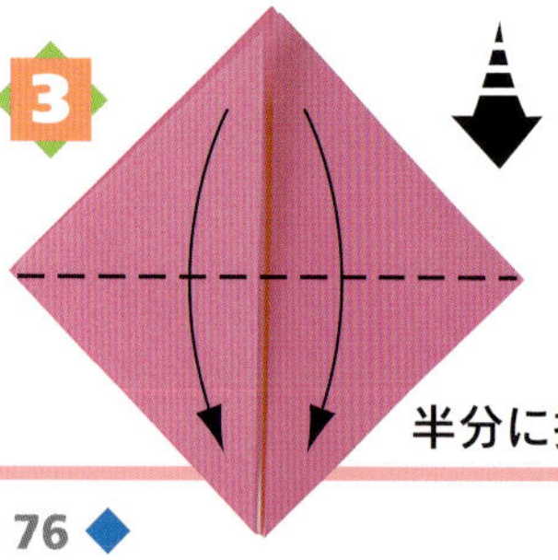

半分に折る

4

いちどひらく

5

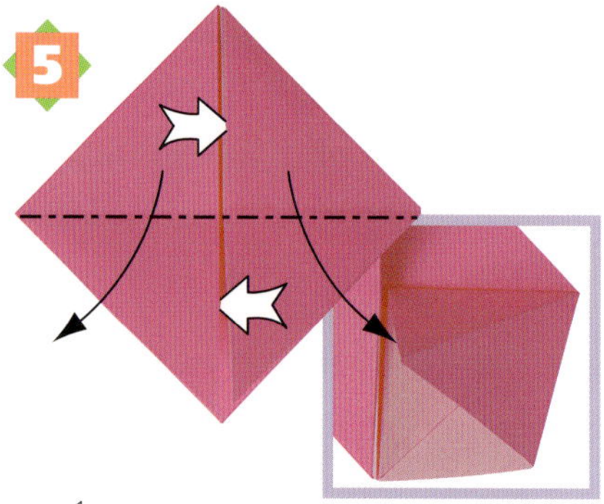

の中をひらいてつぶす

6

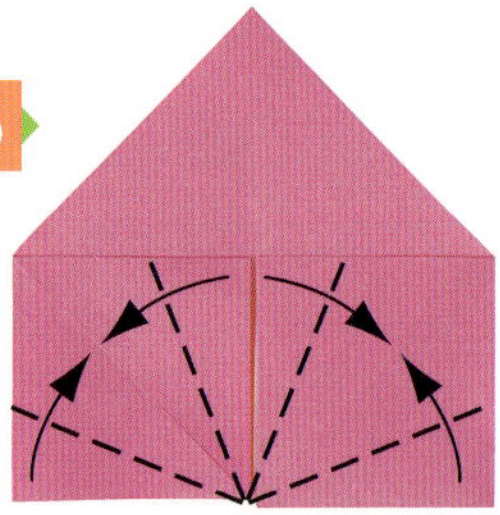

４カ所を折る

7

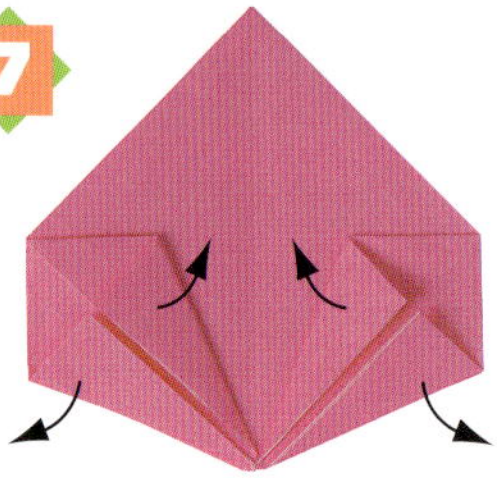

いちどひらく

8

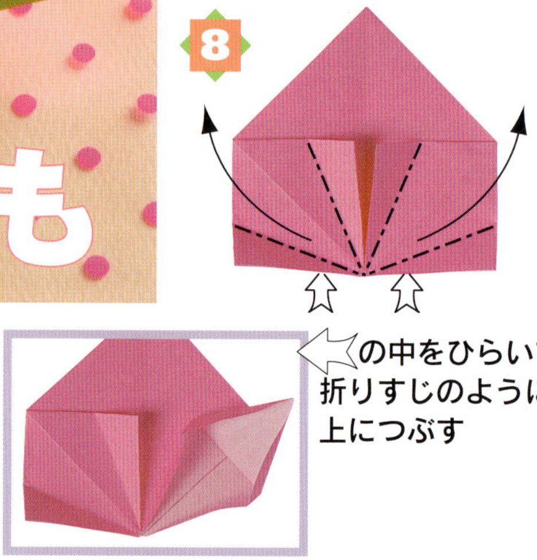

の中をひらいて
折りすじのように
上につぶす

9

左もおなじように折る。
うらも3～9のように折る

10

もものできあがり

※イメージ写真の葉っぱは、別に折ったひしがたをはっています

ぼうし

1

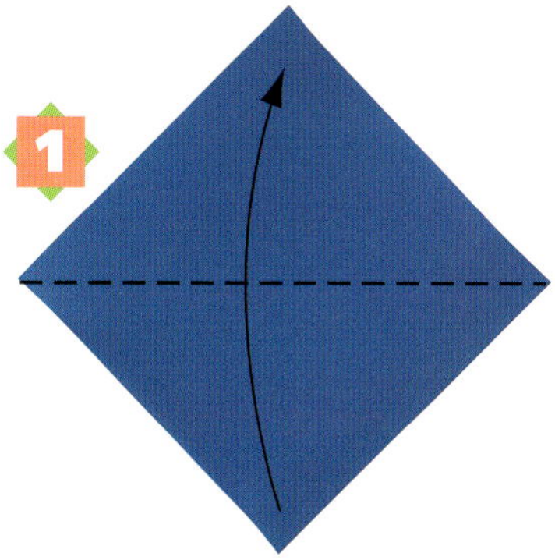

三角形に折る

2

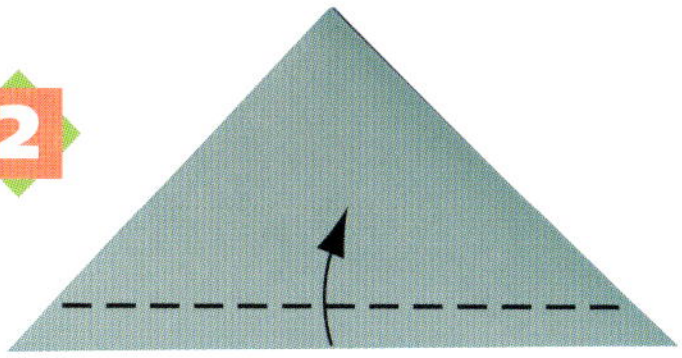

下から1.5cmくらいのところで折る

3

うらがえす

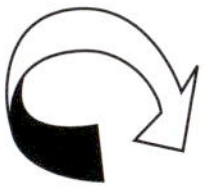

4

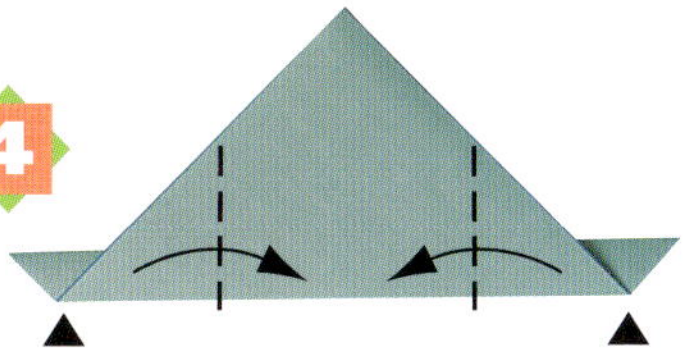

両はしの▲がまんなかであうように折る

5

上を折りさげる

6

いちどひらく

7

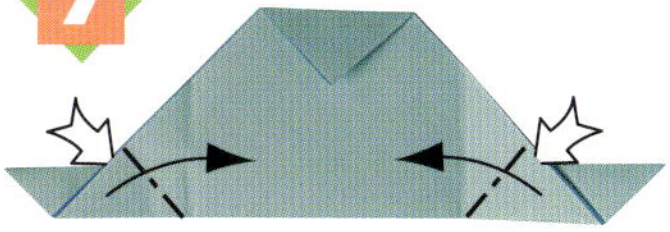

⇦をひらいてつぶす

8

2カ所を折る

9

10

ぼうしのできあがり

5を折るはばや
7のつぶしかたで、
ぼうしのかたちが
かわるから、いろいろ
ためしてみてね

ヨット

1

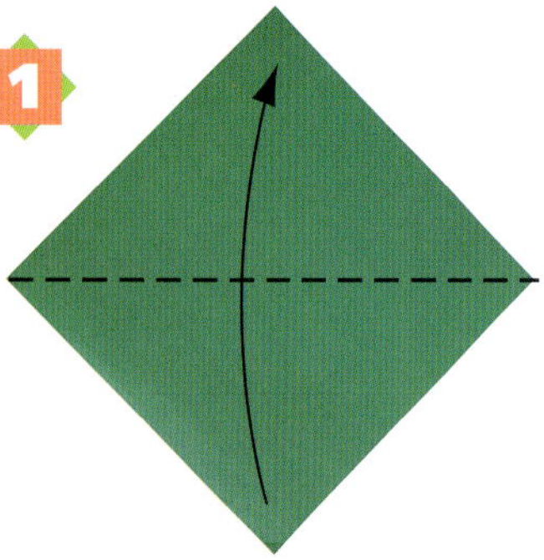

半分に折る

2

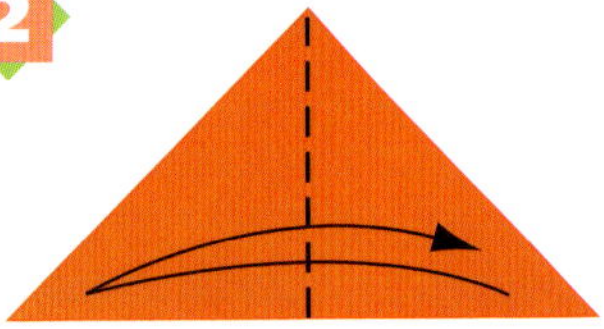

折りすじをつけてひらく

3

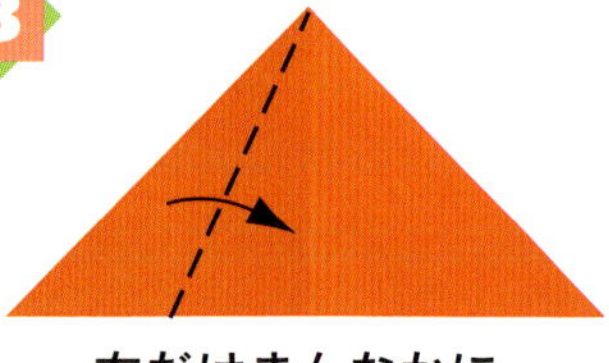

左だけまんなかに
あわせて折る

4

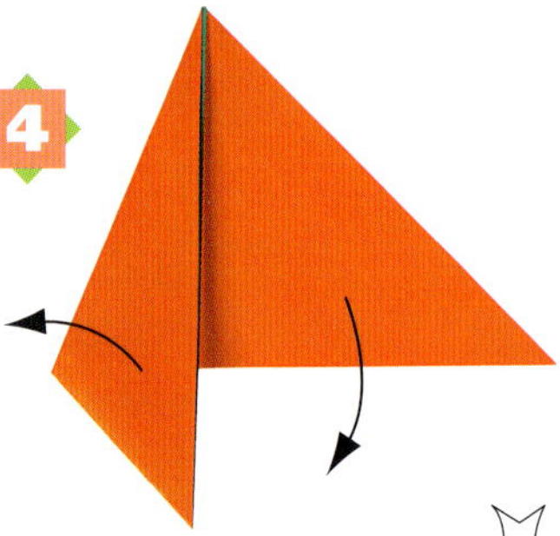

いちどひろげる

5

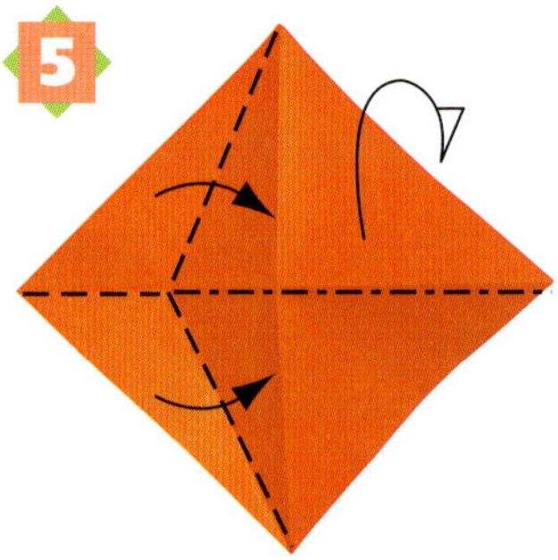

折りすじのように折りたたむ

6

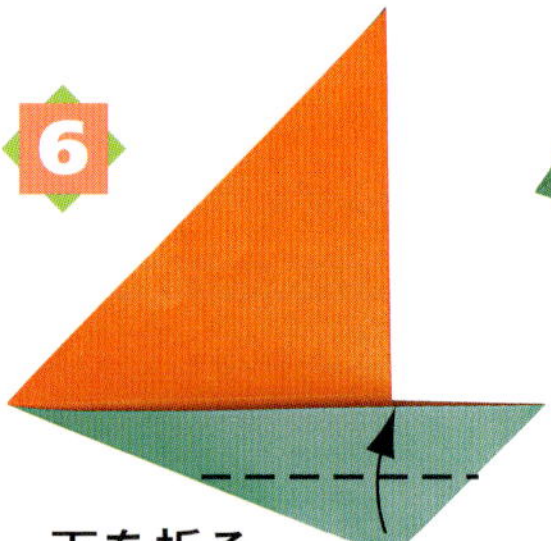

下を折る

7

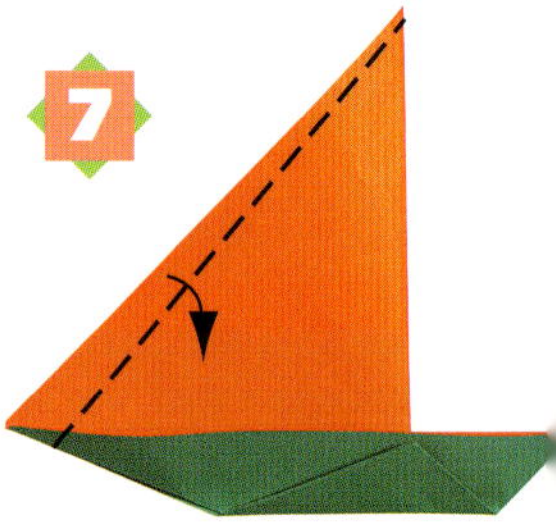

ななめに折る

8

角《かど》を折る

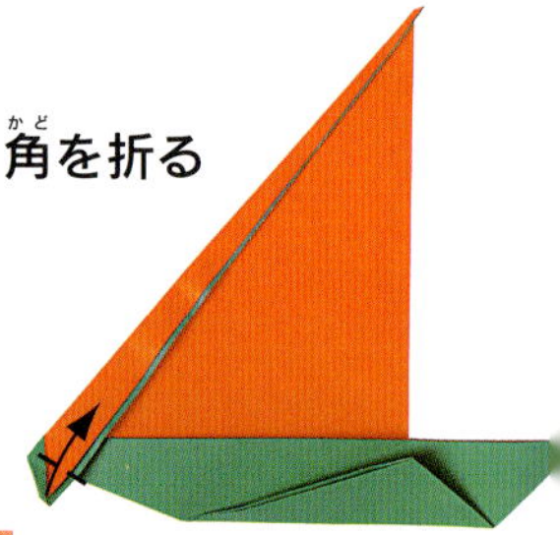

9

⇩をひらいて角《かど》を
中にいれる

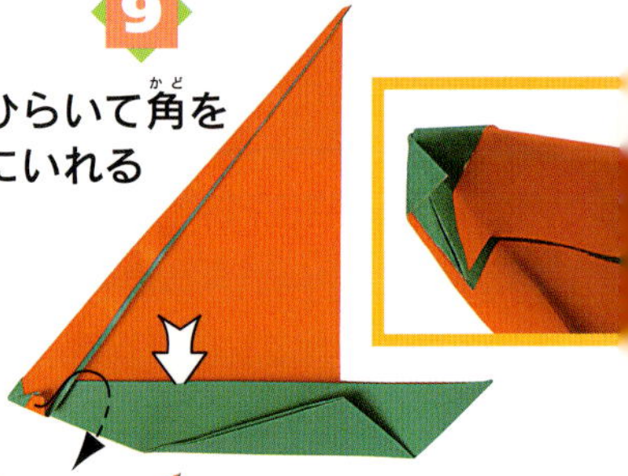

10

11

ヨットの
できあがり

かめ

1

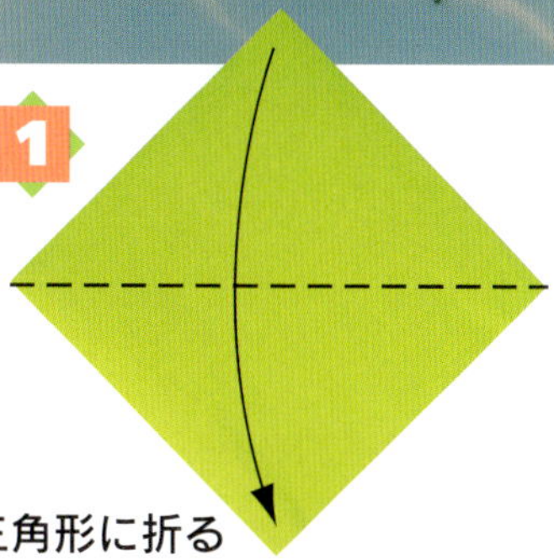

三角形に折る

2

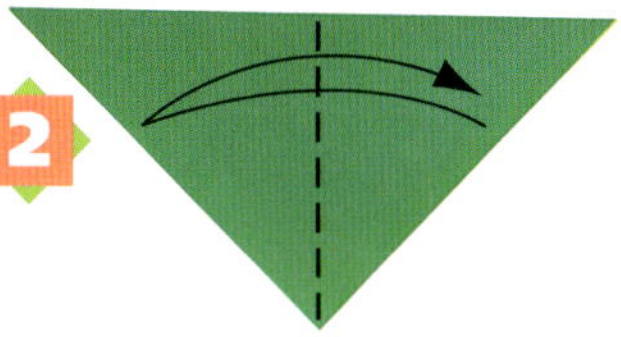

折りすじをつけてひらく

3

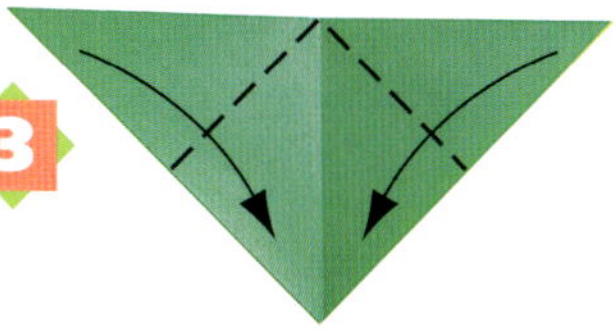

まんなかにあわせて折る

4

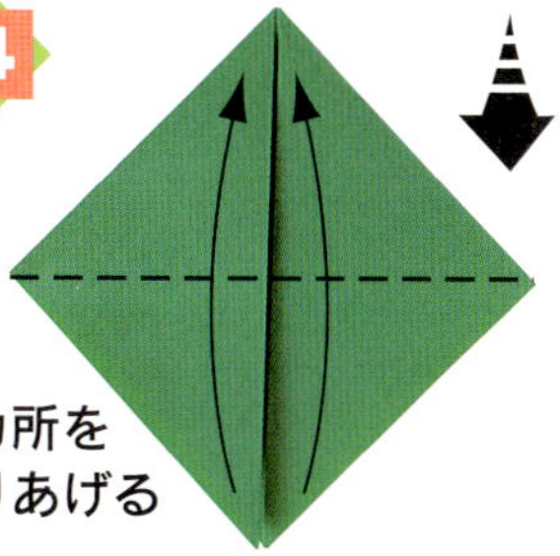

2カ所を
折りあげる

5

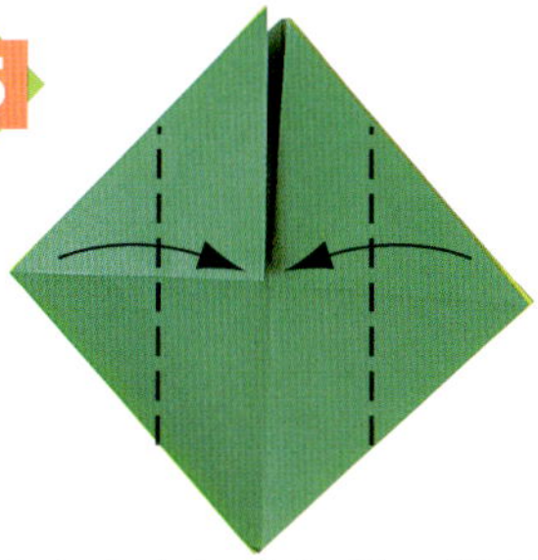

まんなかにあわせて折る

6

2カ所を折る

7

上の1枚を
切る

8

2カ所を折る

9

あたまを折る

10

もういちど
折る

11

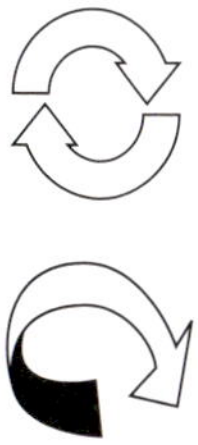

12

こうらにある
折りすじをか
るく山折りし
て、かたちを
ととのえる

13

かめのできあがり

さめ

サイズ

からだ

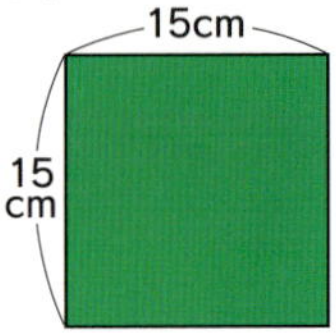

歯

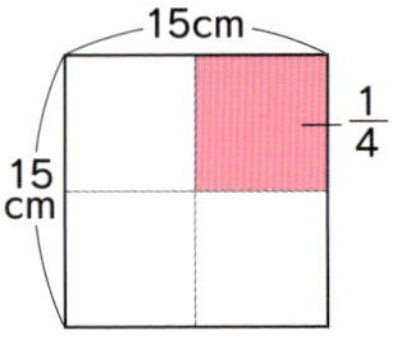

【からだ】

1

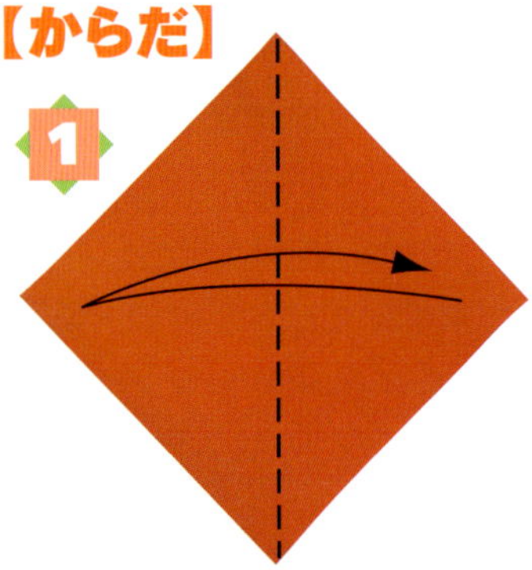

折りすじをつけてひらく

2

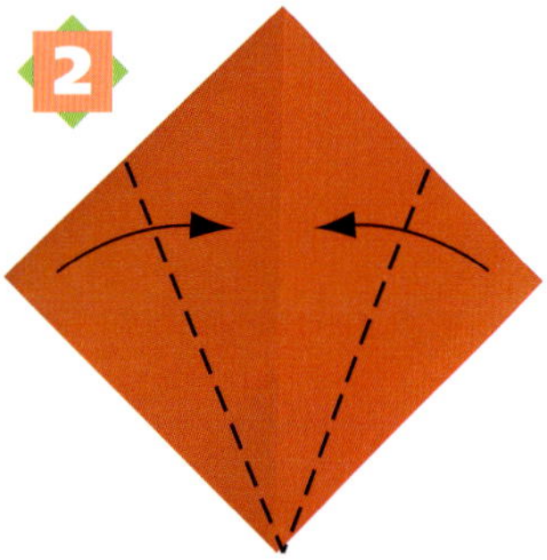

まんなかにあわせて折る

3

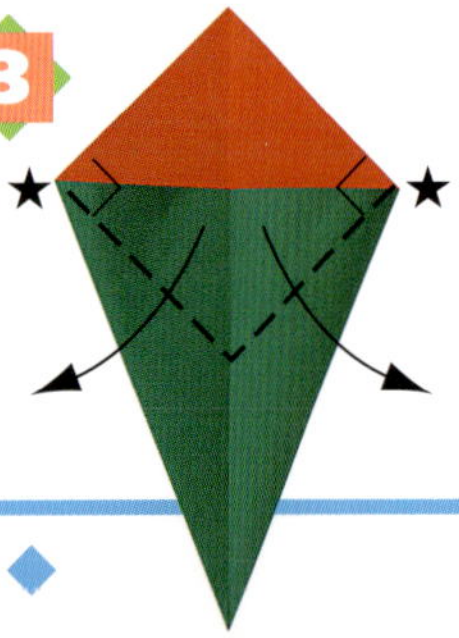

★の角が
ほぼ直角に
なるように折る

4

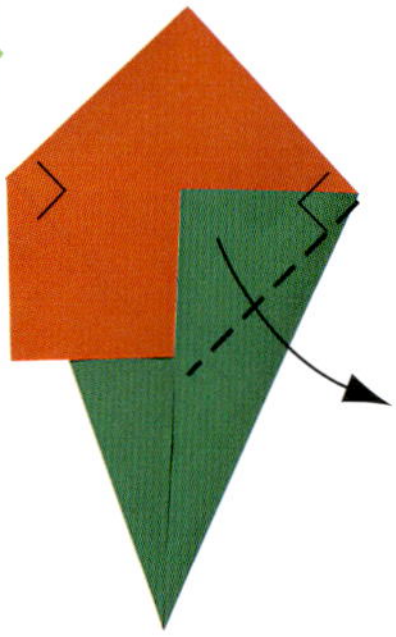

5

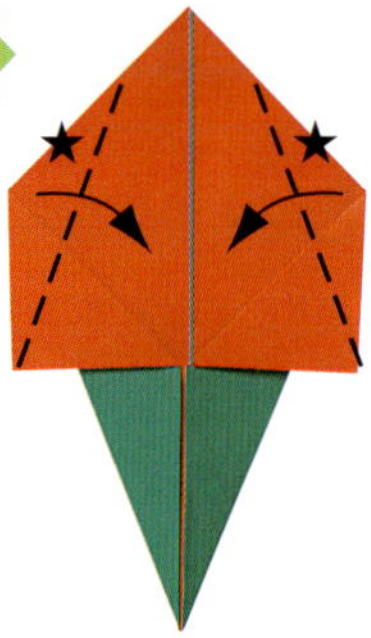

★がまんなかの線とほぼ
平行になるように折る

6

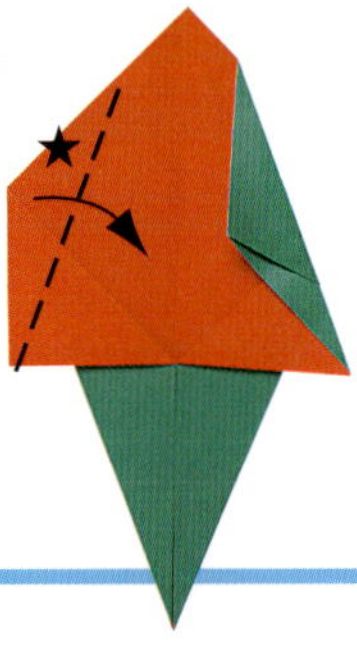

7

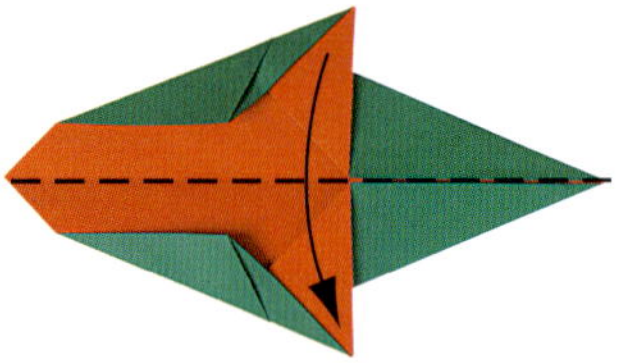

半分に折る

8

かぶせ折りをする

9

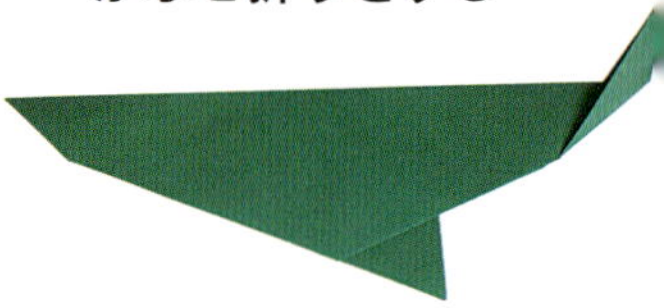

からだのできあがり

【歯】

1

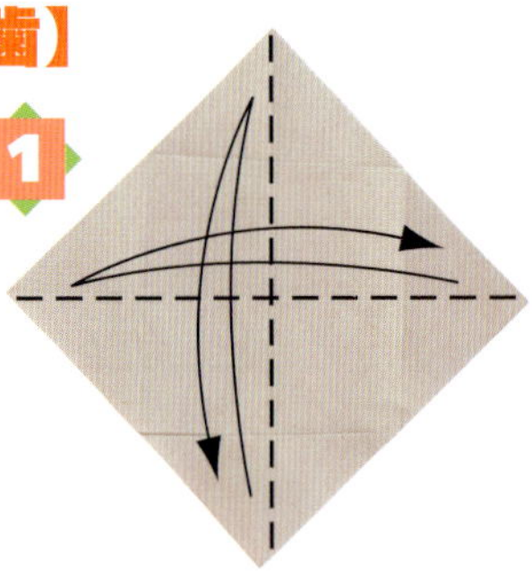

折りすじをつけてひらく

2

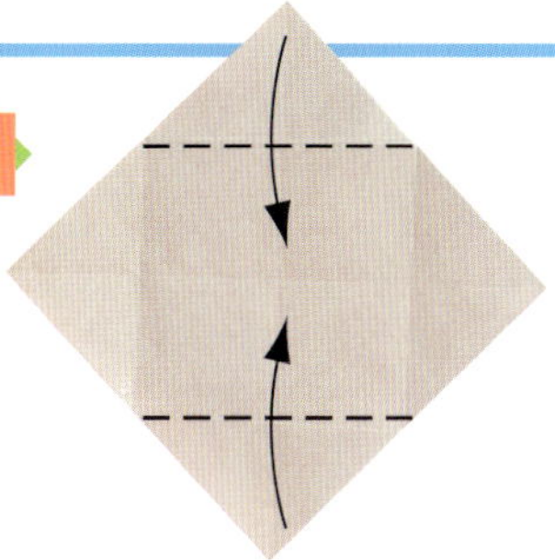

まんなかにあわせて折る

3

4

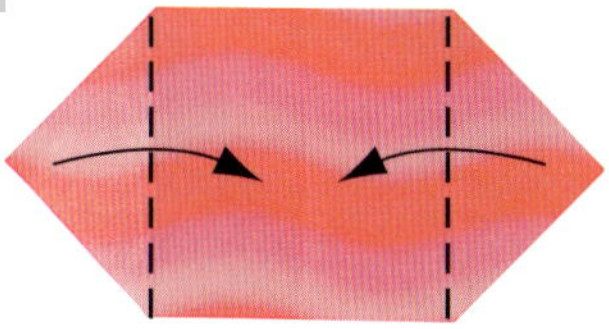

まんなかにあわせて折る

5

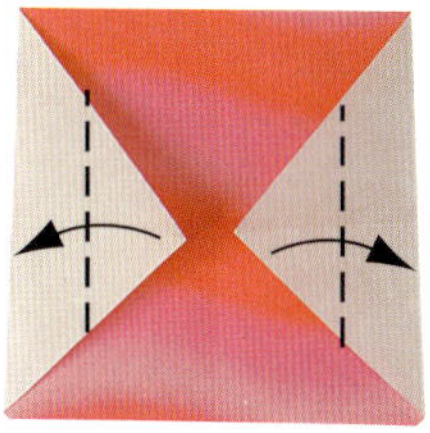

半分に折る

6

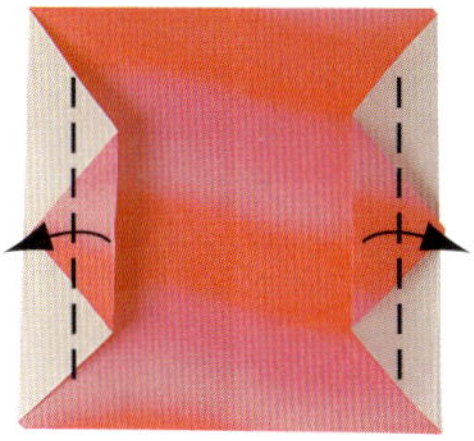

もういちど半分に折る

7

いちどひろげる

8

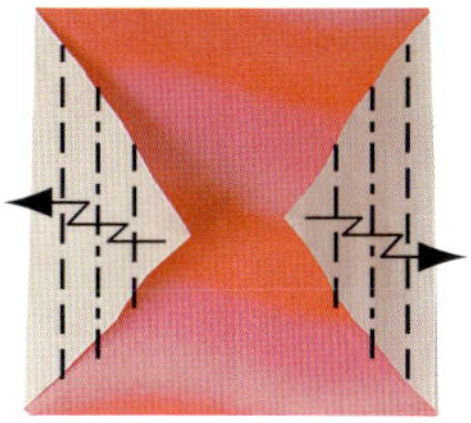

折りすじをつけなおし、
段折りをする

9

歯のできあがり

10

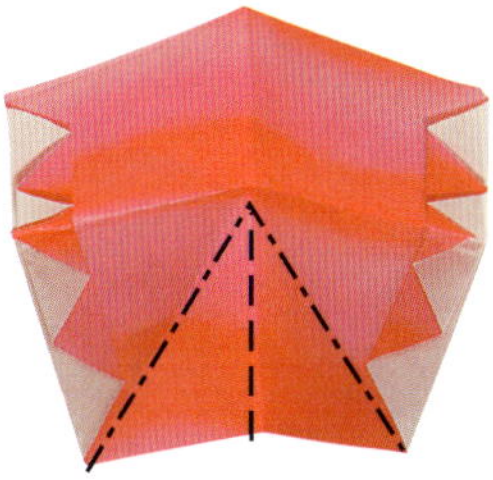

下半分にいちど折りすじを
つけておく

【組みあわせ】

1

さめをひらき、まず●の部分をからだのはしからはみださないようにはる。つぎにさめのからだを少しとじて、★がからだのはしにあうようにしながらのりづけする。(歯の下半分はのりづけしない。歯はからだから少しういているようになる)

2

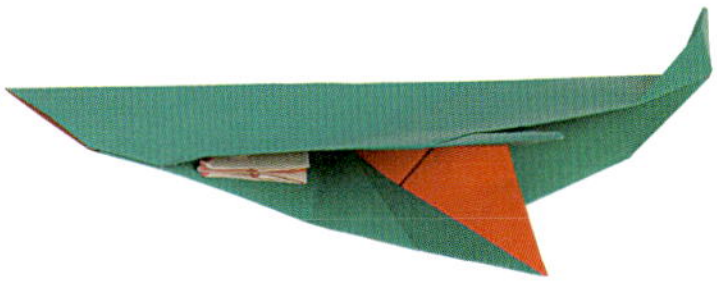

歯の下の部分を折りたたみ、体ごと半分に折る

3

さめのできあがり

おまけ

歯をもっと
こまかく
することも
できるよ

1

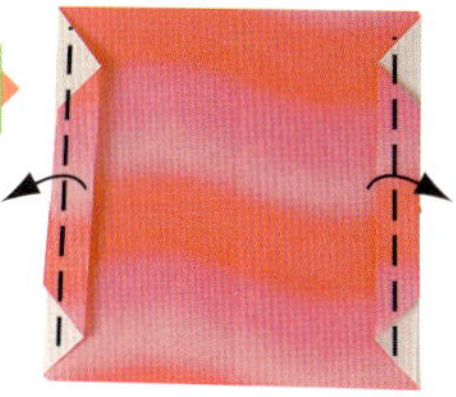

歯の7をもういちど半分に折り、ひろげて段折りをする

2

こまかい歯の
できあがり

3

8ページの正方基本形の折りかたで正方形まで折ってね

正方基本形からスタート

1

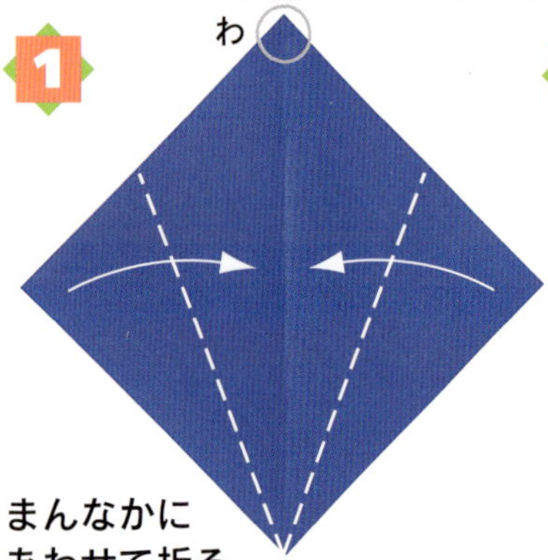

まんなかにあわせて折る

2

うらもおなじように折る

3

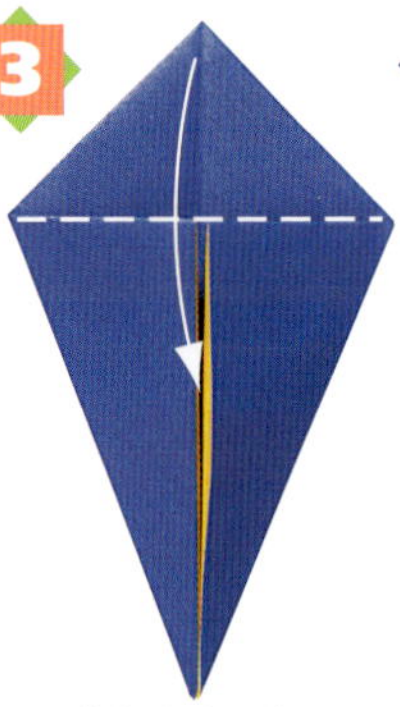

折りさげる

4

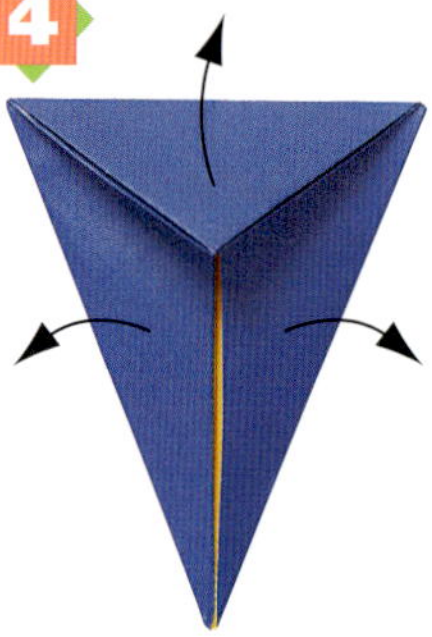

いちどひらく

5

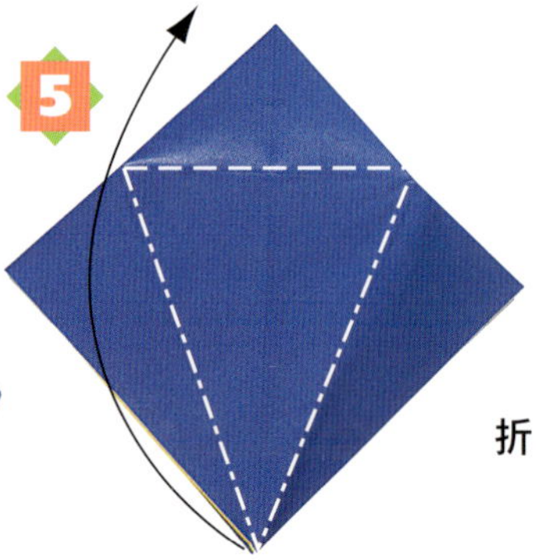

1枚を折りすじのように上にひらきながらつぶす

6

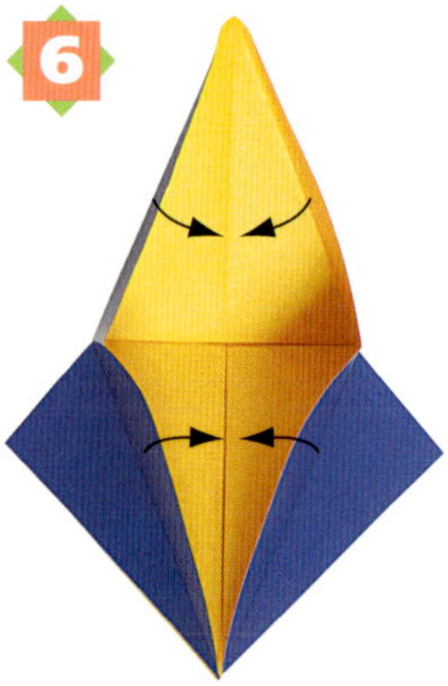

7

うらもおなじように折る

8

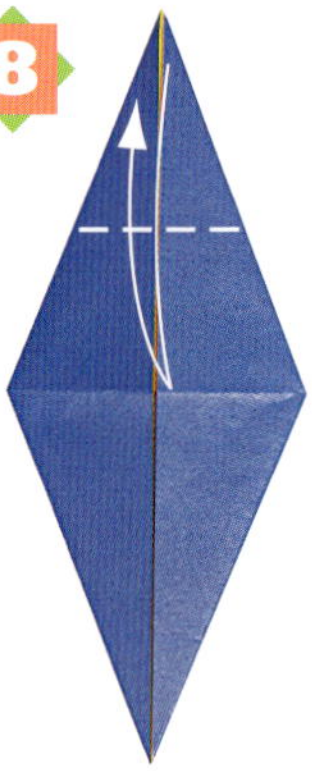

折りすじをつけてひら

9

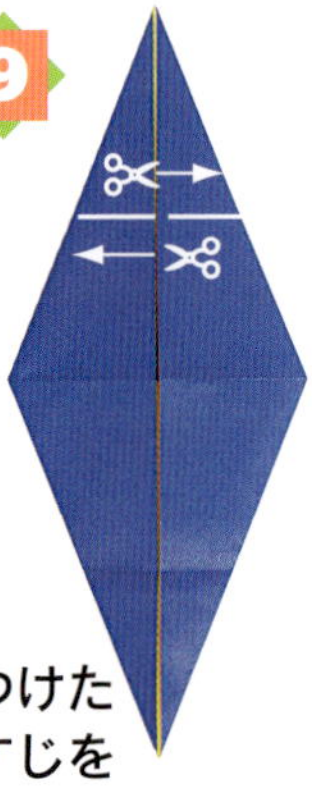

8でつけた折りすじをうちがわから切る

10

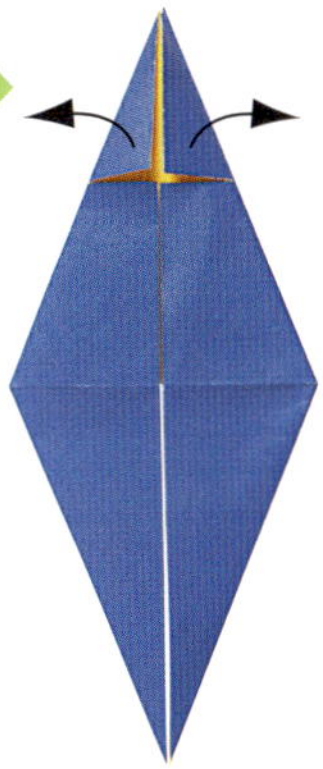

ひらく

11

12

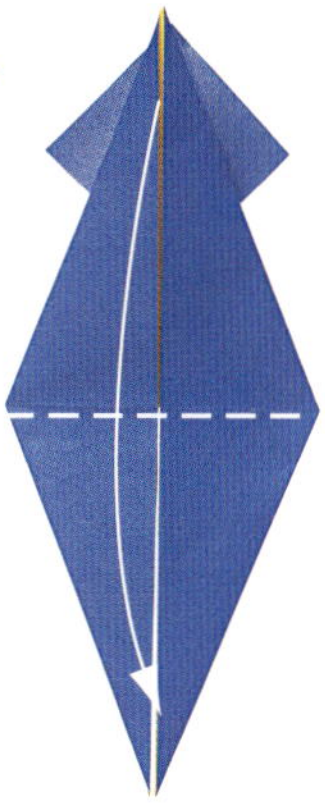

上の１枚を折りさげる

13

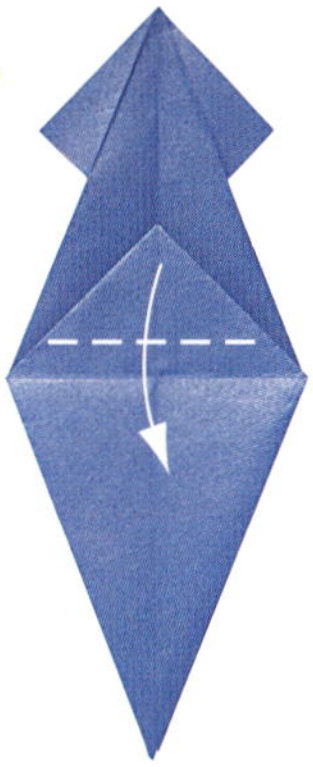

下に折る

14

上に折る

15

まんなかを切る

16

左右を３本ずつ切る

17

18

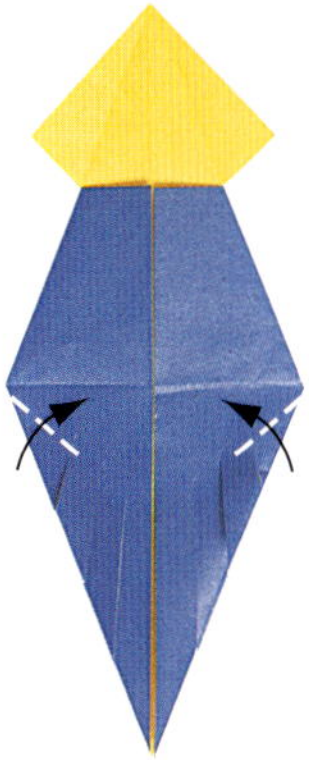

はじを切る

19

20

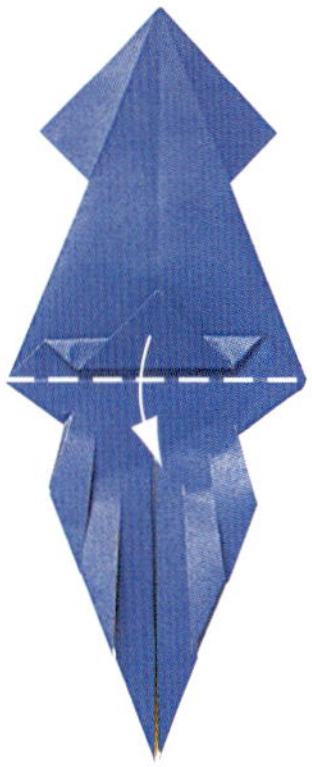

折りさげる

21

いかのできあがり

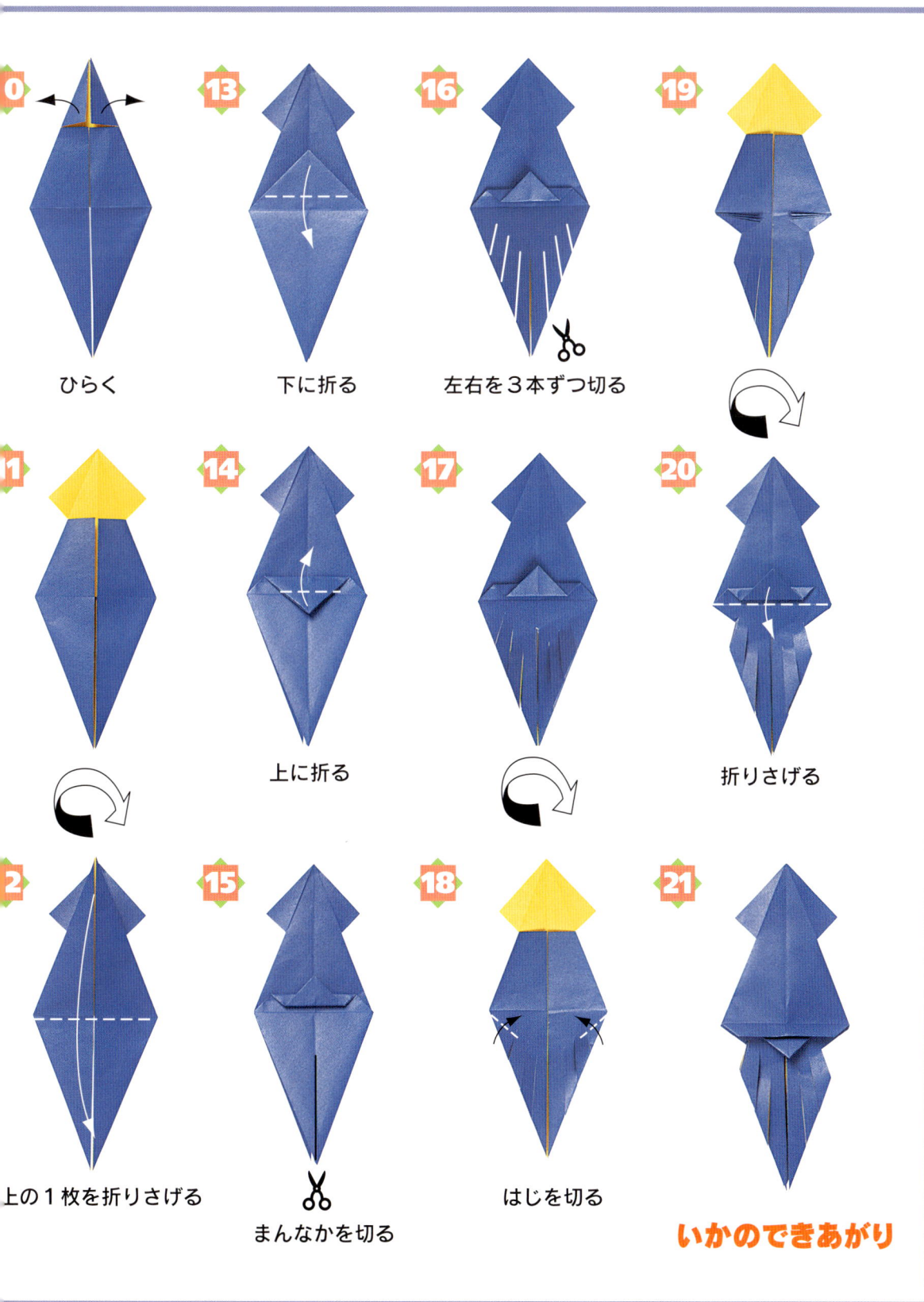

ほたて貝

1

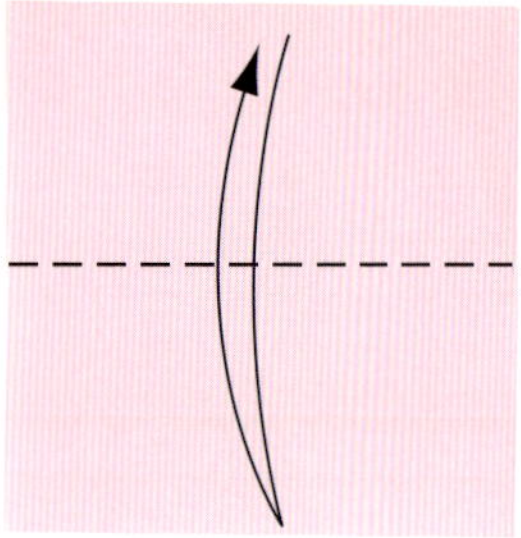

折りすじをつけてひらく。
うらがえして山折り線の
ついているほうをおもて
にする

2

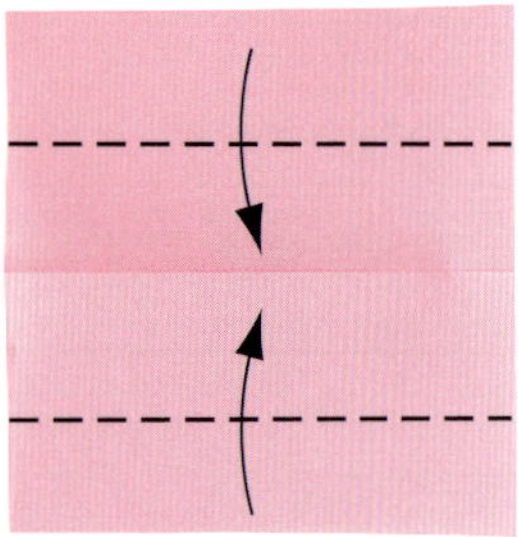

まんなかにあわせて折る

3

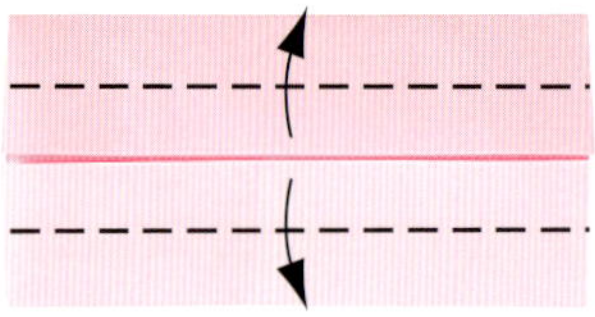

はしにあわせて折る

4

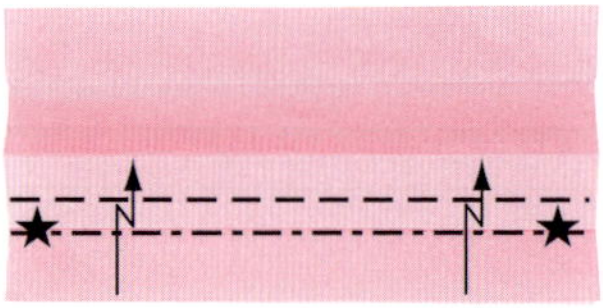

折りたたんである★の部分を
もって、まんなかの線にあう
ように段折りする

5

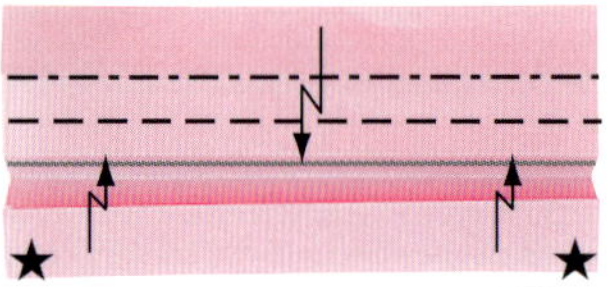

反対がわも
おなじように折る

6

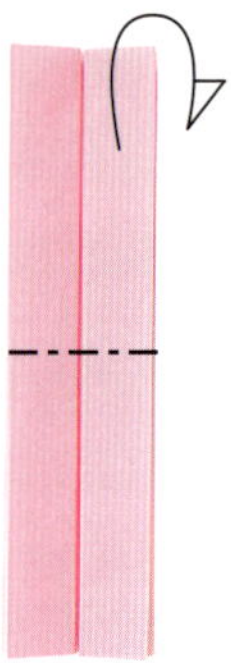

半分に折る

7

★の1枚をもって8のようによこにひっぱる

8

▲がひらくま
ひっぱる

右がわもおなじ
ようにする

9

10

11

おもてとおなじように
ひっぱる

12

ひらく

13

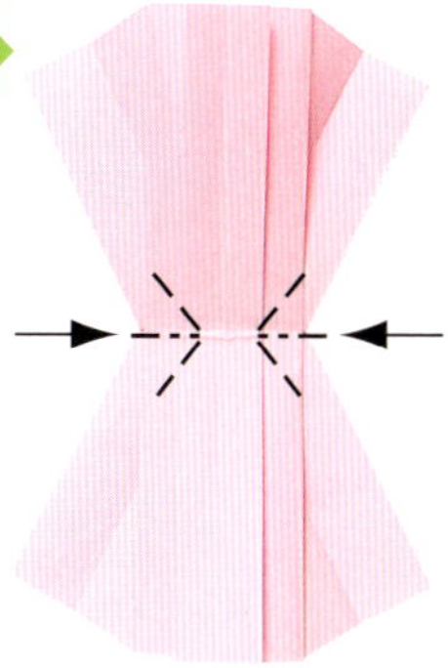

❹のように２ヵ所をおこす

14

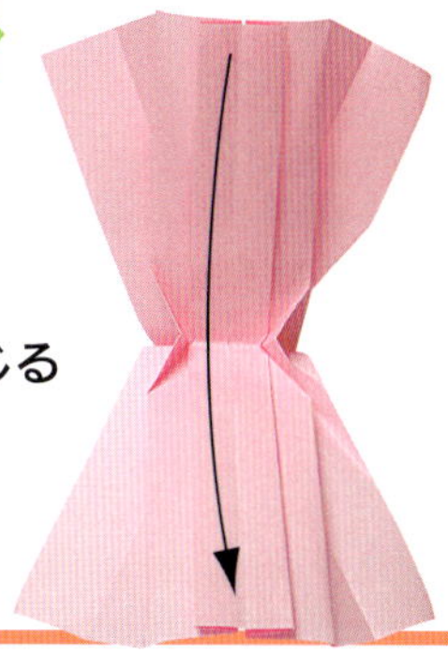

とじる

15

はしをななめに折る

16

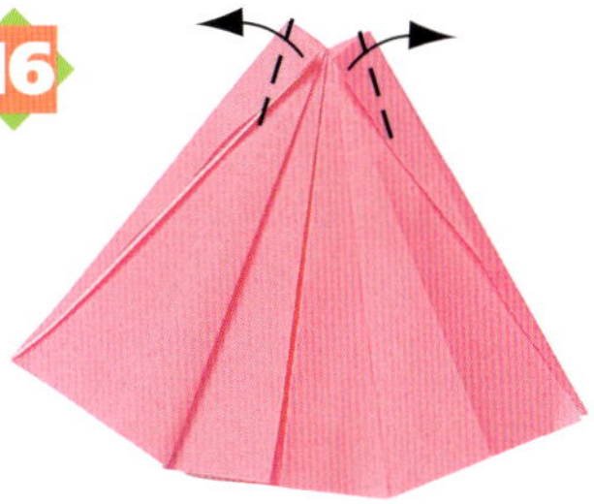

２ヵ所を折る

17

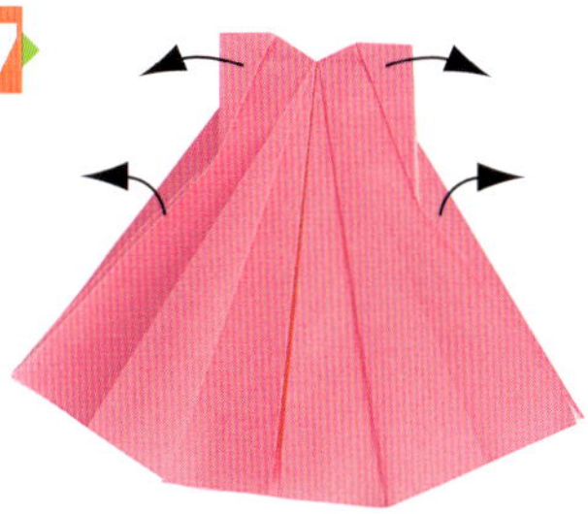

いちどひらく

18

★の部分はそとがわにのこすようにして、はしはうちがわに折る

19

ひらく

20

4つの角《かど》を折る

21

とじる

22

ほたて貝のできあがり

夏
ほたて貝

ペンギン

1

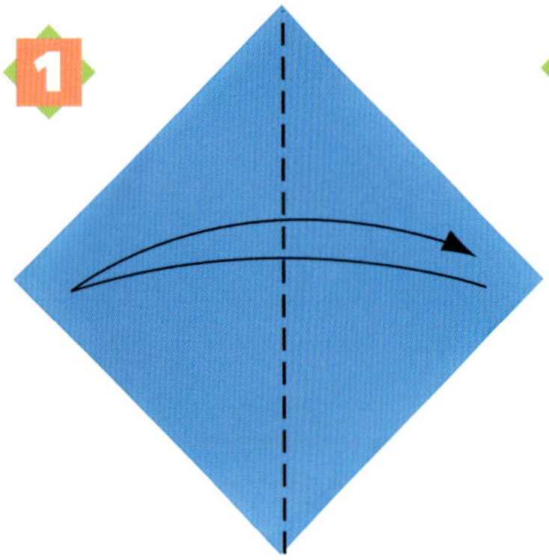

折りすじをつけてひらく

2

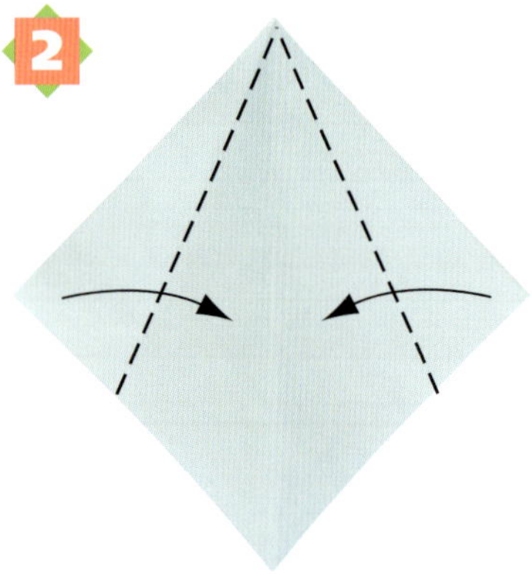

まんなかにあわせて折る

3

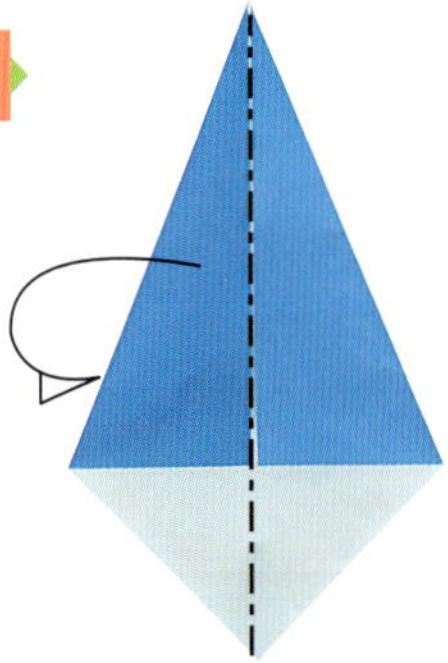

うらがわに半分に折る

4

下の三角形を
半分に折る

5

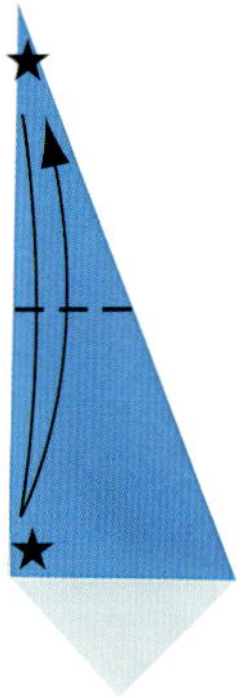

★と★があうように折
りすじをつけてひらく

6

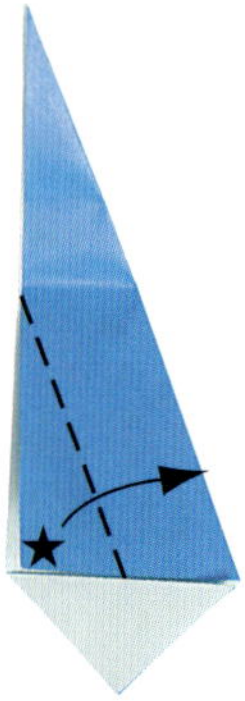

★がはしにつくように折

7

6で折った線と
少しずれるように折る

8

★が折りすじに
あうように折る

9

★が角に
あうように折る

10

下を折りあげる

11

くちばしを折る

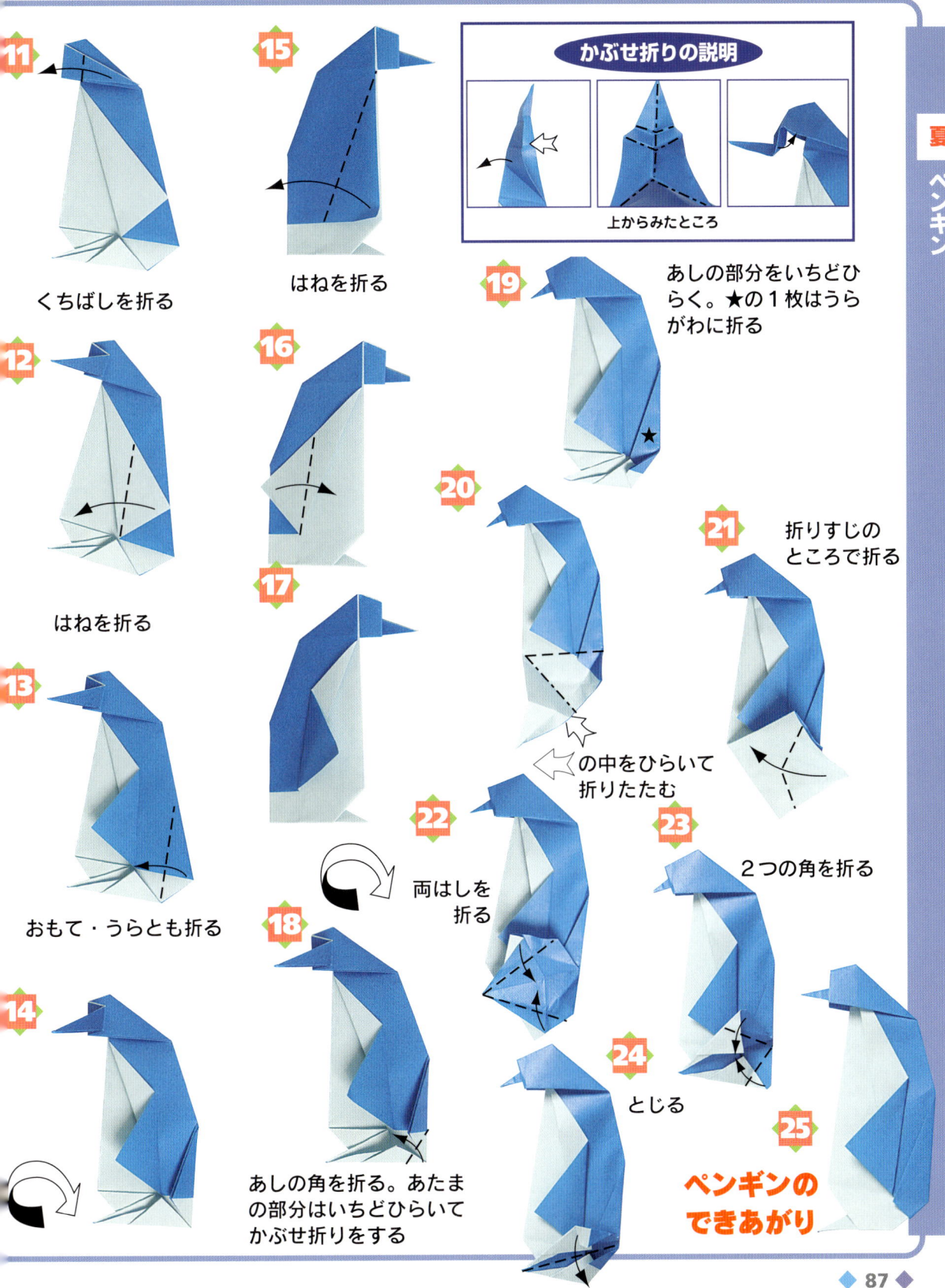

12

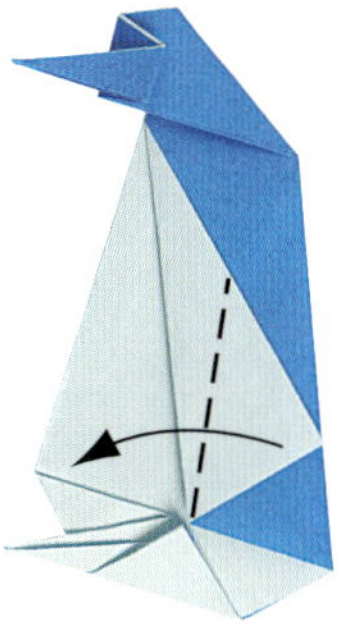

はねを折る

13

おもて・うらとも折る

14

15

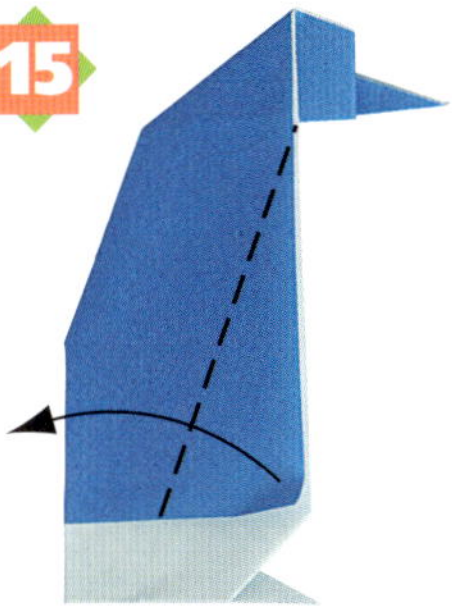

はねを折る

16

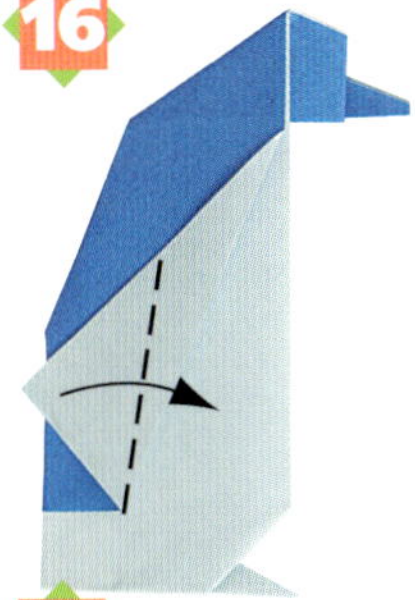

17

18

あしの角を折る。あたまの部分はいちどひらいてかぶせ折りをする

かぶせ折りの説明

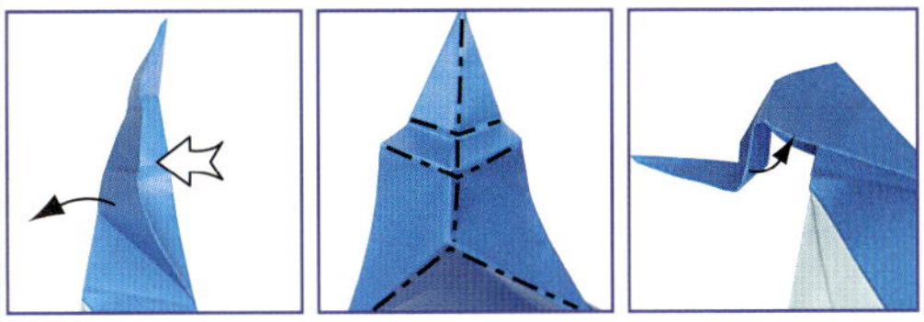

上からみたところ

19

あしの部分をいちどひらく。★の１枚はうらがわに折る

20

の中をひらいて折りたたむ

21

折りすじのところで折る

22

両はしを折る

23

２つの角を折る

24

とじる

25

ペンギンのできあがり

花火《はなび》の紋切り

1

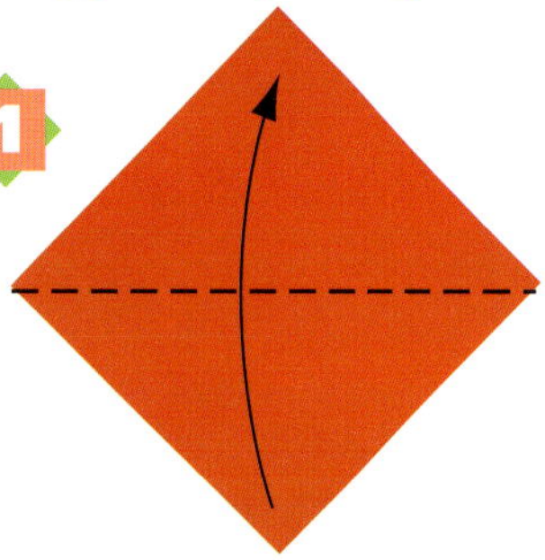

三角形に折る

2

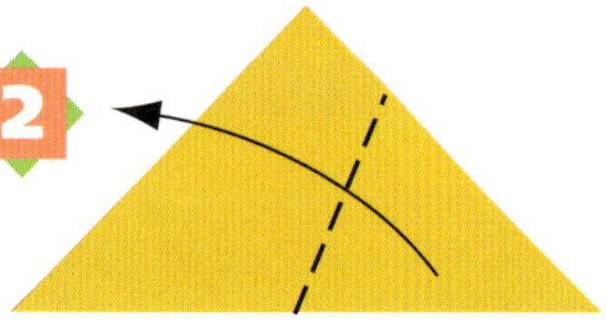

159ページの折り線🅰に
あわせて右がわを折る

まず折り型の
説明を読んでね

3

★の線があうように折る

4

うらがわに折ってから、
うらがえす

5

★の線が
あうように折る

6

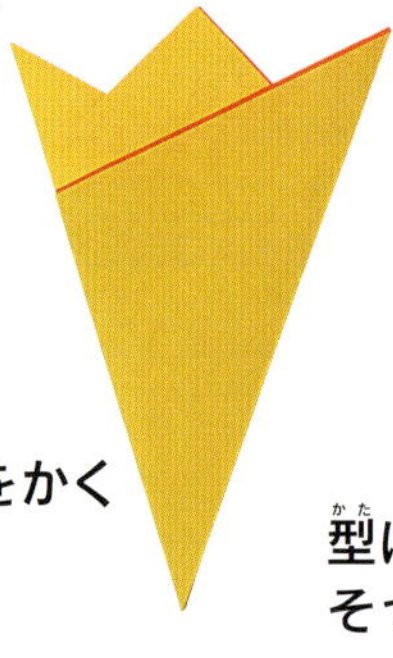

型《かた》をかく

7

型《かた》に
そってきる

8

ゆっくりと
ひろげる

わあ、
こんなかたちに
なるのー?!

9

花火《はなび》の紋切《もんき》りの
できあがり

※花火の型（15㎝×15㎝用）
コピーして型をつくると、
6でかんたんにかくことが
できます

きんぎょ

40ページの“かぶと”の⑩まで折ってね

1

の中をひらく

2

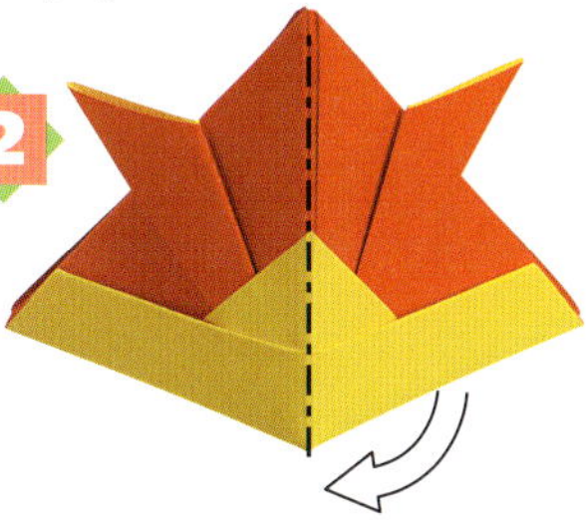

まんなかを山折りにして
たたみかたをかえる

3

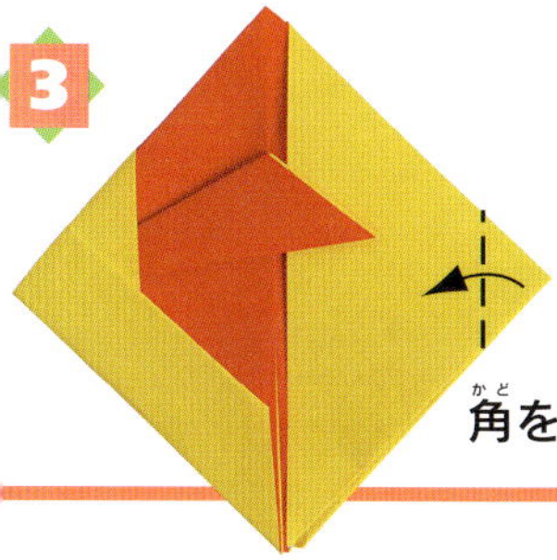

角《かど》を折る

4

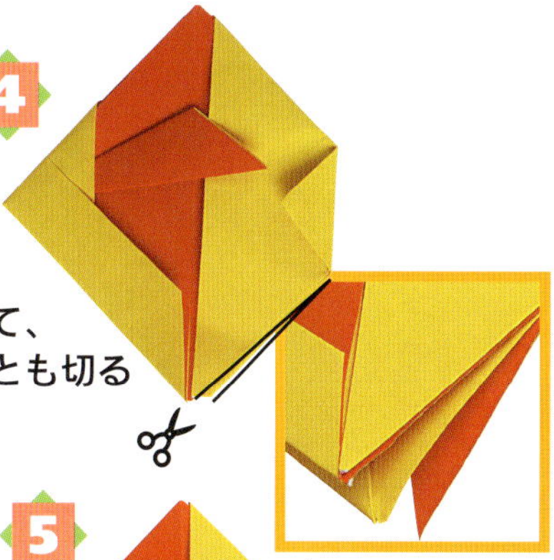

おもて、
うらとも切る

5

角《かど》をいちどひらいて、
★の１枚をひっくりかえす

6

7

8

おもて、うらとも
下をうちがわに折る

9

10

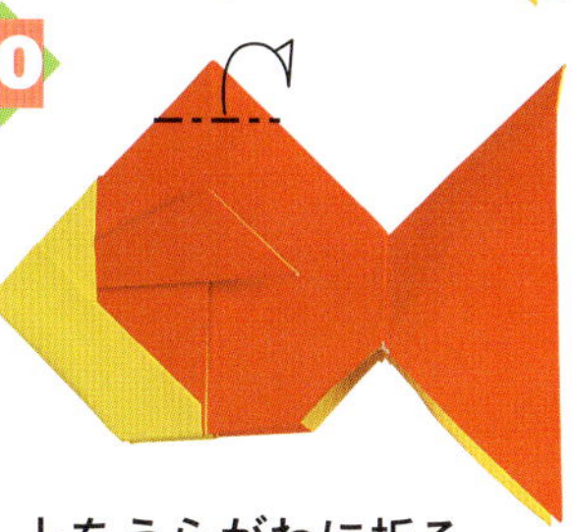

上をうらがわに折る

11

きんぎょのできあがり

ひまわり

8ページの正方基本形の折りかたで正方形まで折ってね

正方基本形からスタート

【花】

1

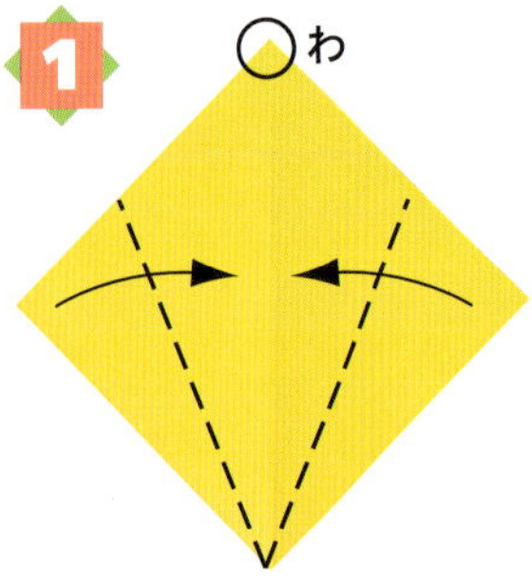

まんなかにあわせて折る

2

うらもおなじように折る

3

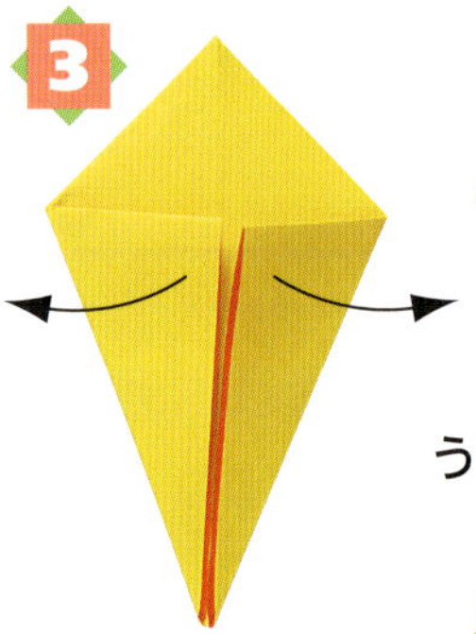

いちどひらく

4

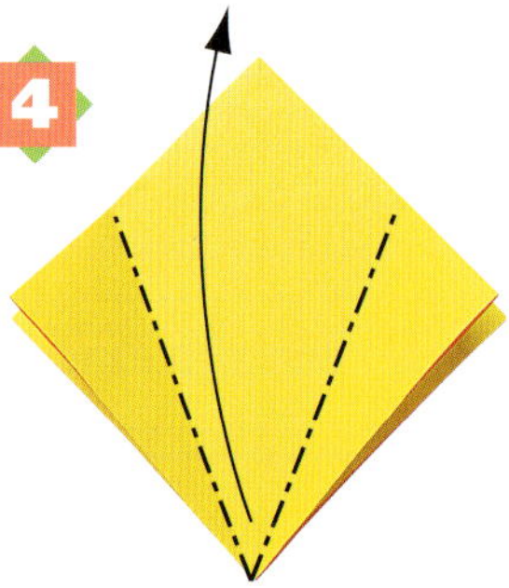

上にひらいて
折りすじのように折る

5

うらもおなじように折る

6

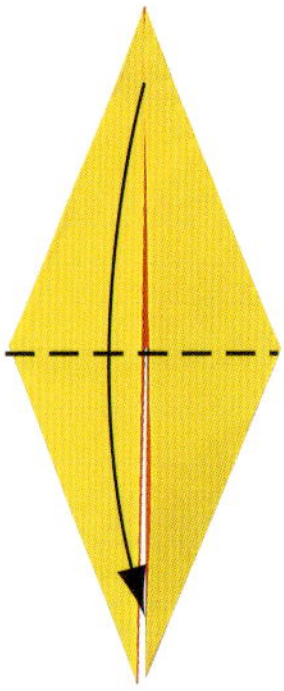

1枚を折りさげる

7

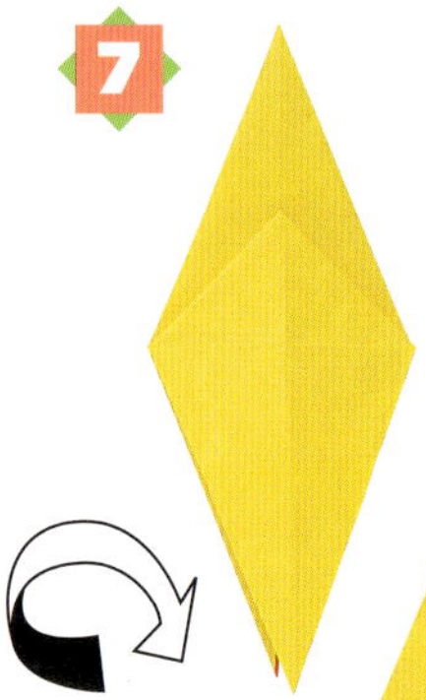

8

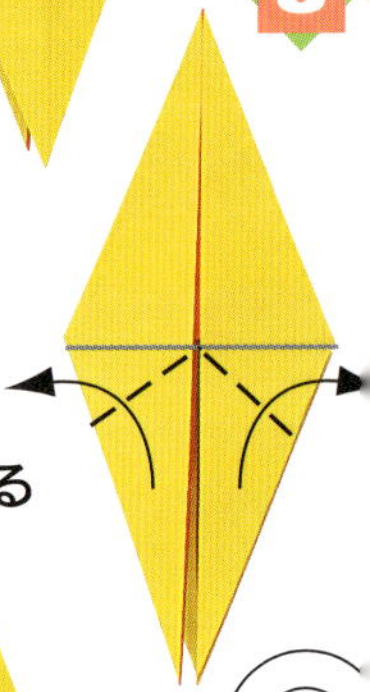

2ヵ所を
左右に折る

9

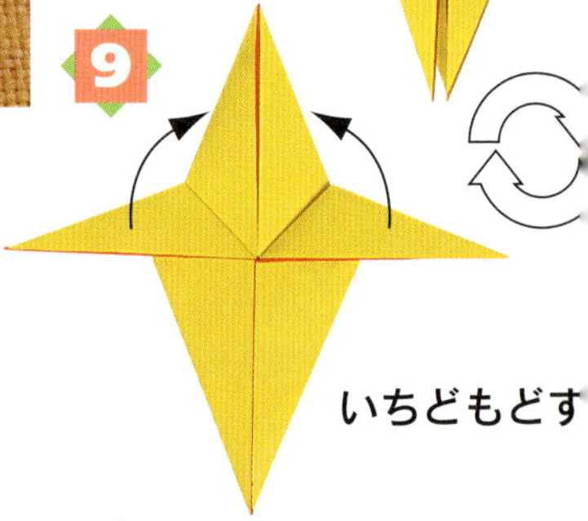

いちどもどす

10

9でつけた
折りすじに
あうように折

11

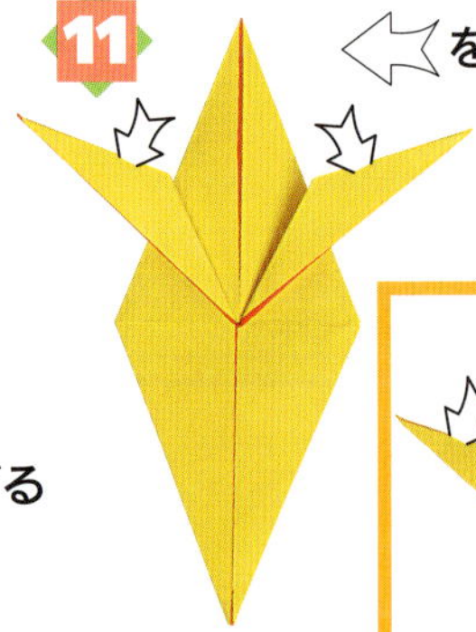

をひらい
つぶす

2

がわもひらいてつぶす

3

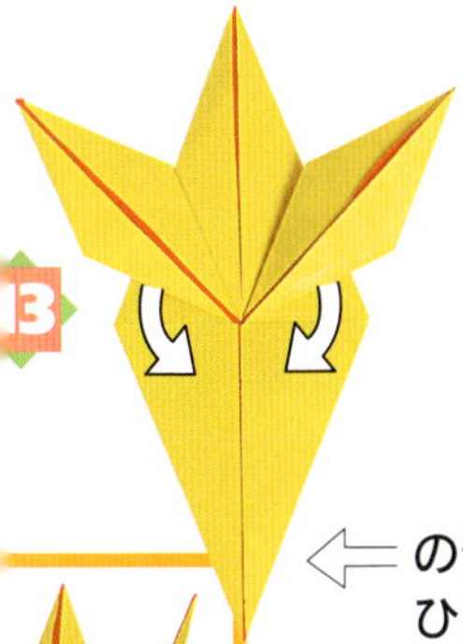

⇦の部分を
ひきだす

14

左がわも
ひきだす

15

**花の
できあがり**

おなじものを８個つくる

【たね】

正方基本形からスタート

1

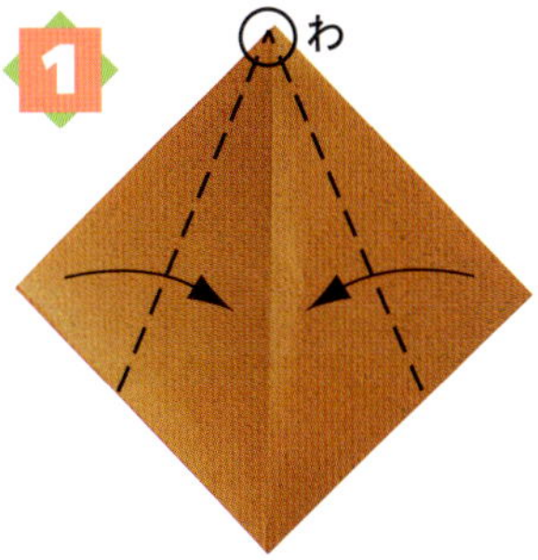

まんなかにあわせて折る。
うらもおなじように折る

2

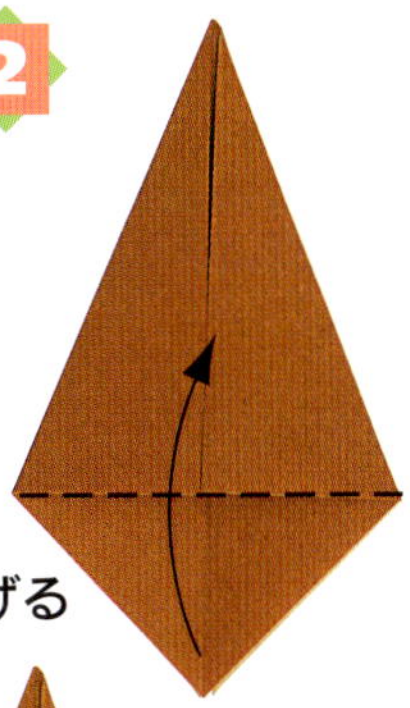

折りあげる

3

いちどひろげる

4

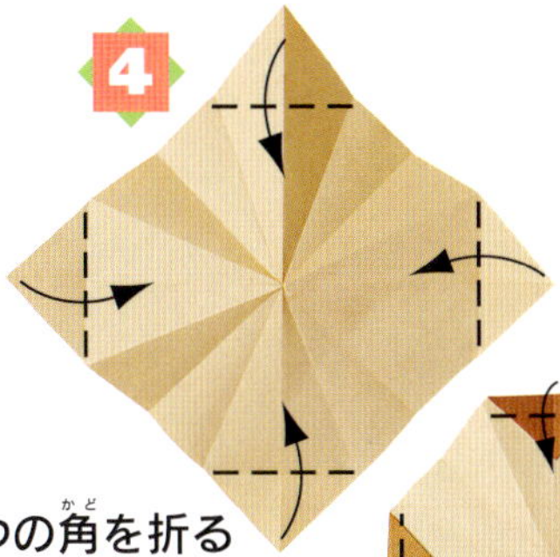

４つの角《かど》を折る

5

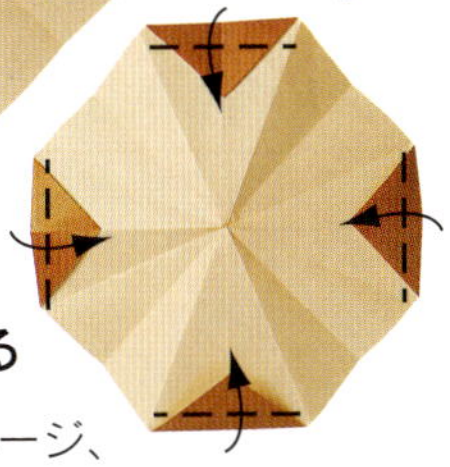

少し折る

6

少し折る

7

**たねの
できあがり**

※葉っぱは55ページ、
くきは細長いおりがみで折ってね

【組みあわせ】

1

花をあわせる

2

テープなどで
とめる

3

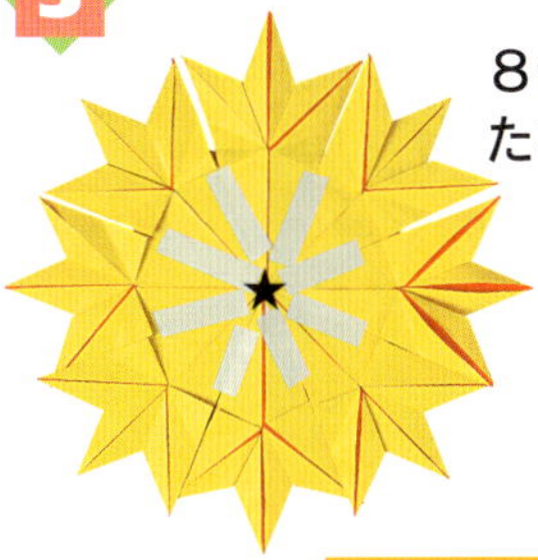

８個をあわせたところ。
たねの7の★の面をはる

4

花の★の部分を
ひらく

5

**ひまわりの
できあがり**

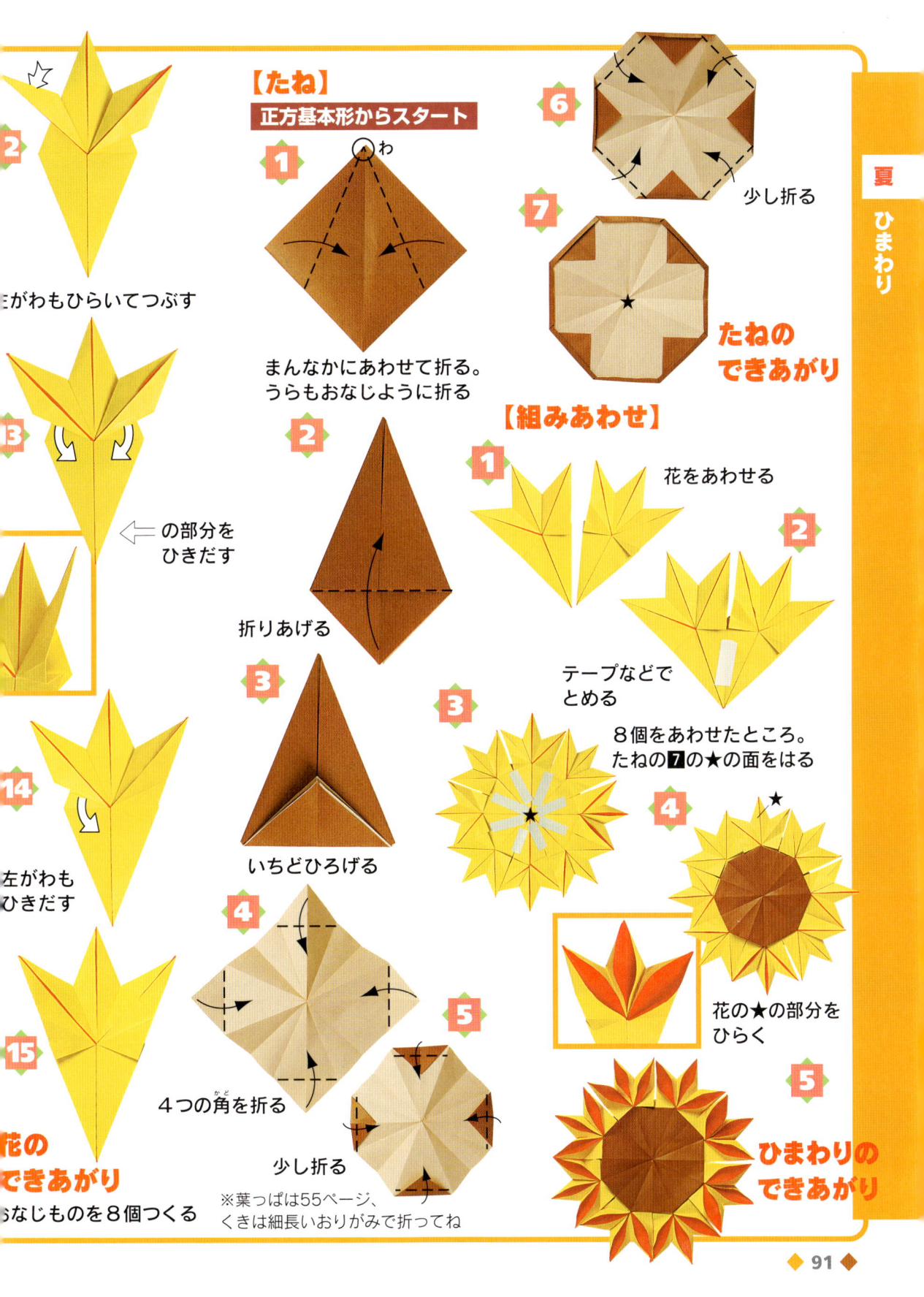

せみ

【せみA】

1

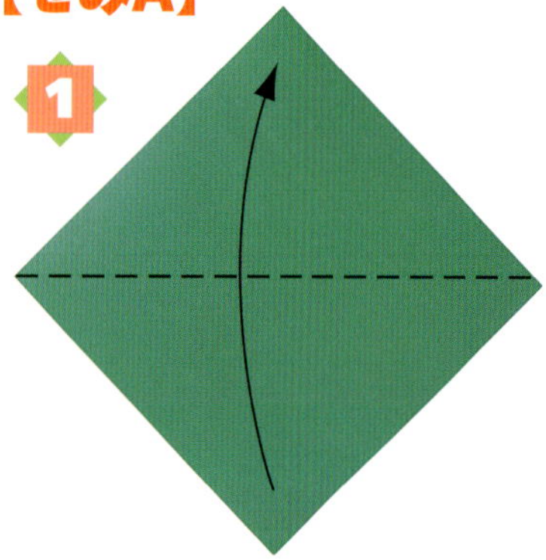

三角形に折る

2

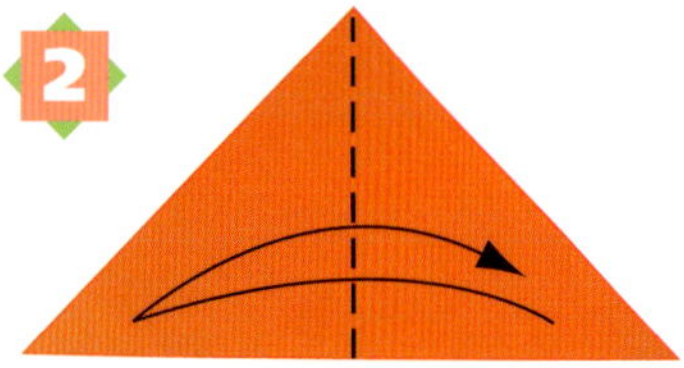

折りすじをつけてひらく

3

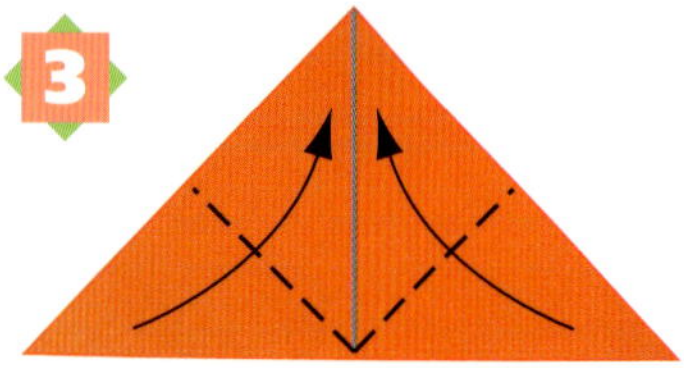

左右を折りあげる

4

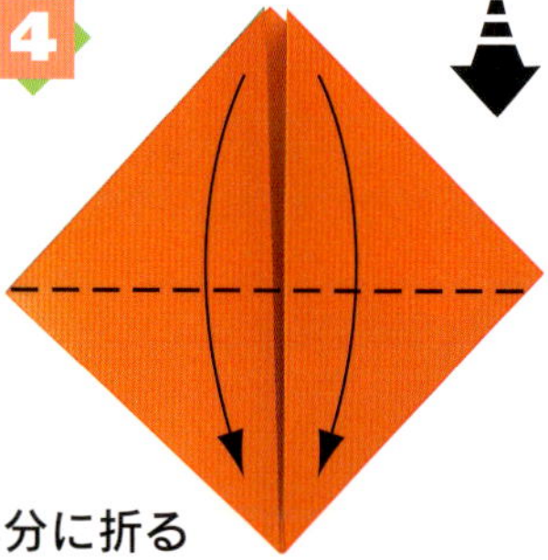

半分に折る

5

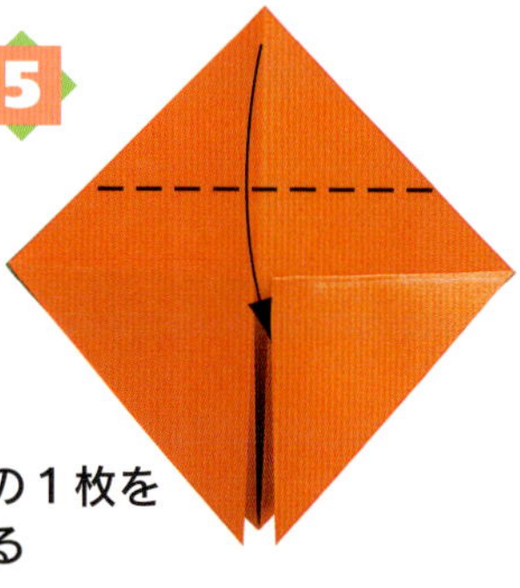

上の１枚を折る

6

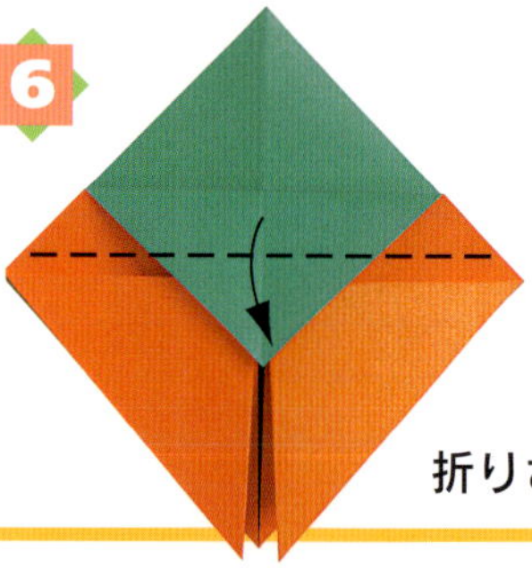

折りさげる

7

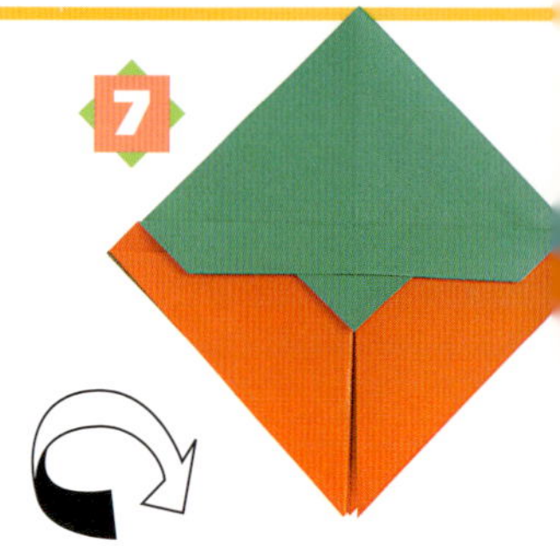

8

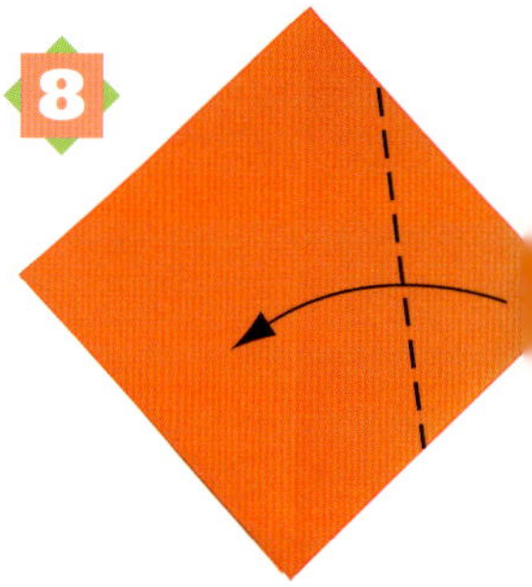

まんなかの折りすじを少しこえるように折る

9

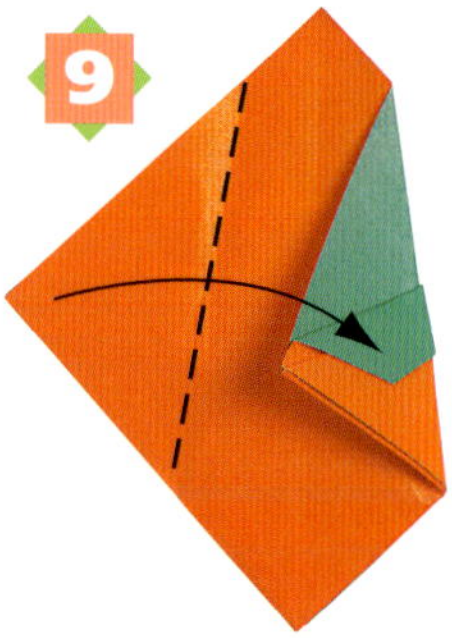

少しかさなるように折る

10

折りさげる

11

2

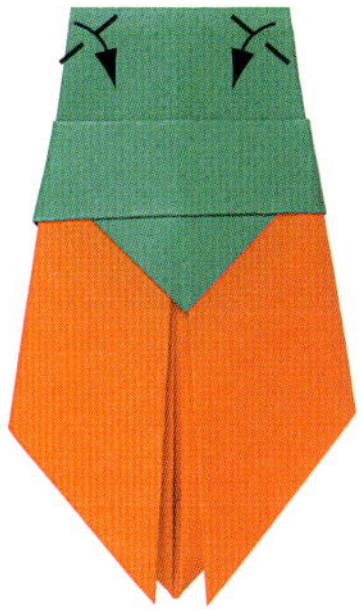

２つの角《かど》を折る

3

せみAのできあがり

【せみB】

1

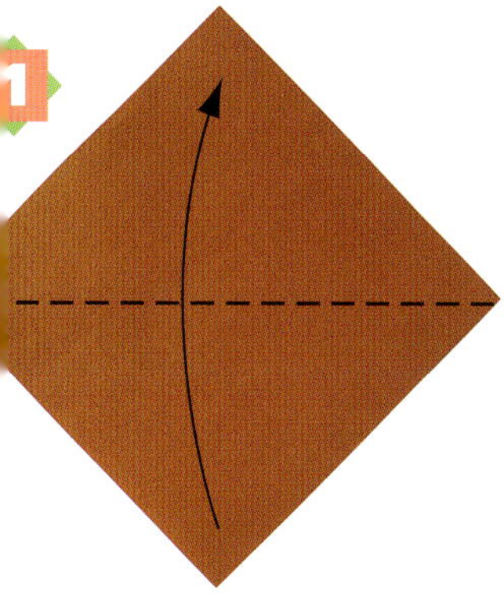

三角形に折る

2

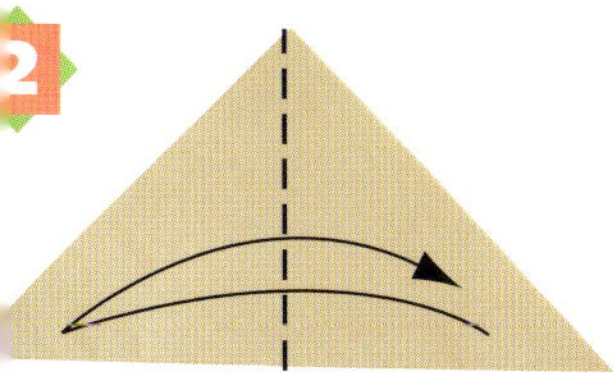

折りすじをつけてひらく

3

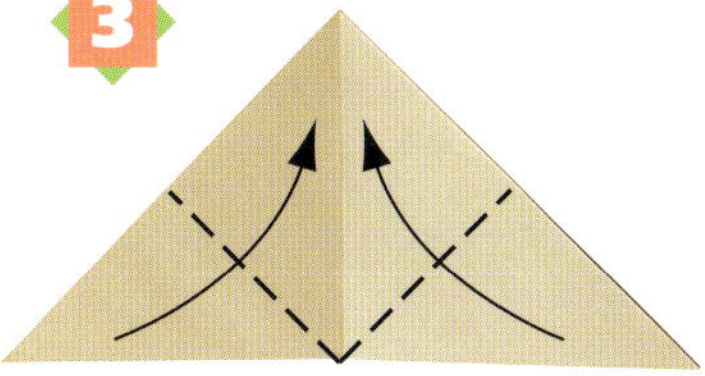

左右を折りあげる

4

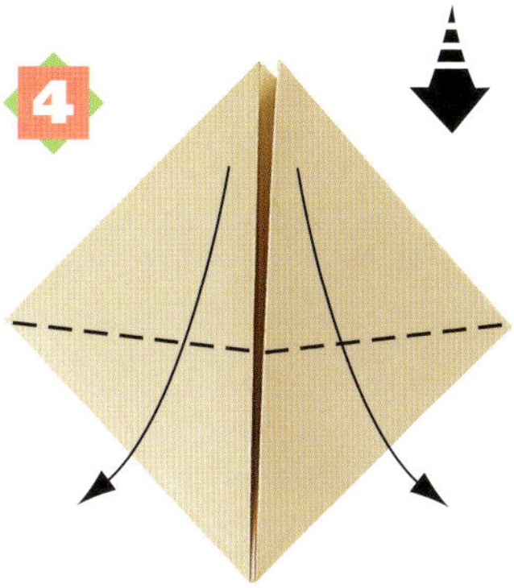

ななめに折る

5

上の１枚を折る

6

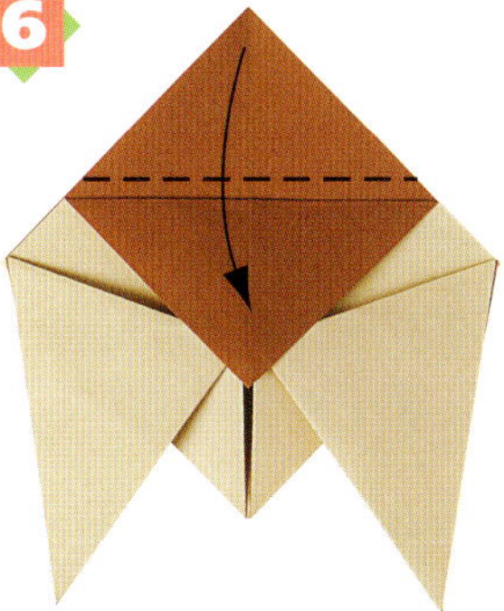

少しずれるように折る

7

8

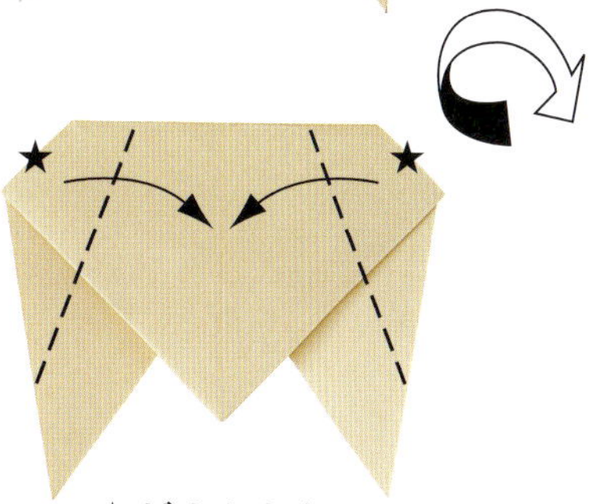

★がまんなかに
あうように折る

9

10

せみBのできあがり

くわがた

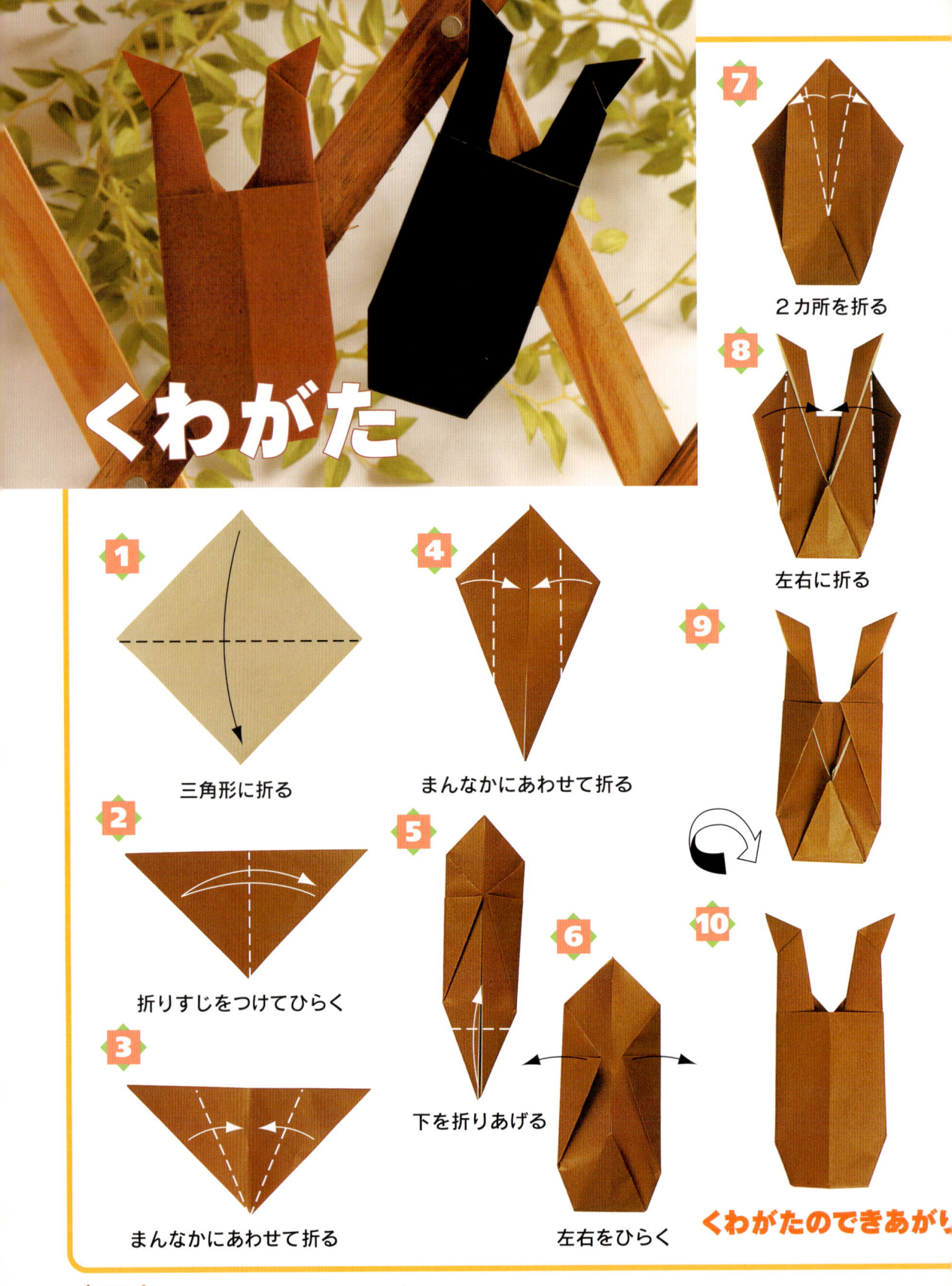

1

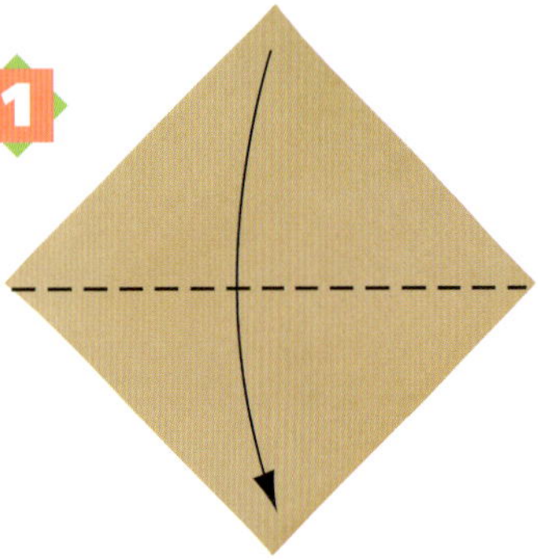

三角形に折る

2

折りすじをつけてひらく

3

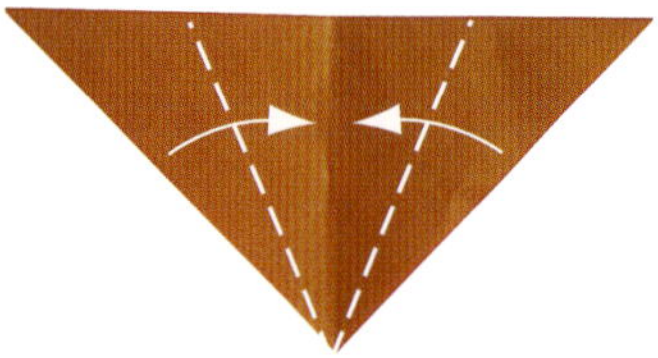

まんなかにあわせて折る

4

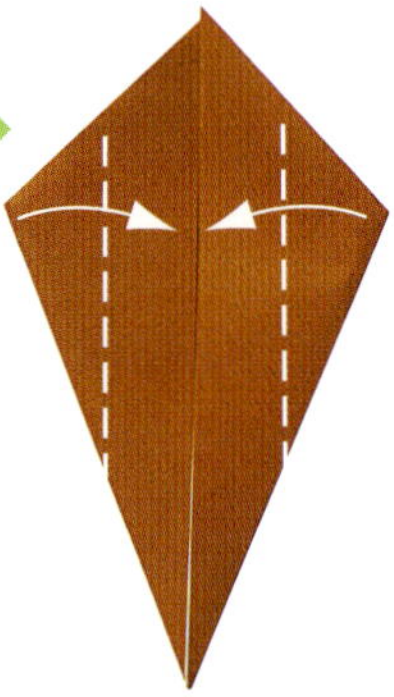

まんなかにあわせて折る

5

下を折りあげる

6

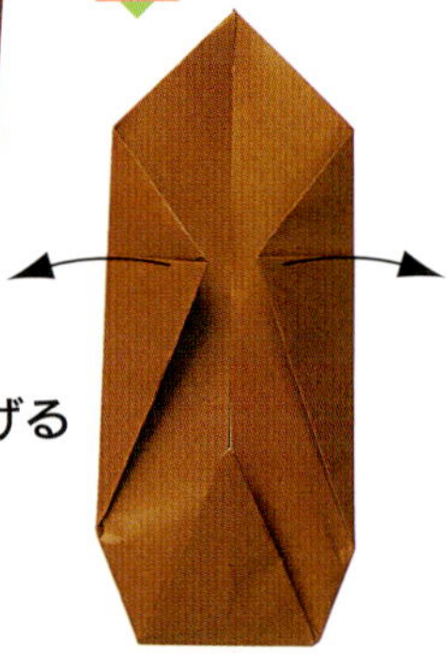

左右をひらく

7

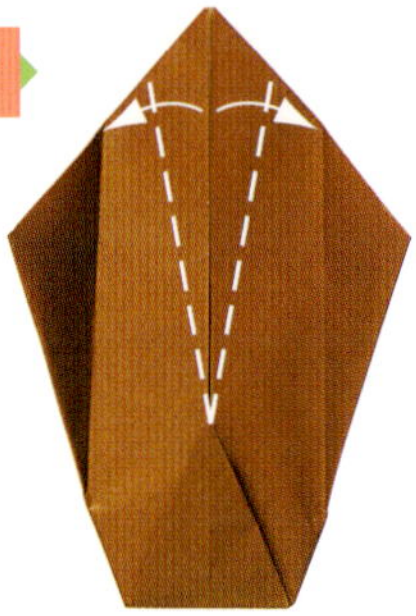

２カ所を折る

8

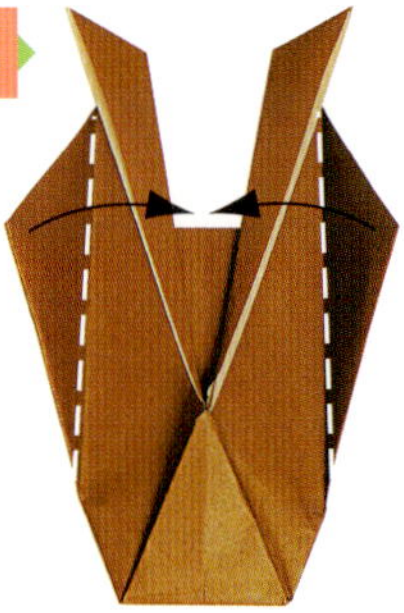

左右に折る

9

10

くわがたのできあがり

バッタ

1

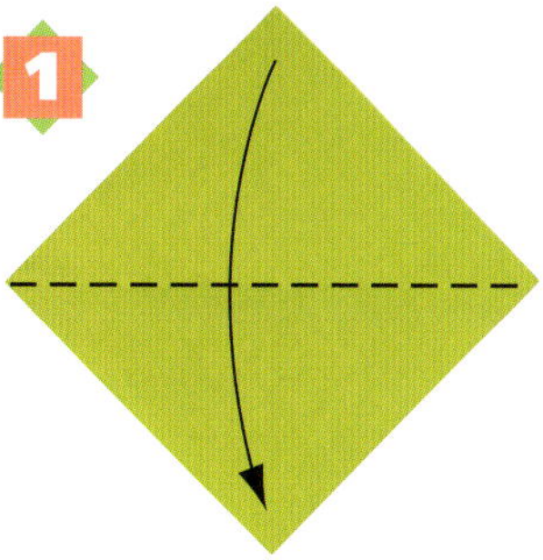

三角形に折る

2

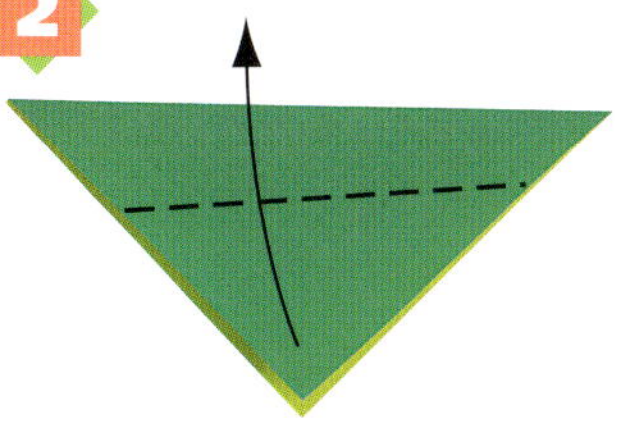

ななめに折る

3

うらがわに折る

4

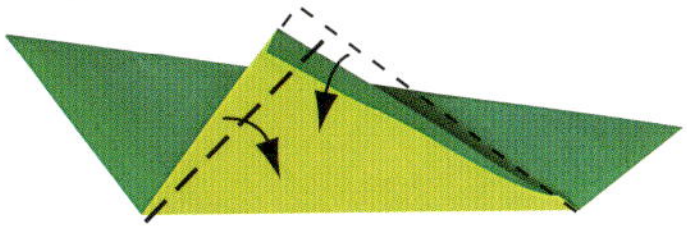

はしを折る。
うらもおなじように折る

5

切りこみをいれる

6

いちどひらく

7

折る

8

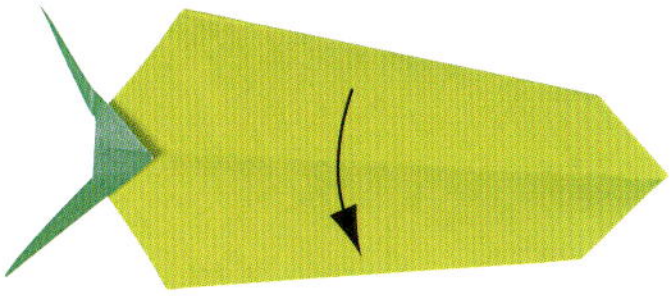

とじる

9

バッタのできあがり

あそびかた

うしろを指でたたくと、
とびはねるよ

とんぼ

8ページの正方基本形の折りかたで正方形まで折ってね

正方基本形からスタート

1

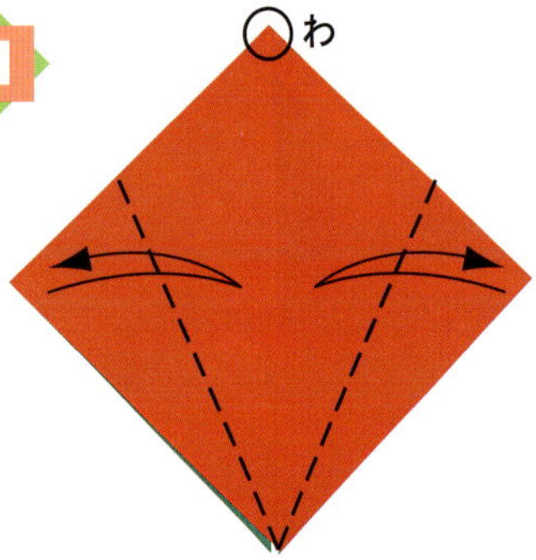

折りすじをつけてひらく

2

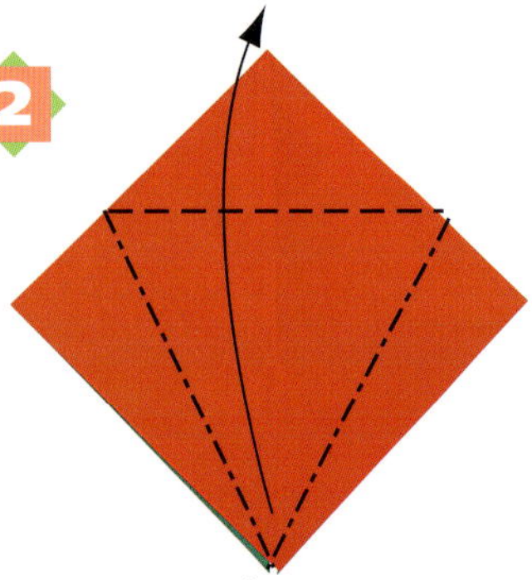

上にひらきながら折りすじのように折る。うらもおなじように折る

3

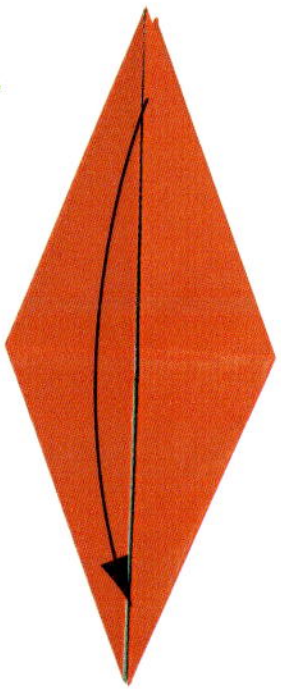

1枚を折りさげる

4

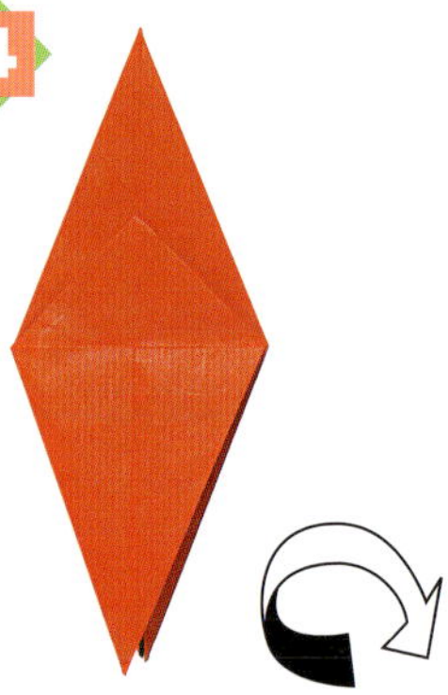

5

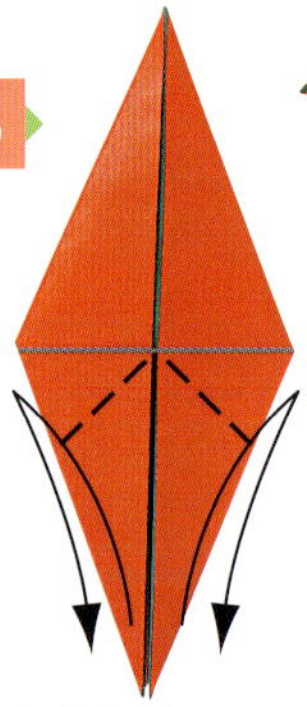

折りすじをつける

6

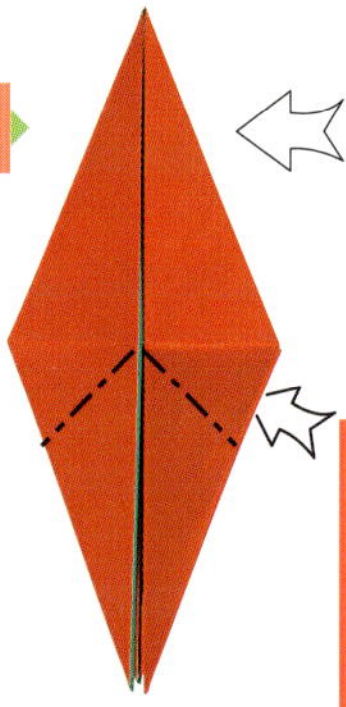

をひらいてつぶす

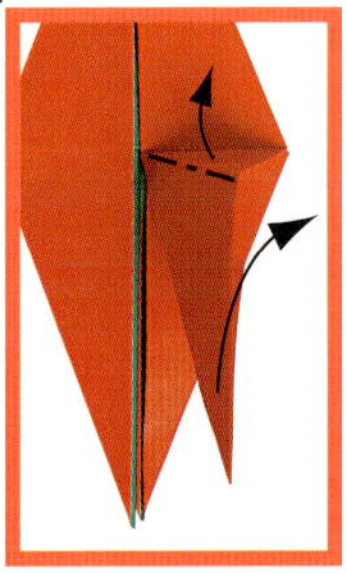

7

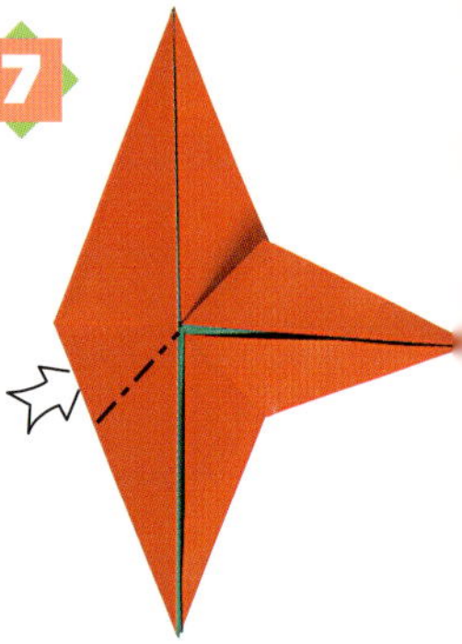

左もおなじようにひらいてつぶす

8

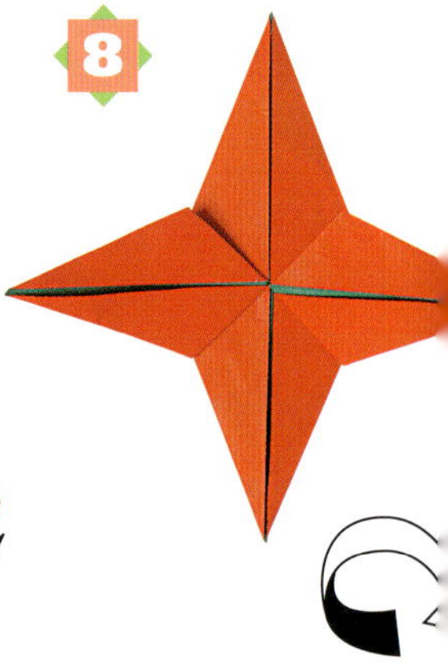

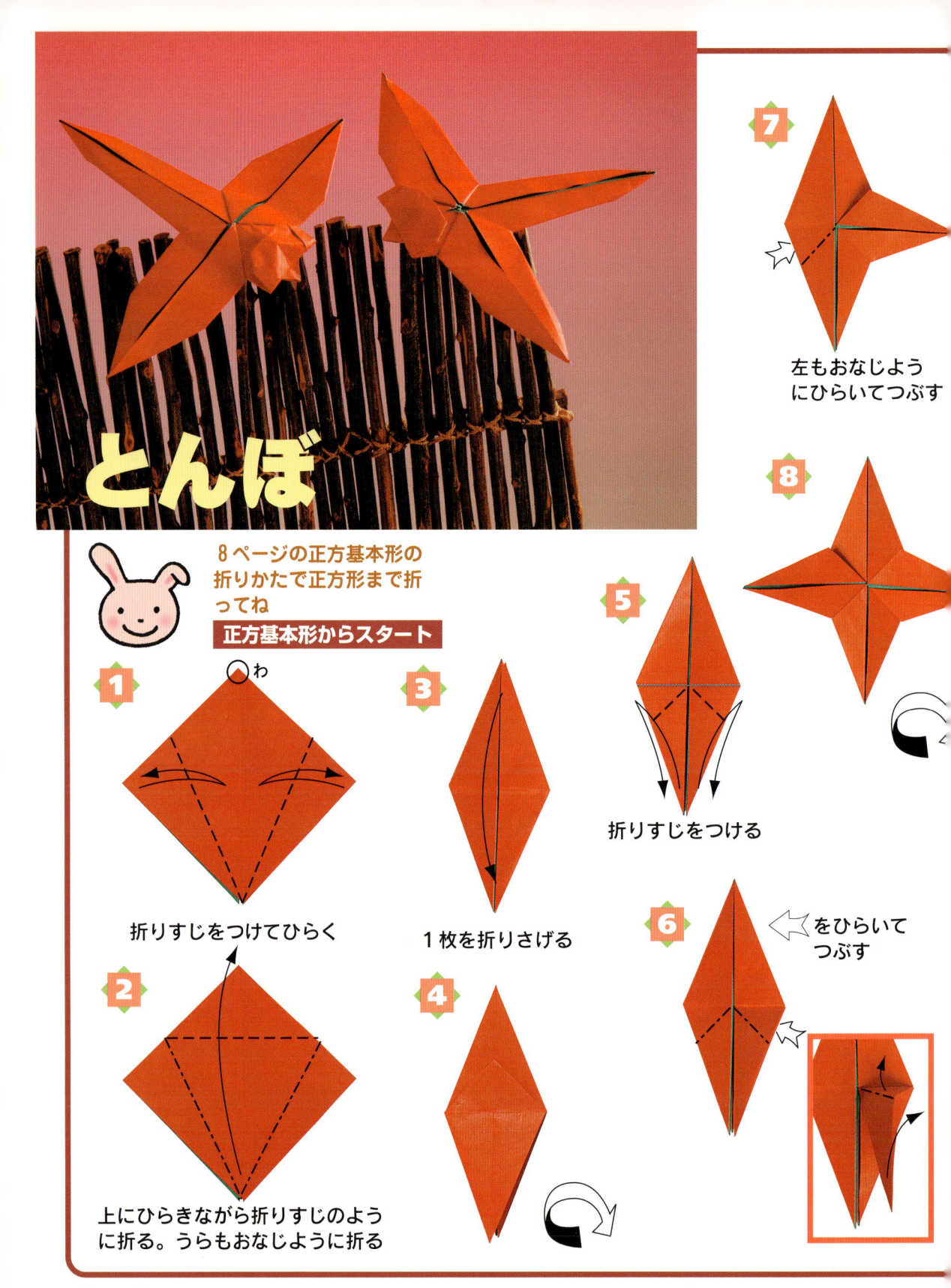

9

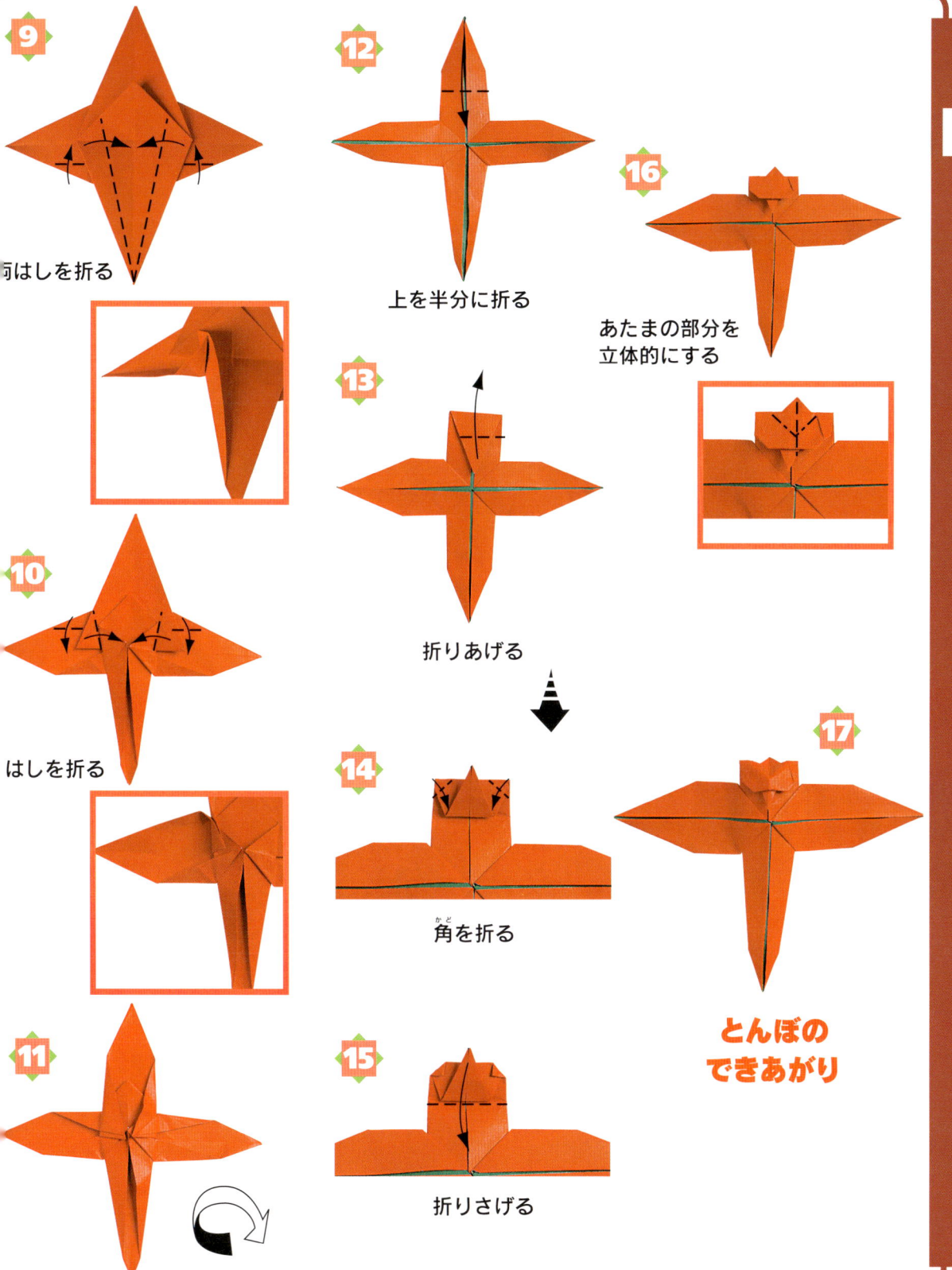

両はしを折る

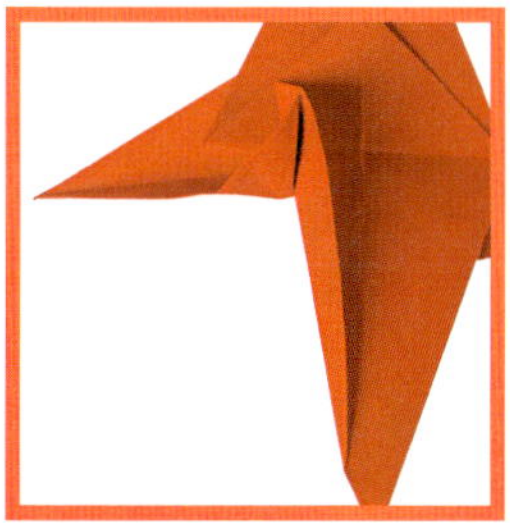

10

はしを折る

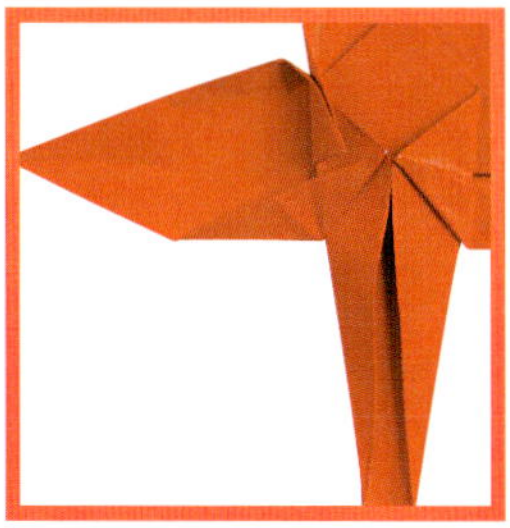

11

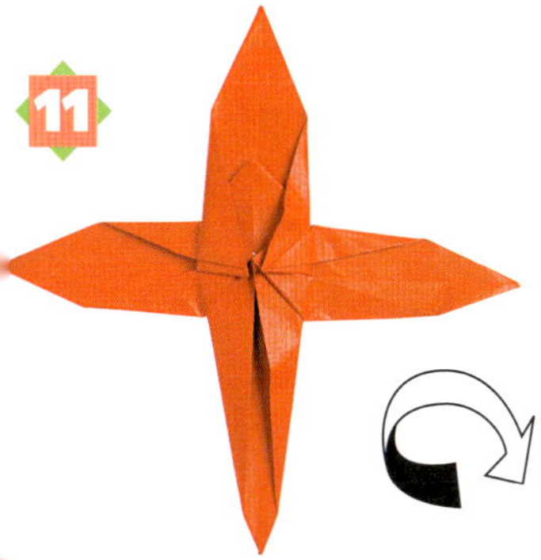

12

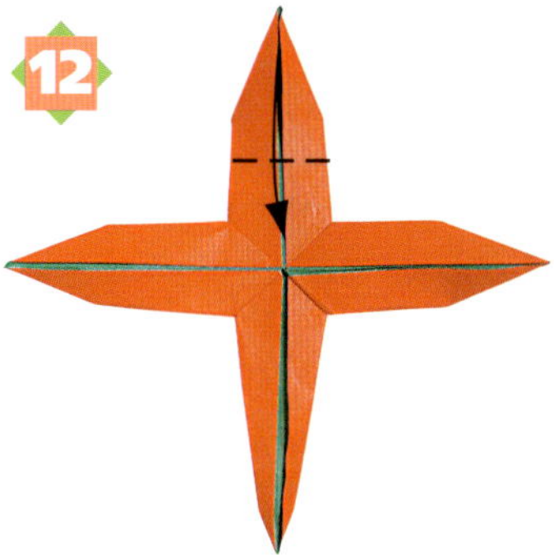

上を半分に折る

13

折りあげる

14

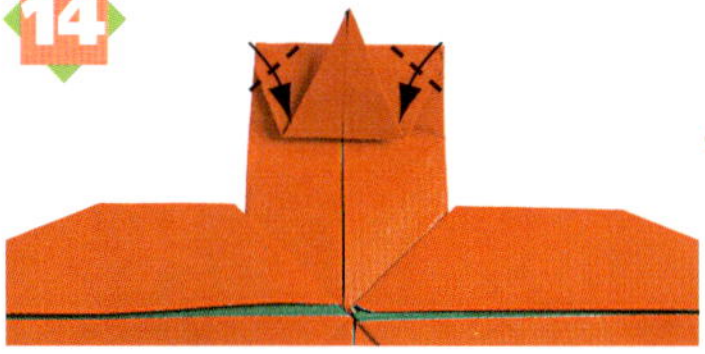

角《かど》を折る

15

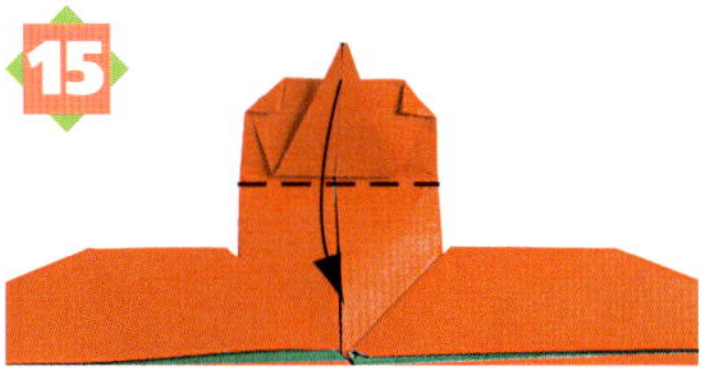

折りさげる

16

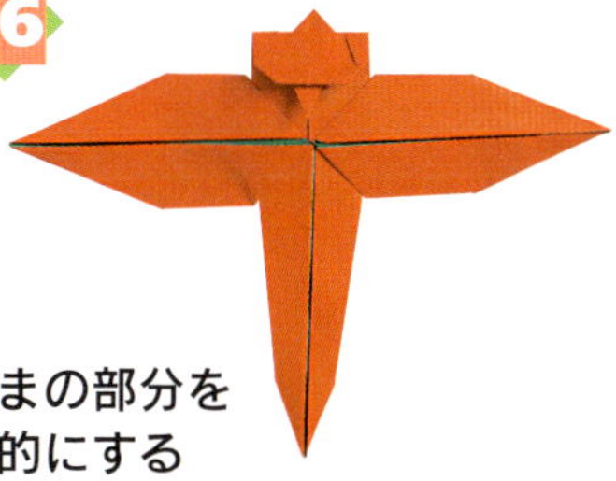

あたまの部分を
立体的にする

17

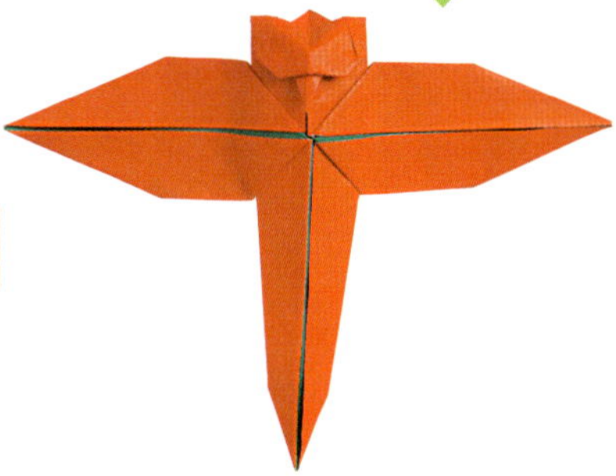

**とんぼの
できあがり**

くり・どんぐり

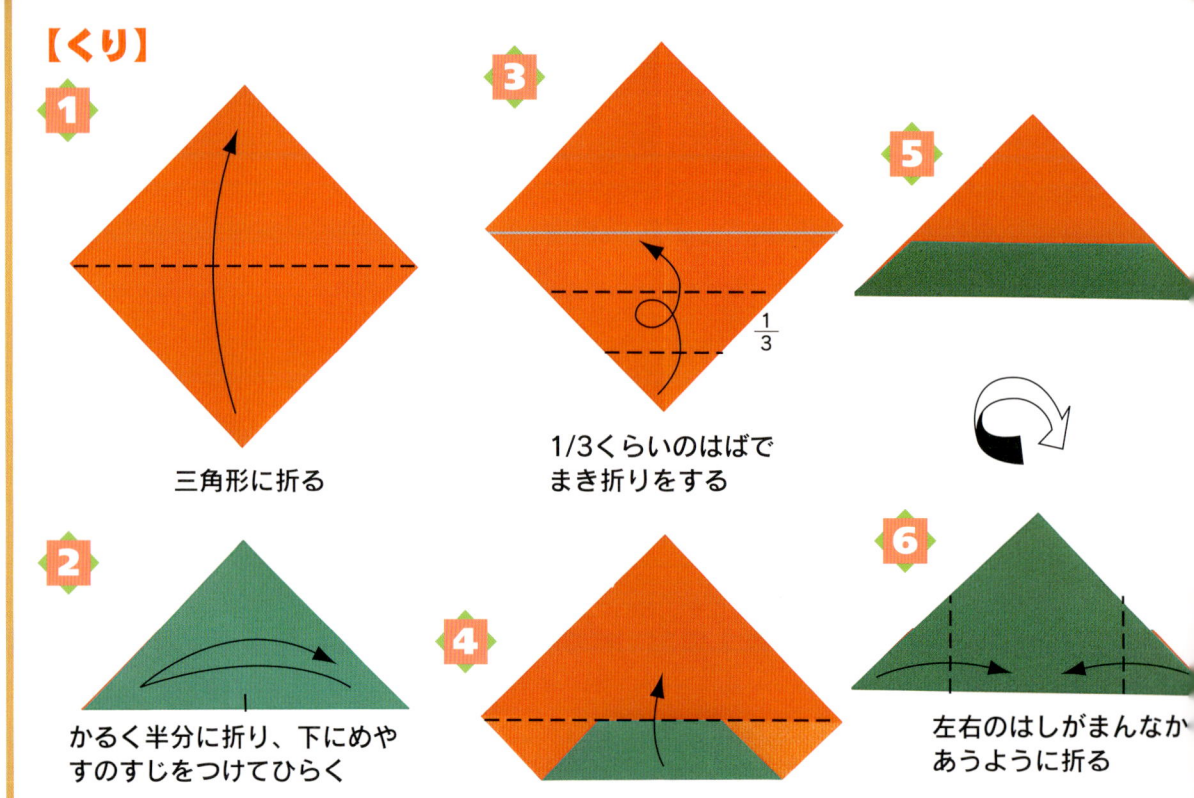

【くり】

1

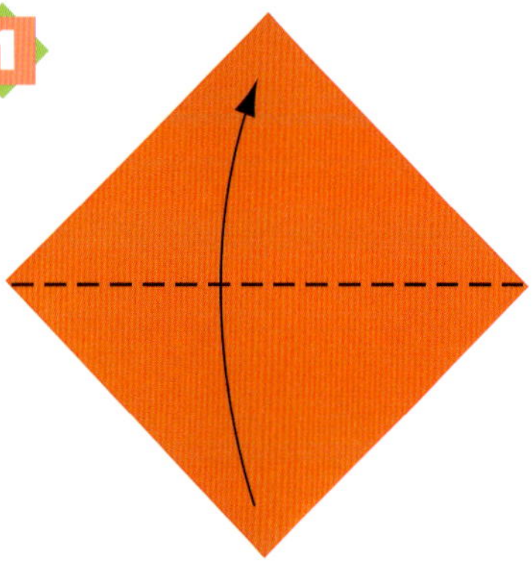

三角形に折る

2

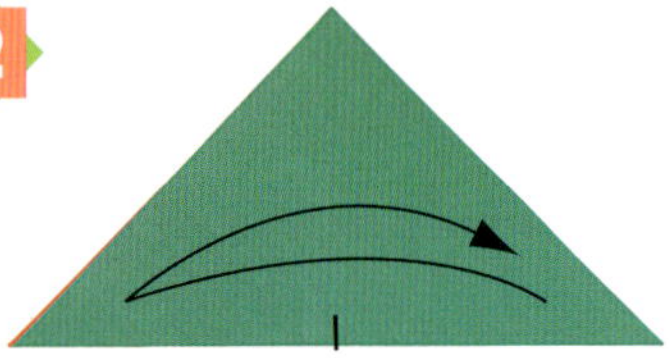

かるく半分に折り、下にめやすのすじをつけてひらく

3

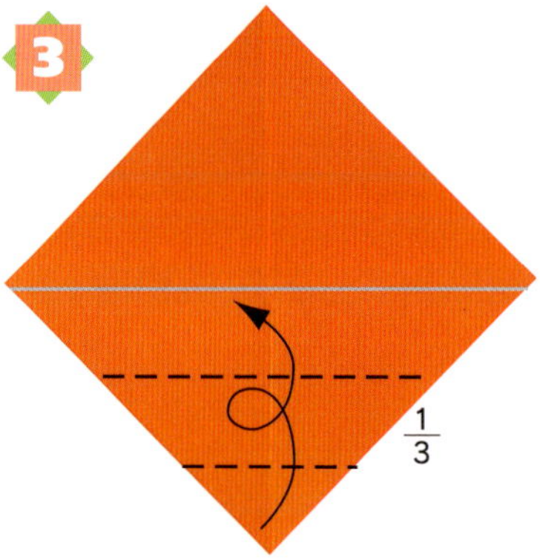

1/3くらいのはばでまき折りをする

4

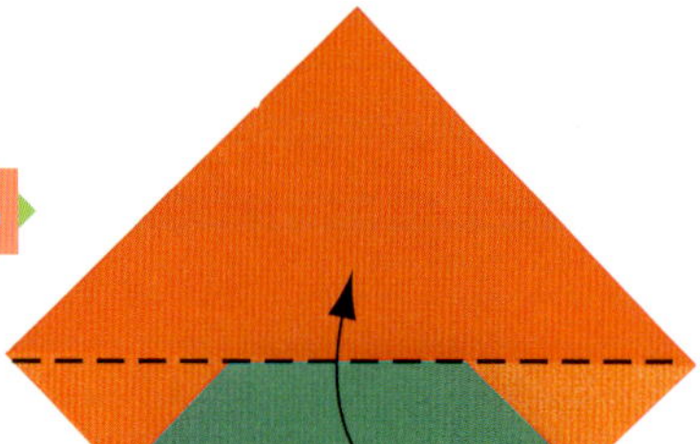

5

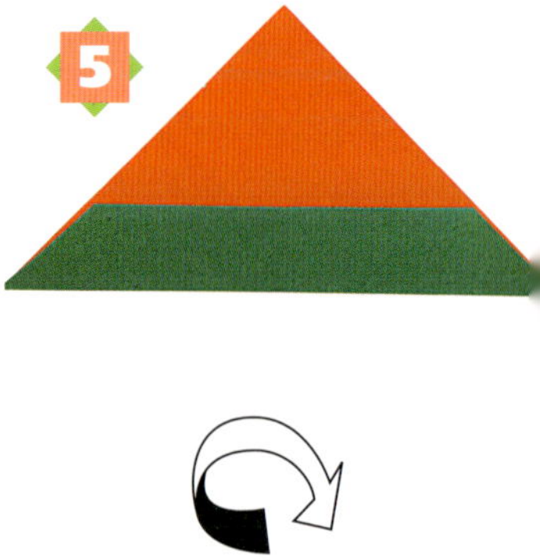

6

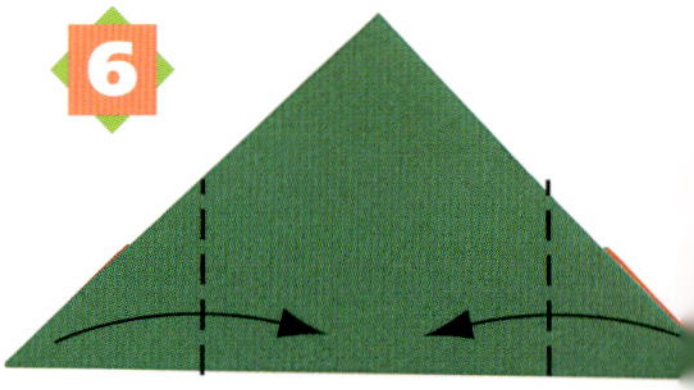

左右のはしがまんなか
あうように折る

7

4つの角《かど》を折る

8

9

くりのできあがり

【どんぐり】

1

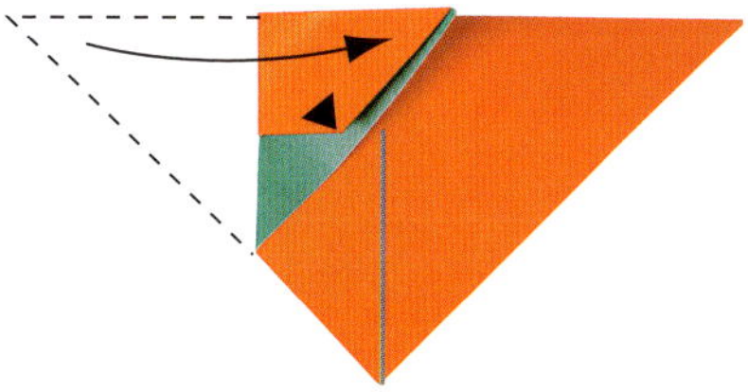

くりの❻までおなじように折り、▲がまんなかにあうように折る

2

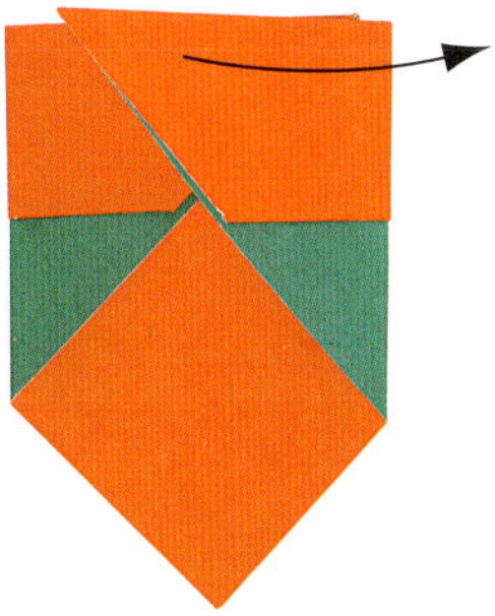

右もおなじように折り、いちどひらく

3

すきまにさしこむ

4

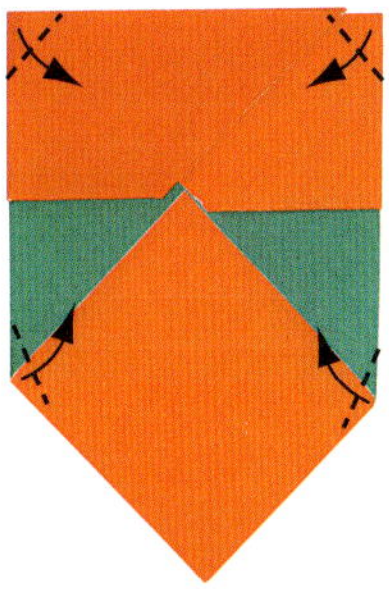

4つの角《かど》を折る

5

6

どんぐりのできあがり

うさぎ

8ページのふうせんの基本形の折りかたで三角形まで折ってね

ふうせんの基本形からスタート

1

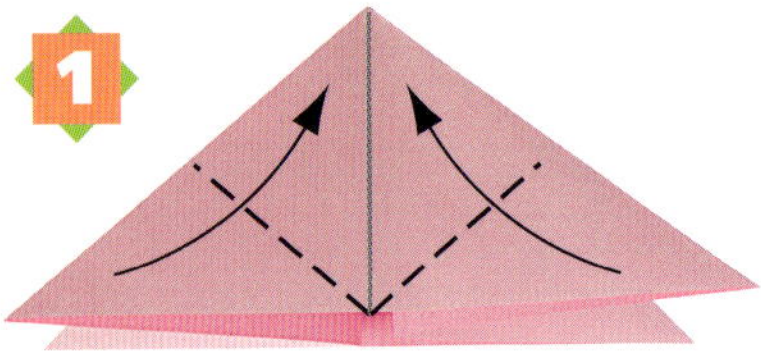

上の1枚を折りあげる

2

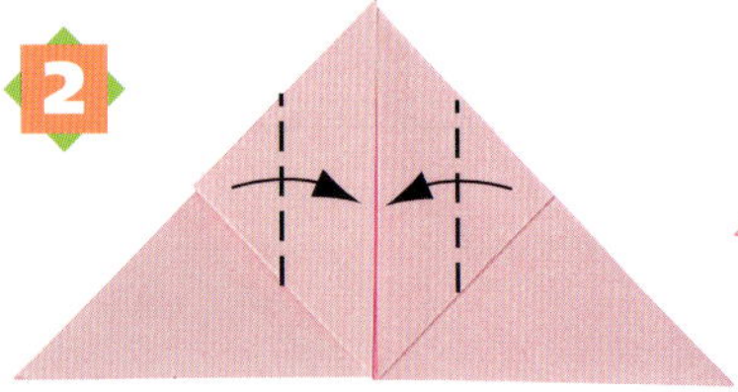

まんなかにあわせて折る

3

2ヵ所を折る

4

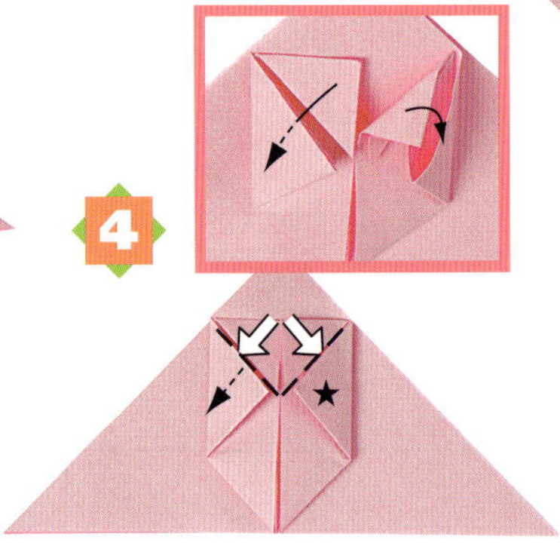

★の中にさしこむ

5

6

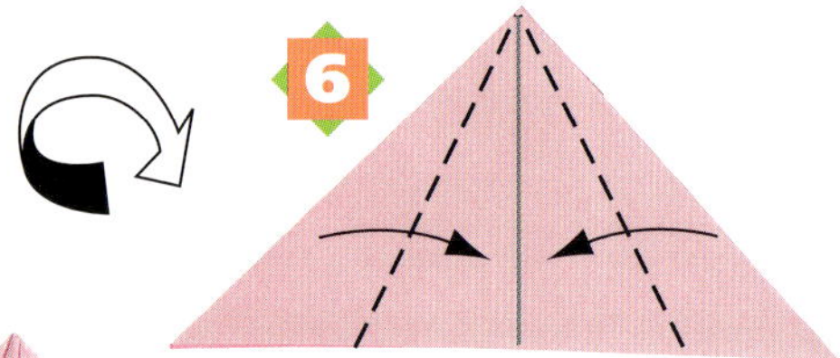

まんなかにあわせて折る

7

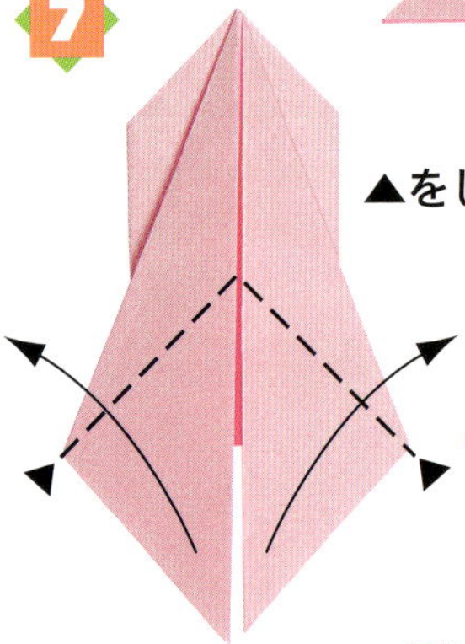

▲をじくにして折る

8

左右を折る

9

息をふきこんで
ふくらませ、
かたちを
ととのえる

10

うさぎのできあがり

ロケット

8ページの正方基本形の折りかたで正方形まで折ってね

正方基本形からスタート

1

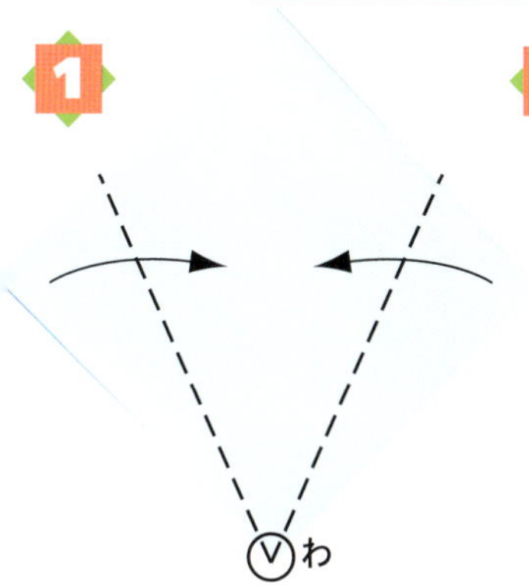

まんなかにあわせて折る

2

うらもおなじように折る

3

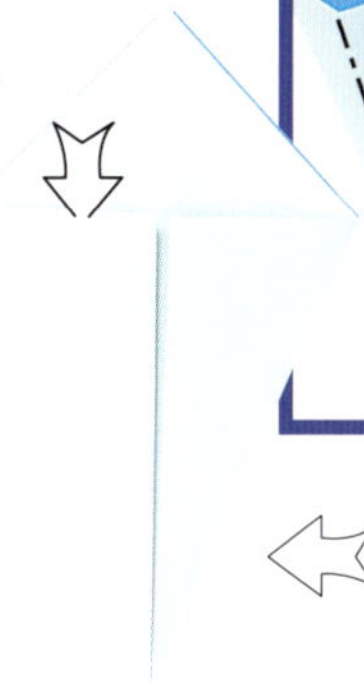

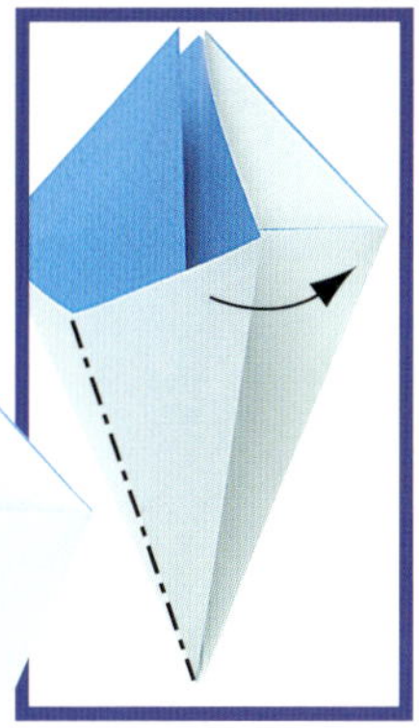

ひらいてつぶす

4

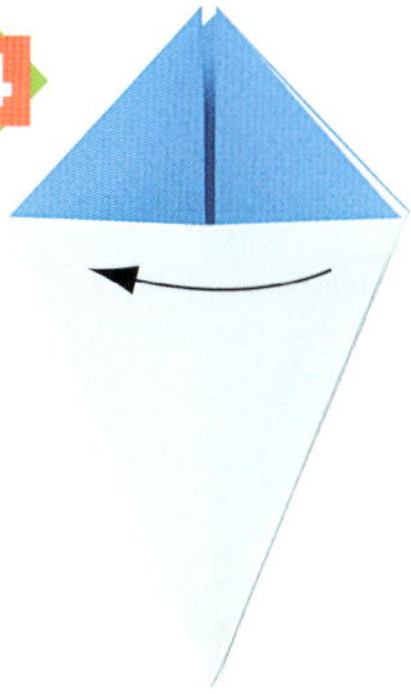

めくっていき、
のこり３ヵ所も
おなじように折る

5

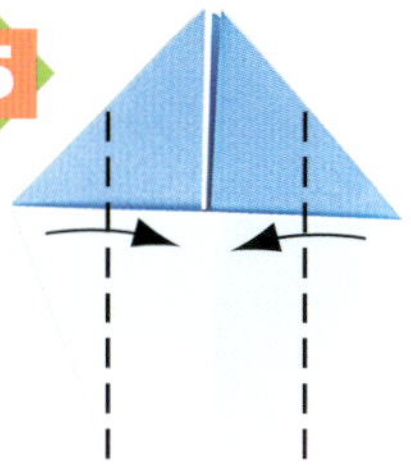

まんなかにあわせて折る

6

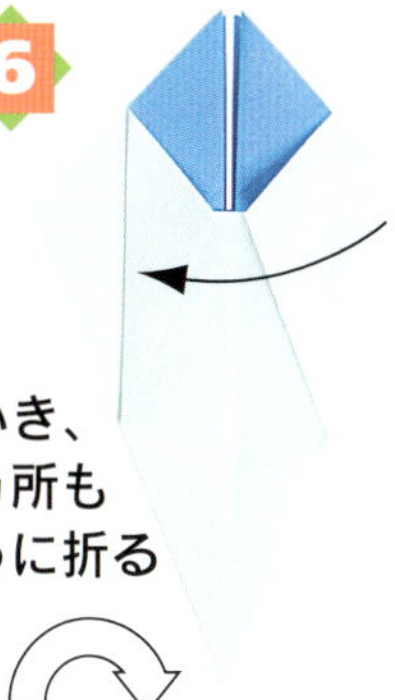

めくっていき、
のこり３ヵ所も
おなじように折る

7

下を折る。
うらもおなじ

8

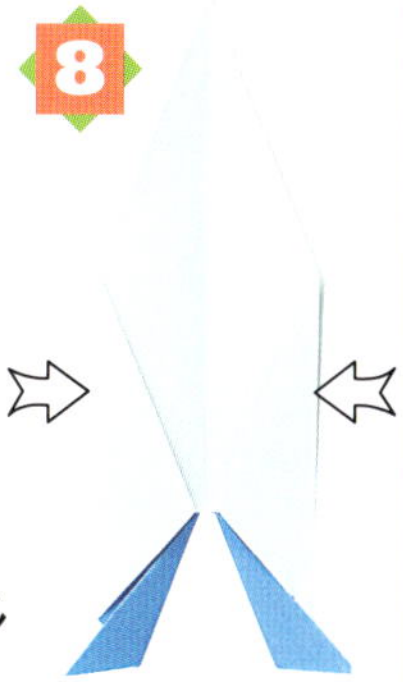

よこをひらき、
かたちを
ととのえる

9

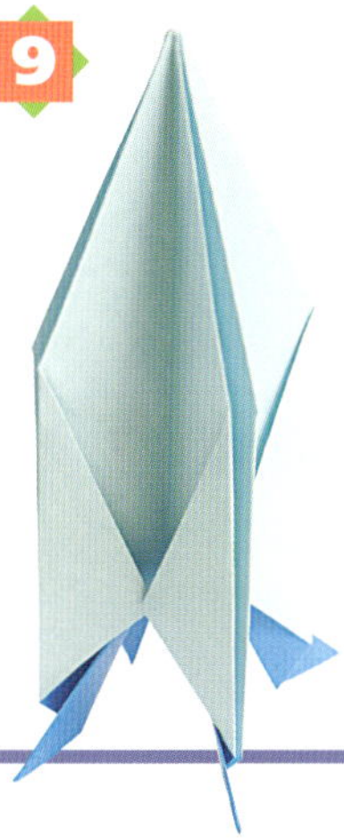

ロケットのできあがり

きりん

9ページのつるの基本形
の折りかたでひしがたま
で折ってね

つるの基本形からスタート

1

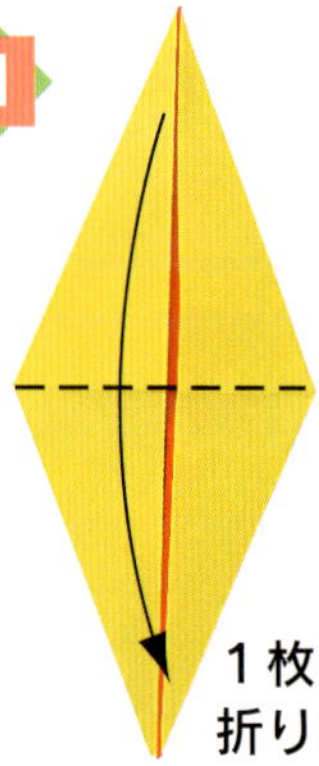

1枚を
折りさげる

2

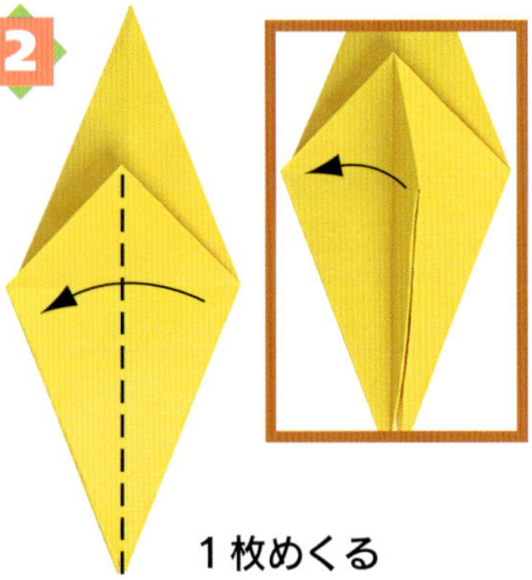

1枚めくる

3

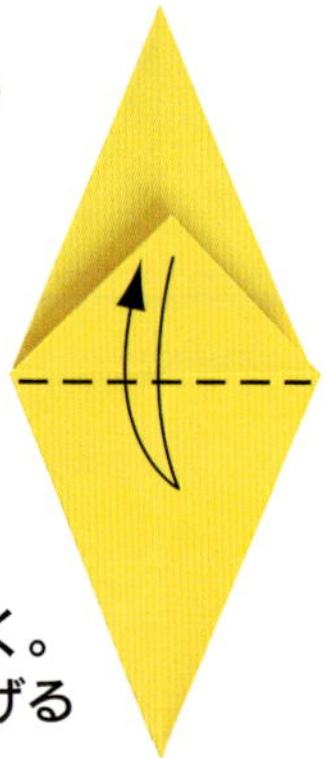

折りすじを
つけてひらく。
いちどひろげる

4

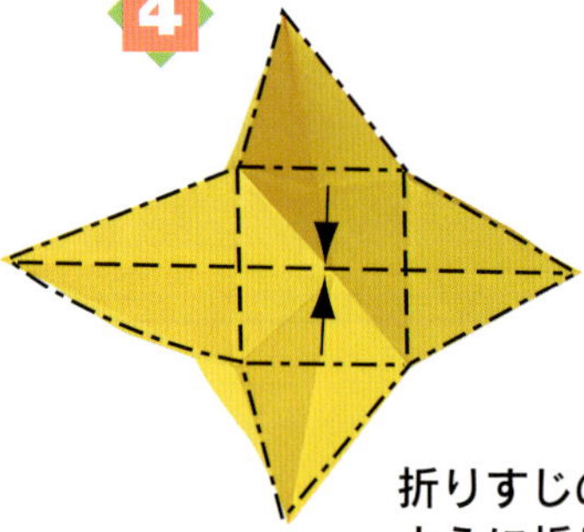

折りすじの
ように折りたたむ

5

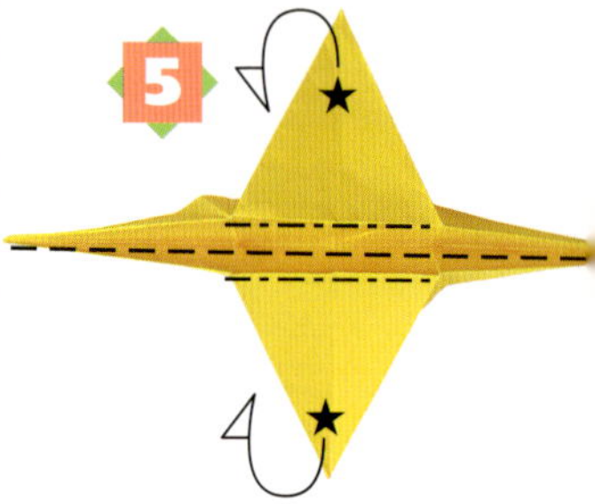

折りたたむとちゅうを
上からみたところ。
★も折りたたむ

6

⇦をひらいて折りさげる

7

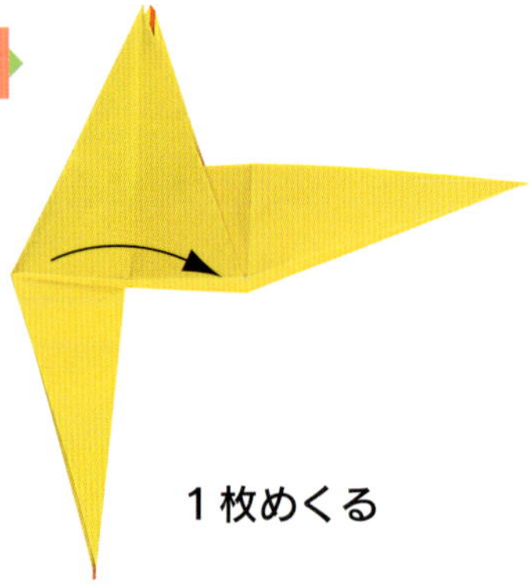

1枚めくる

折りすじをよくみて
たたんでね

8

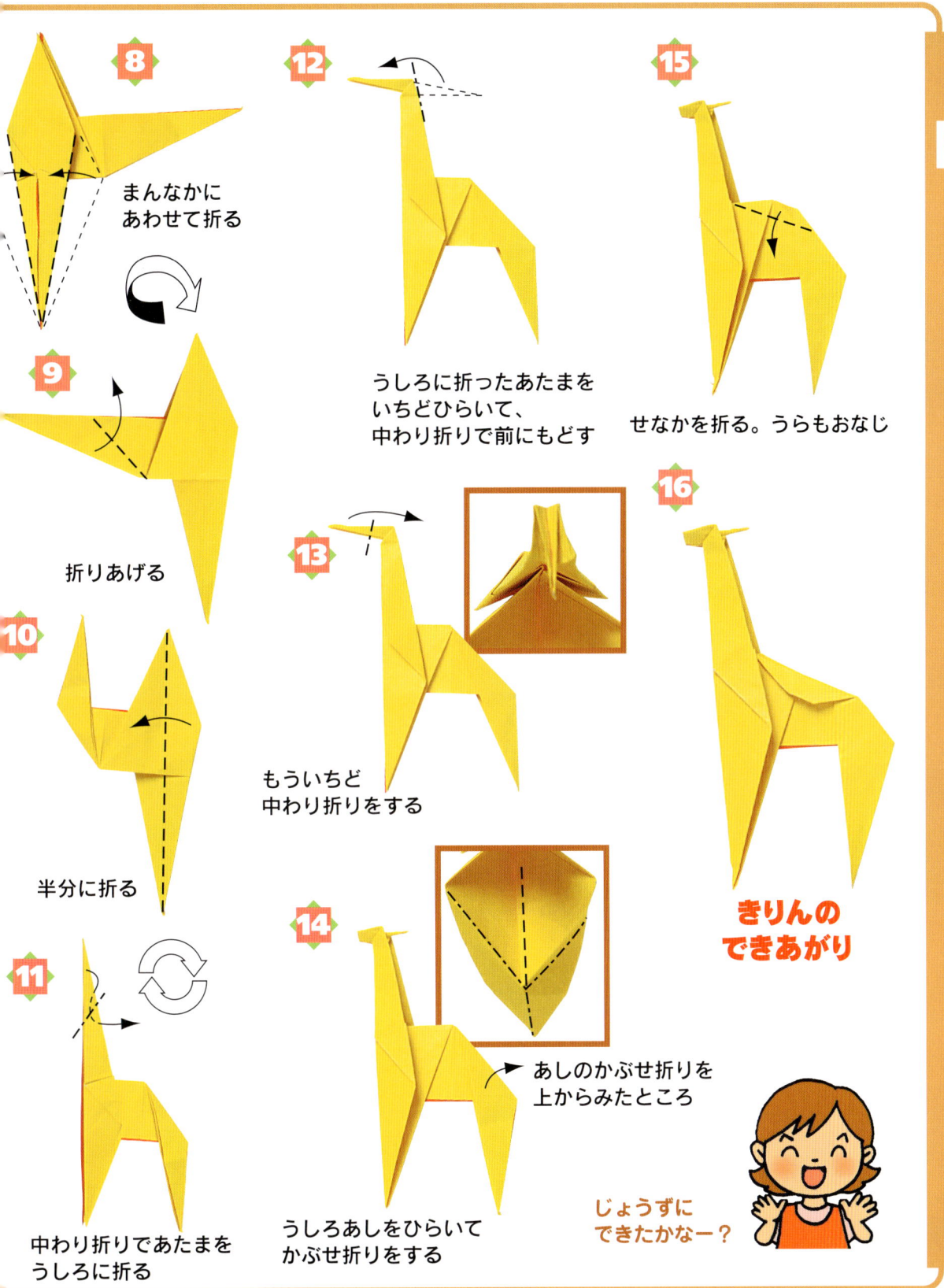

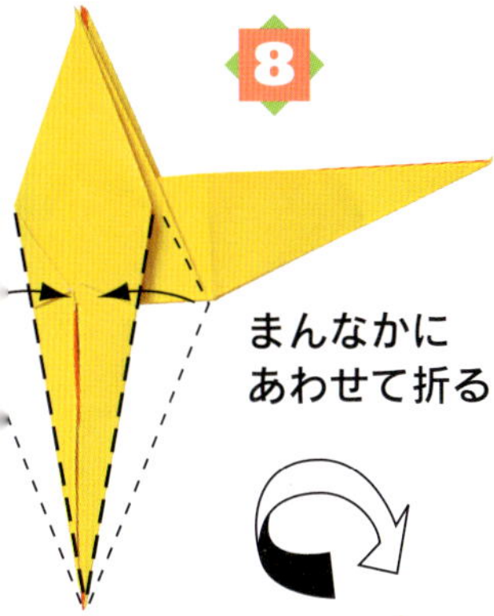

まんなかに
あわせて折る

9

折りあげる

10

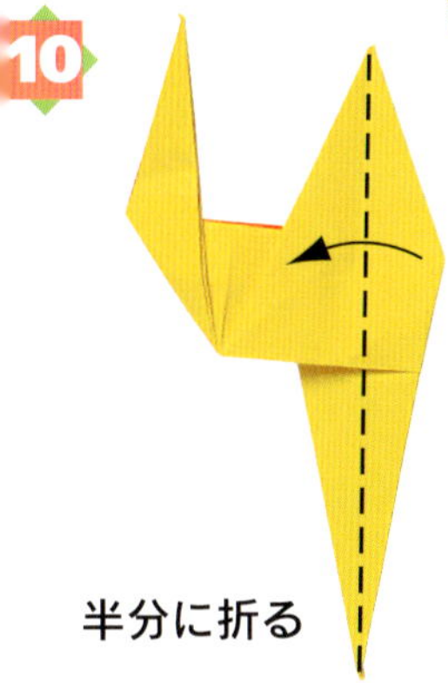

半分に折る

11

中わり折りであたまを
うしろに折る

12

うしろに折ったあたまを
いちどひらいて、
中わり折りで前にもどす

13

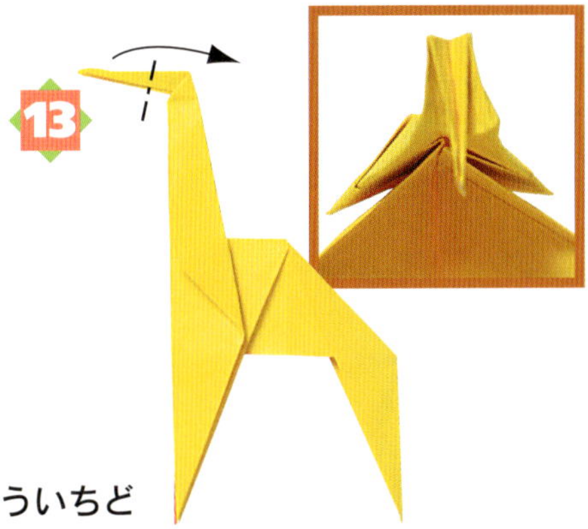

もういちど
中わり折りをする

14

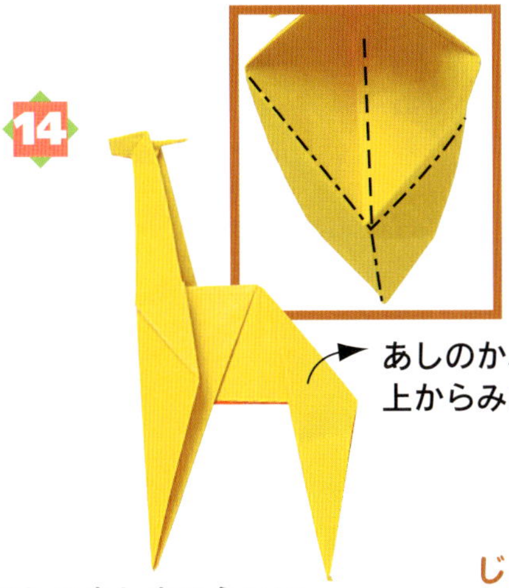

あしのかぶせ折りを
上からみたところ

うしろあしをひらいて
かぶせ折りをする

15

せなかを折る。うらもおなじ

16

**きりんの
できあがり**

じょうずに
できたかなー？

ぶた

1

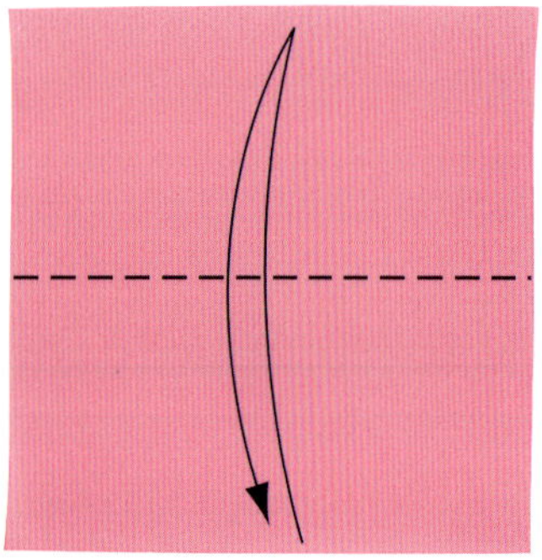

折りすじをつけてひらく

2

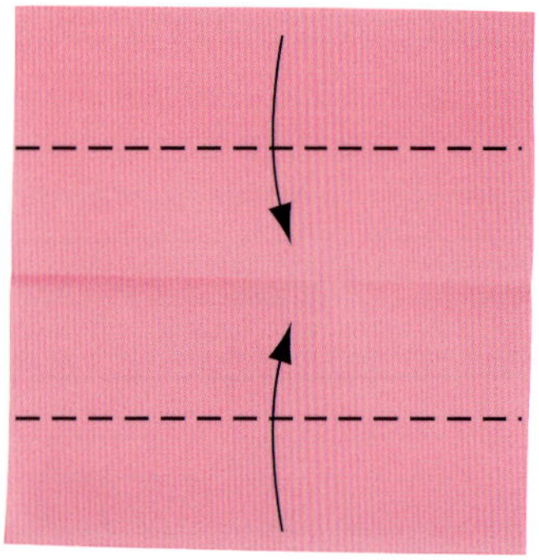

まんなかにあわせて折る

3

４つの角《かど》を折る

4

いちどひらく

5

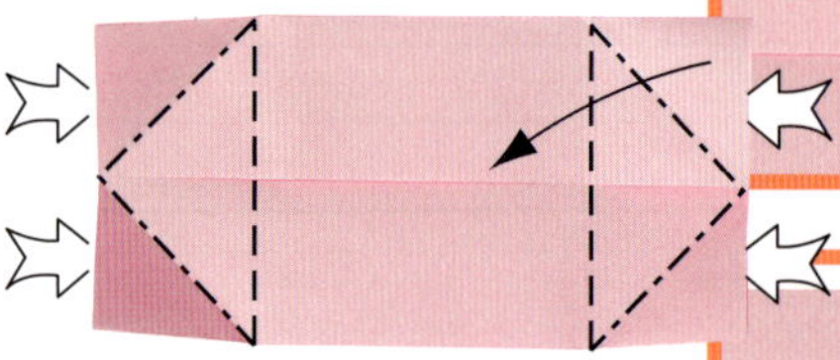

４ヵ所の をひらいて
よこにつぶす

6

うらがわに半分に折る

7

左の三角形を半分に折る

8

ななめに折る

9

右の角《かど》を折る

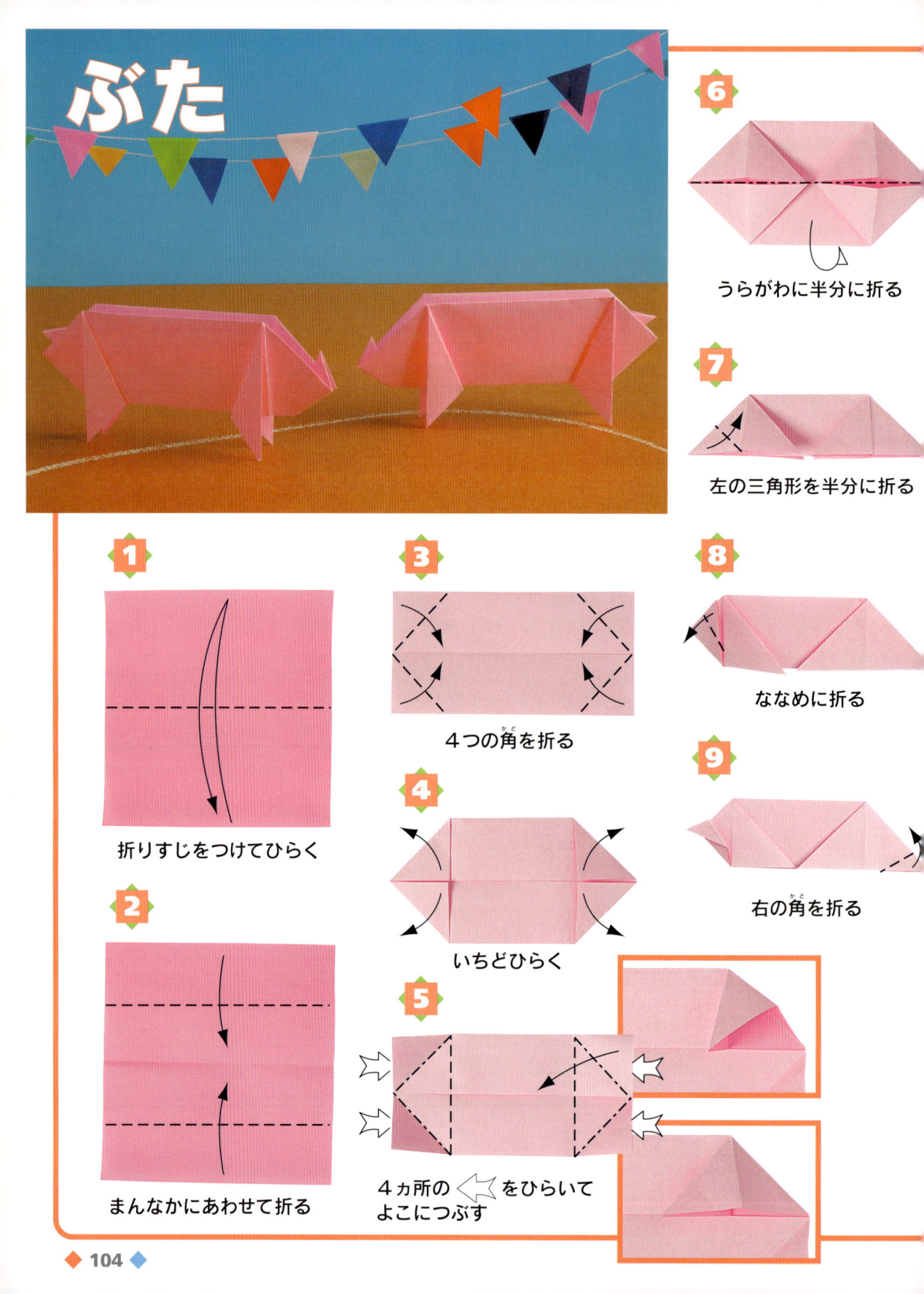

10

★をひらいて
うちがわをみたところ

★をひらいて
中わり折りをする

11

★をひらいて
うちがわをみたところ

★をひらいて
２回中わり折りをする

12

折りすじにあわせて折る。
うらもおなじように折る

13

ぶたのできあがり

うんどうかいで
きょうそうだー！

うま

8ページの正方基本形の折りかたで正方形まで折ってね

正方基本形からスタート

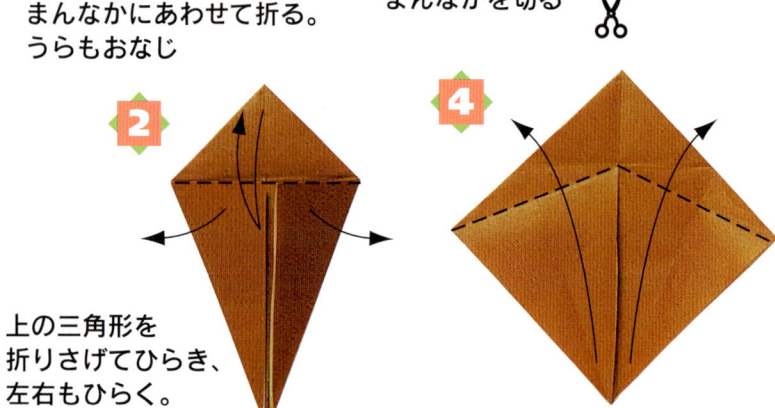

1

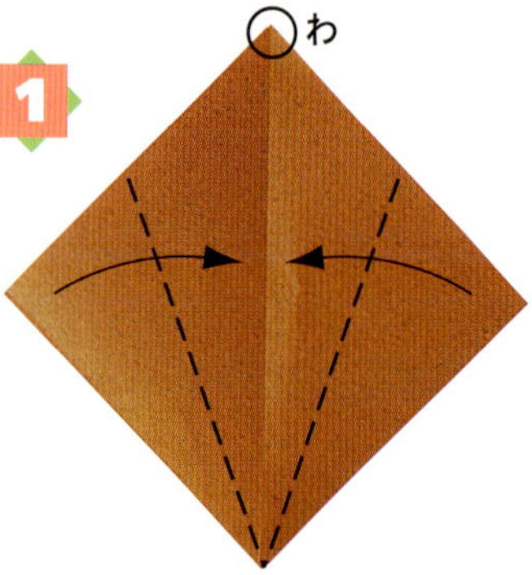

まんなかにあわせて折る。
うらもおなじ

2

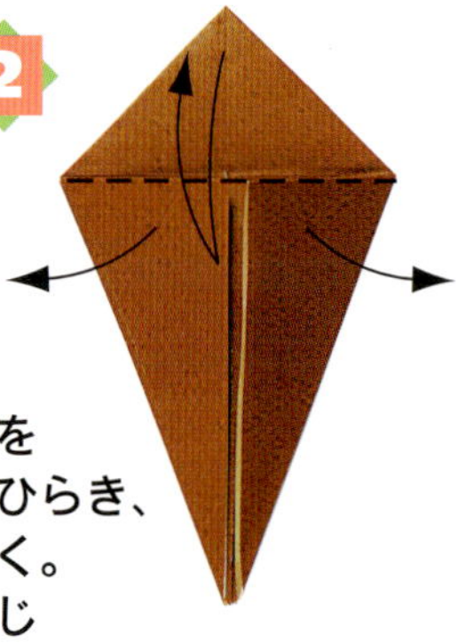

上の三角形を
折りさげてひらき、
左右もひらく。
うらもおなじ

3

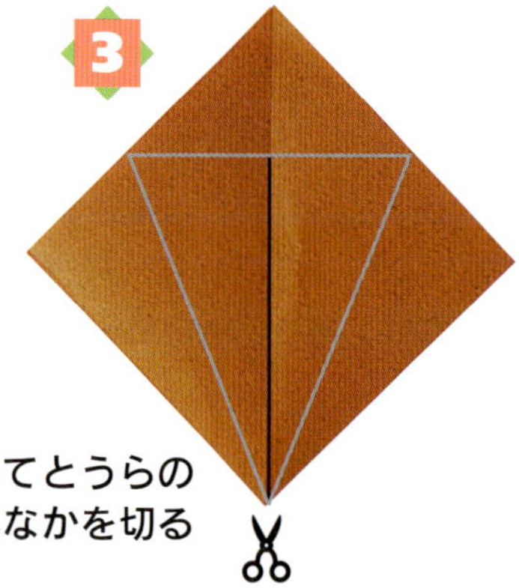

おもてとうらの
まんなかを切る

4

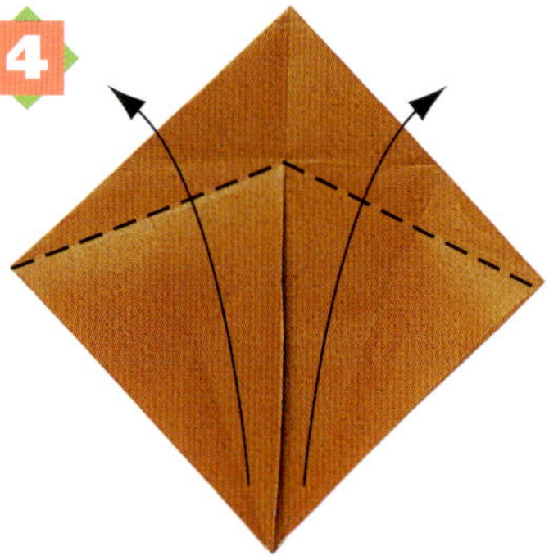

折りあげる

5

6

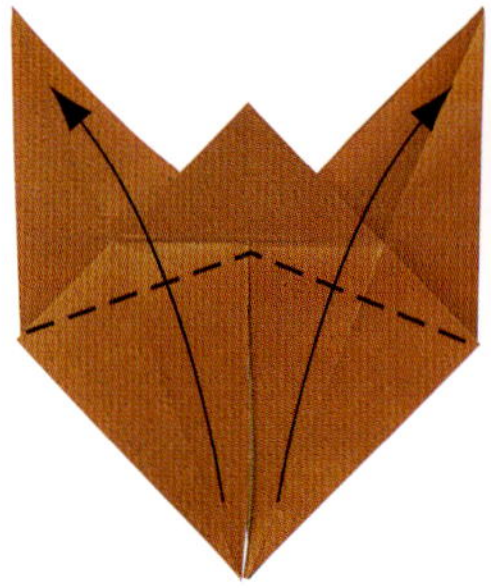

折りあげる

7

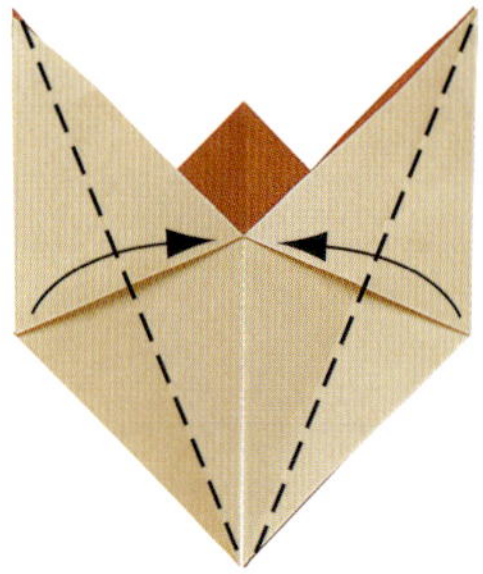

上の1枚を半分に折る

8

うらがえす

9

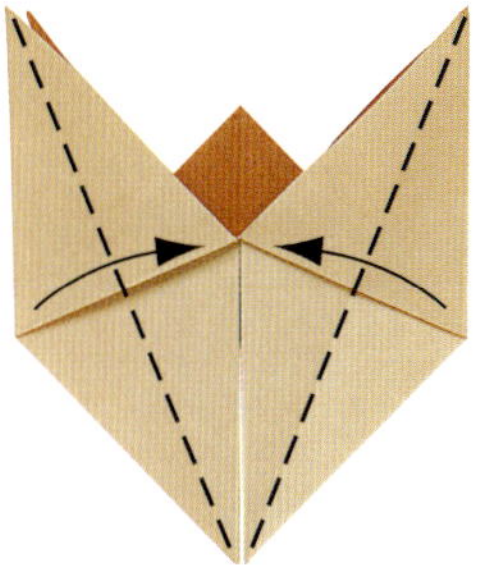

半分に折る

10

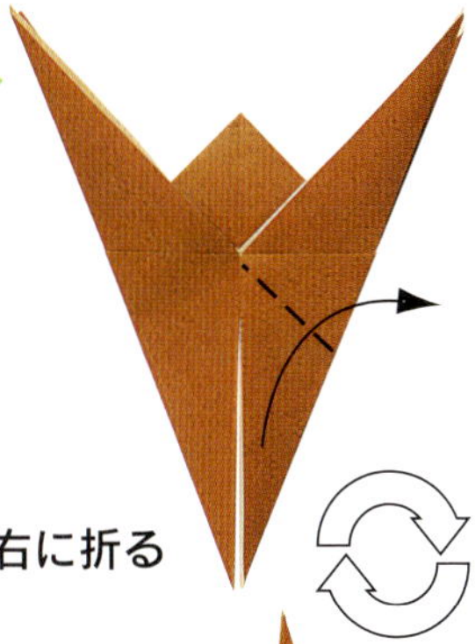

右に折る

11

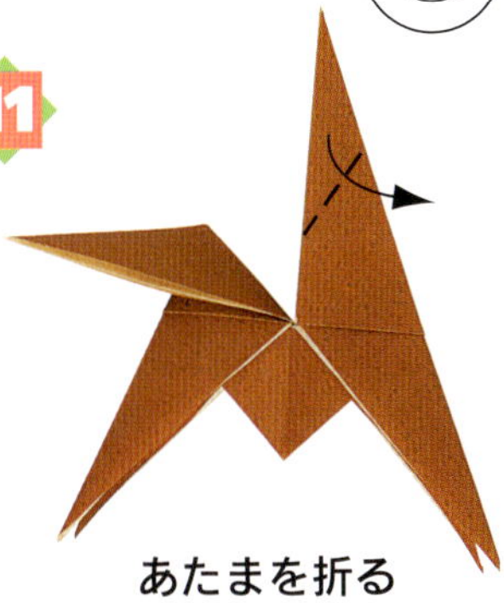

あたまを折る

12

あたまとしっぽを
いちどひらいて、
中わり折りをする

しっぽ

13

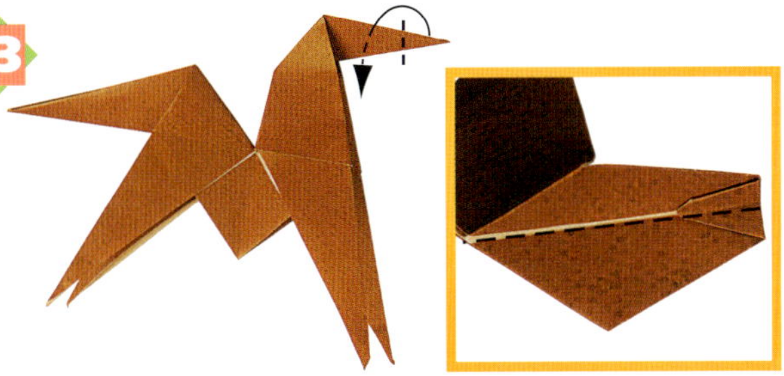

はなを中わり折りにする

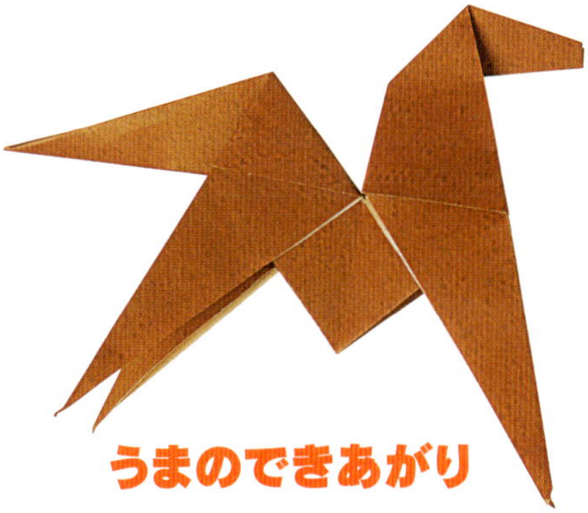

うまのできあがり

あそびかた

しっぽを指ではねあげると、
1回転してもとにもどるよ

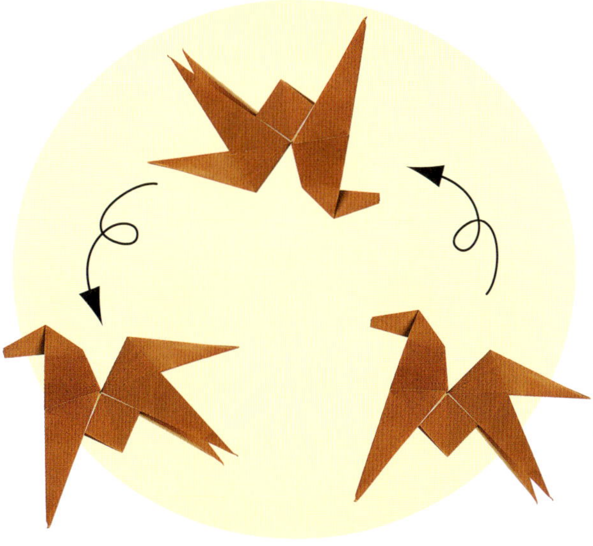

きょうりゅうA

９ページのつるの基本形の折りかたでひしがたまで折ってね

つるの基本形からスタート

1

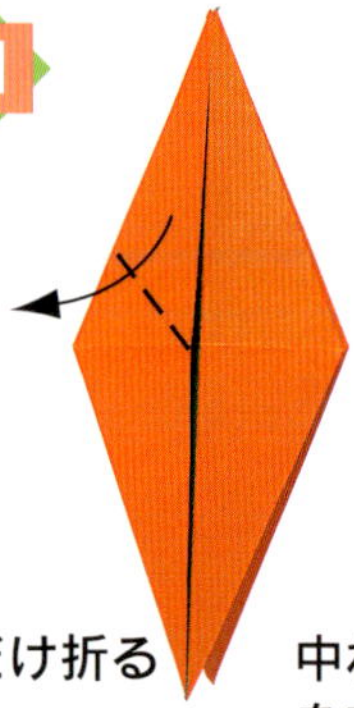

左だけ折る

2

いちどもどす

3

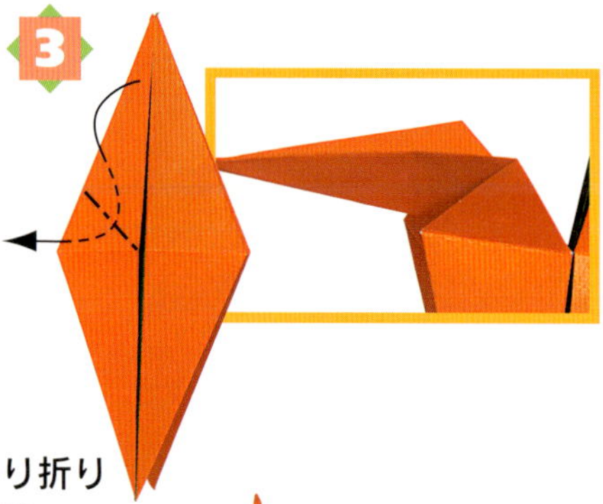

中わり折りをする

4

１枚めくる

5

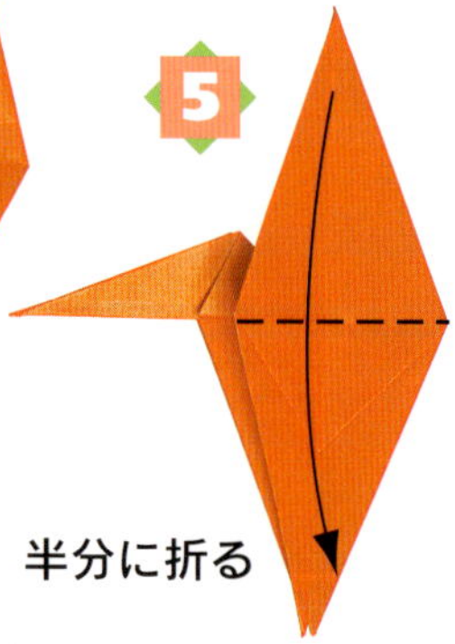

半分に折る

6

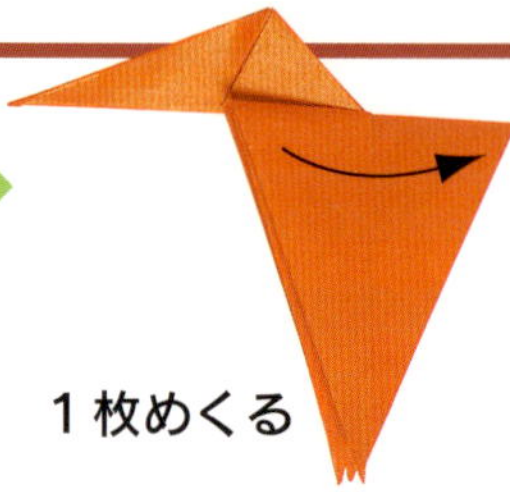

１枚めくる

7

折りすじをつけてひらく

8

折りすじをつけてひらく

9

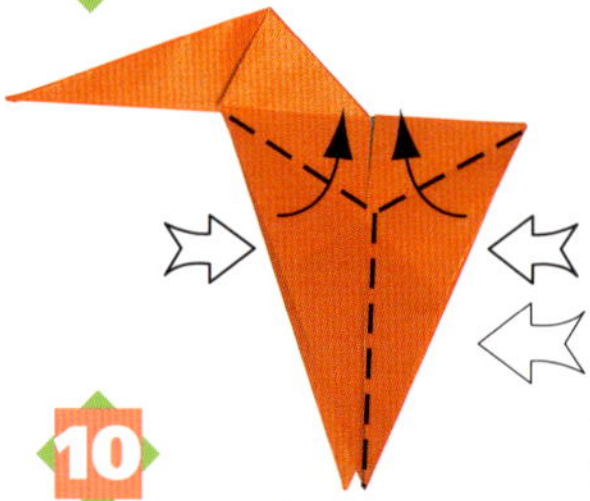

⇦をひらいておこし上に折りたたむ

10

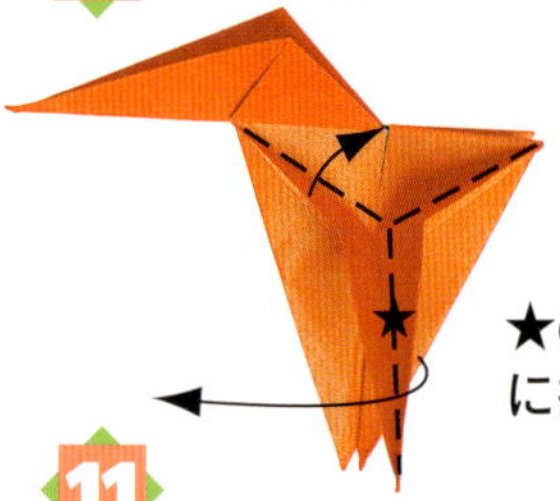

★の部分は左に折りたたむ

11

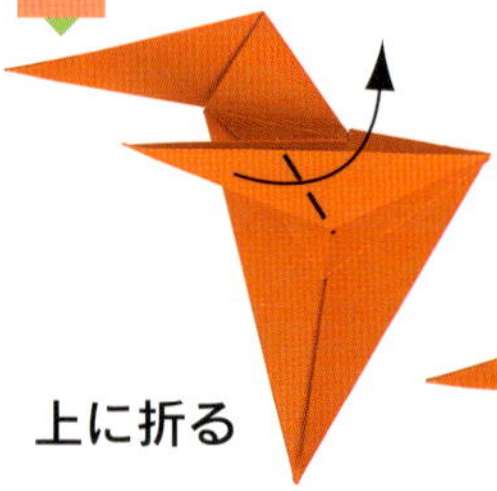

上に折る

12

3

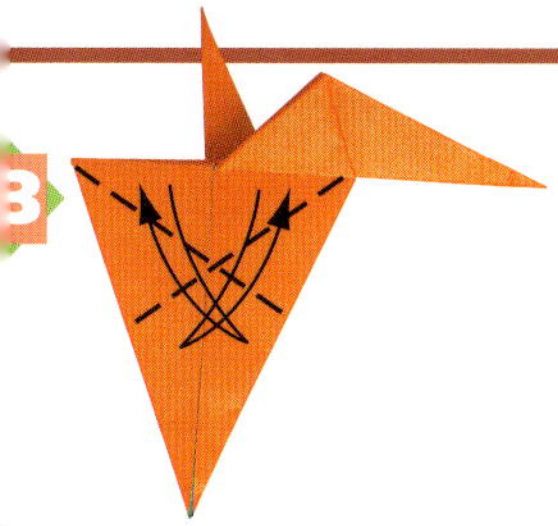

~12とおなじように
りすじをつける

4

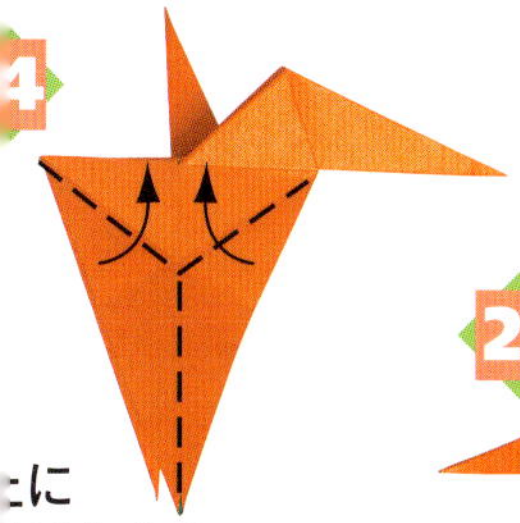

に
りたたむ

5

★の部分は
右に折りたたむ

6

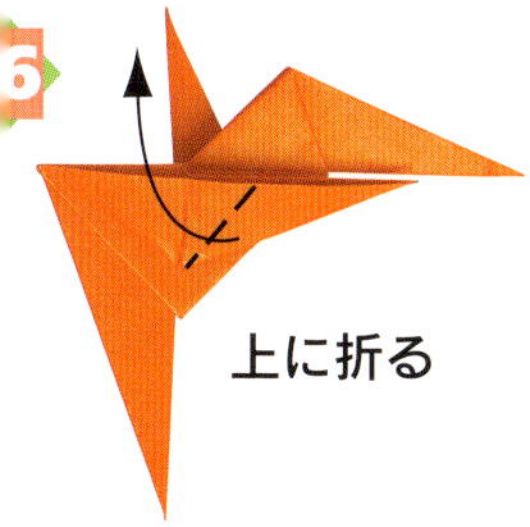

上に折る

7

18

1枚めくる

19

2つの角《かど》を
折る

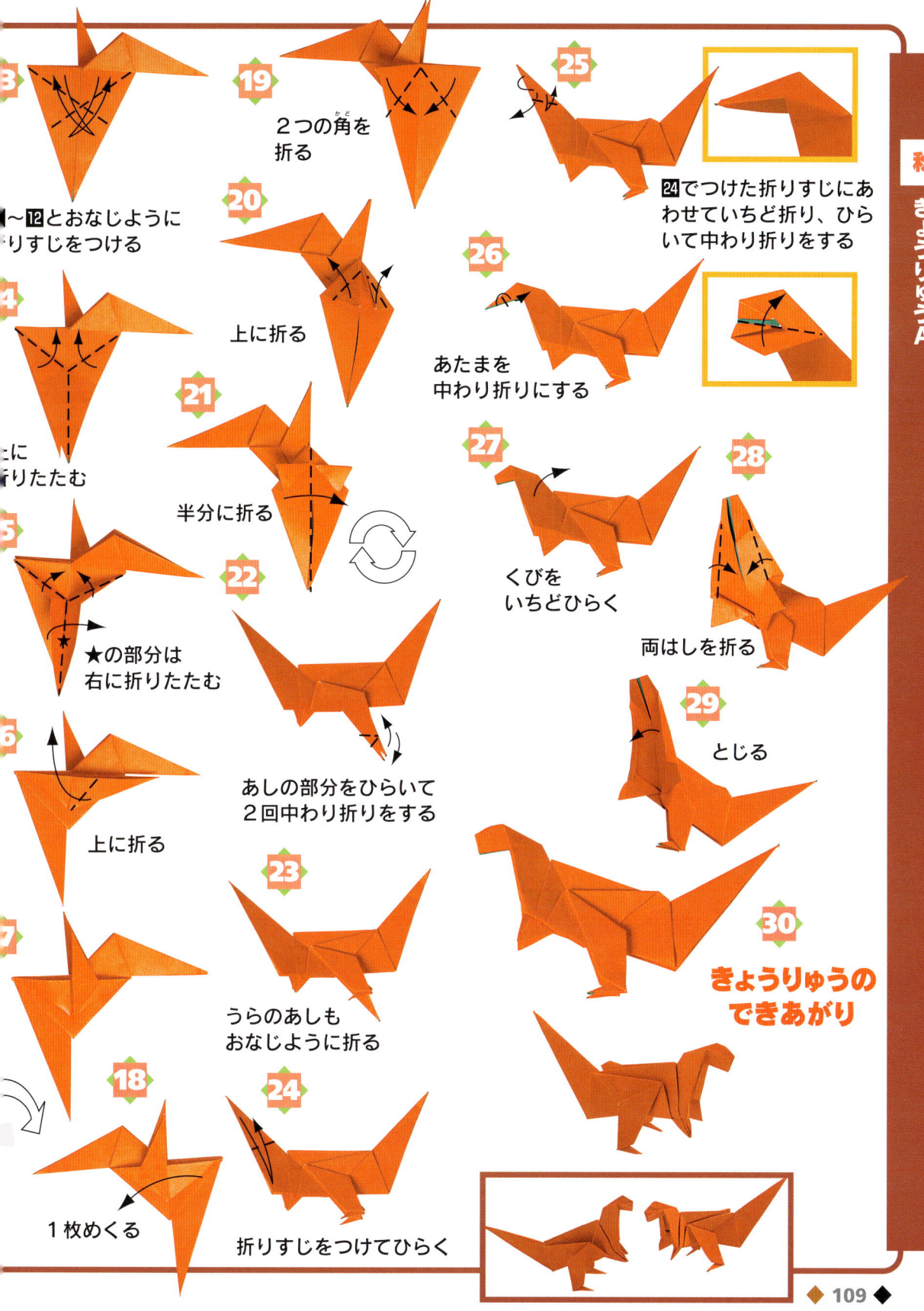

20

上に折る

21

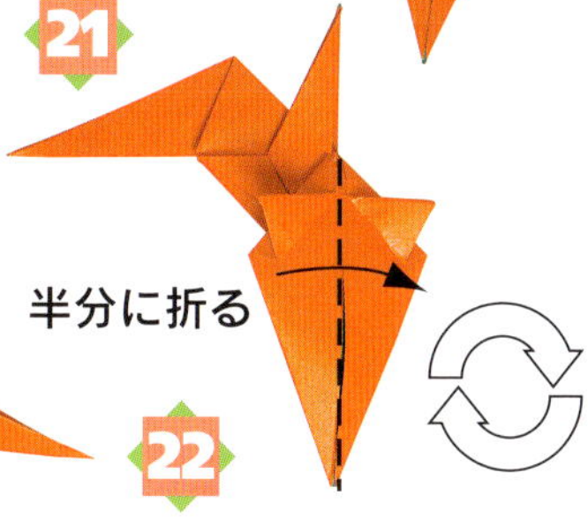

半分に折る

22

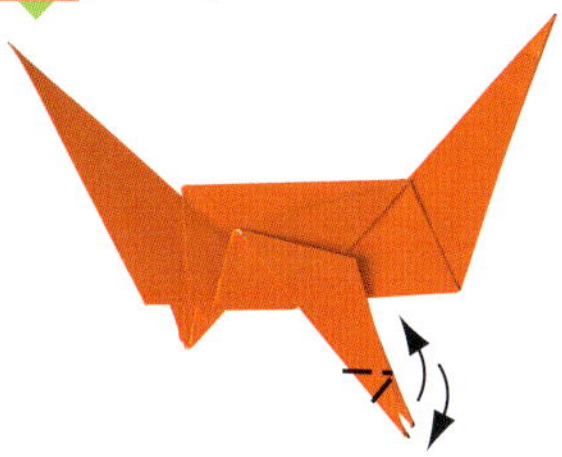

あしの部分をひらいて
2回中わり折りをする

23

うらのあしも
おなじように折る

24

折りすじをつけてひらく

25

24でつけた折りすじにあ
わせていちど折り、ひら
いて中わり折りをする

26

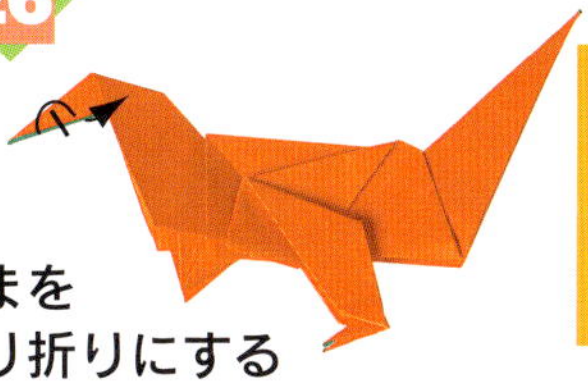

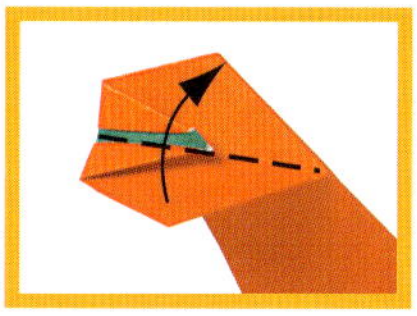

あたまを
中わり折りにする

27

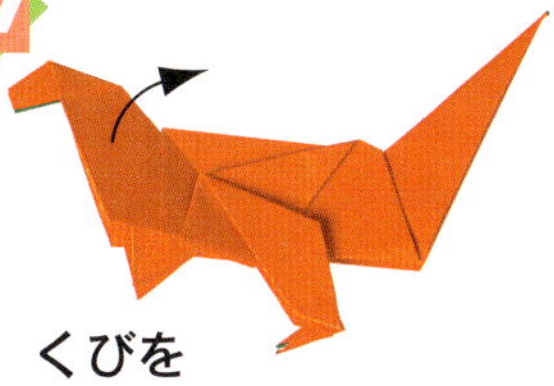

くびを
いちどひらく

28

両はしを折る

29

とじる

30

きょうりゅうの
できあがり

きょうりゅうB

サイズ

からだ

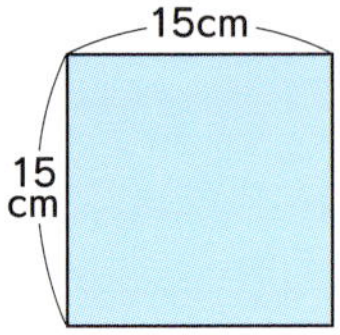

あたま

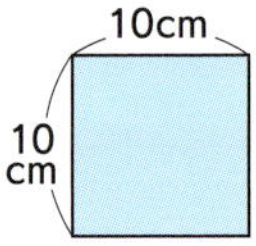

9ページのつるの基本形の折りかたでひしがたまで折ってね

つるの基本形からスタート

【からだ】

1

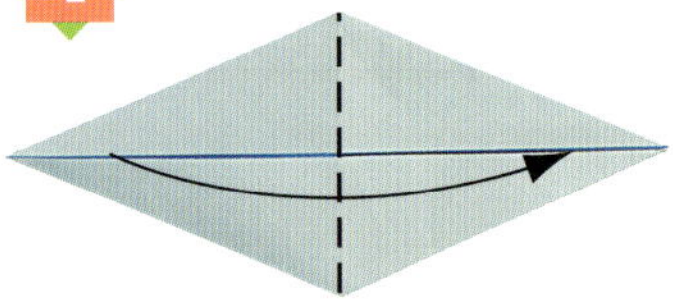

上の１枚を半分に折る

2

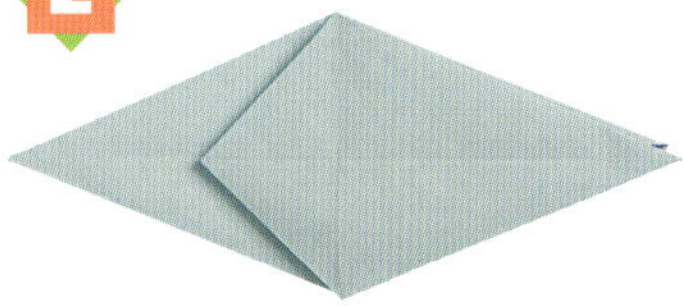

3

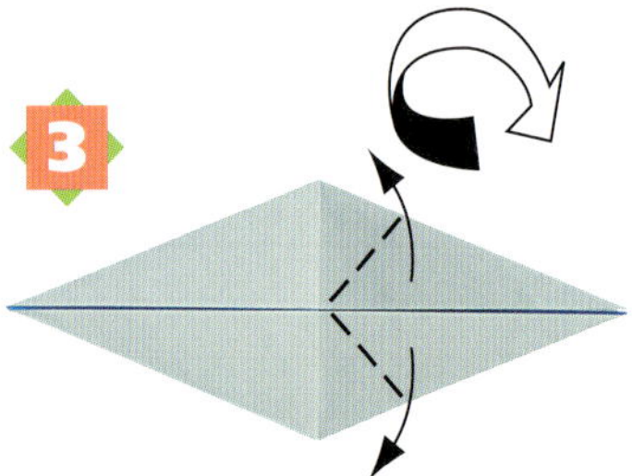

２カ所を折る

4

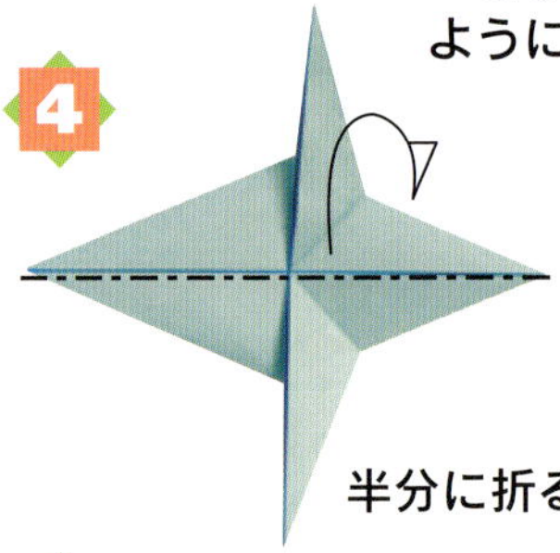

半分に折る

5

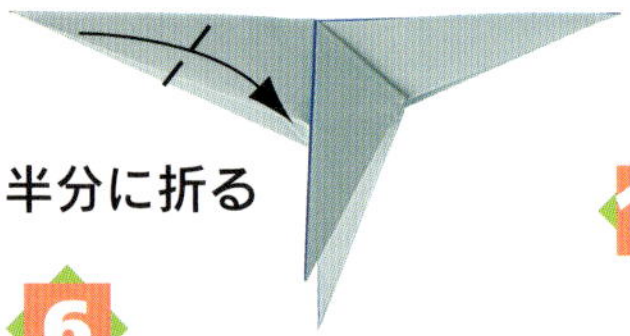

半分に折る

6

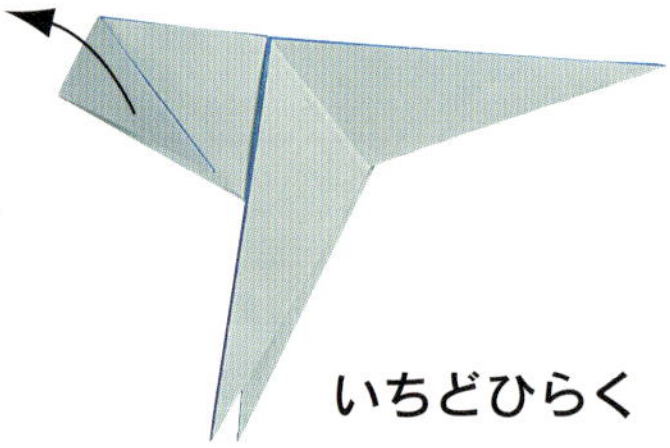

いちどひらく

7

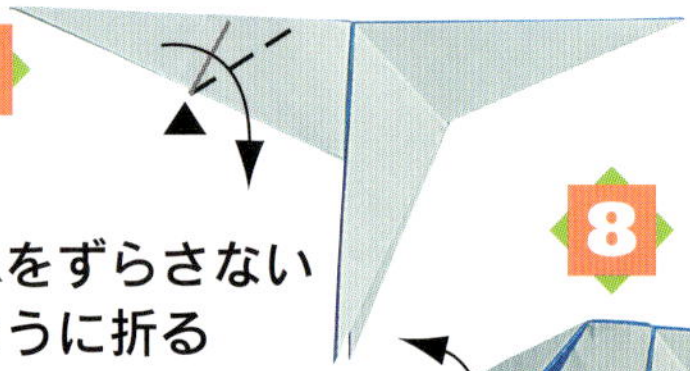

▲をずらさないように折る

8

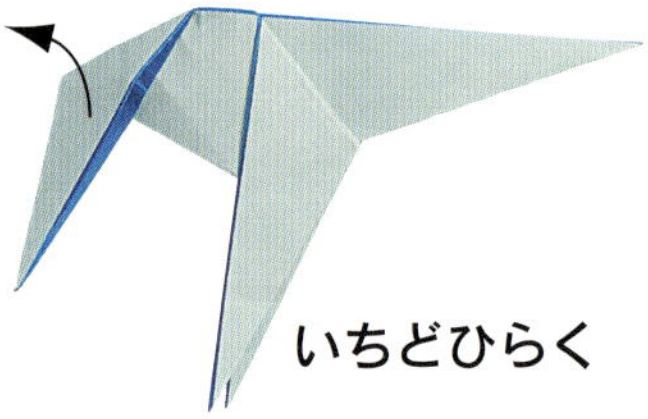

いちどひらく

9

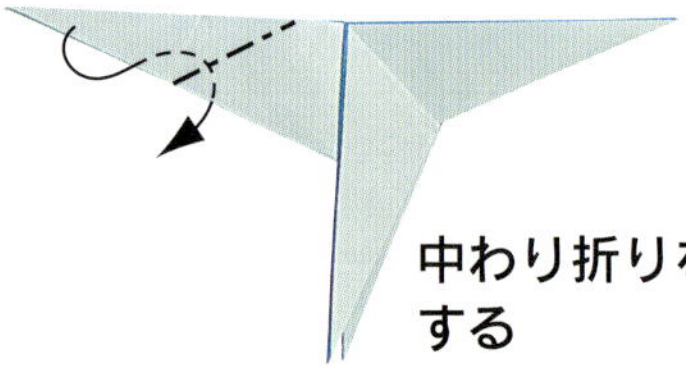

中わり折りをする

10

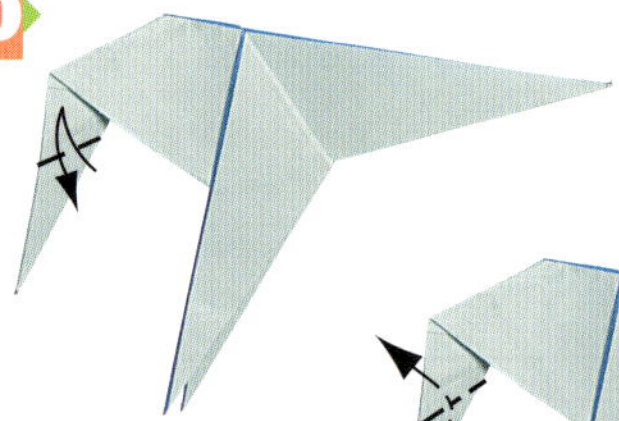

折りすじをつけてひらく

11

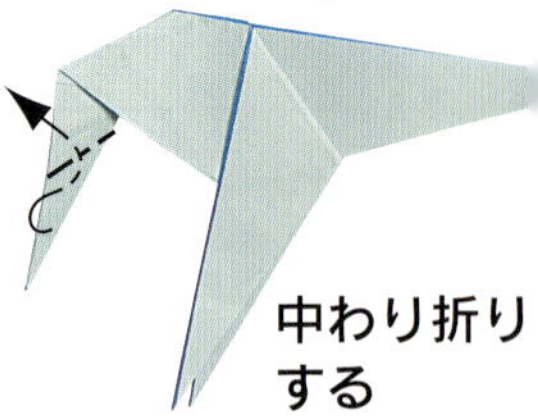

中わり折りする

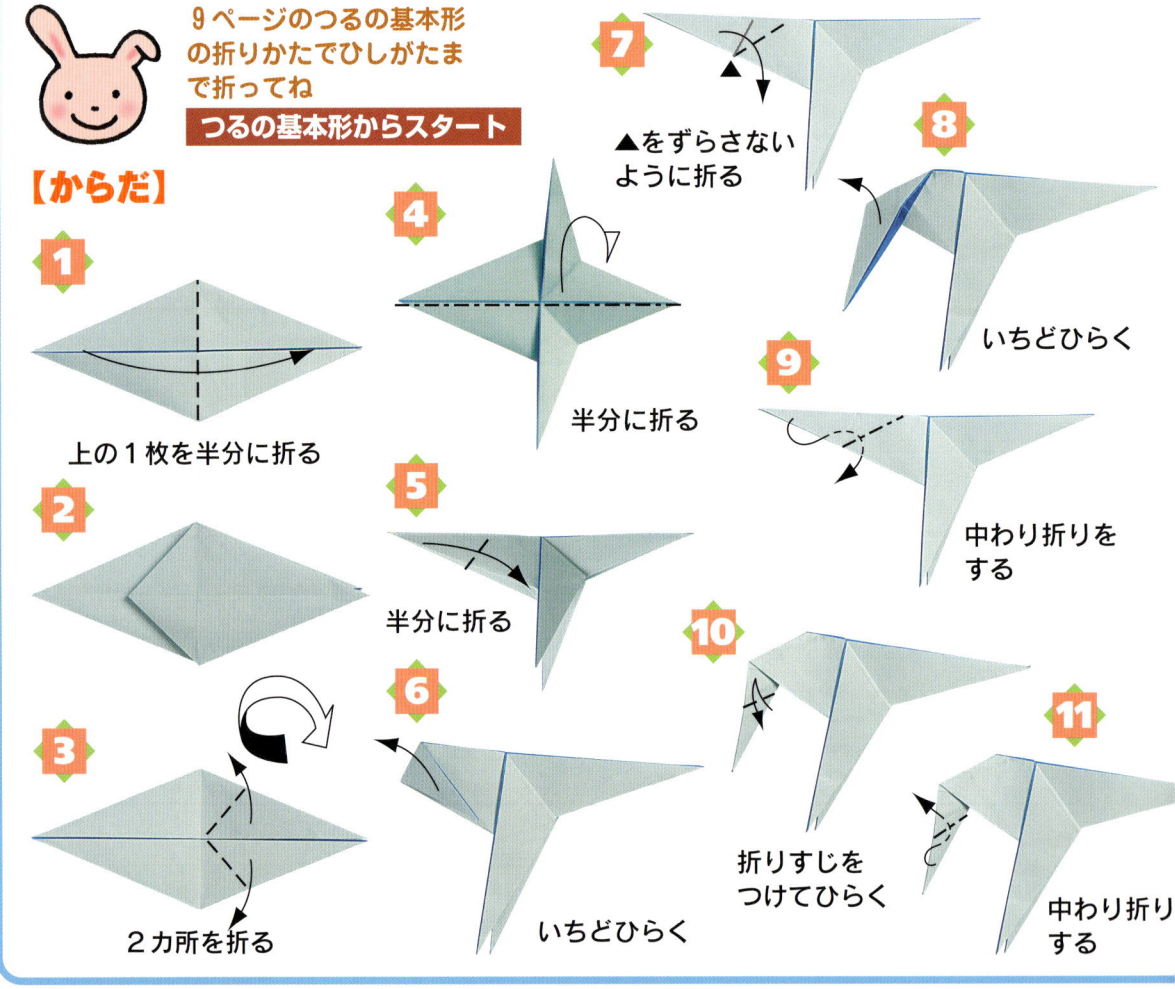

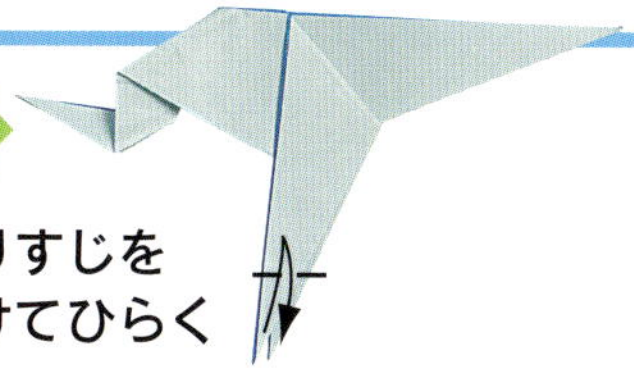

りすじを
けてひらく

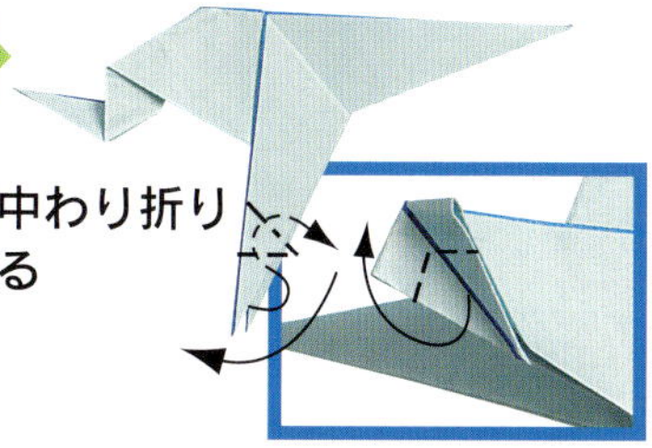

回中わり折り
する

1回中わり折りをした
ところ。もう1回折る

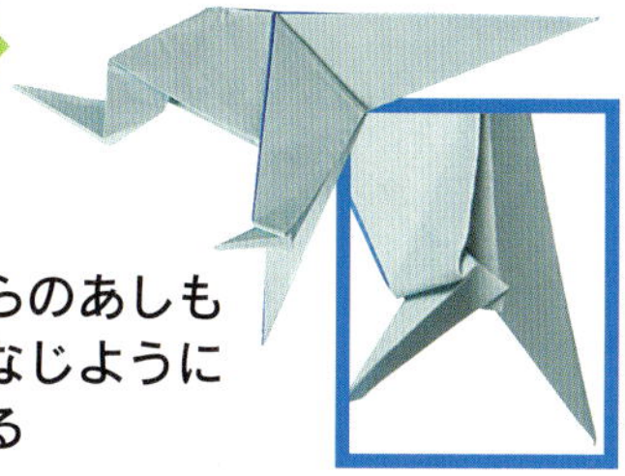

らのあしも
なじように
る

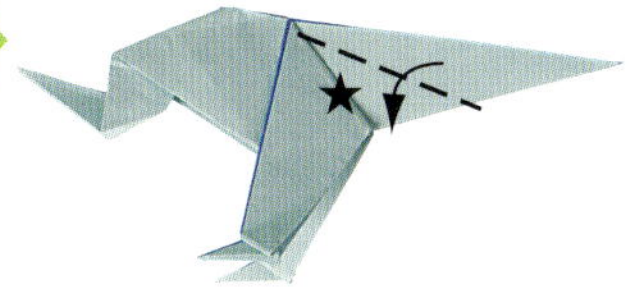

★にあうように折る

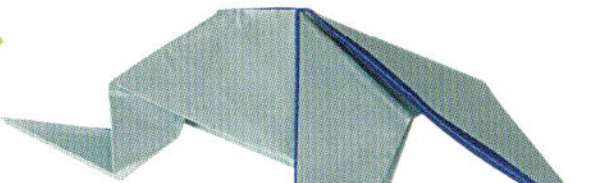

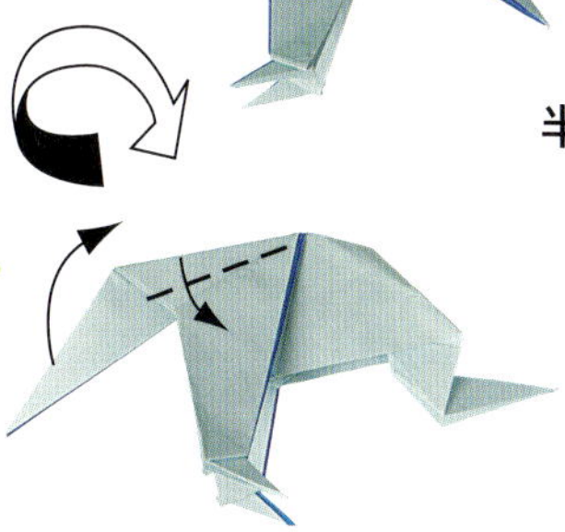

らは折らずに半分に折る

ちょっと
むずかしいけど、
がんばって！

18

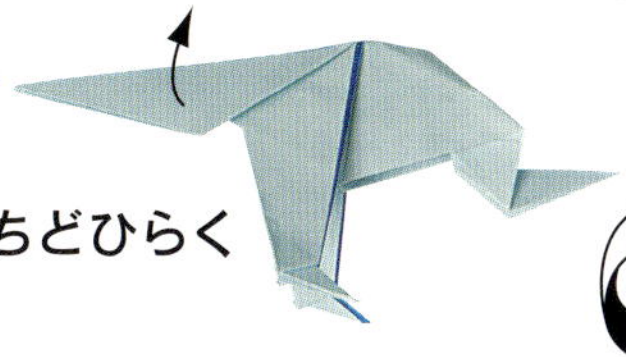

いちどひらく

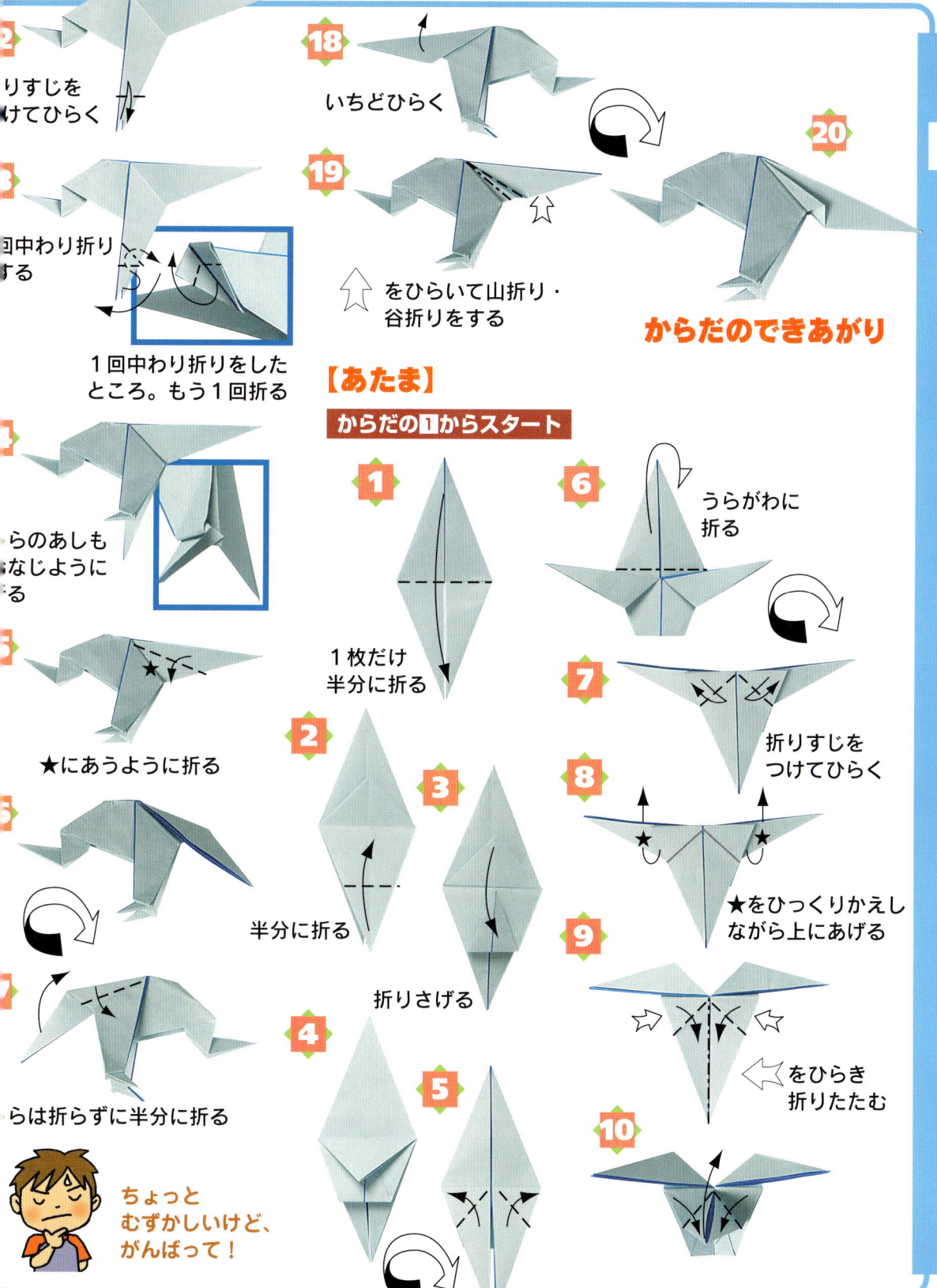

19

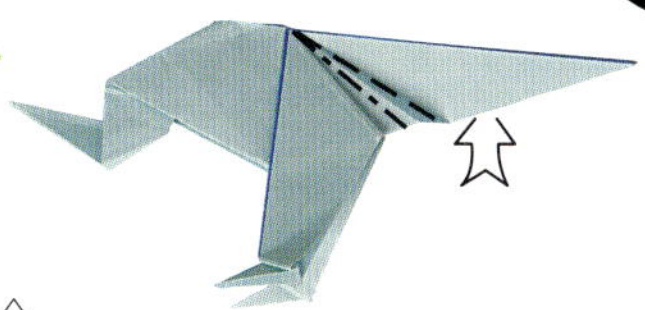

をひらいて山折り・
谷折りをする

20

からだのできあがり

【あたま】

からだの1からスタート

1

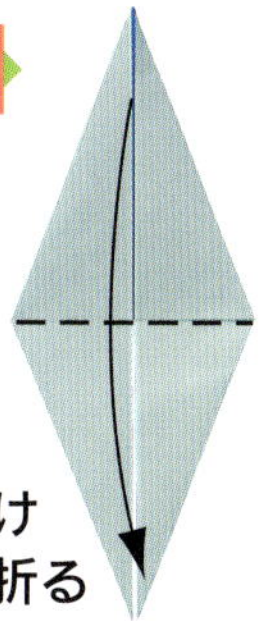

1枚だけ
半分に折る

2

半分に折る

3

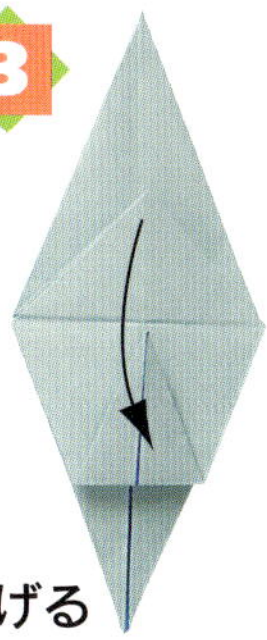

折りさげる

4

5

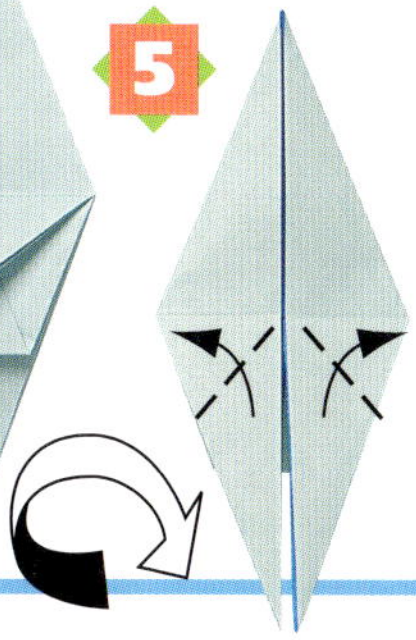

6

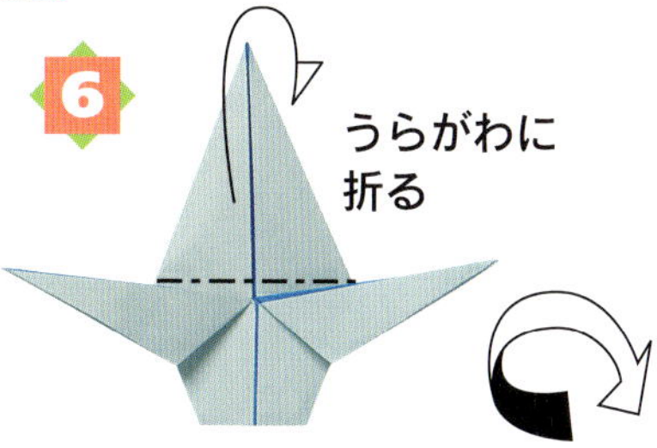

うらがわに
折る

7

折りすじを
つけてひらく

8

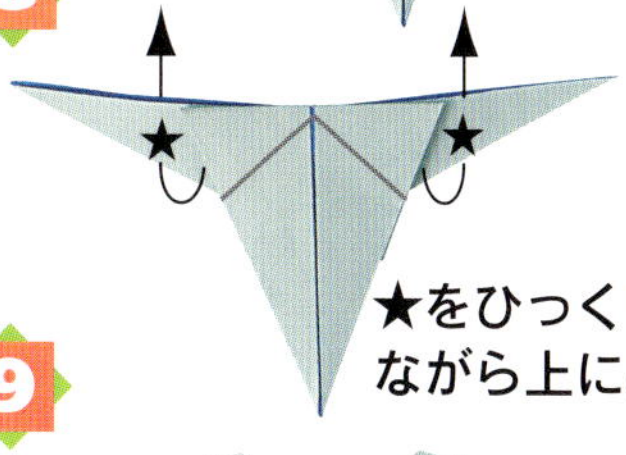

★をひっくりかえし
ながら上にあげる

9

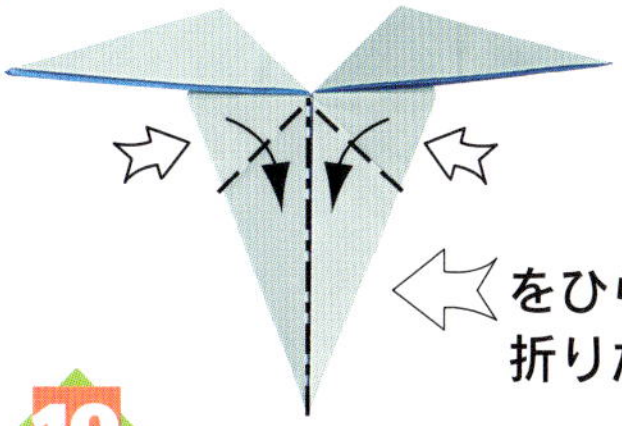

をひらき
折りたたむ

10

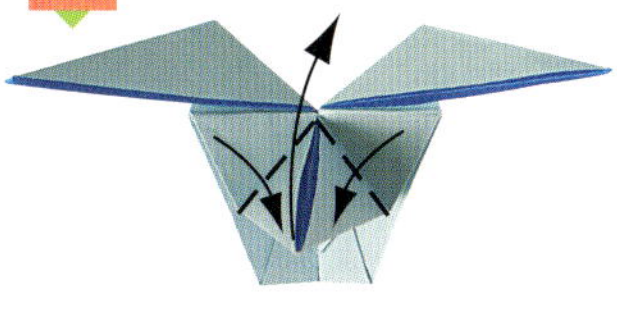

11

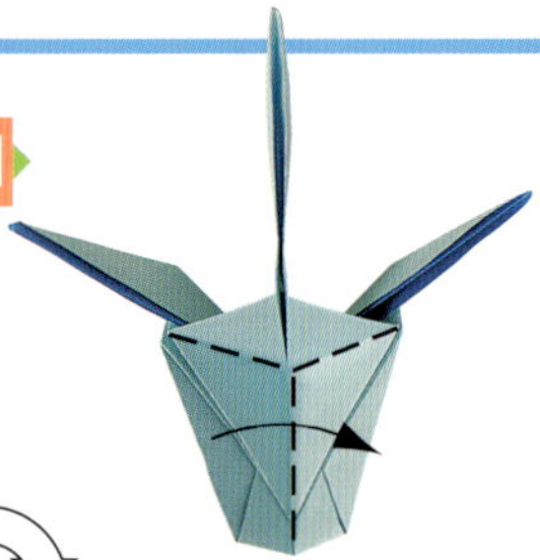

半分にたたむ

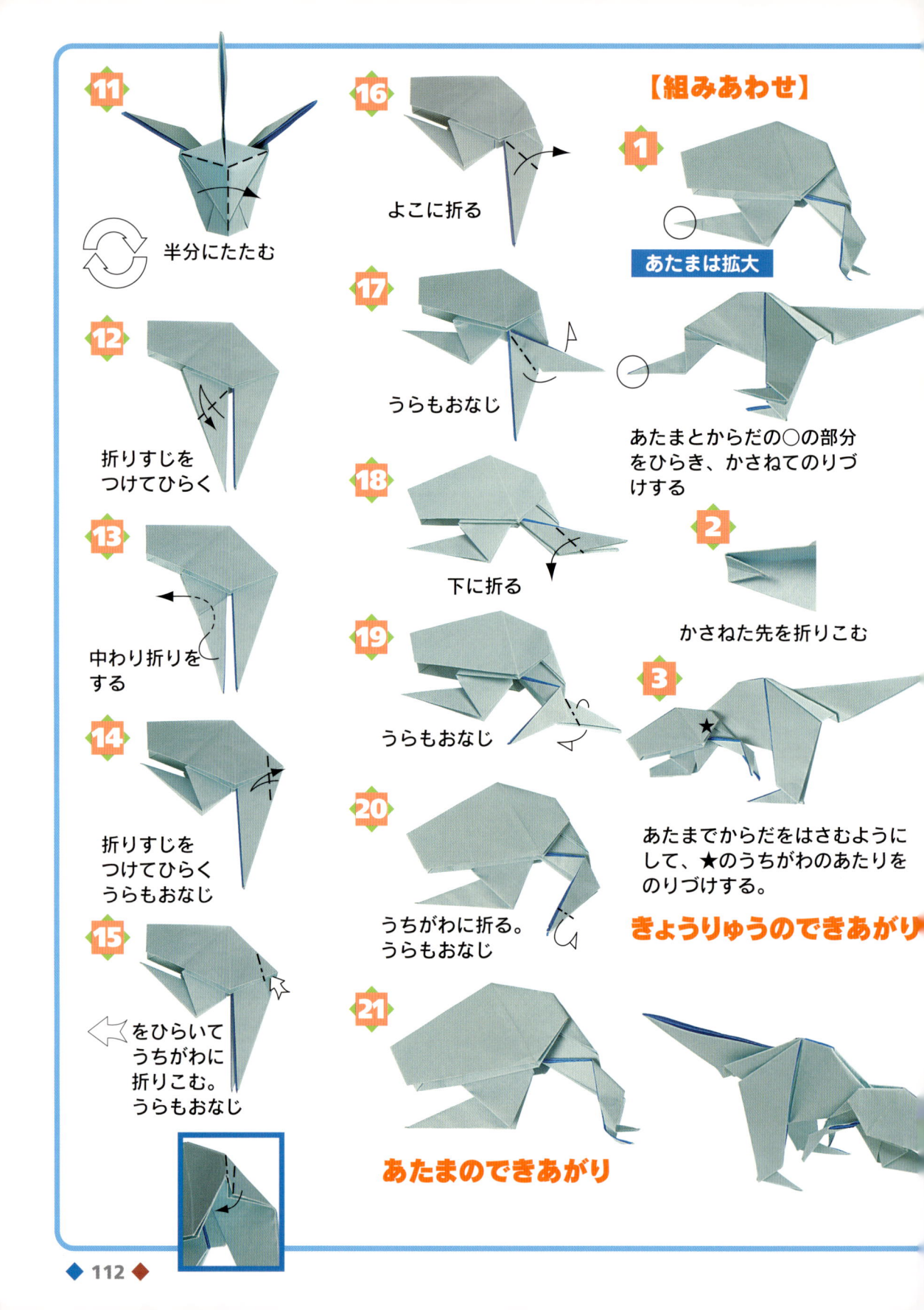

12

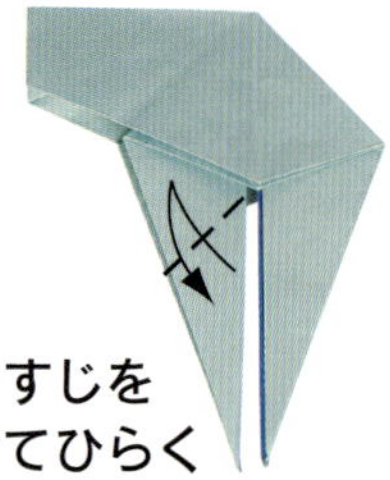

折りすじを
つけてひらく

13

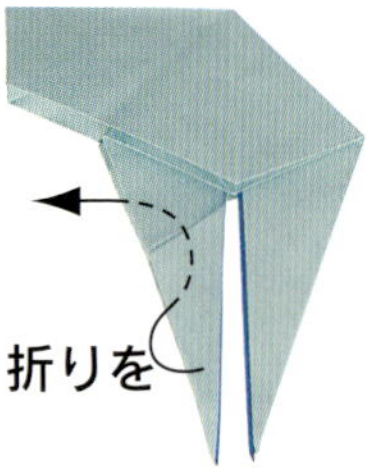

中わり折りを
する

14

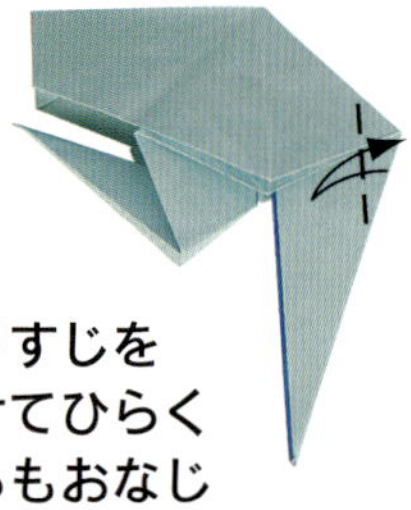

折りすじを
つけてひらく
うらもおなじ

15

⇦をひらいて
うちがわに
折りこむ。
うらもおなじ

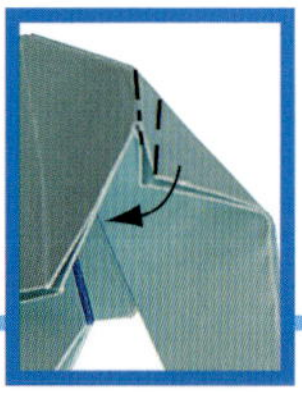

16

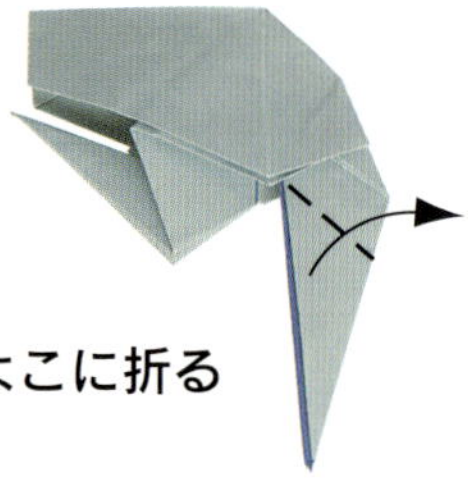

よこに折る

17

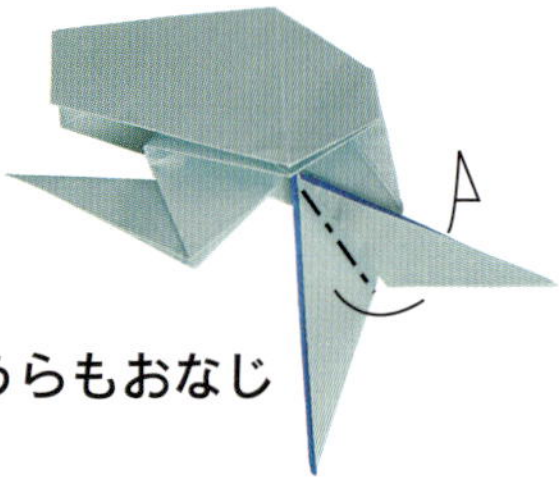

うらもおなじ

18

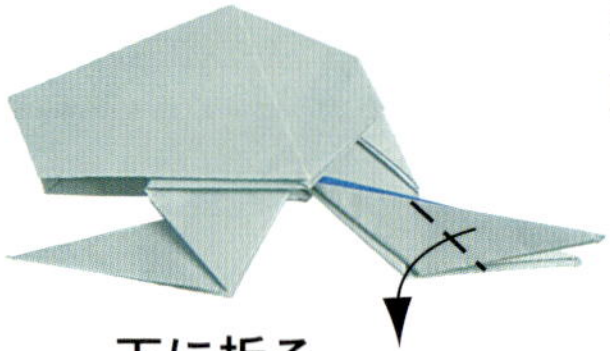

下に折る

19

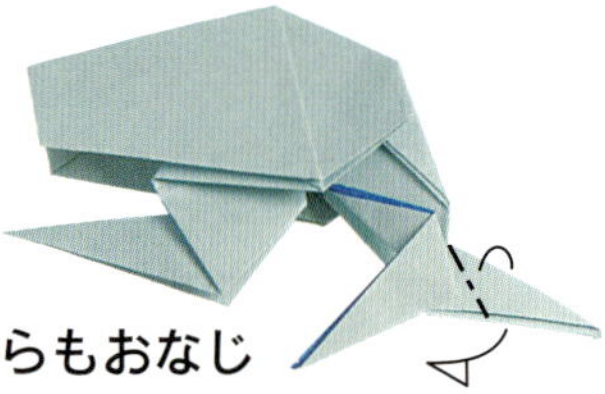

うらもおなじ

20

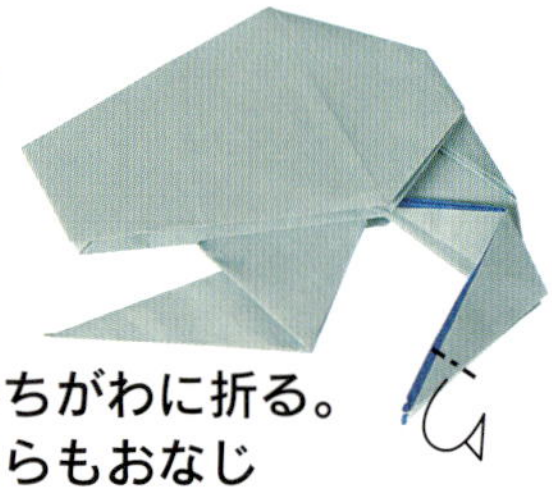

うちがわに折る。
うらもおなじ

21

あたまのできあがり

【組みあわせ】

1

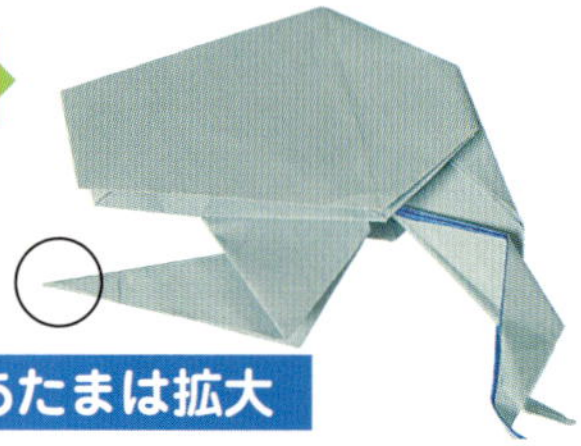

あたまは拡大

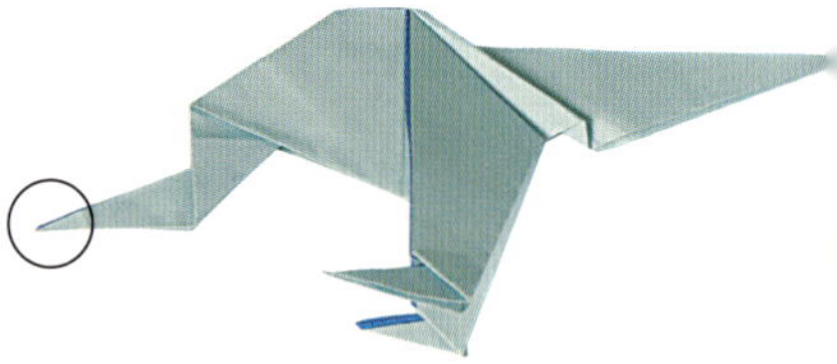

あたまとからだの○の部分
をひらき、かさねてのりづ
けする

2

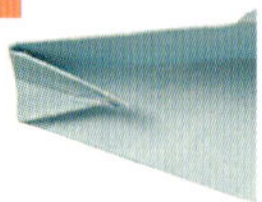

かさねた先を折りこむ

3

あたまでからだをはさむように
して、★のうちがわのあたりを
のりづけする。

きょうりゅうのできあがり

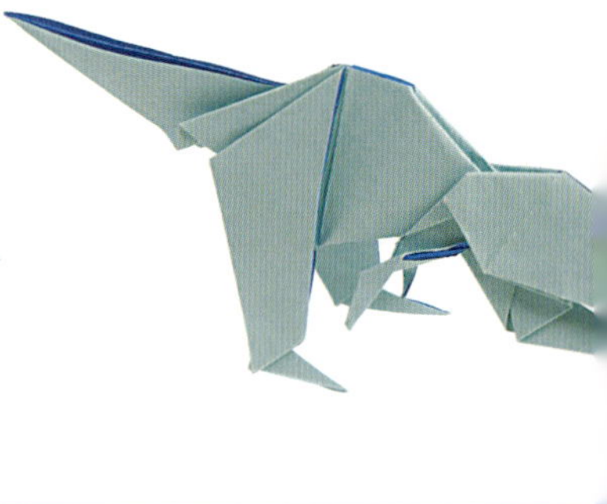

車

【タイヤ部分】

1

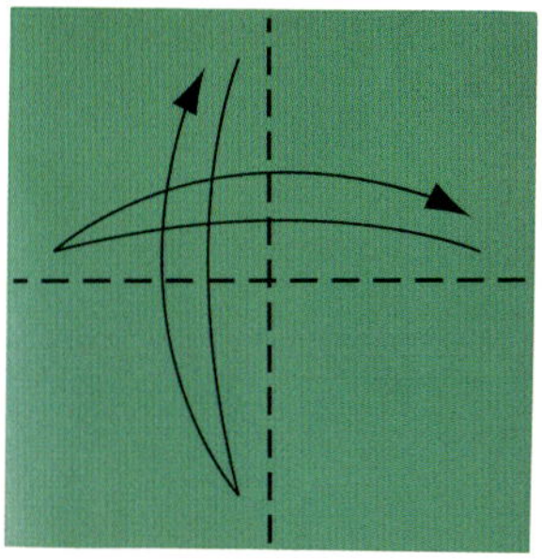

折りすじをつけてひらく

2

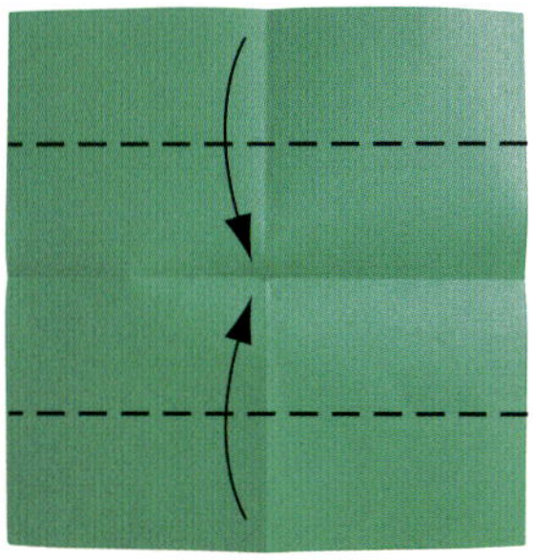

まんなかにあわせて折る

3

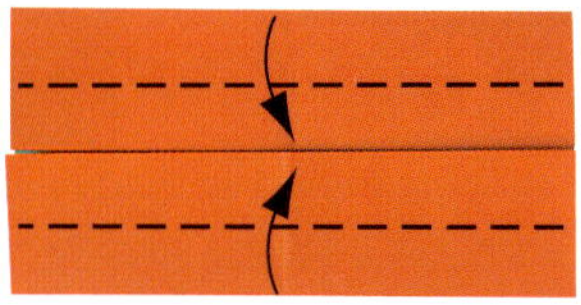

もういちど折る

4

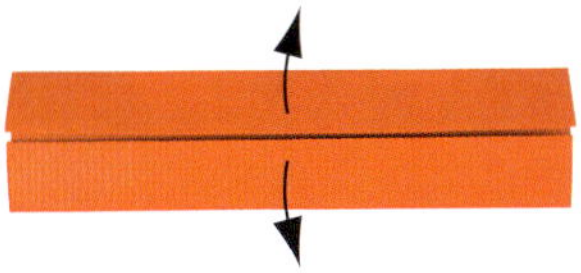

いちどひらく

5

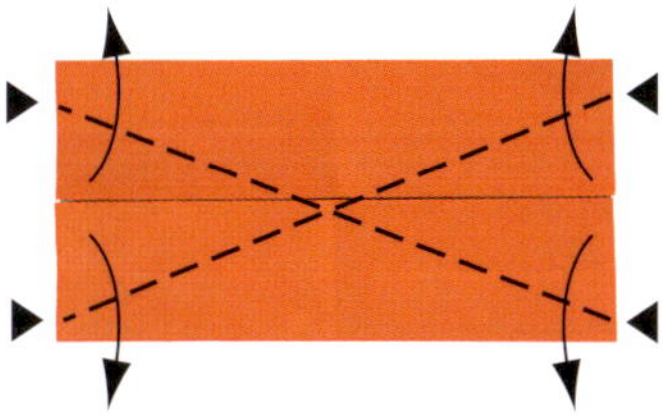

4ヵ所をななめに折る。
▲は4でつけたはばの
1/2くらいがめやす

6

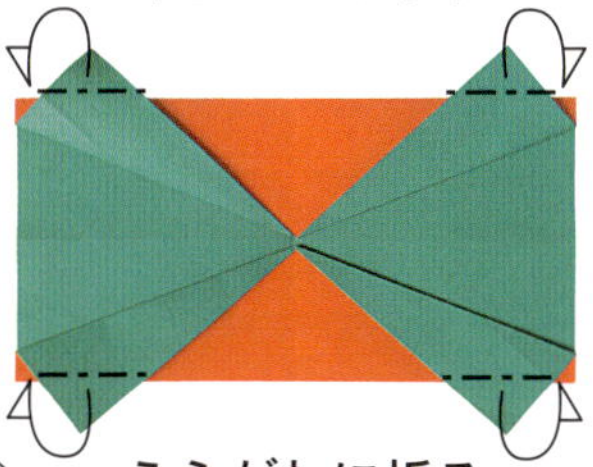

うらがわに折る

7

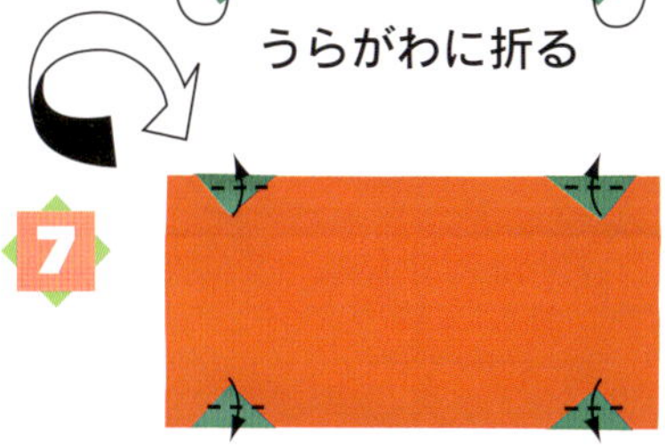

4つの角《かど》を折る

8

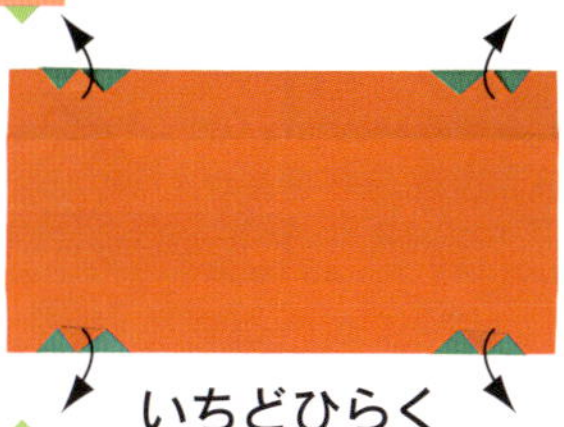

いちどひらく

9

10

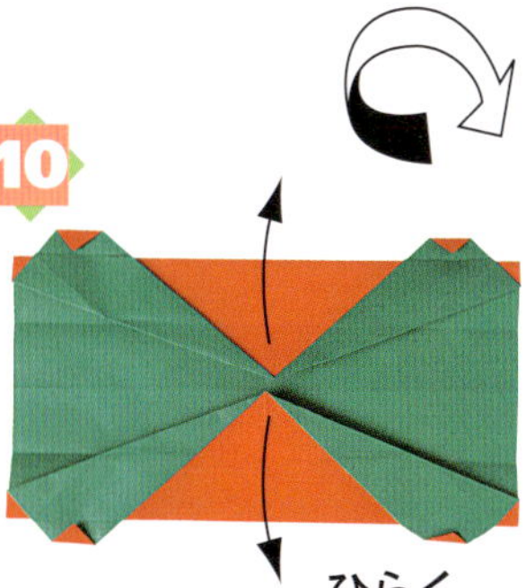

ひらく

11

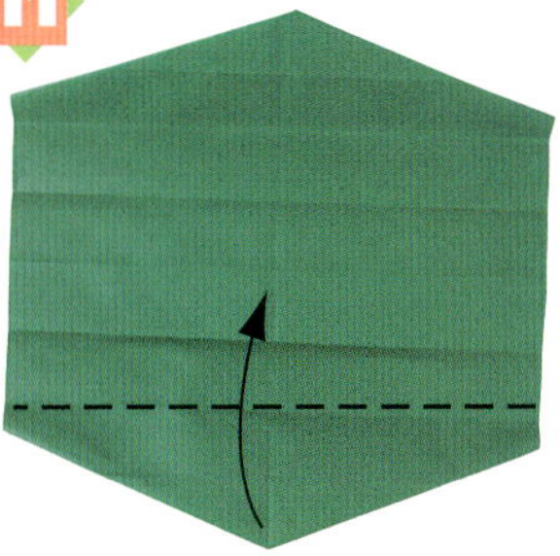

下をまんなかにあわせて折る

12

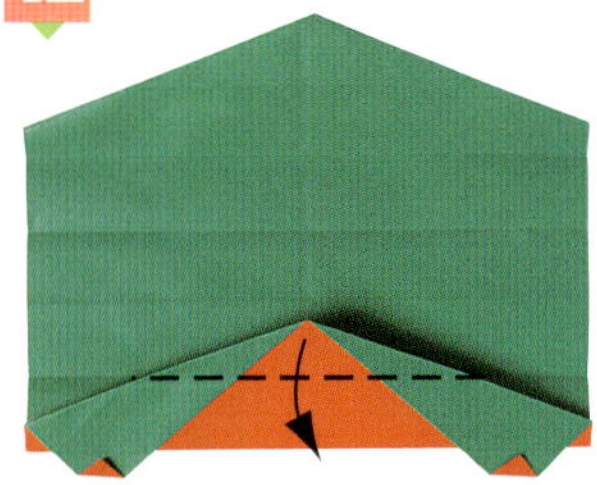

半分に折る

13

上を★にあわせて折る

14

1枚を上に折る

15

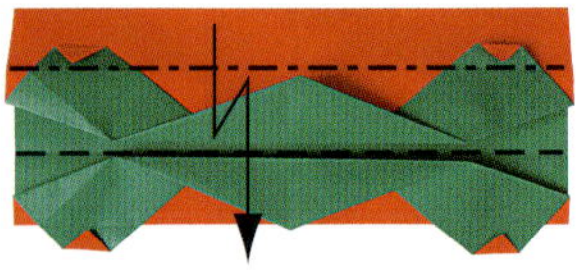

折りすじのように
段折りする

16

ななめに折る。
うらもおなじ

17

★をまるくととのえて、
ヘッドライトにする

**タイヤ部分の
できあがり**

【ボディ】

1

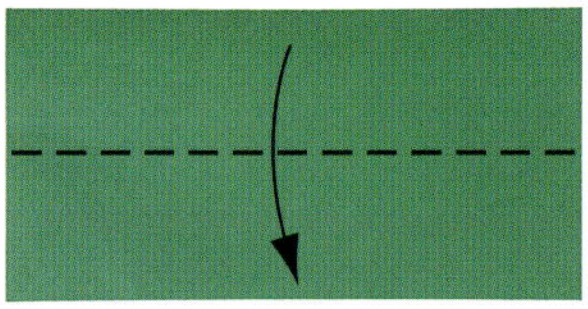

半分に折る

2

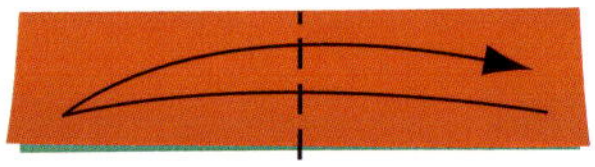

折りすじをつけてひらく

3

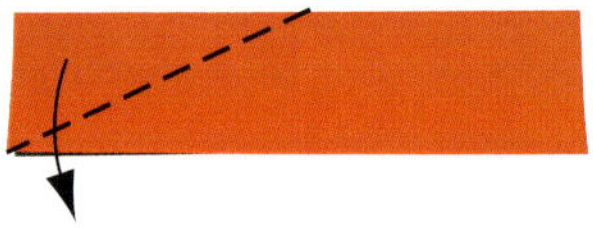

折りすじをつけていく

4

5

6

いちどひらいて
中わり折りをする

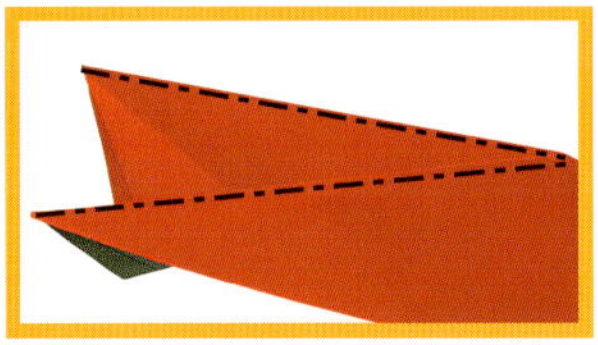

うちがわをみたところ。
まき折りで中にいれる

ボディサイズ

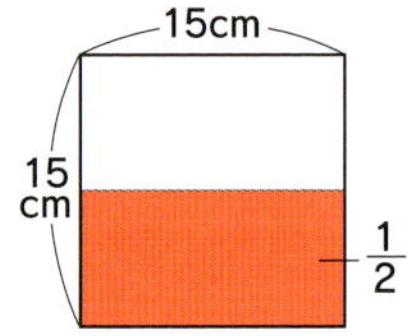

7

中わり折りをする

8

**ボディの
できあがり**

【組みあわせ】

1

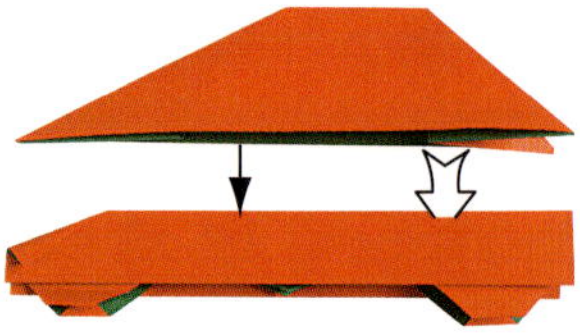

タイヤ部分の をひらき、
ボディをはさんで
のりづけする

2

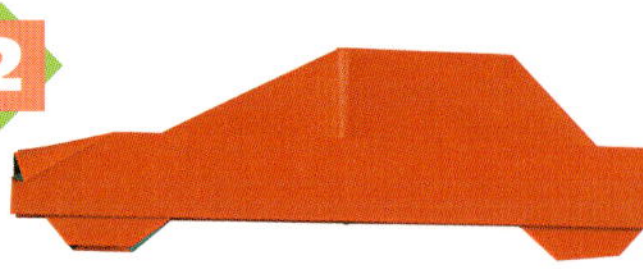

車のできあがり

バス

【組みあわせ】

車のタイヤ部分とおなじものを折ってね

1

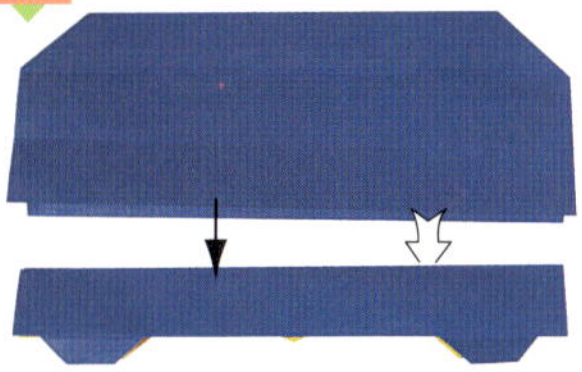

タイヤ部分の ⇦ をひらき、ボディをはさんでのりづけする

2

バスのできあがり

【ボディ】

1

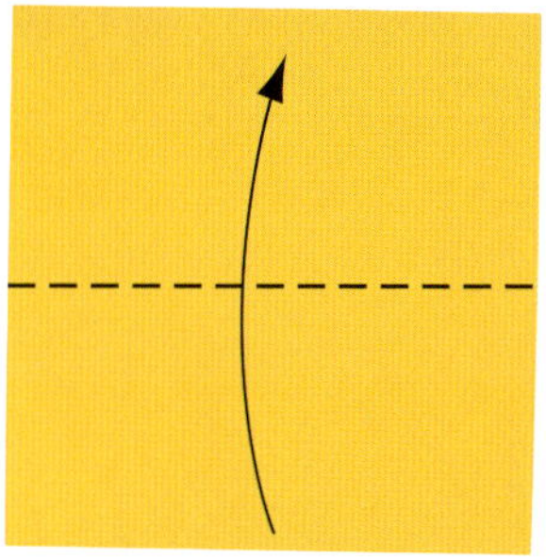

半分に折る

2

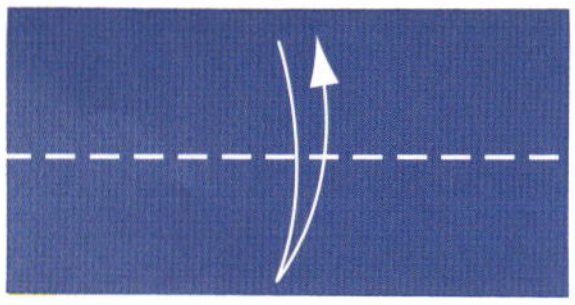

折りすじをつけてひらく

3

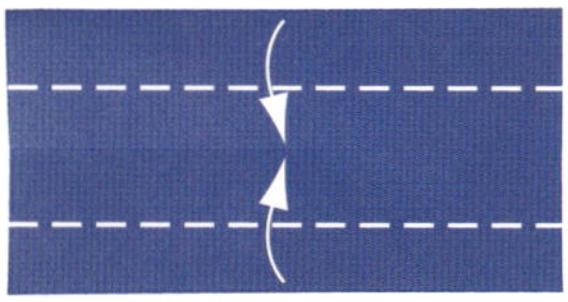

まんなかにあわせて折る

4

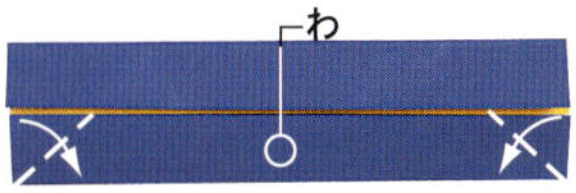

「わ」になっているほうの角を折る

5

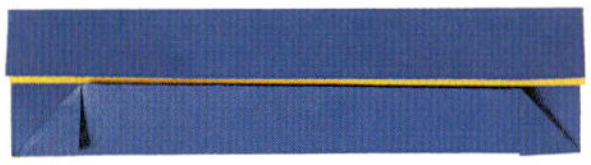

いちどひろげる

6

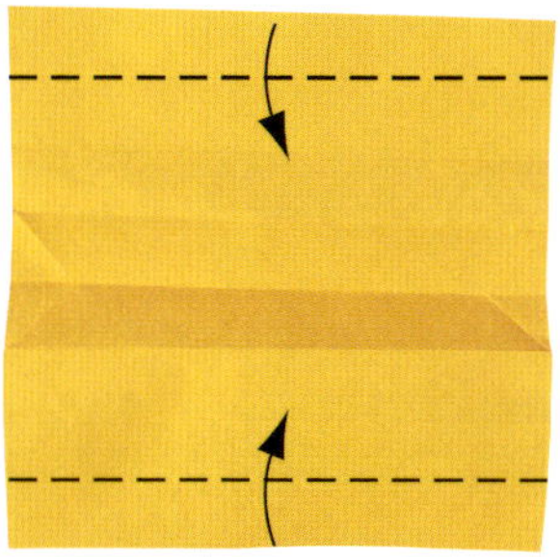

両はしを折る

7

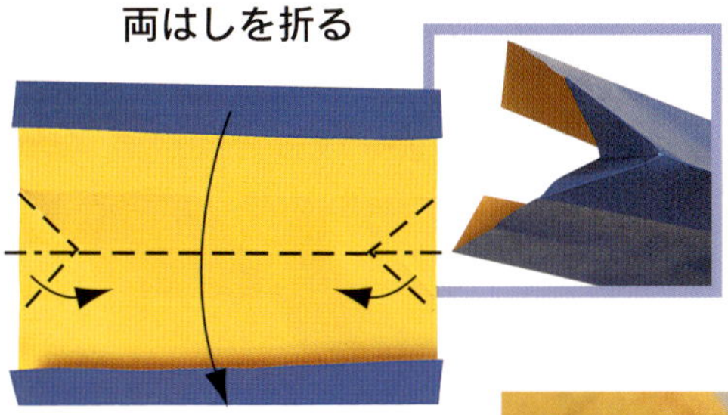

左右をうちがわに折りこみ、半分に折る

8

ボディのできあがり

テーブル・いす

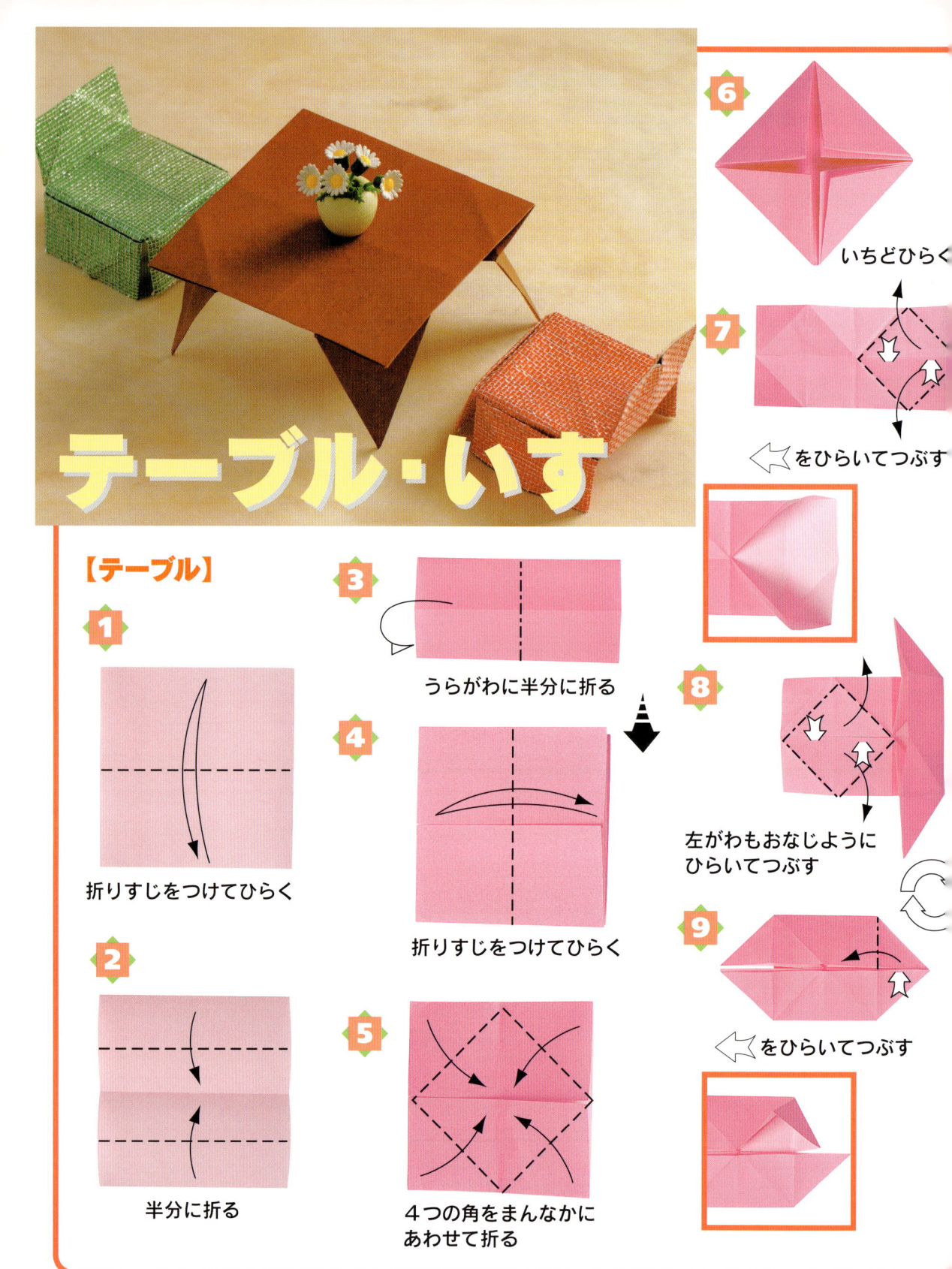

【テーブル】

1

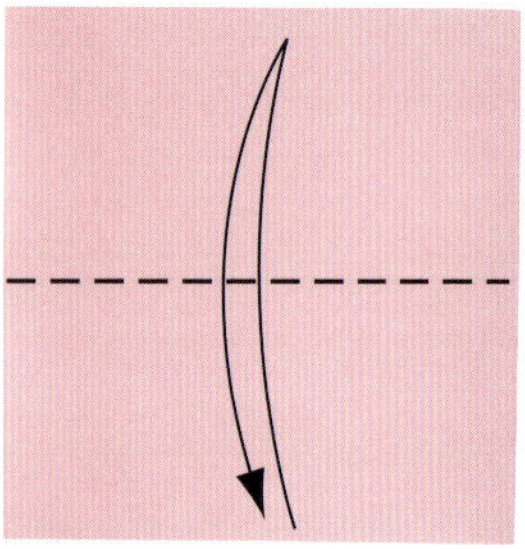

折りすじをつけてひらく

2

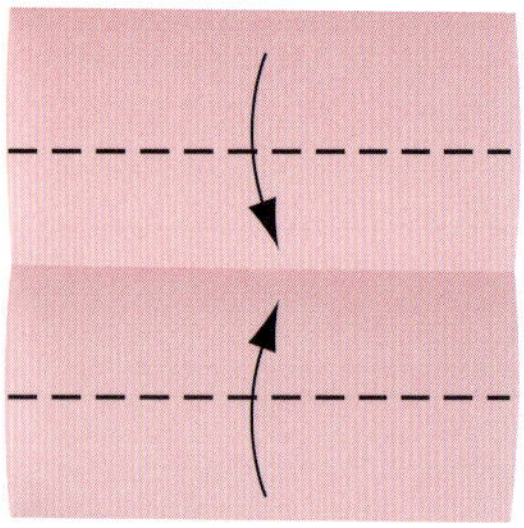

半分に折る

3

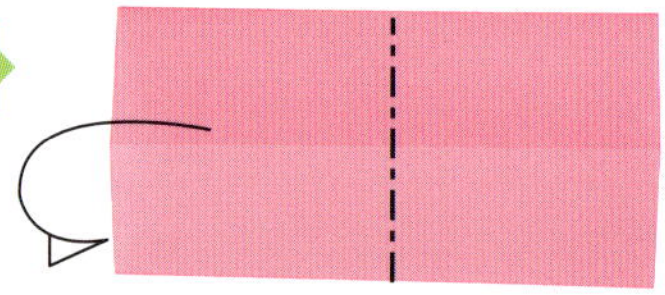

うらがわに半分に折る

4

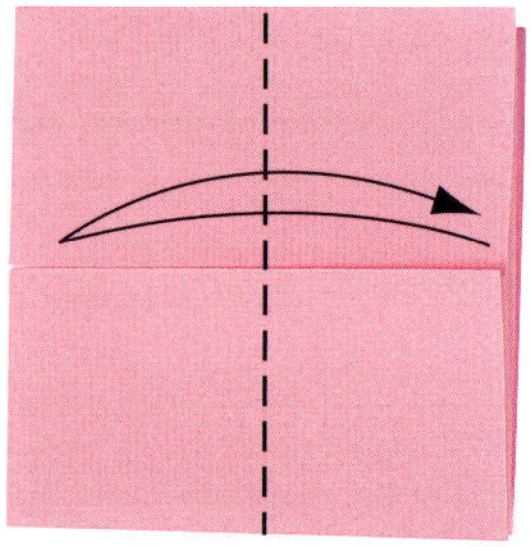

折りすじをつけてひらく

5

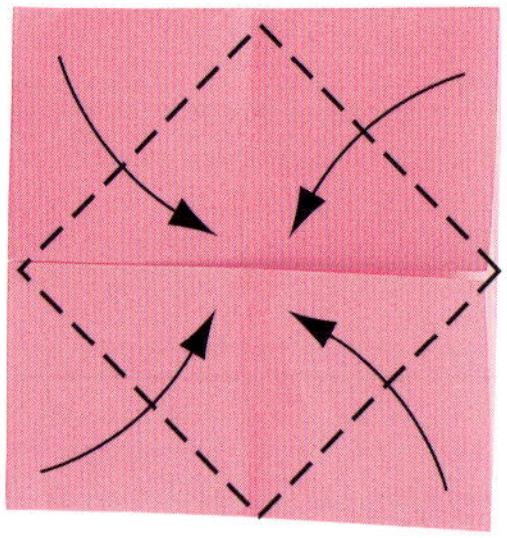

４つの角をまんなかにあわせて折る

6

いちどひらく

7

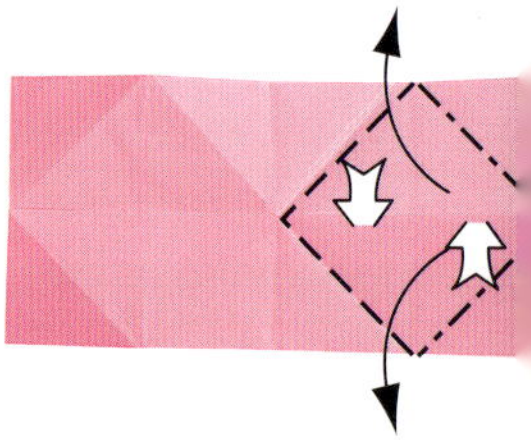

をひらいてつぶす

8

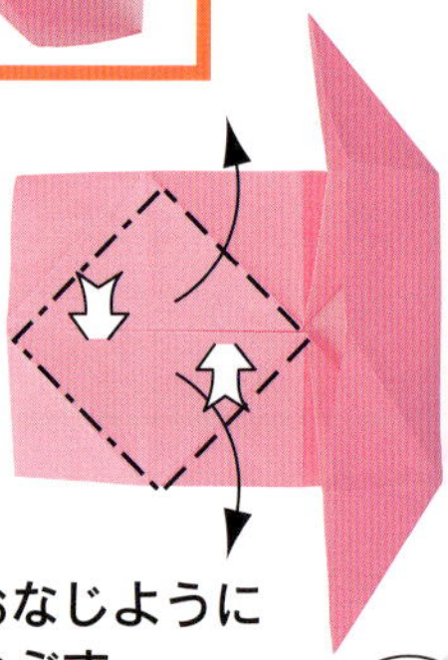

左がわもおなじようにひらいてつぶす

9

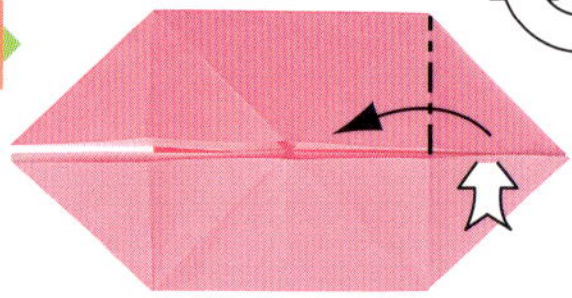

をひらいてつぶす

10

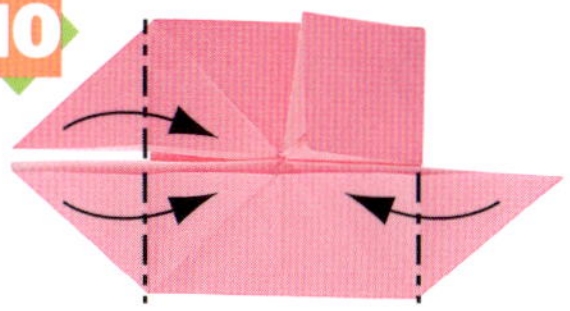

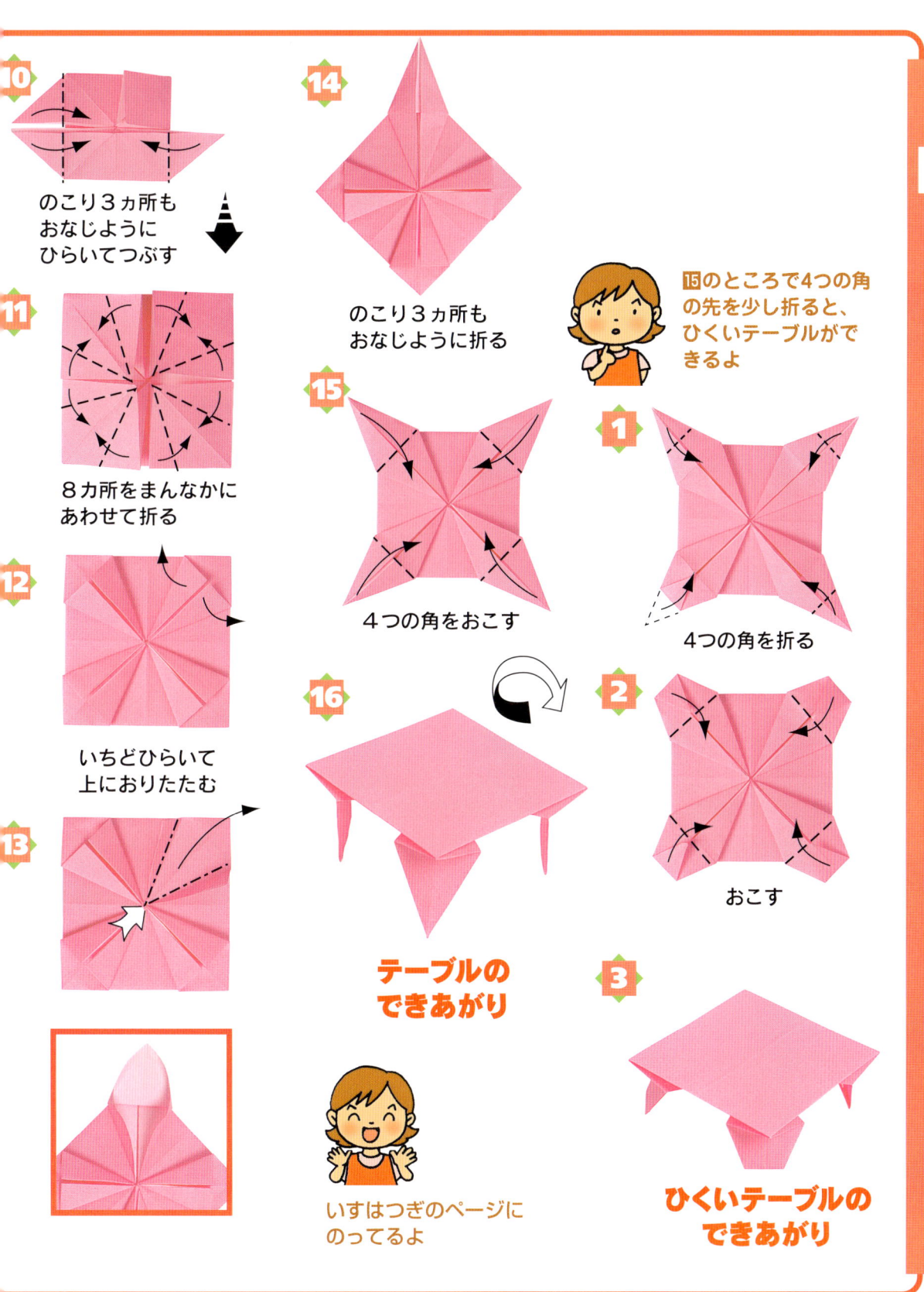

のこり３ヵ所も
おなじように
ひらいてつぶす

11

８カ所をまんなかに
あわせて折る

12

いちどひらいて
上におりたたむ

13

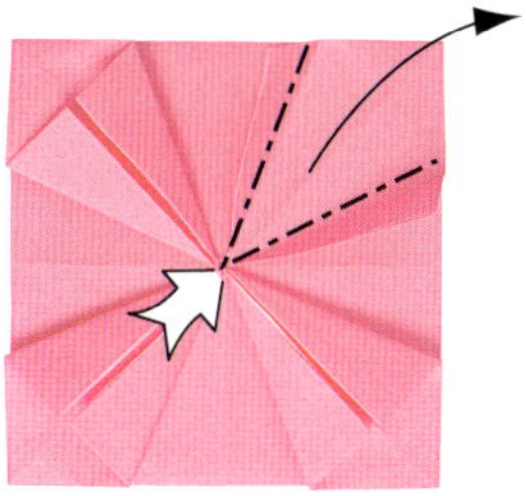

14

のこり３ヵ所も
おなじように折る

15

４つの角をおこす

16

**テーブルの
できあがり**

いすはつぎのページに
のってるよ

15のところで4つの角
の先を少し折ると、
ひくいテーブルがで
きるよ

1

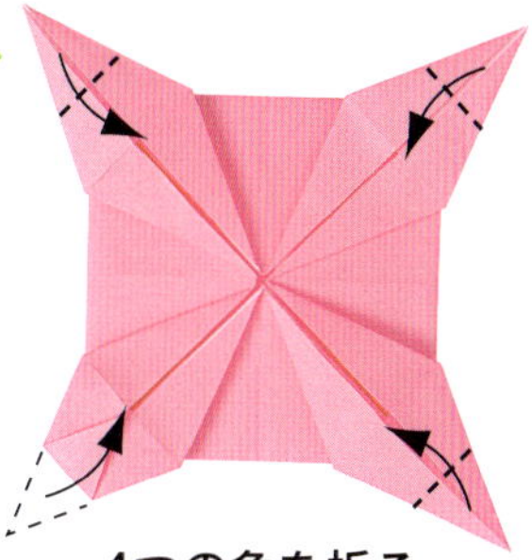

4つの角を折る

2

おこす

3

**ひくいテーブルの
できあがり**

【いす】

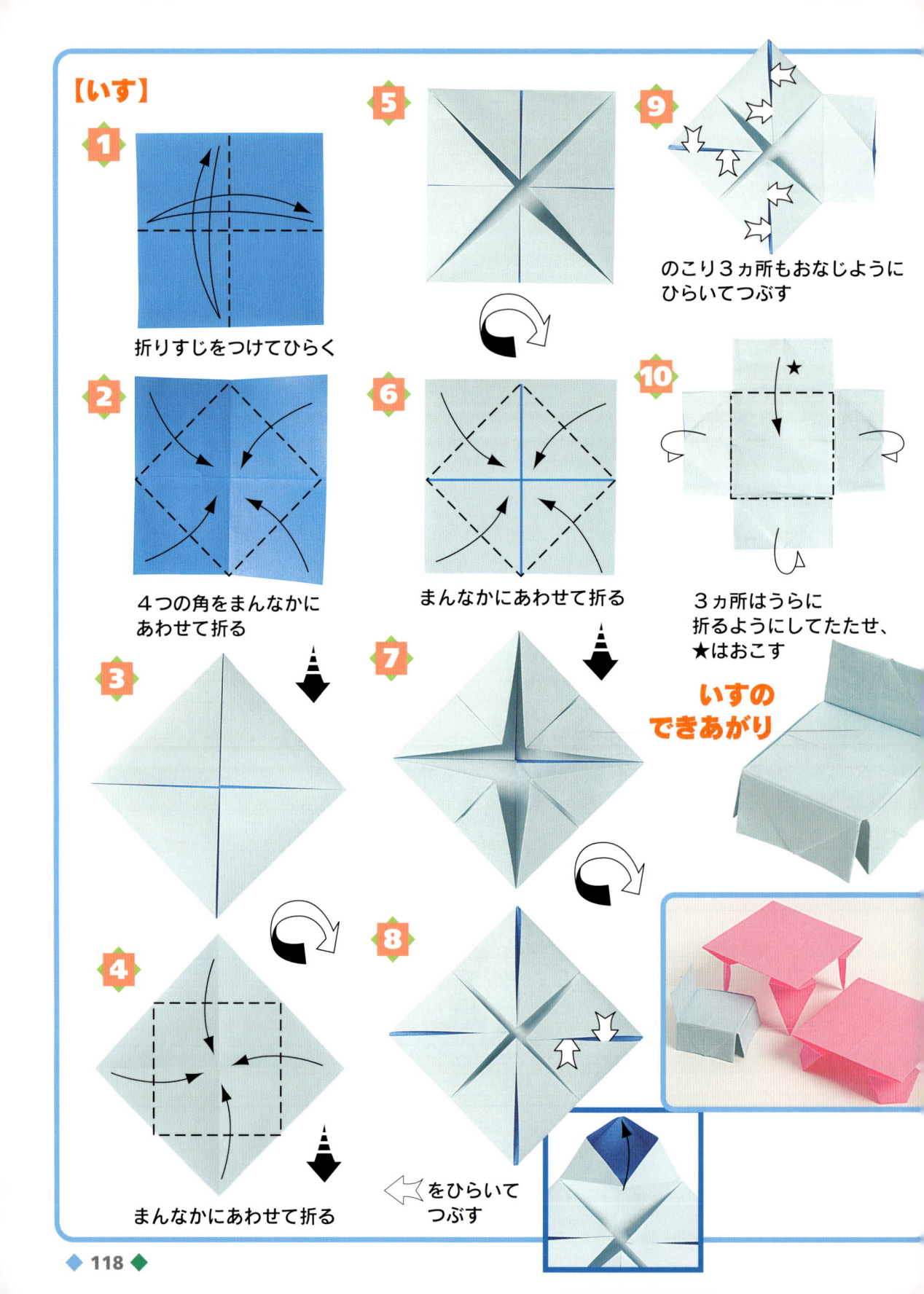

1

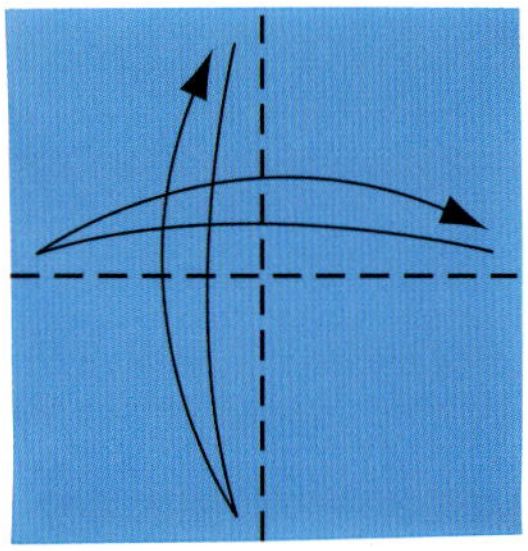

折りすじをつけてひらく

2

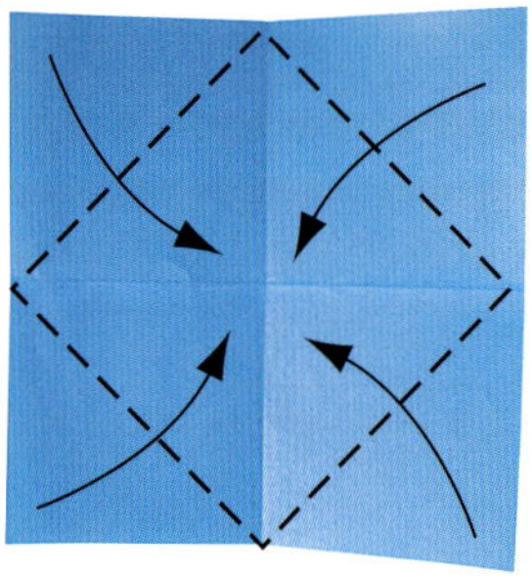

４つの角をまんなかに
あわせて折る

3

4

まんなかにあわせて折る

5

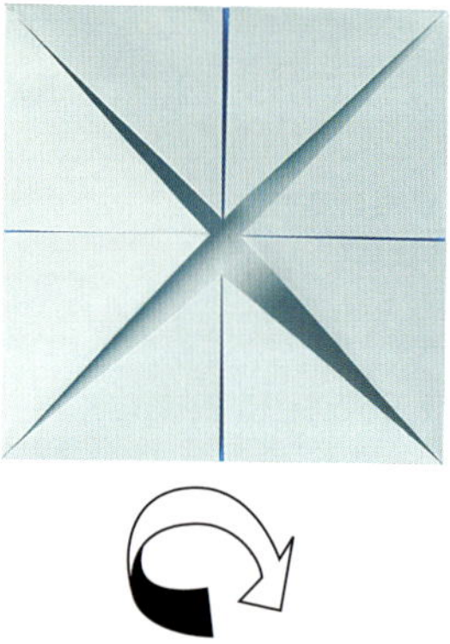

6

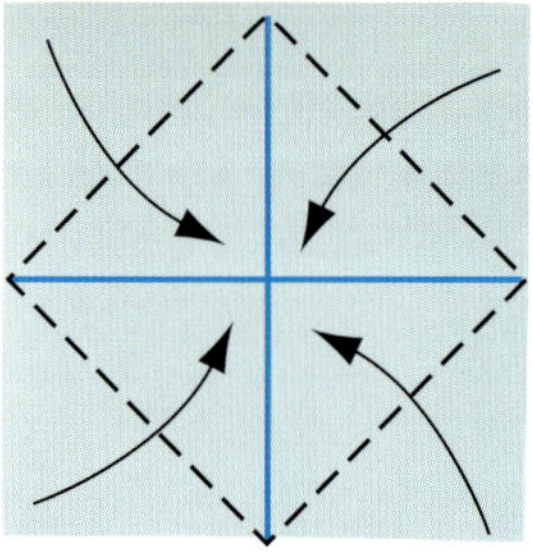

まんなかにあわせて折る

7

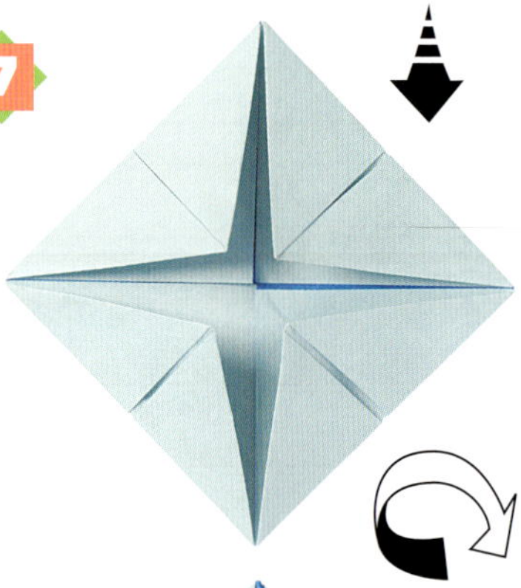

8

をひらいて
つぶす

9

のこり３ヵ所もおなじように
ひらいてつぶす

10

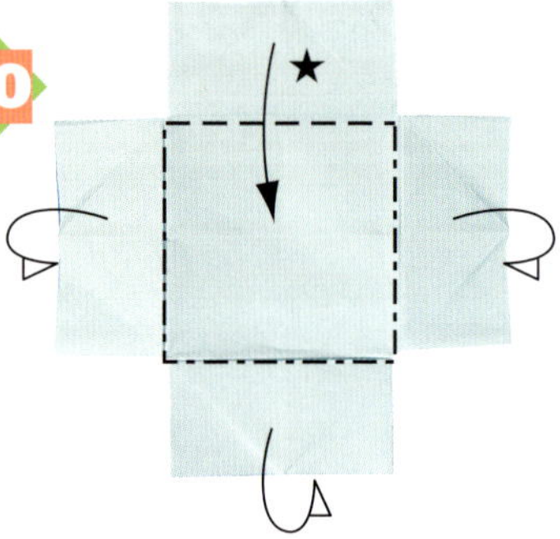

３ヵ所はうらに
折るようにしてたたせ、
★はおこす

いすのできあがり

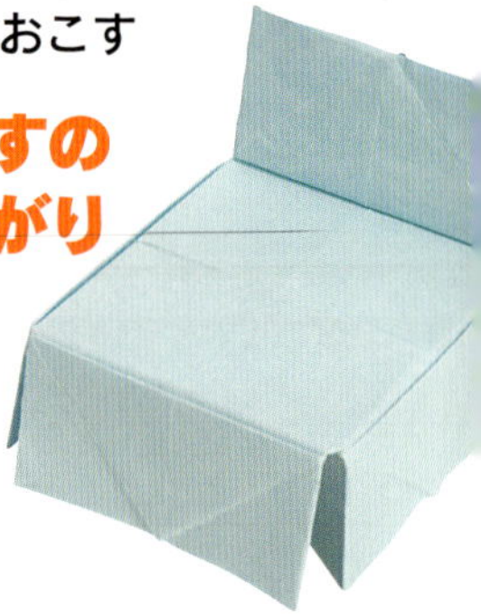

ピアノ

1

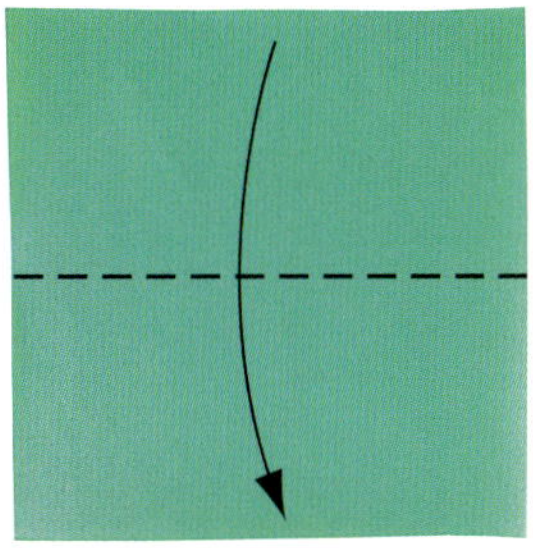

半分に折る

2

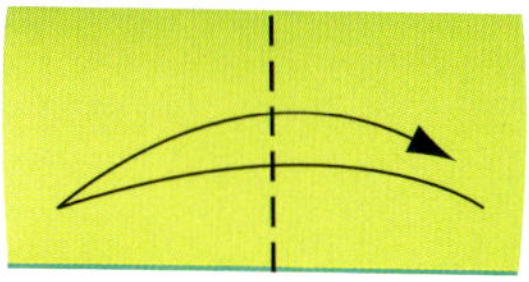

折りすじをつけてひらく

3

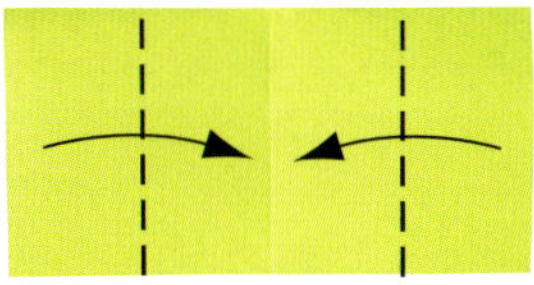

まんなかにあわせて折る

4

をひらいてつぶす

5

折りあげる

6

両はしを折る

7

3ヵ所をおこし、
かたちをととのえる

8

**ピアノの
できあがり**

くすだまのかんざし

七五三のお祝いに、晴れ着にあわせてかんざしをつくってみませんか？

くすだまは、平安時代から魔除《まよ》けの縁起物《えんぎもの》として身につけたり、部屋につりさげられたりしてきました。もともとは薬草を束ねてつくられていたので「薬玉《くすだま》」とよばれるようになりました。

直径3.5cmのくすだまをつくる場合
（イメージ写真のむらさき色のかんざし）
1つのパーツのおりがみ>>3.5cm×3.5cm

小さくてちょっとむずかしいので、いちど大きなおりがみでパーツを折ってみましょう

8ページの正方基本形の折りかたで正方形まで折ってね

正方基本形からスタート

【パーツの折りかた】

1

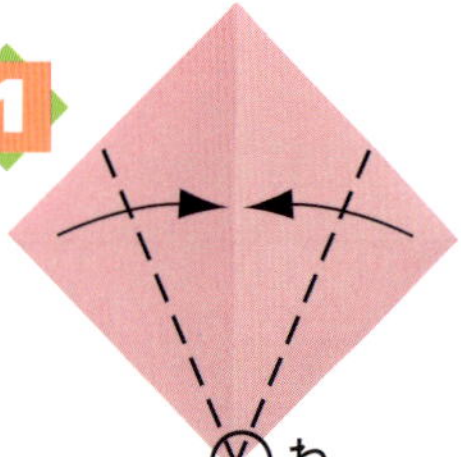

まんなかにあわせて折る

2

うらもおなじように折る

3

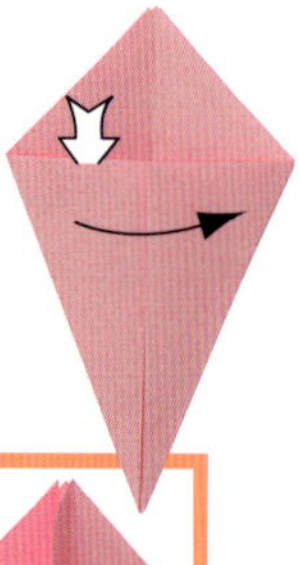

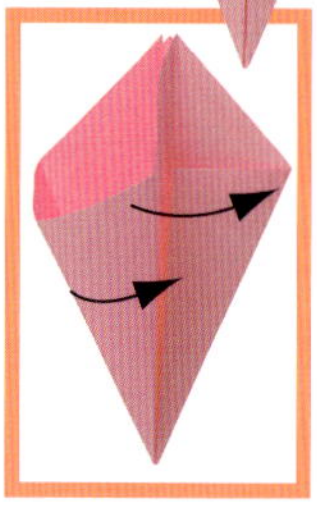

の中をひらきながら右につぶす

4

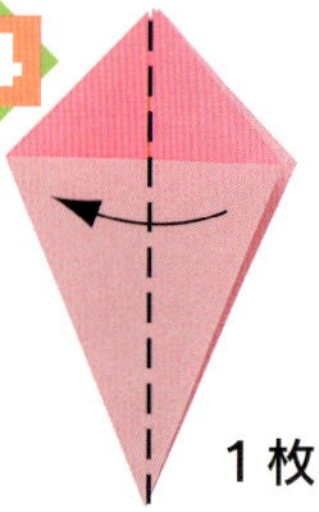

１枚めくる

5

3とおなじように の中をひらきながら左につぶす。のこり２ヵ所もおなじようにする

6

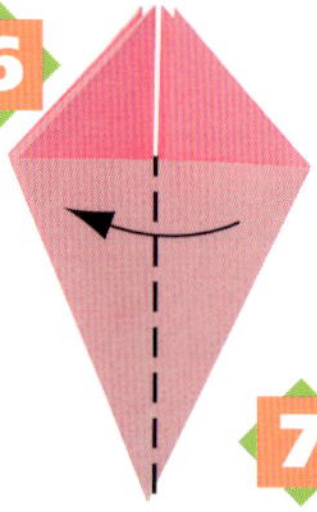

１枚めくる

7

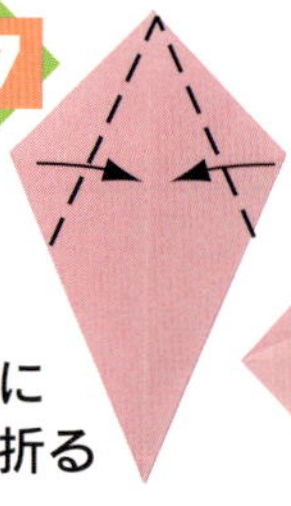

まんなかにあわせて折る

8

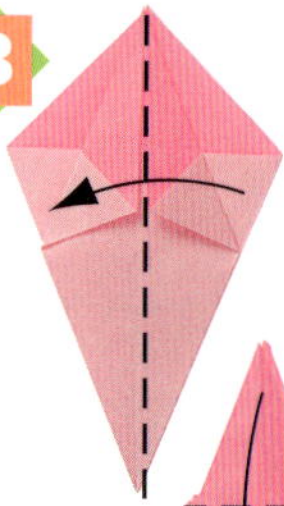

めくっていき、のこり3カ所も7のように折る

9

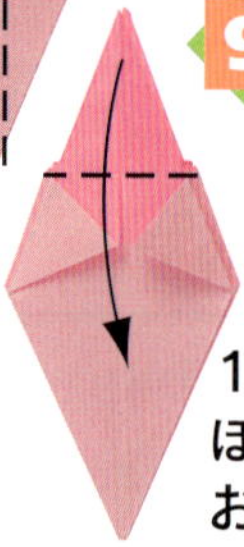

１枚折りさげ
ほかの３カ所
おなじように

10

いちど全部ひろげて紙をうらがえし、折りすじのとおりに折りなおす

11

折りすじ
ように▲
★の下に
折りこむ

12

２カ所を折る

13

下に折る

14

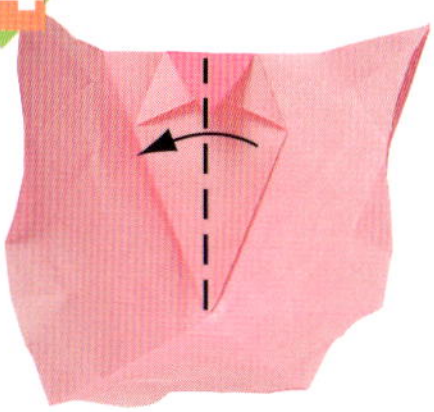

めくる

15

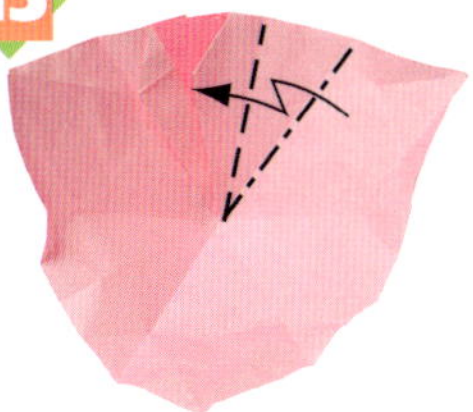

となりを段折りにしてかさねる

16

を★の下に折りこむ。
～14のように折り、
こりもおなじように
る

17

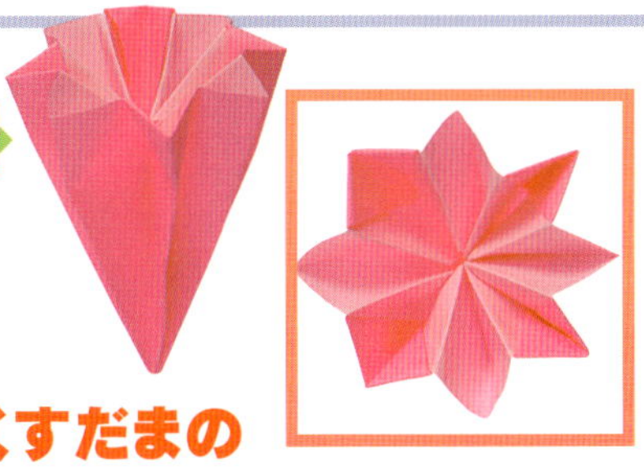

くすだまのパーツのできあがり

【くすだまのつくりかた】

用意するもの

パーツ　40個

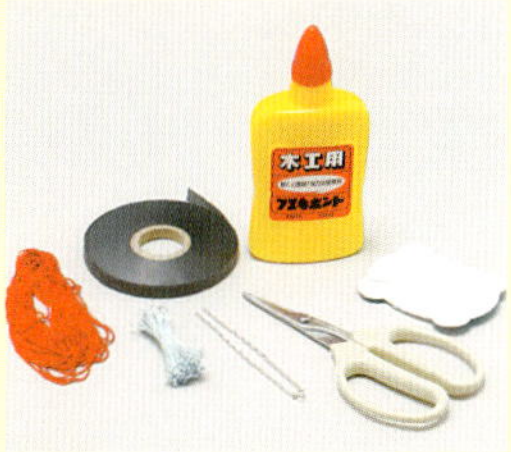

かんざし金具　1個
ペップ　20本
(切って両はしを使う)
リリアン　1束
紙テープ
針と糸
はさみ
ボンド(木工用または手芸用)

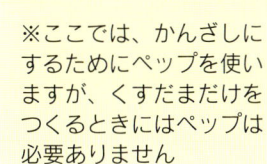

※ここでは、かんざしにするためにペップを使いますが、くすだまだけをつくるときにはペップは必要ありません

1

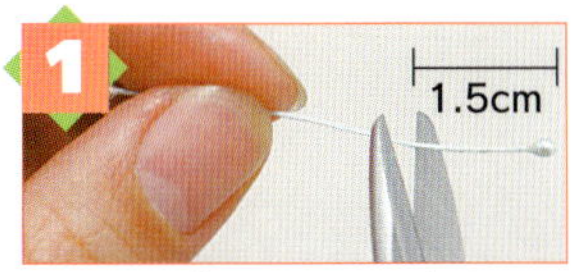

ペップを1.5㎝くらいに切る

2

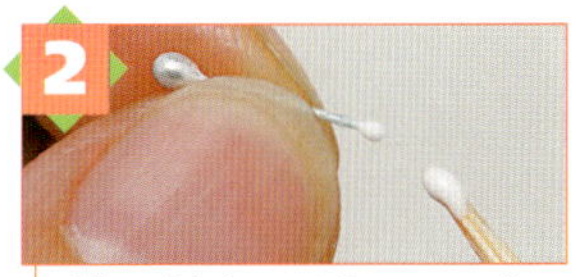

ボンドをつけて、パーツにさしこむ

3

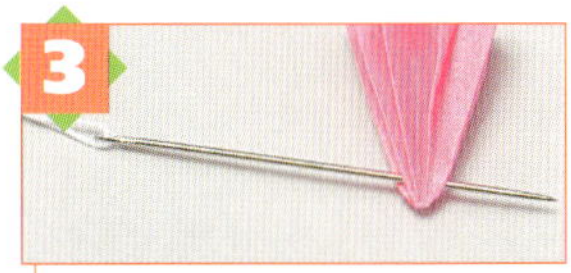

下から２㎜くらいのところに、２本どりした糸を通す

このとき、糸は中心(４ひだずつのあいだ)に通すようにする

4

２個目を通す

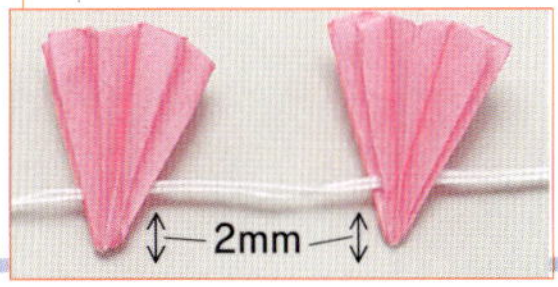

糸を通す位置をおなじにする

5

10個つなげる

6

かた結びをする

7

少し余裕をもって、糸を切る

8

おなじものを４個つくる

9

10

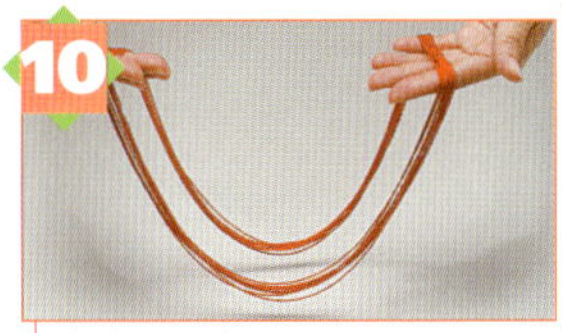

束ねてあるリリアンの中から1本だけを切る

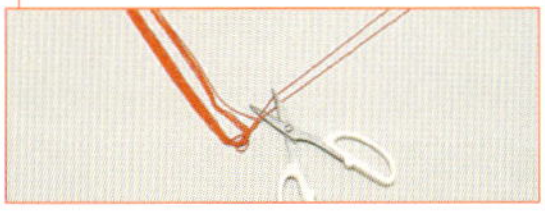

11

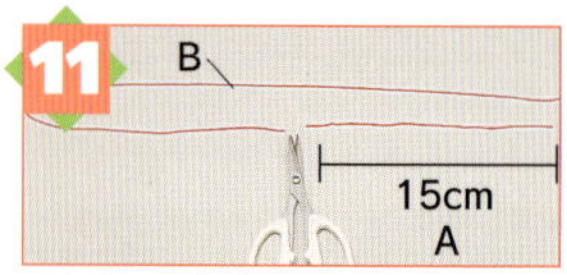

15㎝くらいのところで1回切り、のこり（B）は半分に切っておく

12

束のままのリリアンを半分にして持つ

13

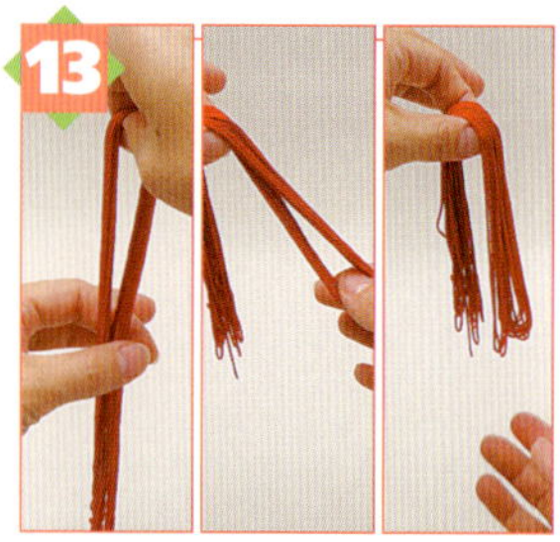

さらに半分にする

14

※わかりやすくするためにピンクのリリアンをつかっています

11のBの半分のリリアンで「わ」になった中心を束ねる

15

11のAのリリアンで上から1.5㎝のところを結ぶ

16

結んだ下を半分にわけてAのリリアンを中にひきこむようにする

17

結び目にボンドをつけ、ふさの中にとじこむ

18

あまったリリアンをひきだして切る

すぐに切ると結び目が中に入り、きれいにしあがる

19

ふさのできあがり

20

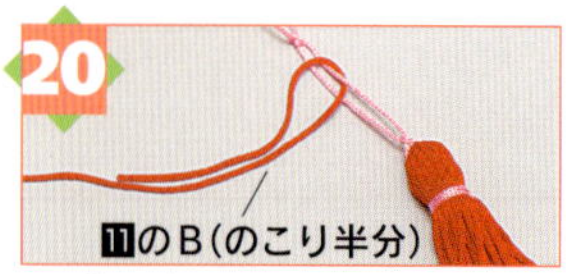

ピンクのリリアンをくすだまのパーツ1個分の長さより少し長めに結び、11のBのリリアンを「わ」の中に通す

21

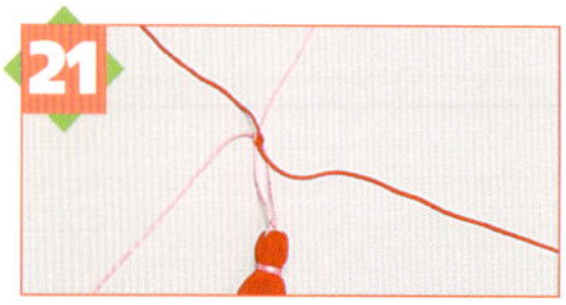

Bのリリアンを結んで四方にひろげる

22

9のひとつを中心にのせる

23

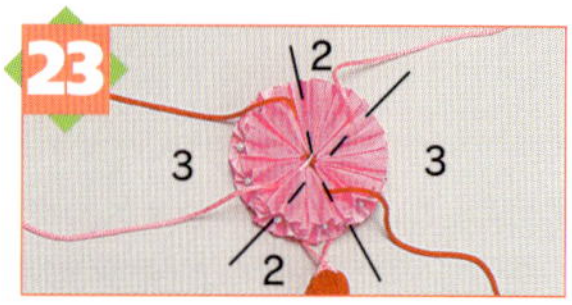

パーツを2個・3個・2個・3個とくぎるようにして、リリアンを上にだしていく

24

おなじようにして4つをつみあげ、リリアンをひきながら丸くする

25

リリアンを2本ずつにわけて結ぶ

26

結び目を中心までしっかりいれる

27

かたちを丸くととのえて上のほうで結ぶ

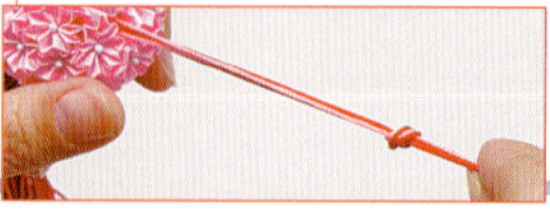

28

ふさの下を
ろえて切る

29

くすだまのできあがり

【かんざしのつくりか

1

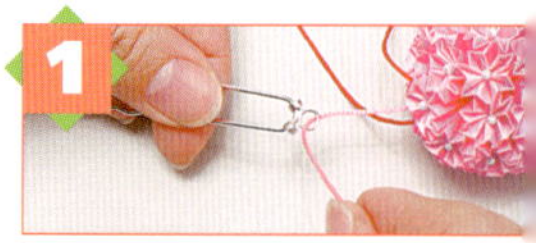

27で結んだリリアン
ほどき、1本をかん
し金具に通す

2

もう1本も通し、く
だまからかんざしま
1㎝くらいあけて、
た結びする

3

のこり2本もおなじ
うにする

4

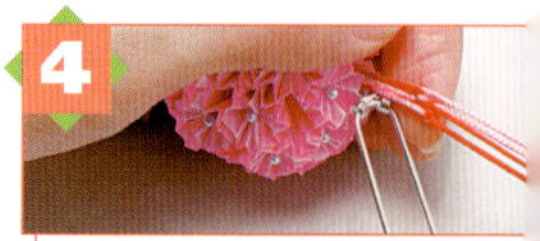

結びはしを5㎜くら
のこして切る

ンドをつける

テープでまく

テープにもボンドを
つける

ープを切って、指で
たちをととのえる

くすだまのかんざしのできあがり

なの花のかんざし

サイズ

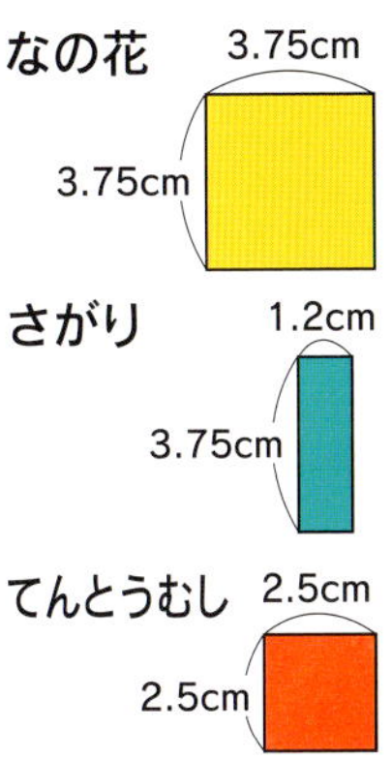
なの花
3.75cm
3.75cm
さがり
1.2cm
3.75cm
てんとうむし
2.5cm
2.5cm

【パーツの折りかた】

●なの花
54ページのあじさいの折りかた13まで折る。おなじものを７個つくる

●てんとうむし
16ページの11まで折り、おしりの部分をうちがわに折る

【さがり】

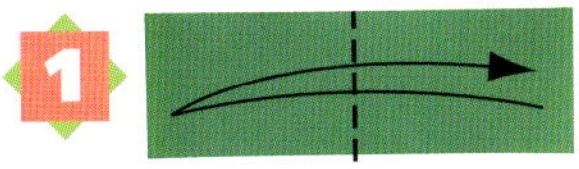

折りすじを
つけてひらく

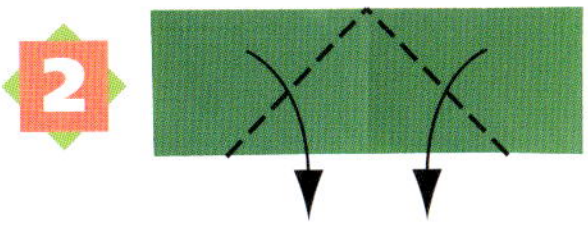

左右をまんなかに
あわせて折る

２つの角を折る

上に折る

半分に折る

さがりのできあがり
おなじものを９個つくる

【かんざしのつくりかた】

用意するもの

なの花　7輪
さがり　9個
てんとうむし　1匹
鈴　3個

かんざし金具　1個
リリアン（10センチ×3本）
ししゅう糸　80cm
ワイヤー　24番　1本
〃　26番　7本
（24番のほうが26番より強い）
フローラテープ
はさみ
ペンチ
目打ち
ものさし
ボンド（木工用または手芸用）
つまようじ

かんざし制作／岡田その子

1

26番のワイヤーを半分に切る

2

ワイヤーの先をペンチでまげ、5㎜くらいのフックにする

3

フックを少したおしてボンドをつけ、てんとうむしの折りかえし部分にさしこむ

4

花の中心にワイヤーを通すための穴をあける

5

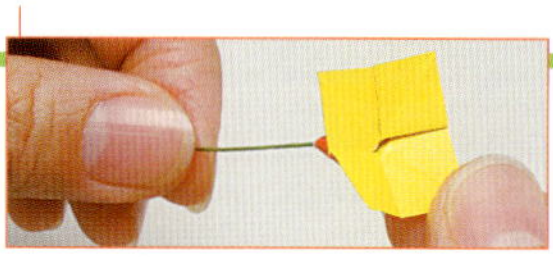

26番のワイヤーの先をペンチでフック型にまげ、ボンドをつけて花に通す

6

おなじものを7本つくる

7

１本の花をてんとうむしと組みあわせる。花から2.5㎝、てんとうむしから4.5㎝下をフローラテープで１回とめる

※わかりやすくするために紫のフローラテープをつかっています

8

３本の花をたたんでまとめ、２㎝下をフローラテープで１回とめる。もうひと束つくる

9

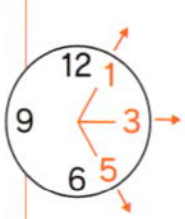

花をひらいて１時・３時・５時の角度にワイヤーをまげる

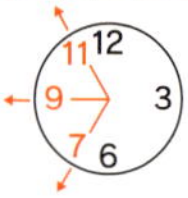

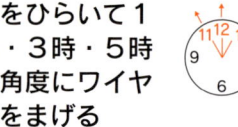

反対がわは７時・９時・11時の角度にまげる

10

7のてんとうむしと花をまんなかにいれて、フローラテープで１回とめる

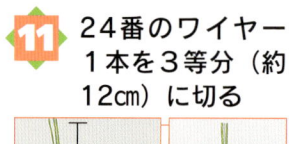

11

24番のワイヤー１本を３等分（約12㎝）に切る

３本をまとめ４㎝くらいのこしてフローラテープでまく

12

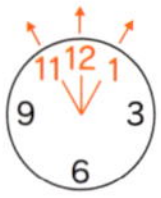

11時・12時・1時の角度にやつ手のようにひろげる

13

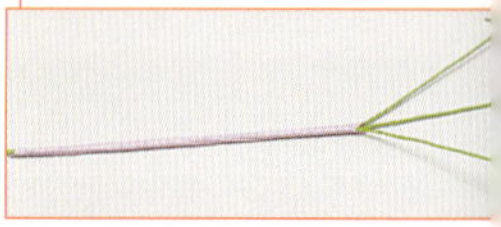

８㎜くらいをペンチ
まげる

14

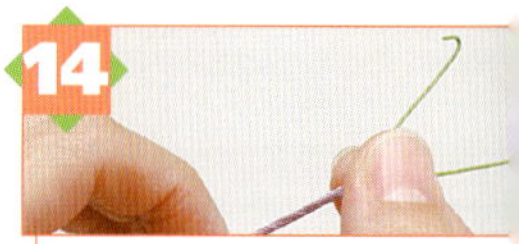

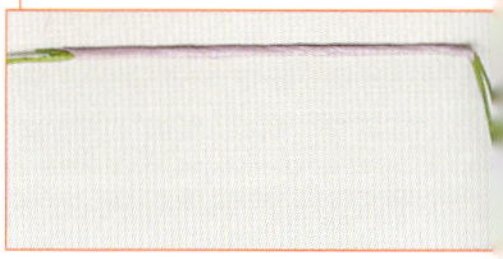

やつ手を下むきにま
る

15

花とやつ手を組みあ
せる。てんとうむし
おしりのほうにやつ
がくるようにして、
ローラテープでとめ

16

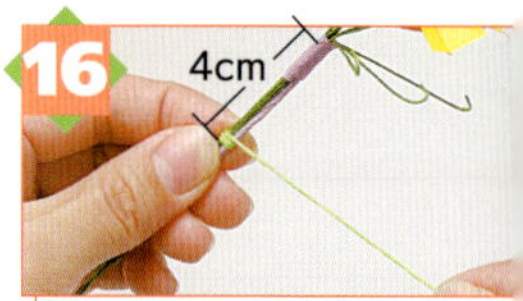

やつ手を組みあわせ
ところから４㎝下に
ボンドをつけたしし
う糸をまく

ボンドをつけながら
にまいていく

いごは「わ」の中に
して結ぶようにする

んだところでぴっち
と切る

ったところにボンド
つける

.5㎝のところでまっ
ぐに切る

ンチで1㎝上にまげ

んざし金具に40㎝の
しゅう糸を1回結ぶ

21

金具にボンドをつけて
花をのせる

このとき、やつ手が下
になるようにのせる

22

ししゅう糸でまいてい
き、うらがわで切って
ボンドで固める

23

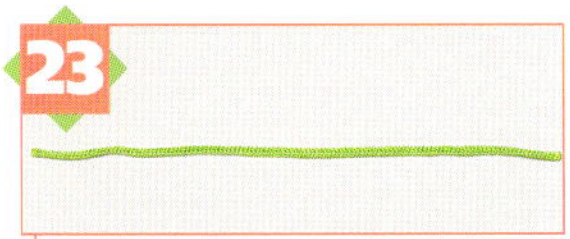

リリアンを10㎝に切り、
鈴を通す

1㎝くらい折りかえす

24

さがりをひらき▼から
→の角度になるように
リリアンをおく

25

ボンドをつけてはさむ

26

約1㎝あけて2個目を
はさむ

27

3個目はリリアンを
「わ」にしてはさむ

28

おなじものを
3つつくる

29

やつ手のフックにさが
りをかけてペンチでし
める

30

なの花のかんざしのできあがり

クリスマスツリー

サイズ

上の木　大きさのちがうおりがみを３枚用意します

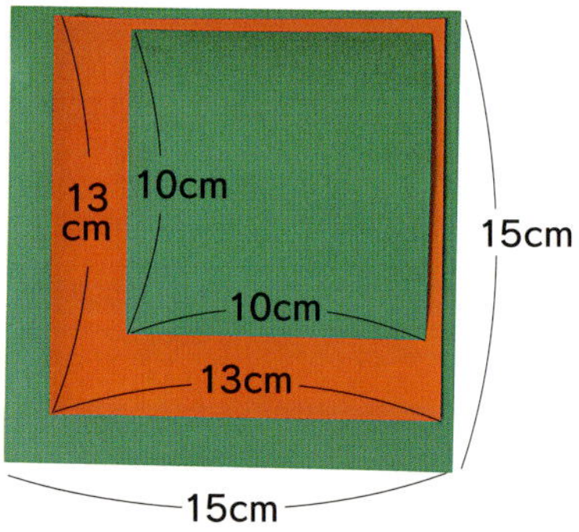

下の木　15cm～18cmくらいの正方形のおりがみ

8ページの正方基本形の折りかたで正方形まで折ってね

正方基本形からスタート

【上の木】

1

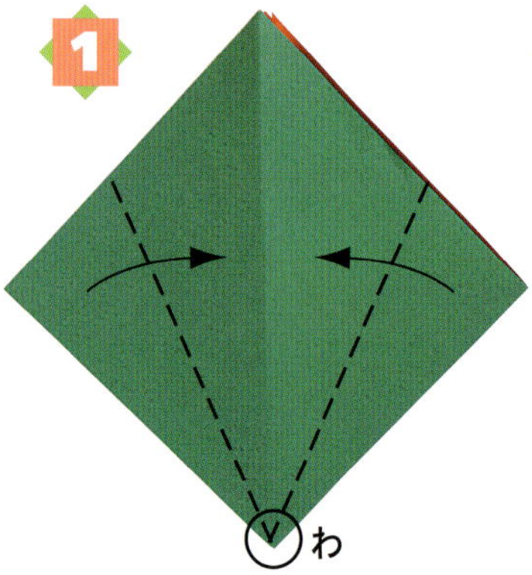

まんなかにあわせて折る。うらもおなじように折る

2

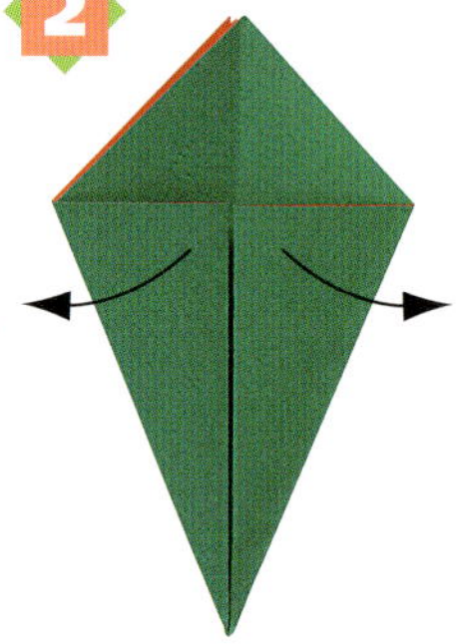

いちどひらく

3

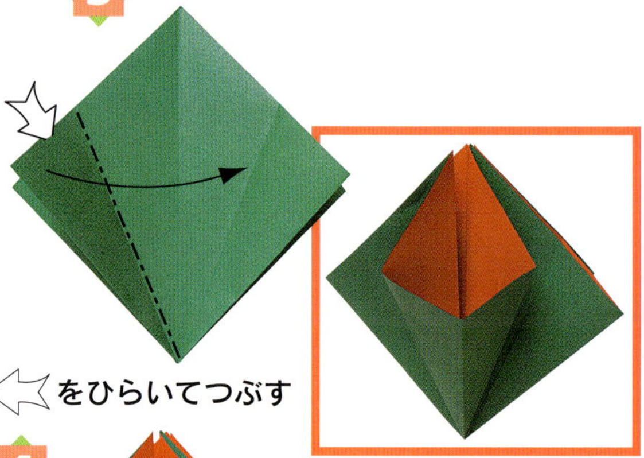

をひらいてつぶす

4

めくってのこり３ヵ所もおなじように折る

5

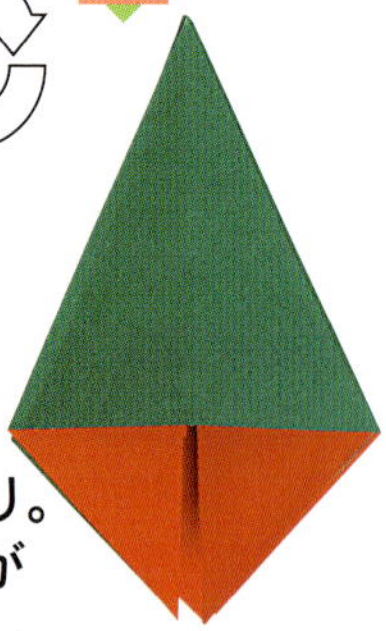

上の木の１つができあがり。おなじように大きさのちがう木を２つ折る

6

7

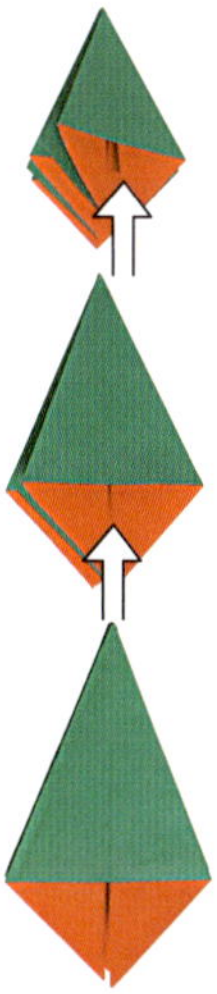

大きさの順に
さしこむ

8

★の部分のうちがわを
のりづけする

9

折りすじをあわせてひらく

上の木のできあがり

【下の木】

上の木の5からスタート

1

下の三角形を切る

2

半分に折る

3

のこり3ヵ所も
おなじように折る

4

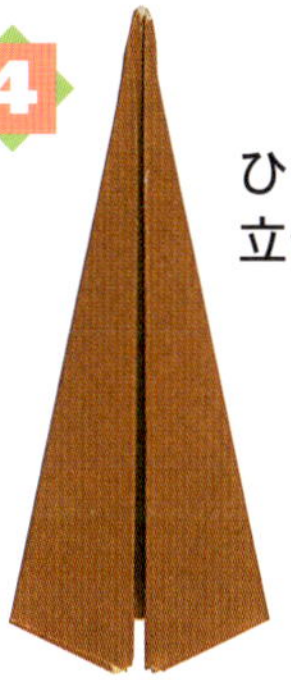

ひろげて
立体的にする

5

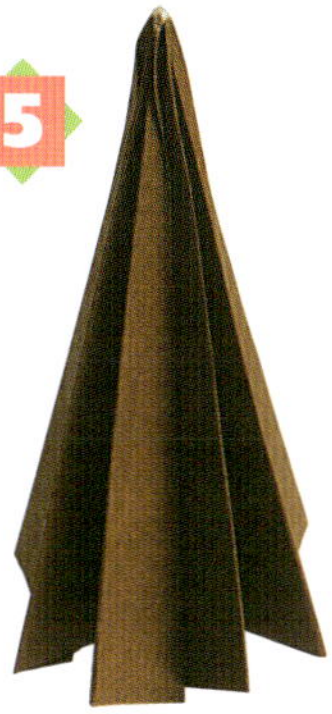

下の木の できあがり

【組みあわせ】

1

上の木をかさねる

クリスマスツリーの できあがり

かざりをつけて
あそんでね！

サンタクロース

【あたま】

1

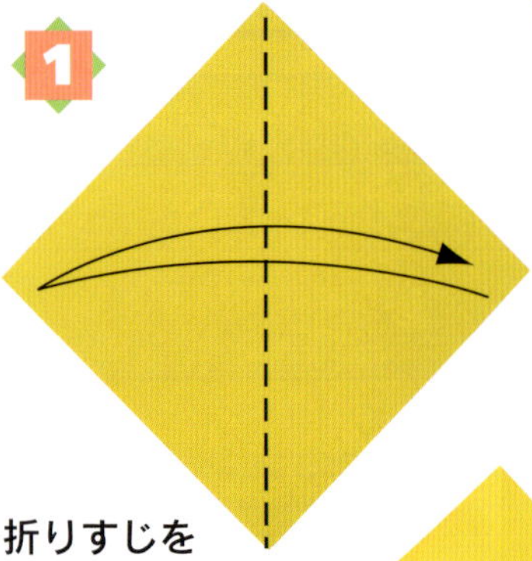

折りすじを
つけてひらく

2

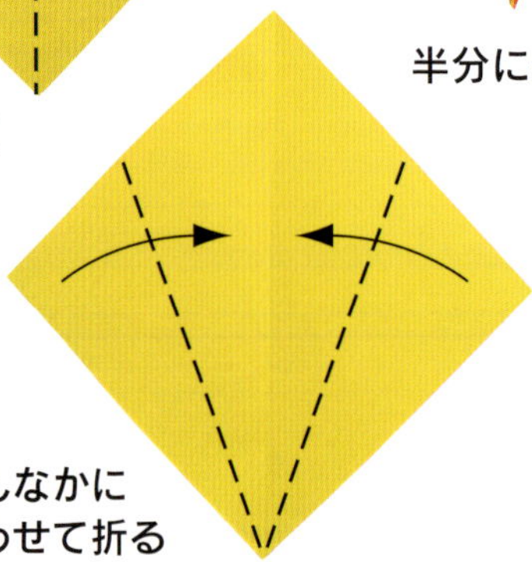

まんなかに
あわせて折る

3

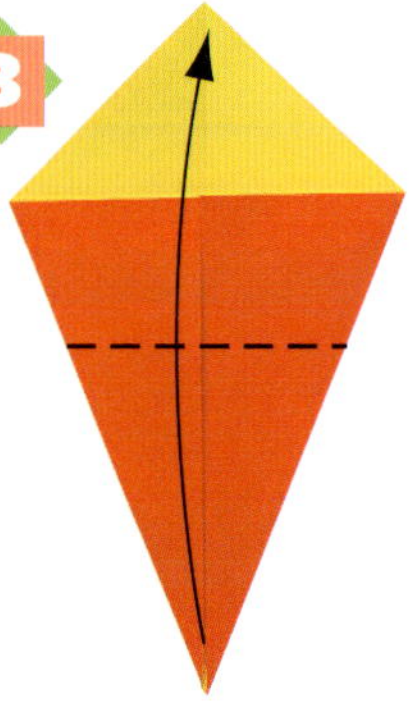

半分に折る

4

5

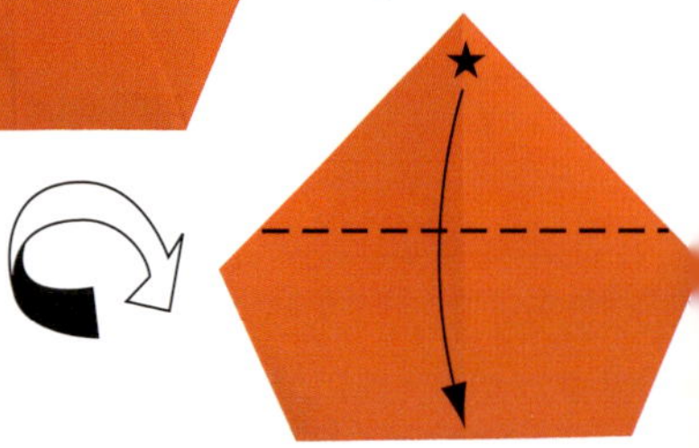

★が下につくように折る

6

7

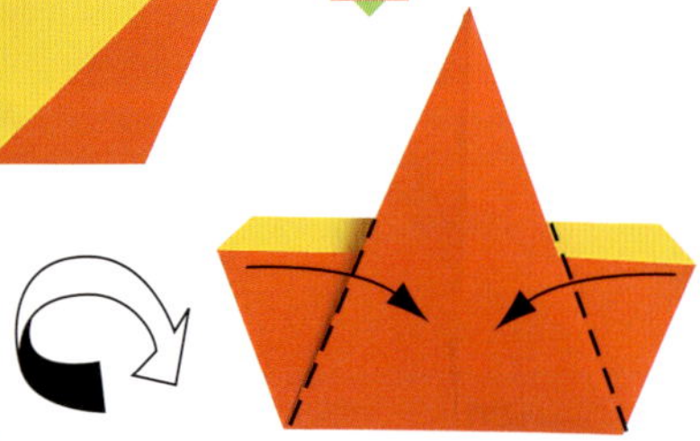

左右を折る

8

9

**あたまの
できあがり**

【からだ】

1

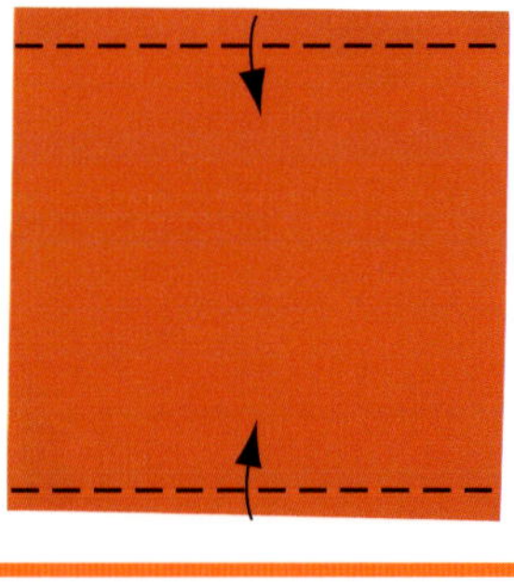

上下を7㎜くらいの
はばで折る
（15㎝×15㎝のおりが

2

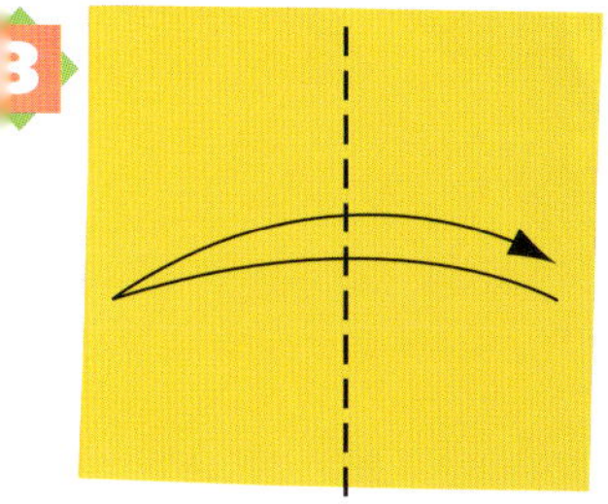
3

折りすじをつけてひらく

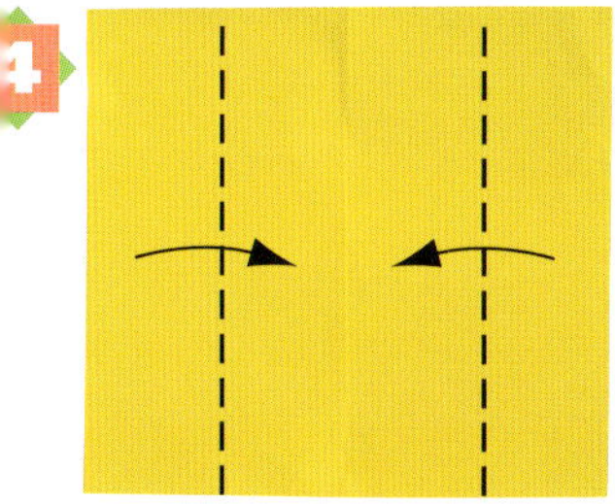
4

まんなかにあわせて折る

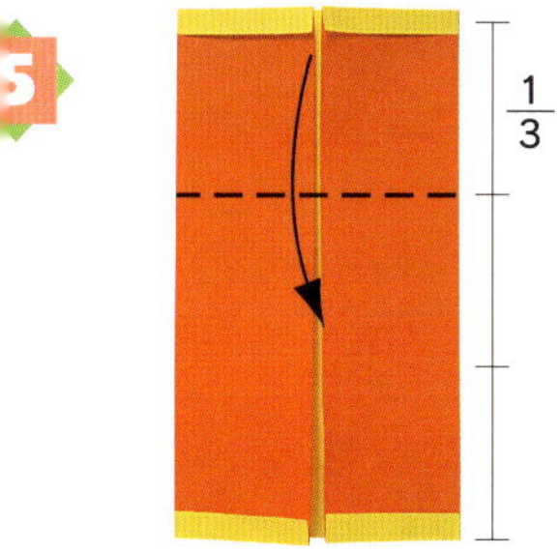
5
1
3

1/3くらいのところで折る

6

いちどひらく

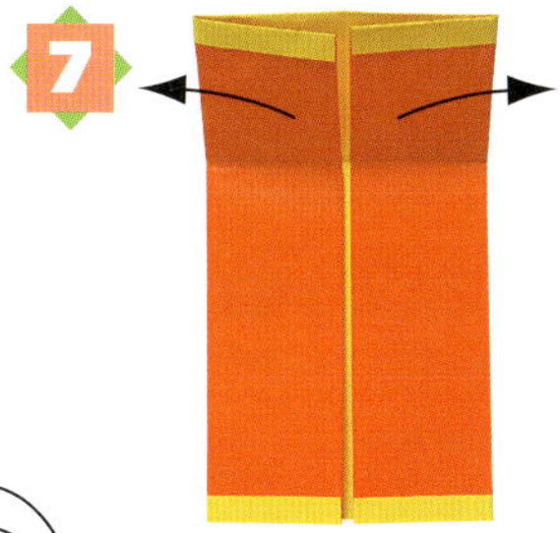
7

8になるように
左右にずらす

8

★をしっかり折り、
とじる

9

からだのできあがり

【ふくろ】

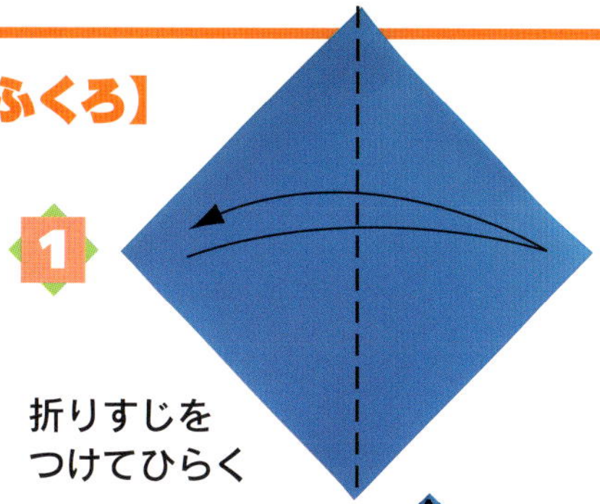
1

折りすじを
つけてひらく

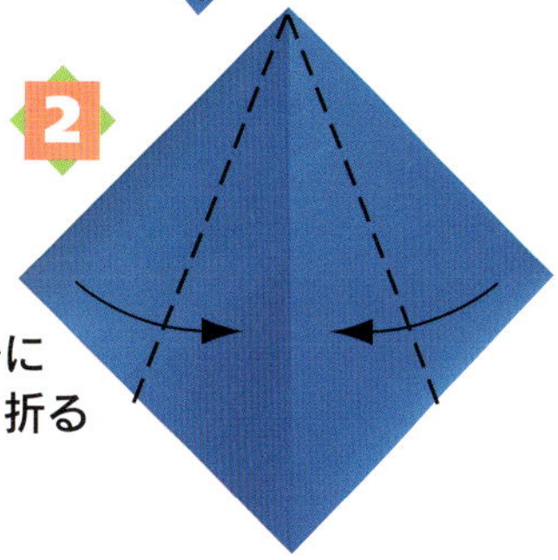
2

まんなかに
あわせて折る

3

折る

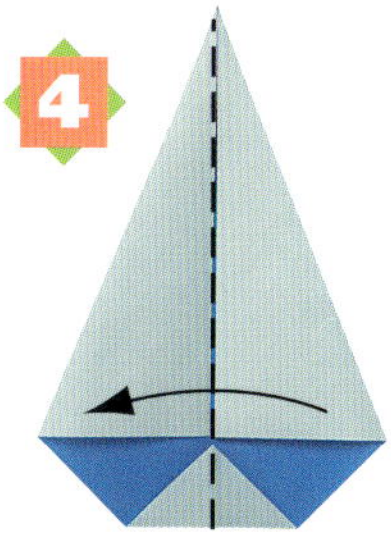
4

半分に折る

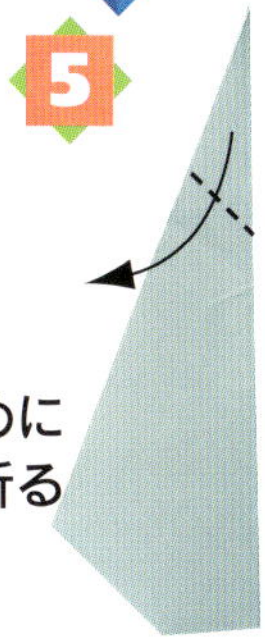
5

ななめに
折る

6

ふくろの
できあがり

【組みあわせ】

1

あたまの★をめくり、
からだをさしこんで
のりづけする

2

サンタクロースの
できあがり

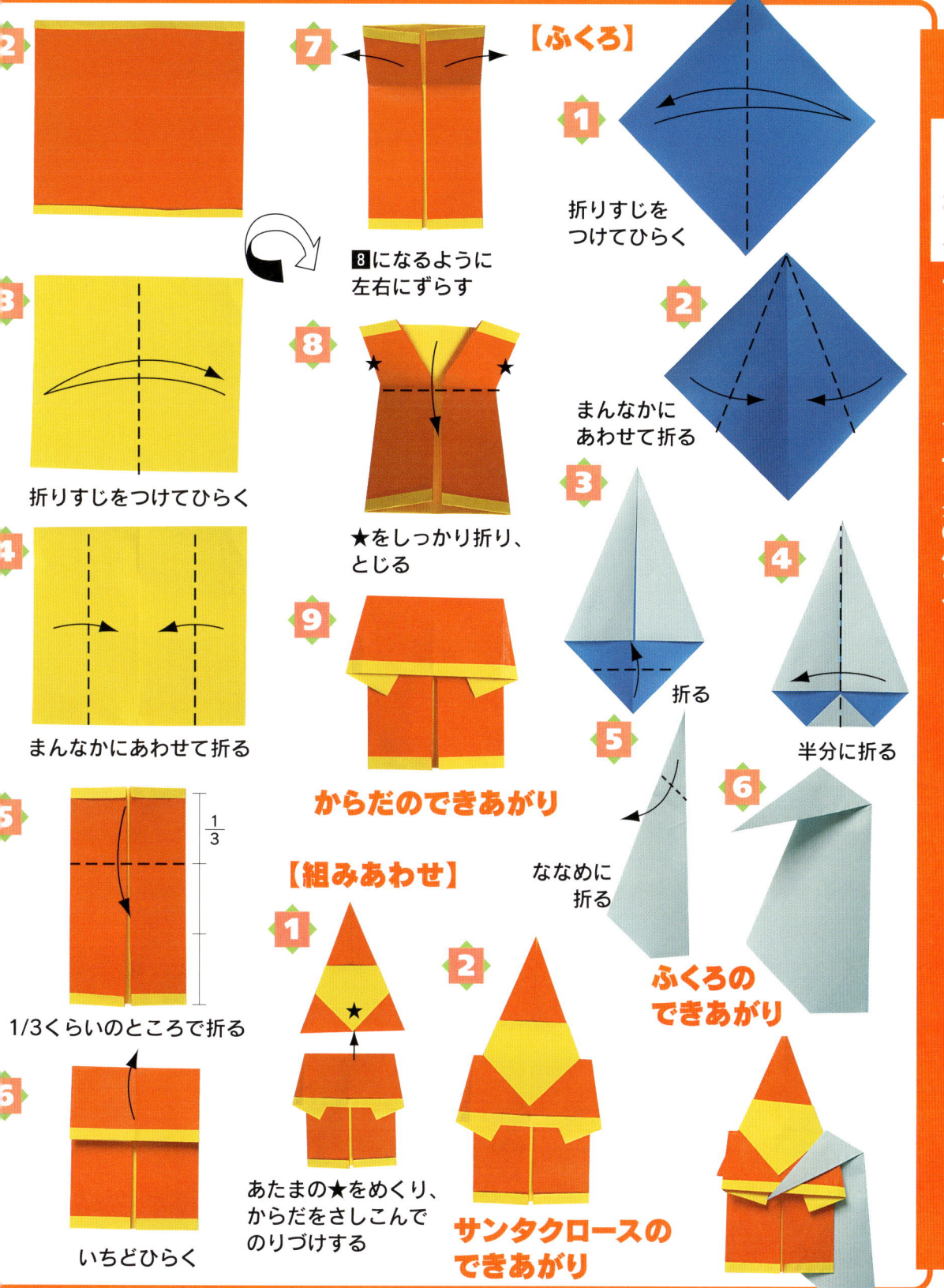

てぶくろ

1

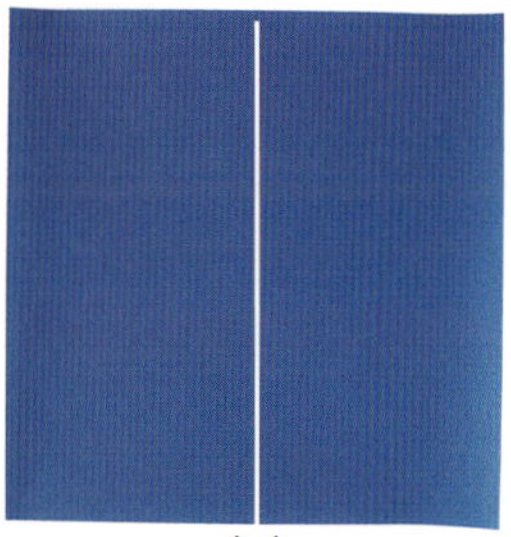

半分に切る

2

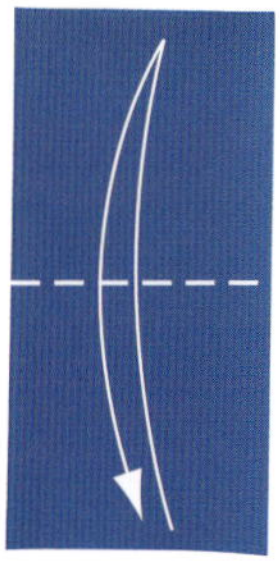

折りすじを
つけてひらく

3

下を７㎜くらい
折りあげる

4

5

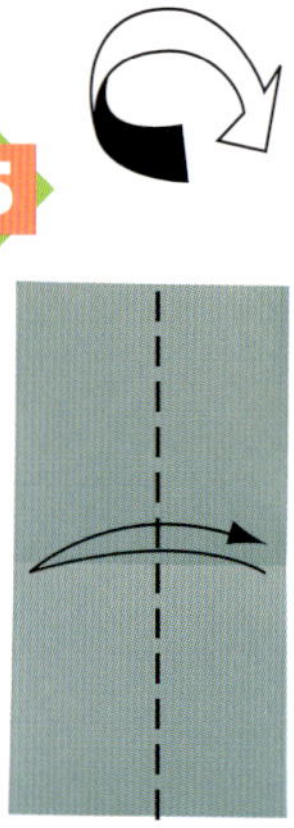

折りすじを
つけてひらく

6

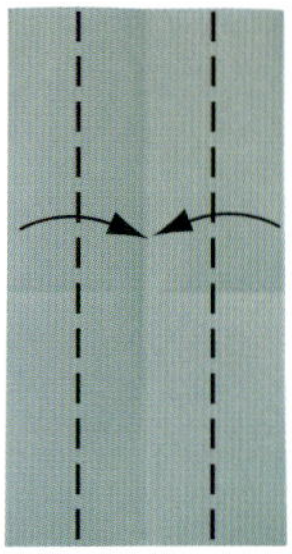

まんなかに
あわせて折る

7

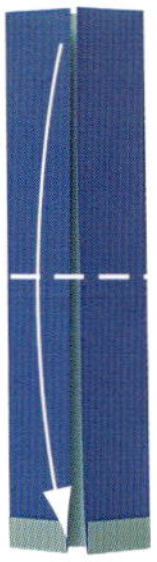

2でつけた
折りすじで折る

8

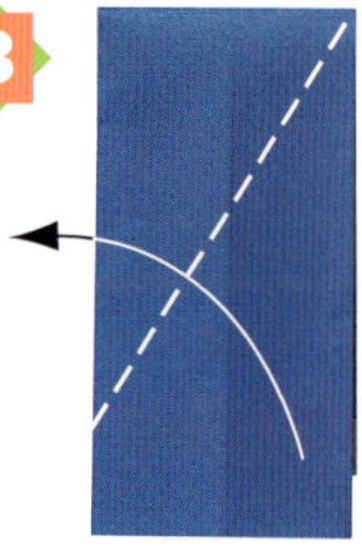

9の★の角《かど》に
あうように折る

9

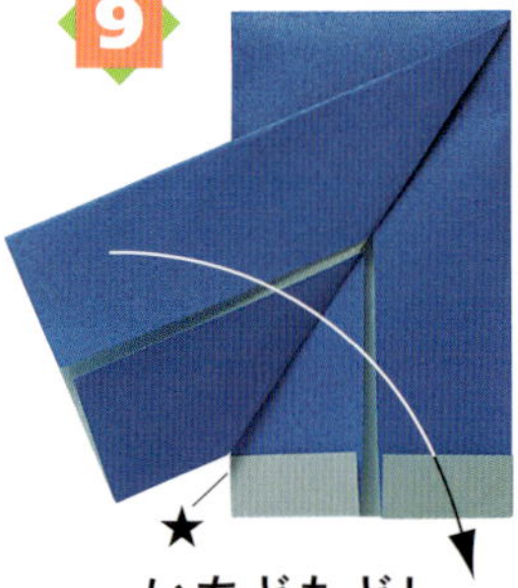

いちどもどし、
右にも折る

10

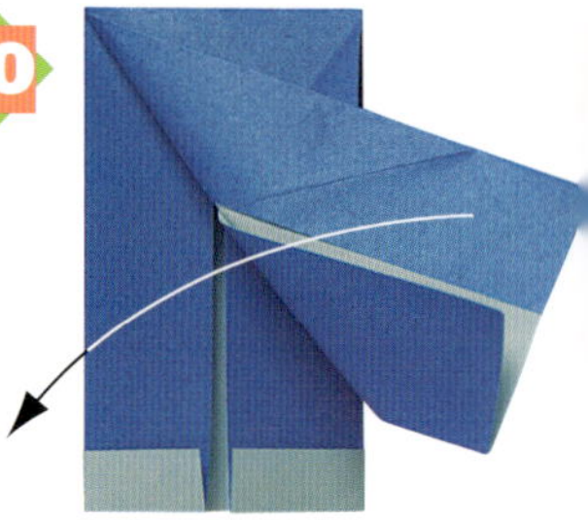

もどす

11

⇦のところに指をいれ、
上に折りたたむ

12

右にたおす

13

いちどひらく

14

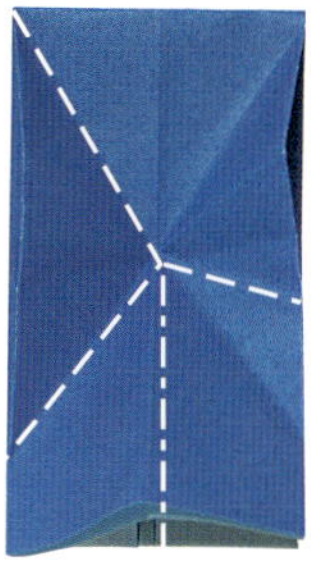

折りすじのように折りたたみ、右にたおす

11とは折りかたがちがうから、よくみてね

15

４つの角《かど》を折る

16

17

18

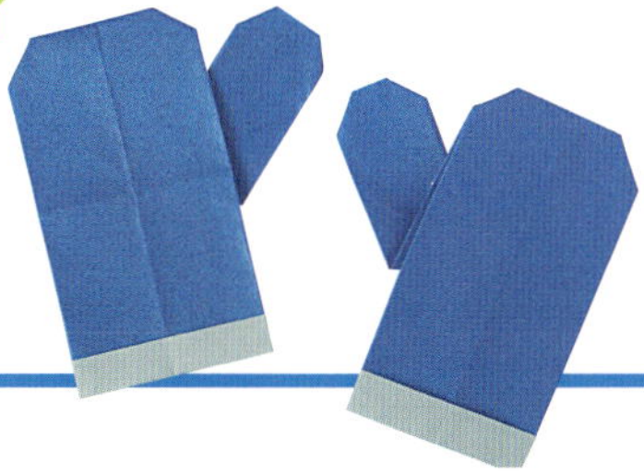

てぶくろのできあがり

くつした

1

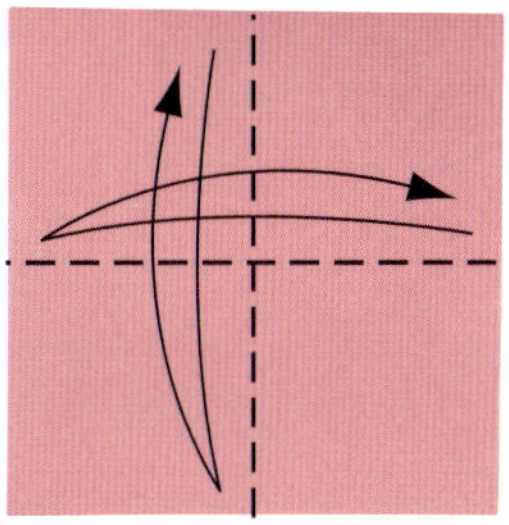

折りすじをつけてひらく

2

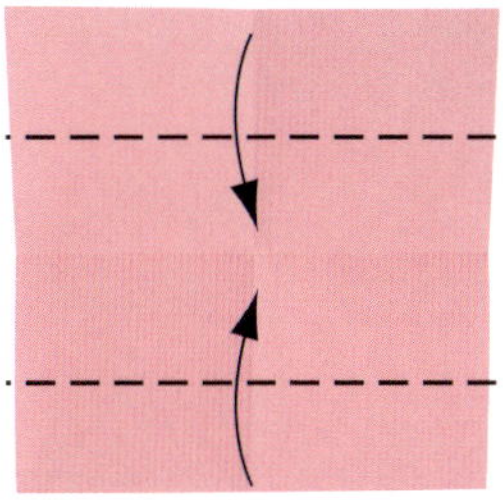

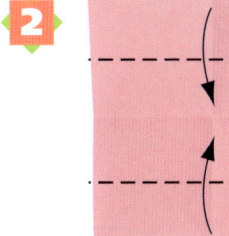

まんなかにあわせて折る

3

いちどひらく

4

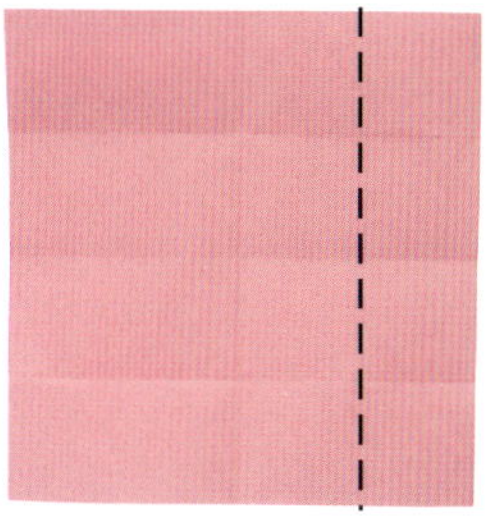

右がわの半分のところをかるく折り、めやすのためのしるしをつける

5

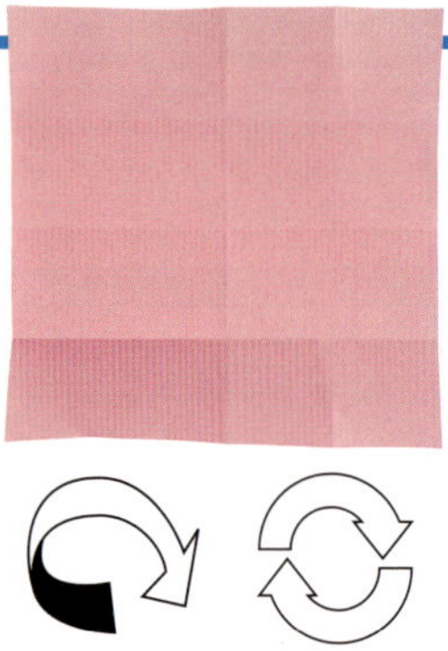

6

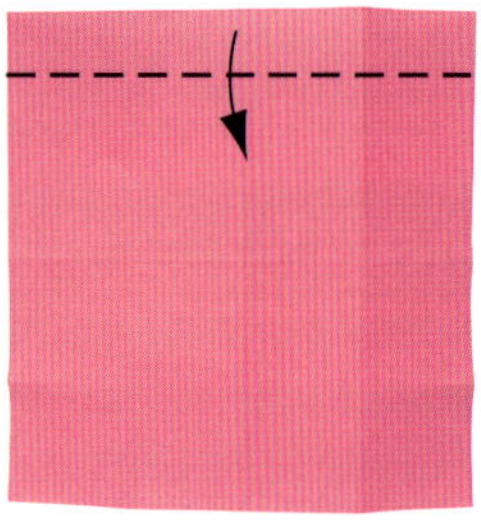

4のめやすにあわせて折る

7

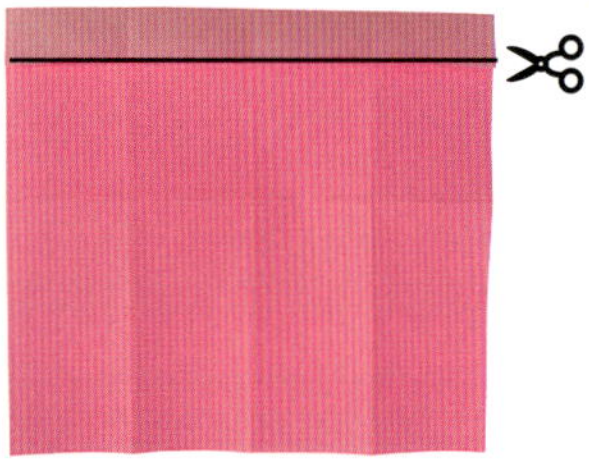

折ったはしのところをピンキングばさみで切る（ふつうのはさみでもよい）

8

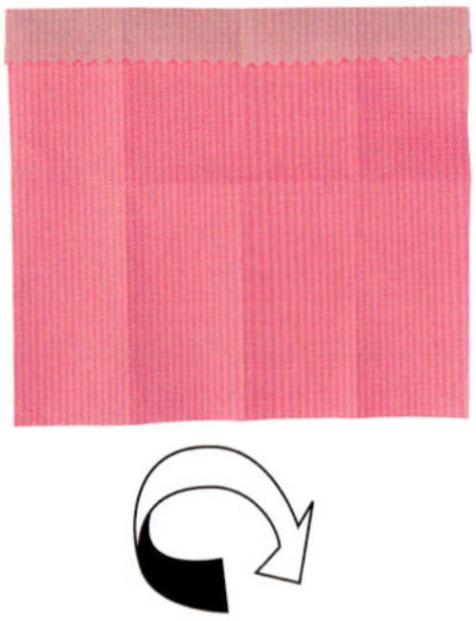

9

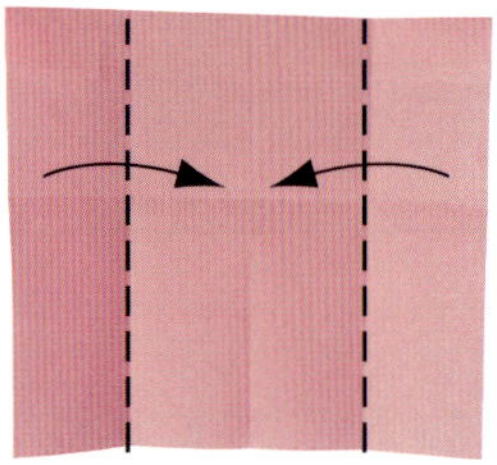

まんなかにあわせて折る

10

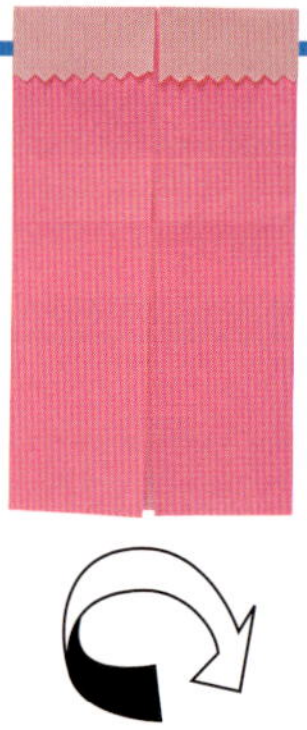

11

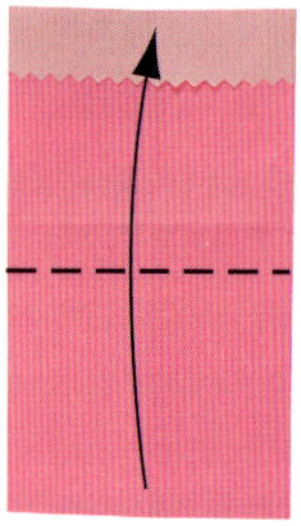

半分に折る

12

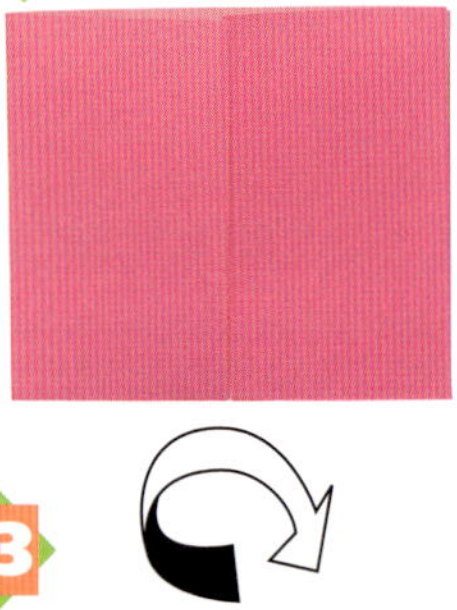

13

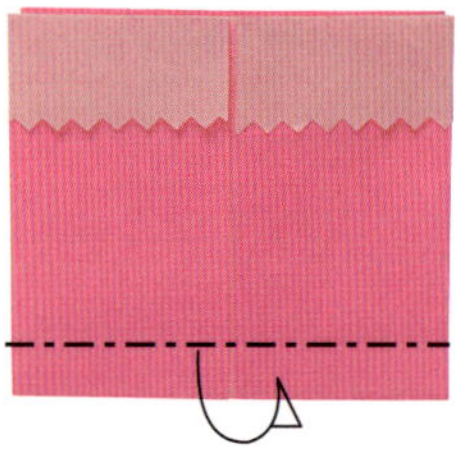

折りすじのところでうらがわに折る

14

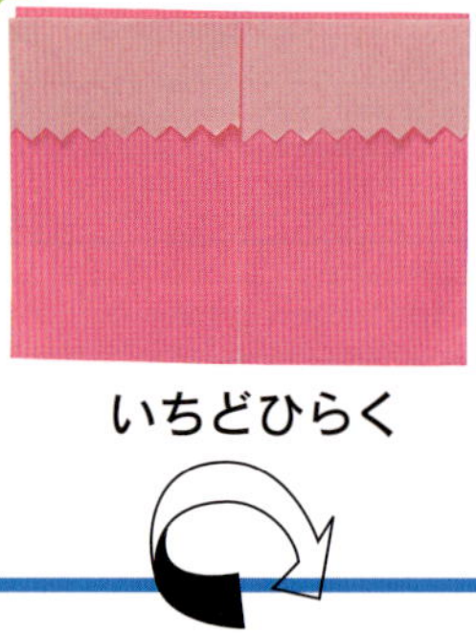

いちどひらく

15

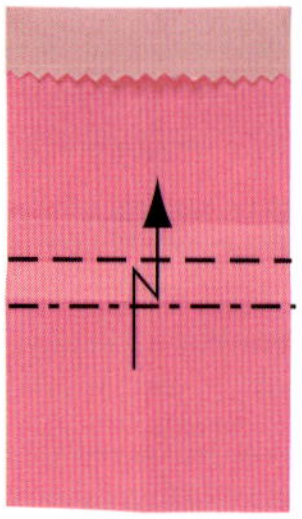

いちばん下の折りすじを山折りにして、上に段折りする

16

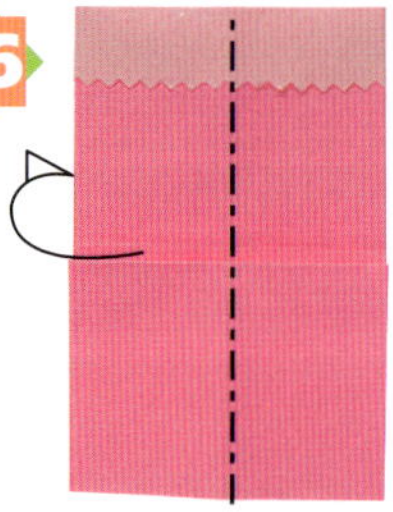

うらがわに折る

17

★を指でもってひっぱり、▲をひらいてつぶす

18

折りすじをつけていちどひらく。★は中わり折りでうちがわに折る

19

上の両はしを折りすじにそって折り、下の４つの角を折る

20

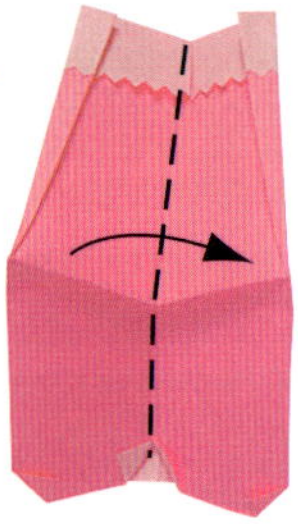

とじる

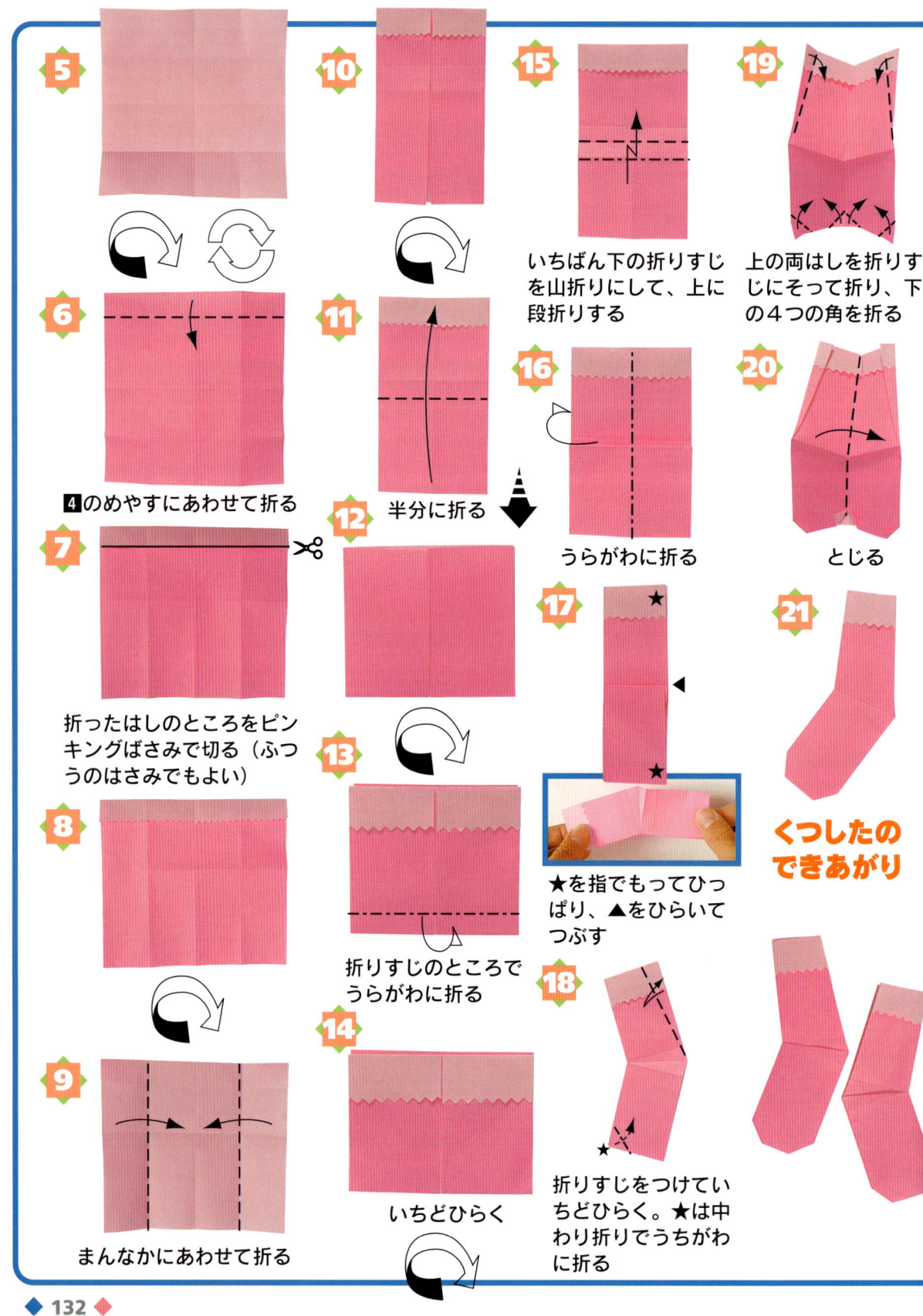

21

くつしたのできあがり

雪だるま

1

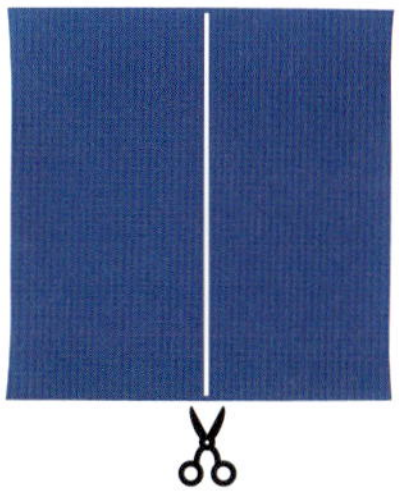

半分に切る

2

折りすじを
つけてひらく

3

2つの角《かど》を折る

4

まんなかの
折りすじに
あうように折る

5

いちどひらく

6

2本の折りすじ
がついている

7

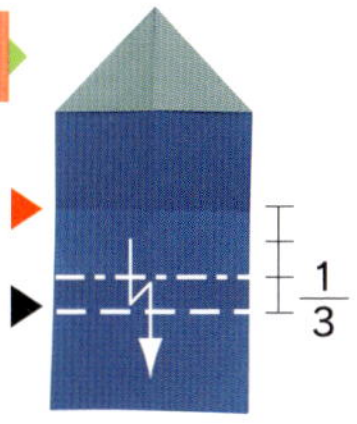

▲と▲のあいだの
1/3くらいのはば
を山折りにして、
段折りにする

8

▲の折りすじを山折
りにして指でつまむ

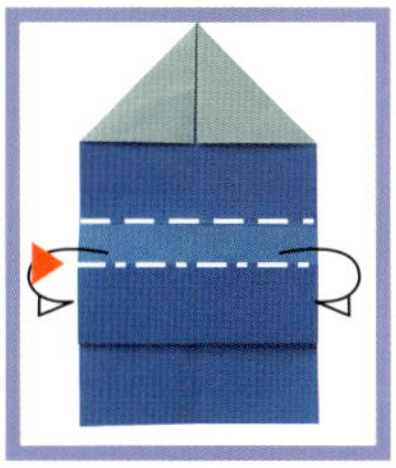

うらがわが
7で段折り
にした線に
あうように
する

9

まんなかに
あわせて折る

10

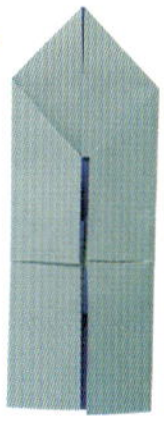

いちどひらく

11

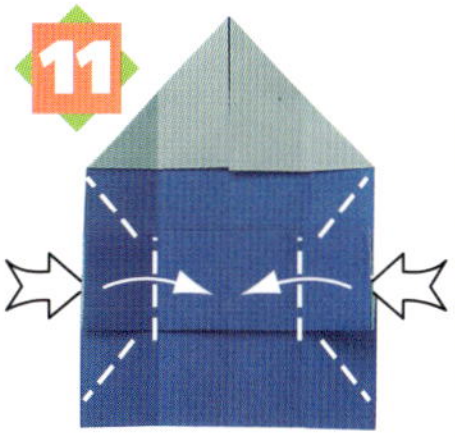

⇦をひらいてうち
がわにつぶす

12

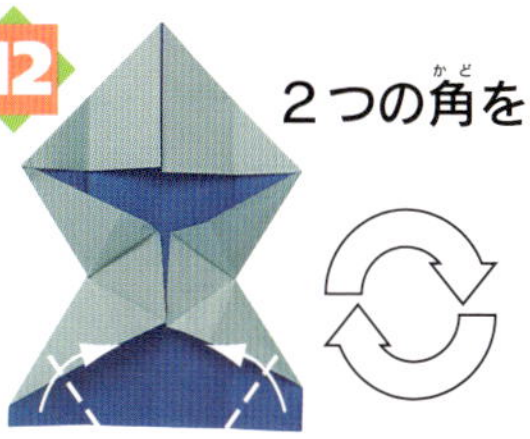

2つの角《かど》を折る

13

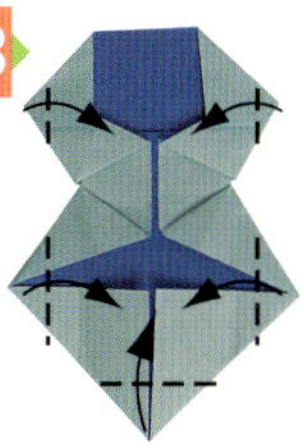

5つの角《かど》を折る

14

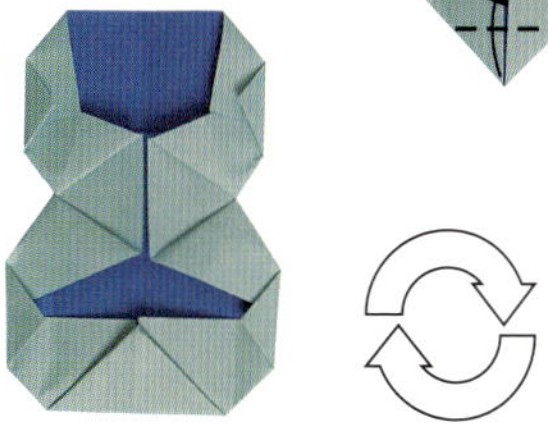

15

**雪だるまの
できあがり**

雪《ゆき》の紋《もん》切《き》り

【A】

1
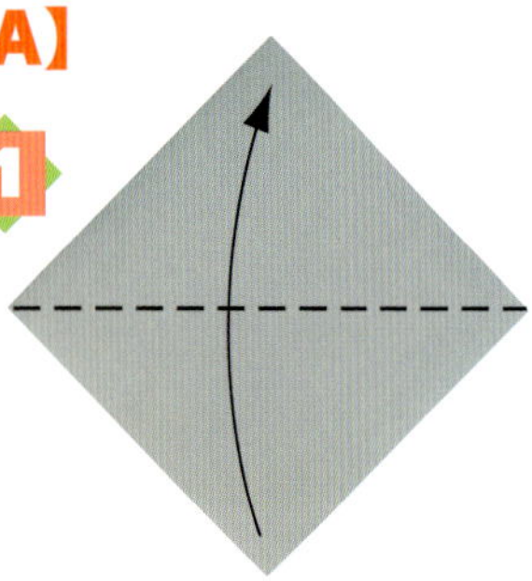
三角形に折る

2
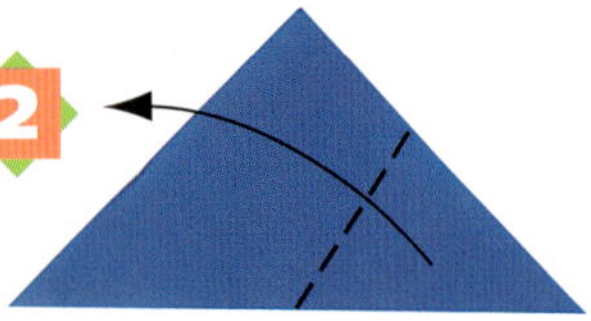
159ページの折り線Ｂにあわせて右がわを折る

まず折り型の説明を読んでね

3

うらがえす

4
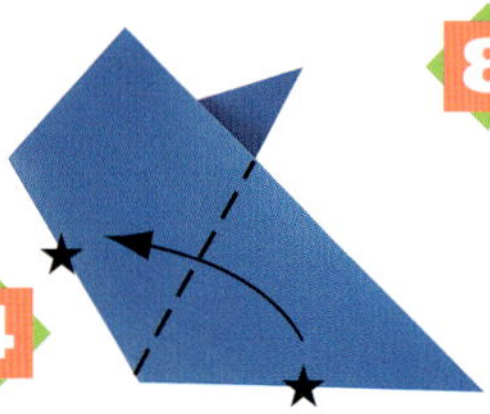
★の線があうように折る

5

型《かた》をかく

6
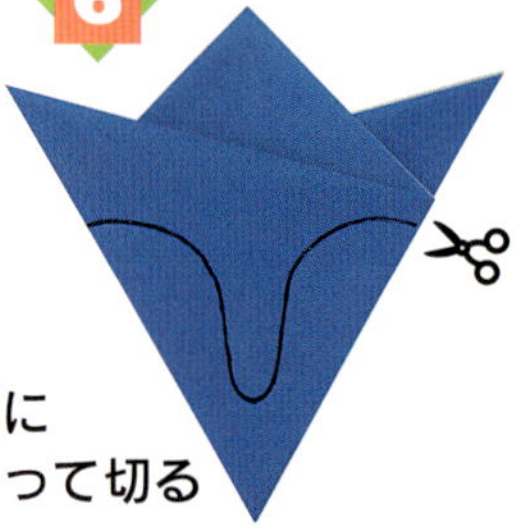
型《かた》にそって切る

7

ゆっくりとひろげる

8

雪《ゆき》の紋《もん》切《き》りAのできあがり

【B】

Aの５からスタート

1

型《かた》をかく

2

まず上の線を切る

3
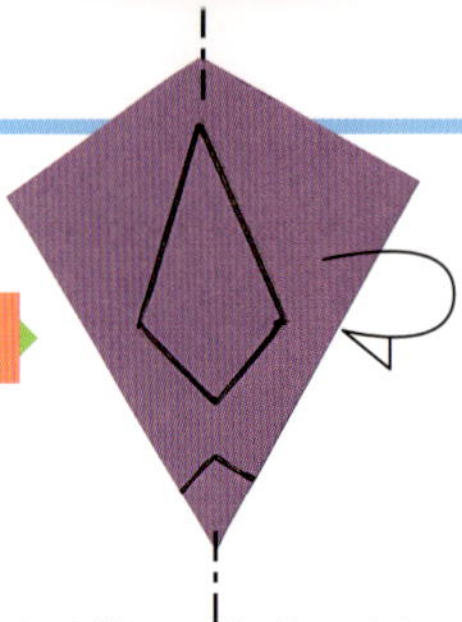
うらがわに半分に折る（このままでカッターをつかって切ってもよい）

4
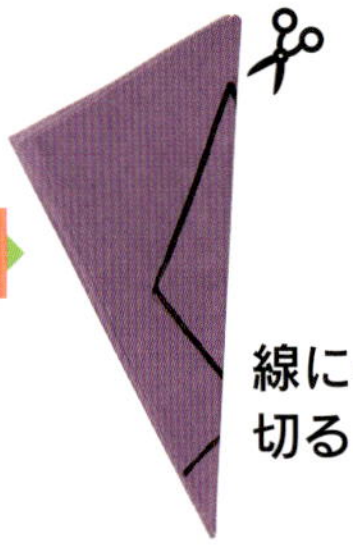
線にそって切る

5

いちどひらいたところをゆっくりとひろげる

6

雪《ゆき》の紋《もん》切《き》りBのできあがり

【C】

Aの5からスタート

1

型《かた》をかいて切る

2

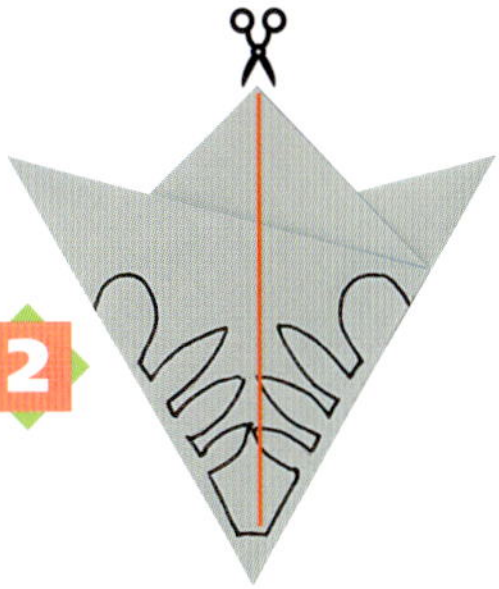

型が細かいので先に半分に
りこみをいれてもよい

3

半分切ったところ

4

ゆっくりとひろげる

ちぎれないように
そ〜っとひろげて

5

雪《ゆき》の紋《もん》切《き》りCのできあがり

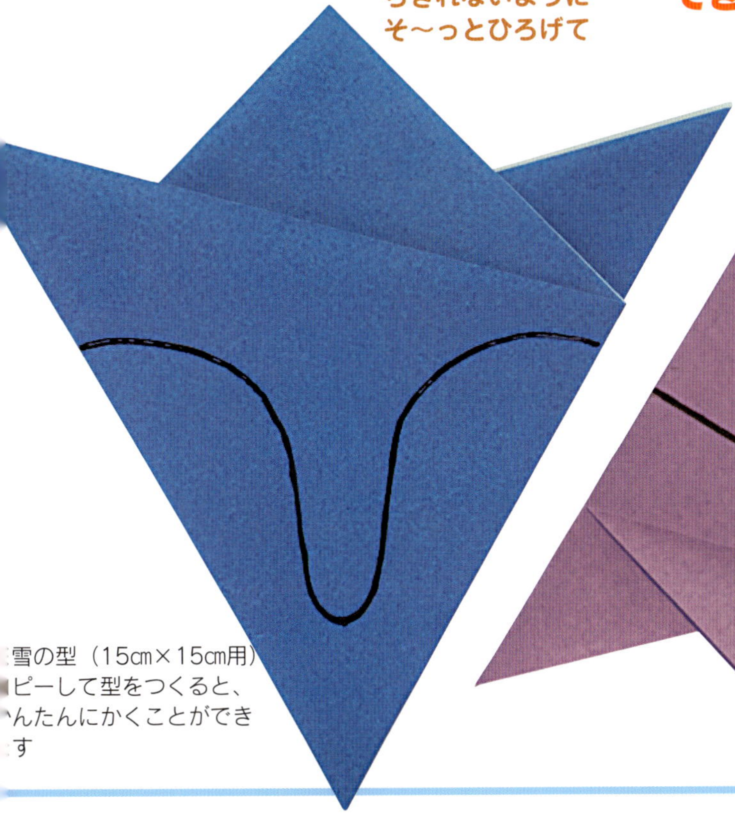

雪の型（15cm×15cm用）
ピーして型をつくると、
んたんにかくことができ
す

つる

8ページの正方基本形の折りかたで正方形まで折ってね

正方基本形からスタート

4
うらもおなじ
ように折る
6
うらもおなじ
ように折る
7
1枚めくる
8
半分に
折りあげる
9
とじる。
右がわもおなじ
ように折る

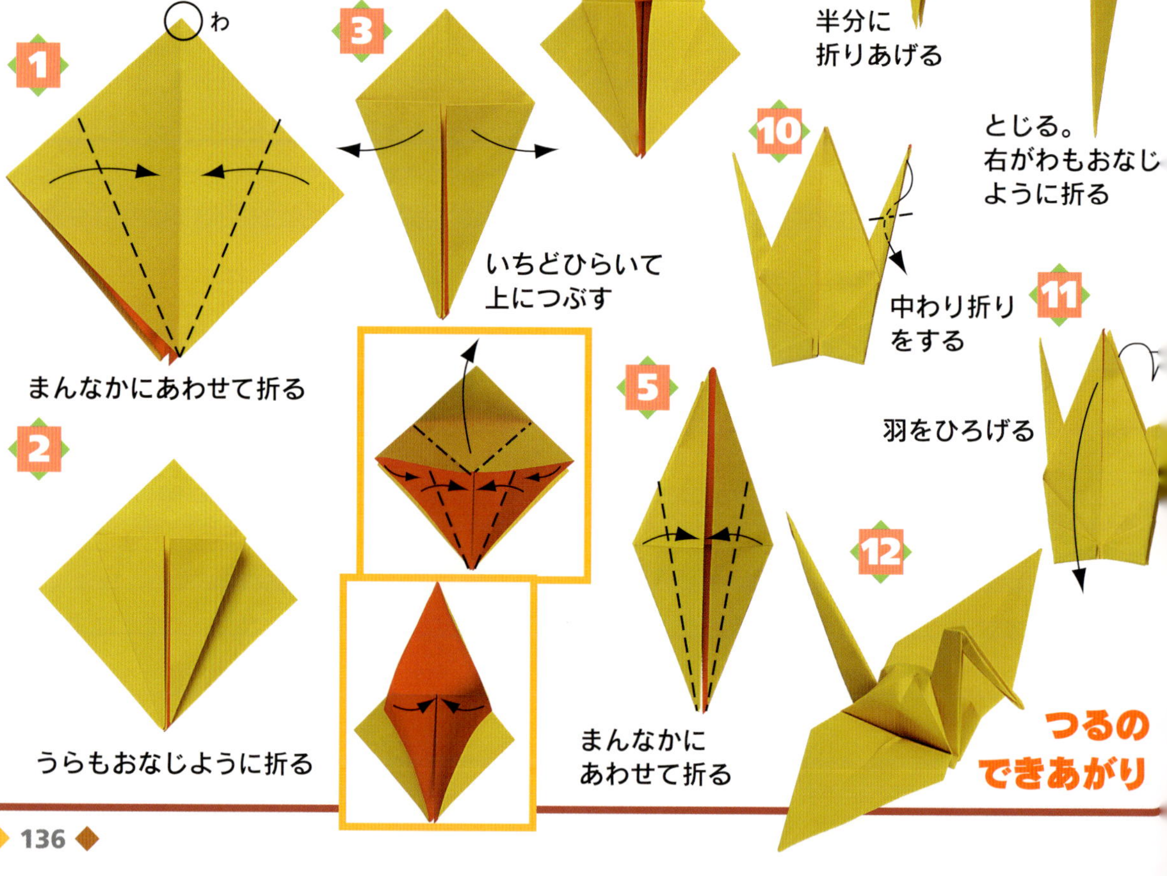
1
わ
まんなかにあわせて折る
2
うらもおなじように折る
3
いちどひらいて
上につぶす
5
まんなかに
あわせて折る
10
中わり折り
をする
11
羽をひろげる
12
つるの
できあがり

ポチぶくろ

サイズ

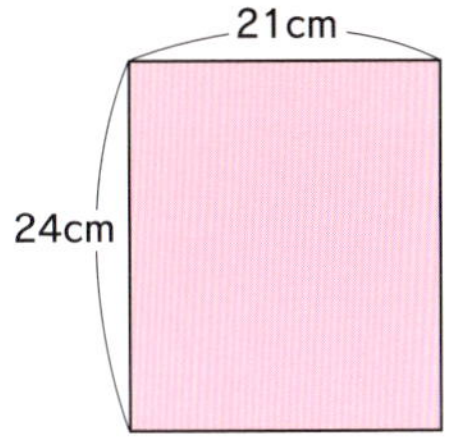
21cm
24cm

1

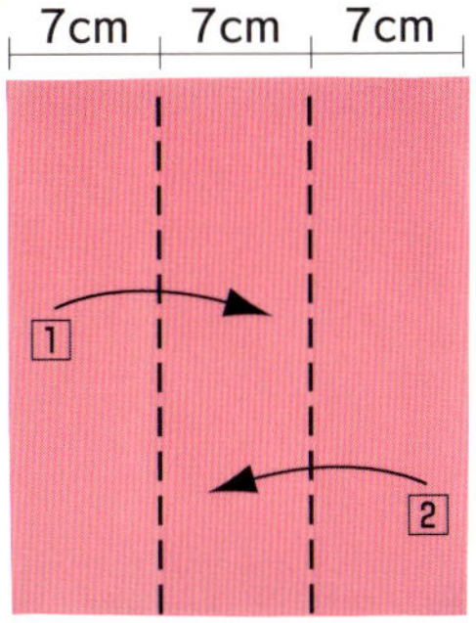
7cm
7cm
7cm
1
2

7㎝のはばで左から先に折る

2

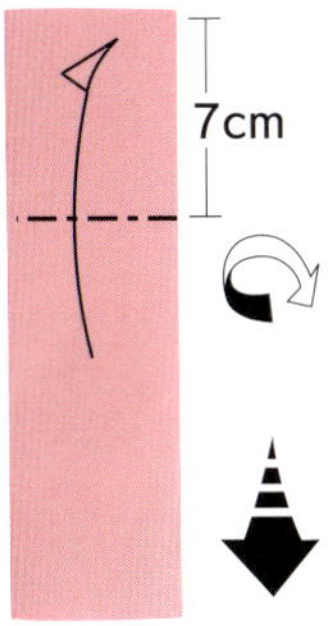
7cm

上から7㎝のところで折る

3

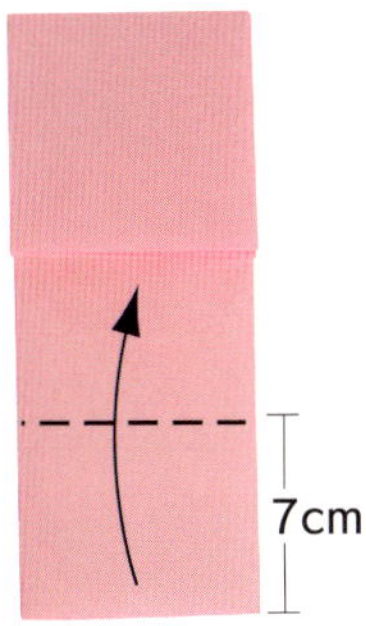
7cm

うらがえして下から7㎝のところで折る

4

上を下にさしこむ

5

6

ポチぶくろのできあがり

小さなおりがみでパーツを折ってはるだけで、かわいいポチぶくろができるよ！

ヨット…78ページ
(5㎝×5㎝)
いちご…28ページ
(6.5㎝×6.5㎝)
雪の紋きり…134ページ
(6㎝×6㎝)

きもののポチぶくろ

ポチぶくろのアレンジ

大人むけに
きもののポチぶくろを
つくってみましょう！

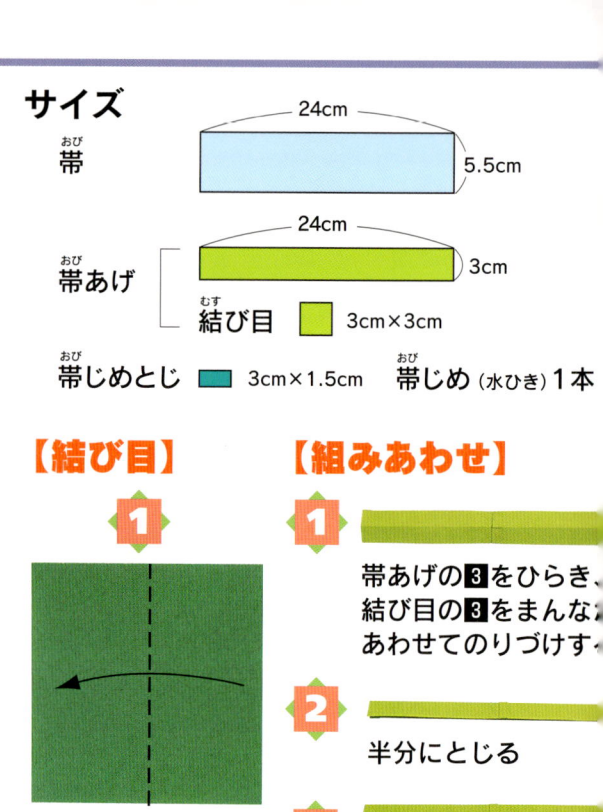

サイズ

帯《おび》　24cm × 5.5cm

帯《おび》あげ　24cm × 3cm

結《むす》び目　3cm×3cm

帯《おび》じめとじ　3cm×1.5cm

帯《おび》じめ（水ひき）1本

【帯《おび》】

1

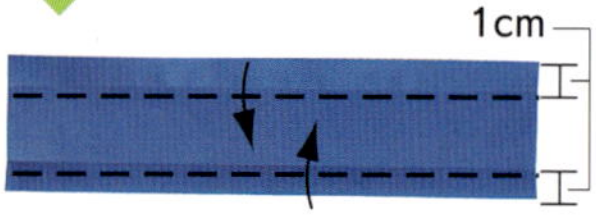

1㎝くらいのはばで
上下に折る

2

3

【帯《おび》あげ】

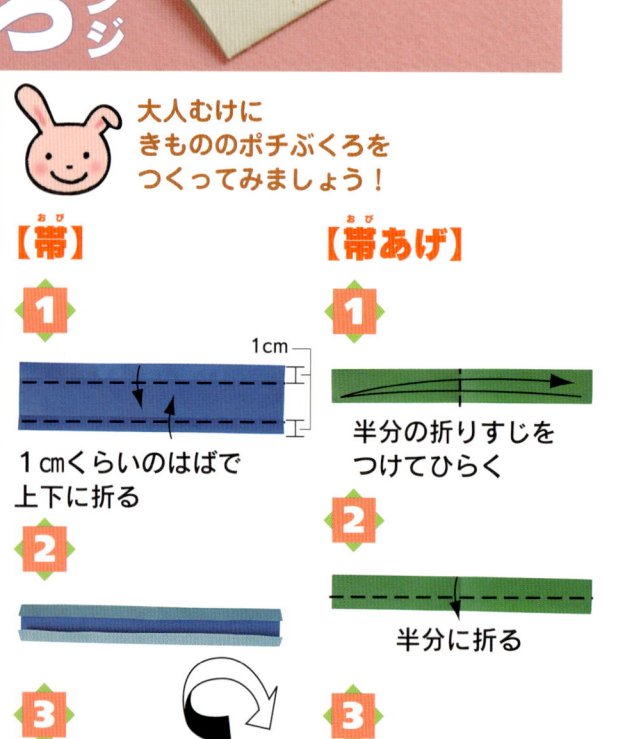

1

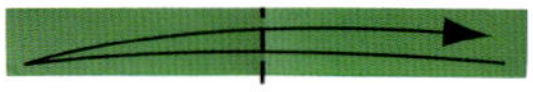

半分の折りすじを
つけてひらく

2

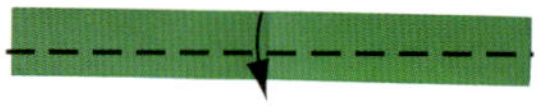

半分に折る

3

【結び目】

1

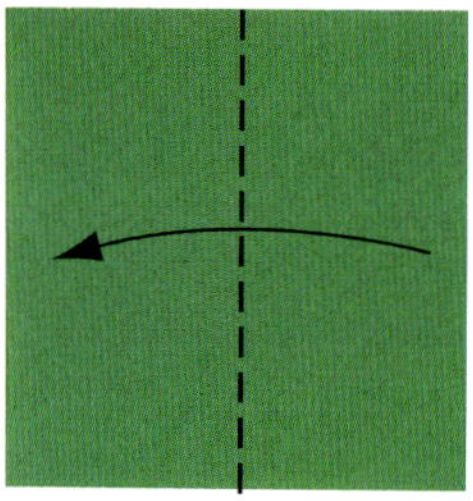

半分に折る

2

もういちど
半分に折る

3

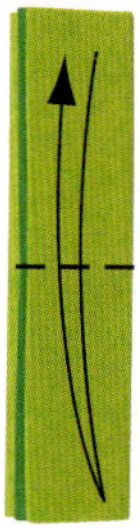

半分の折りすじを
つけてひらく

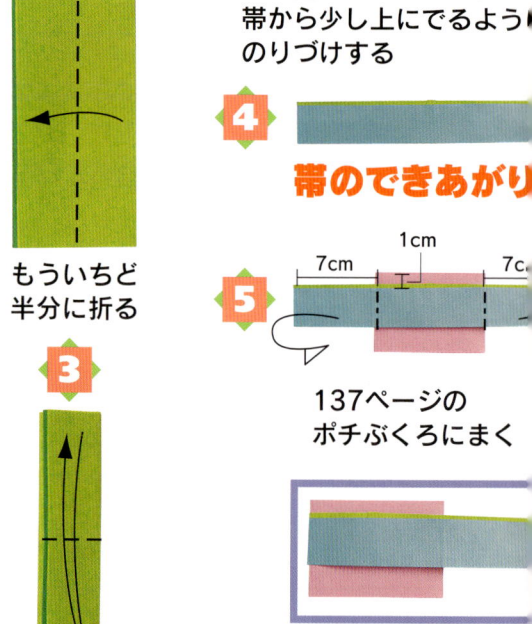

【組みあわせ】

1

帯あげの❸をひらき、
結び目の❸をまんな
あわせてのりづけす

2

半分にとじる

3

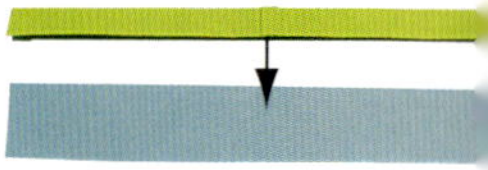

帯の❸のうらがわに、
帯から少し上にでるよう
のりづけする

4

帯のできあがり

5

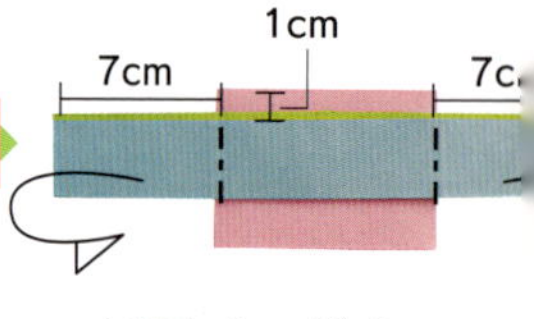

137ページの
ポチぶくろにまく

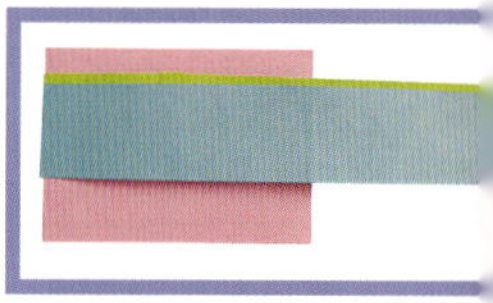

まず左から折る

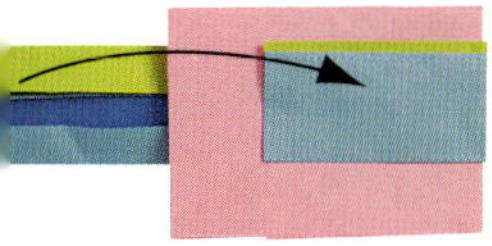

を折ってのりづけする

ひきをふくろの下におく

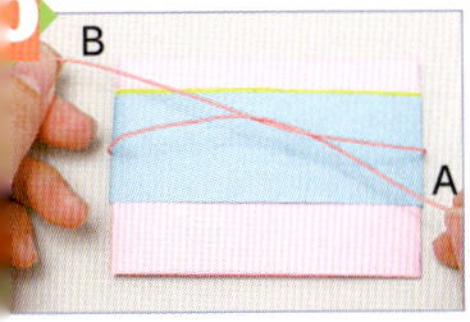

Aを上にして
交差させ、結ぶ

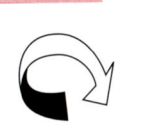

12

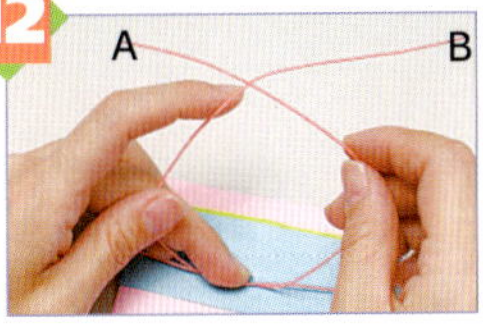

もういちどAを上にして交差させ、さいしょの結び目をおさえながら結ぶ

13

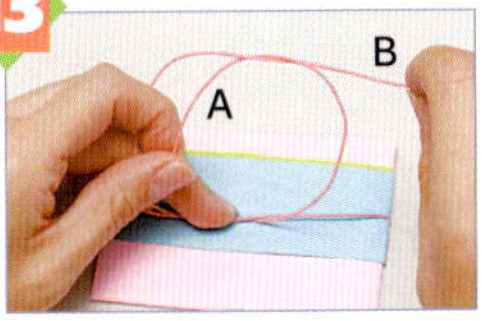

14

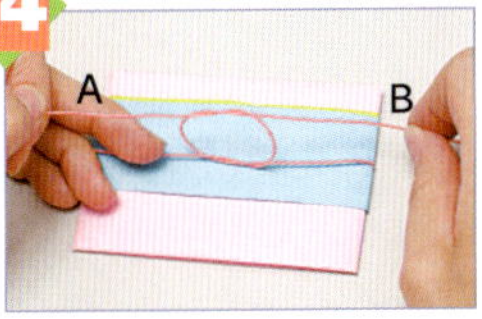

結び目がまんなかにくるようにする

15

16

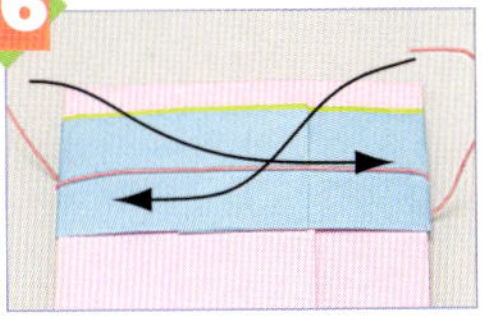

水ひきを折る

17

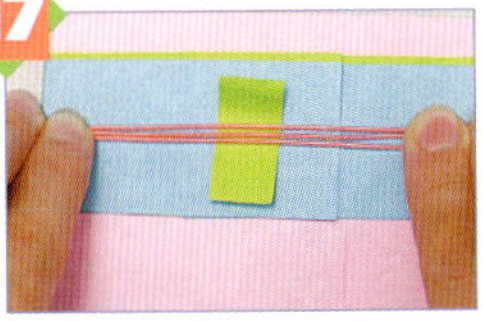

帯じめとじをさしこみ、
18〜21のようにのりづけする

18

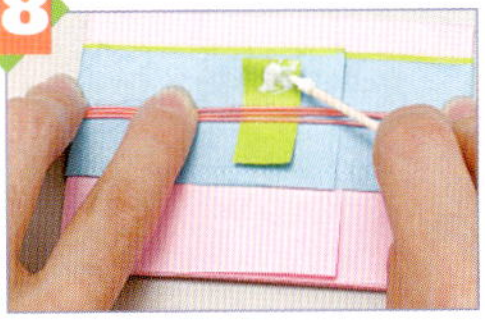

19

20

21

22

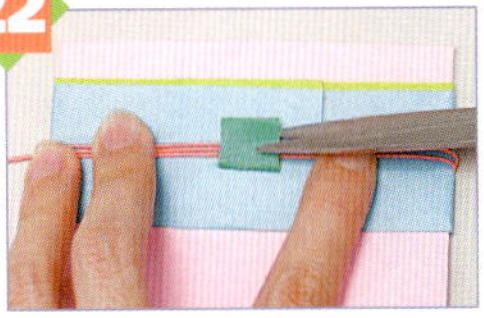

あまった部分を切る

23

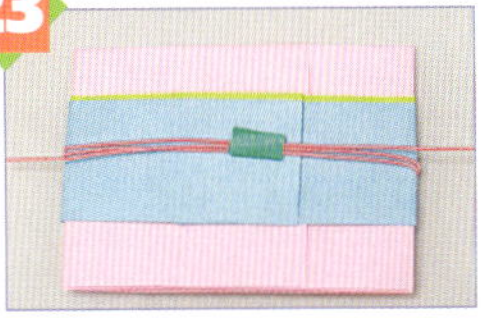

水ひきの両はしをぎりぎりのところで切る

24

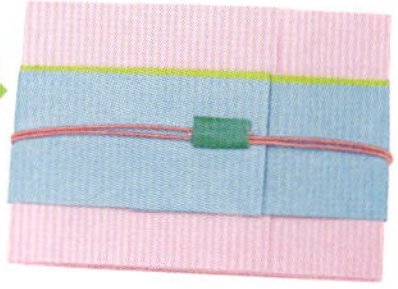

帯じめとじを帯にのりづけし、水ひきがうごかないようにする

25

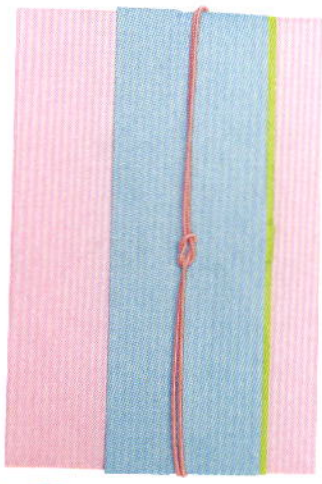

きもののポチぶくろのできあがり

※帯あげが右にくるように相手に渡します

おまけ

ビーズの帯どめもできるよ

1

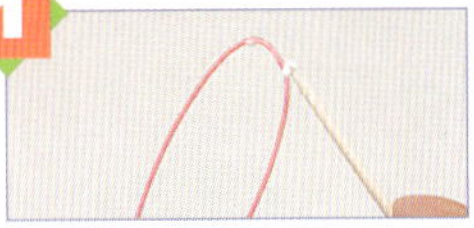

水ひきのまんなかにボンドをぬっておく

2

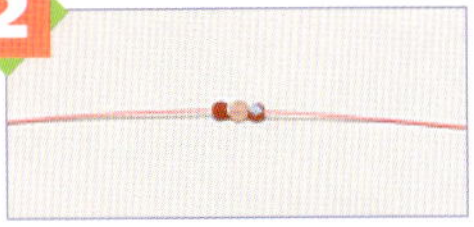

ビーズ3個を通す

3

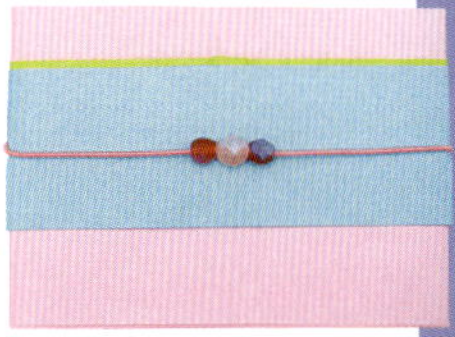

帯にまいてうらをとめてできあがり

イメージ写真の桜のポチぶくろ
桜の紋切り・・・24ページ（5㎝×5㎝）

たとう

1

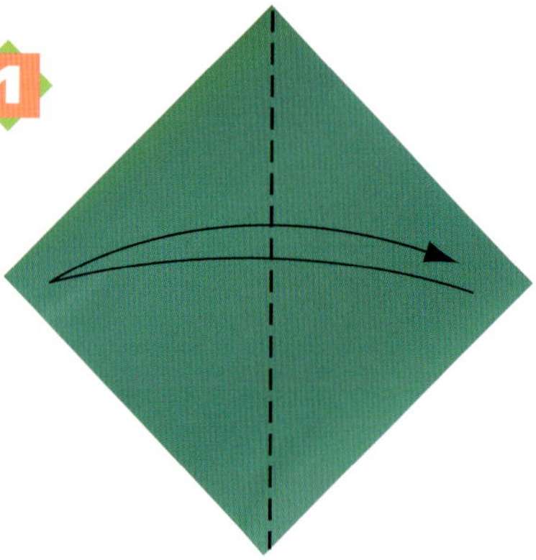

折りすじをつけてひらく

2

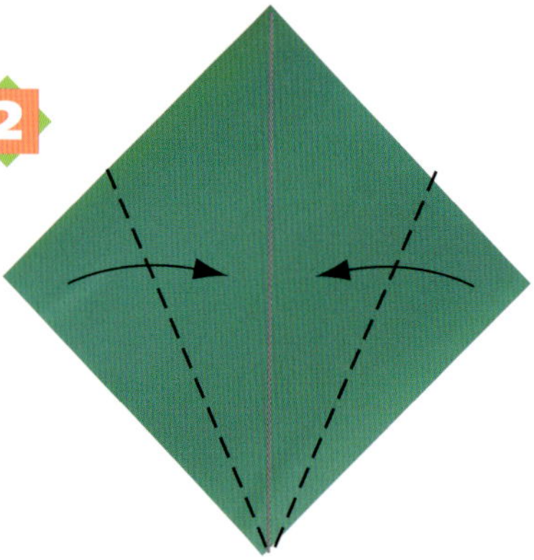

まんなかにあわせて折る

3

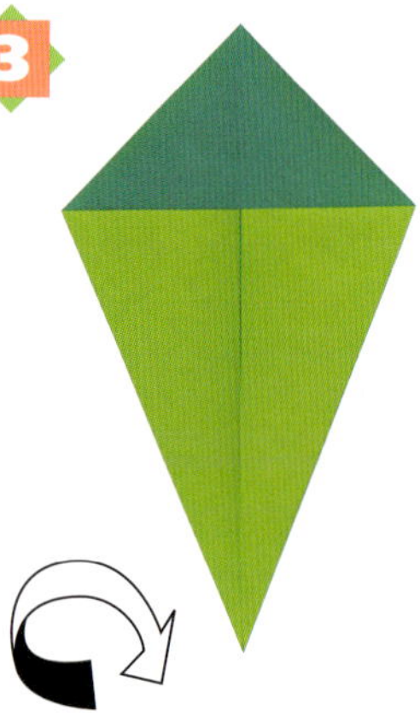

4

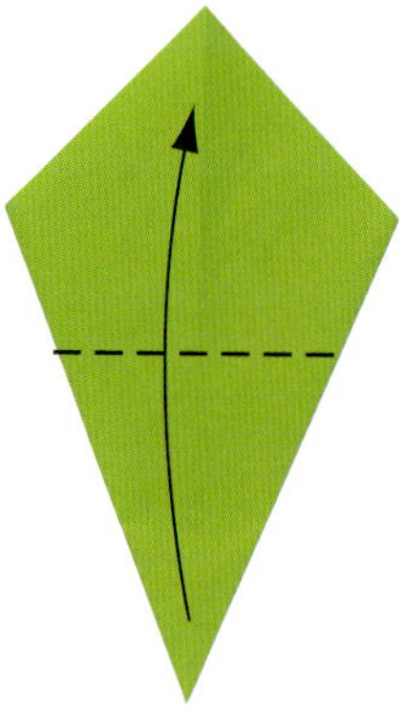

半分に折りあげる

5

6

左がわのように ⇩ を
ひらいて、まんなかに
あわせて折る

7

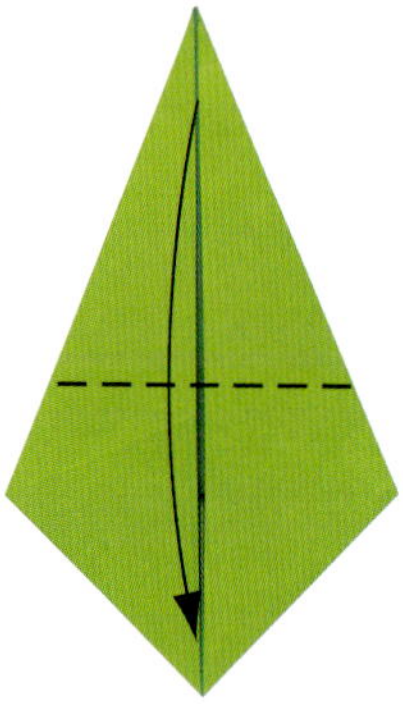

上の１枚を折りさげる

8

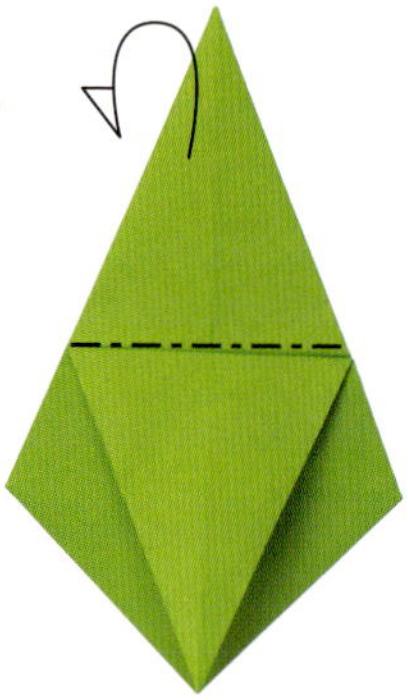

下の１まいはうらがわに折る

9

おもてもうらも
いちどひらく

0

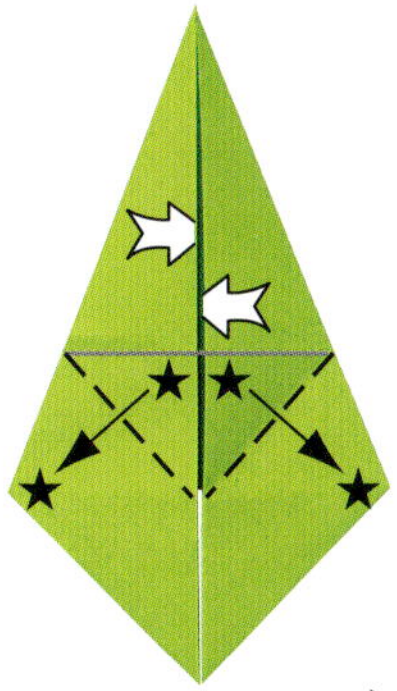

★と★があうように、を
らく。うらがわも同じよう
折る

11

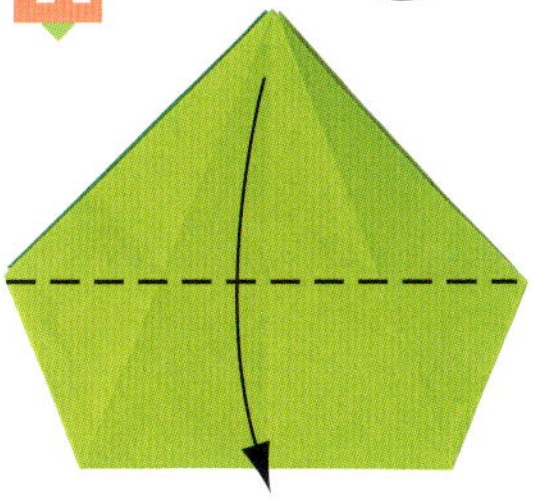

上の１枚を折りさげる

12

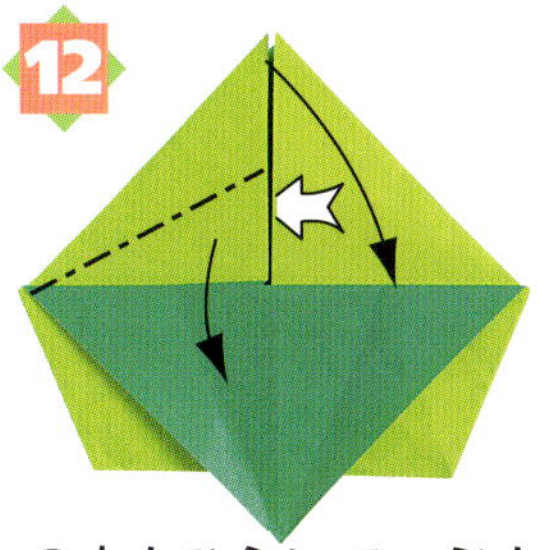

の中をひらいてつぶす

13

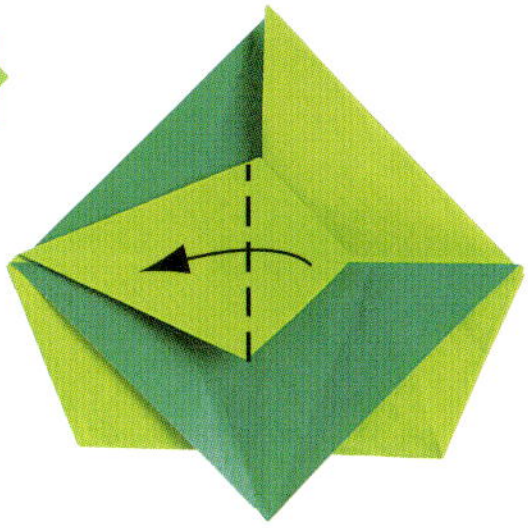

角を折る

14

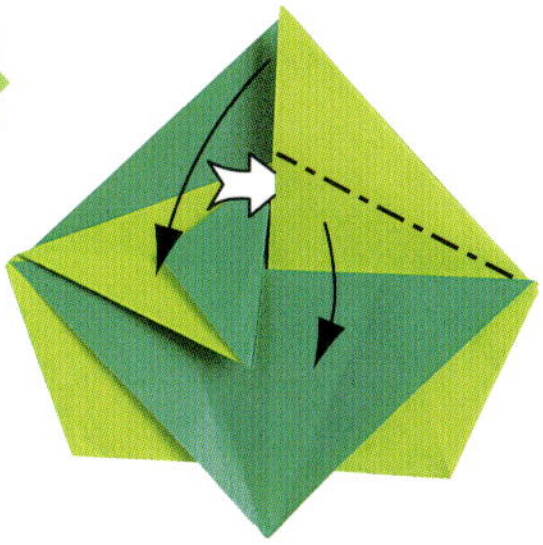

右がわも同じように折る

15

16

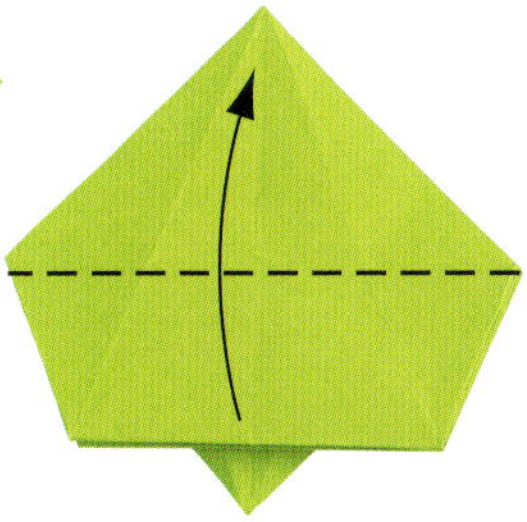

上の１枚を折りあげる

17

18

**たとうの
できあがり**

指でひっぱると
カンタンにひらくよ！

こま

8ページの正方基本形の折りかたで正方形まで折ってね

正方基本形からスタート

1

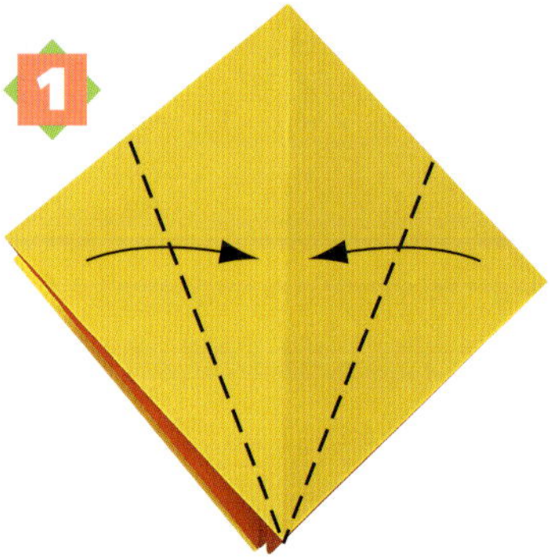

2のようにまんなかが少しあくように折る

2

うらもおなじように折る

3

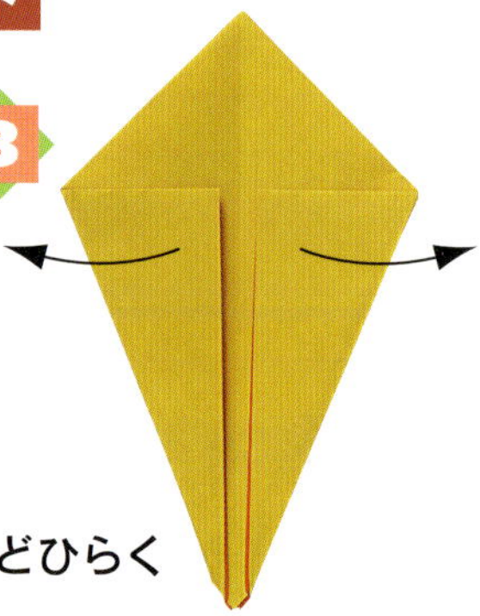

いちどひらく

4

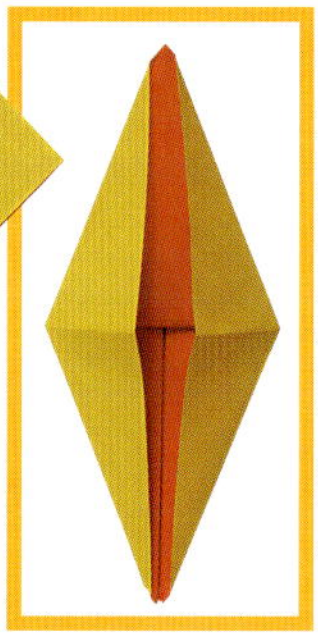

をひらいて折りすじのように上につぶす。うらもおなじように折る

まんなかは少しあけたまま

5

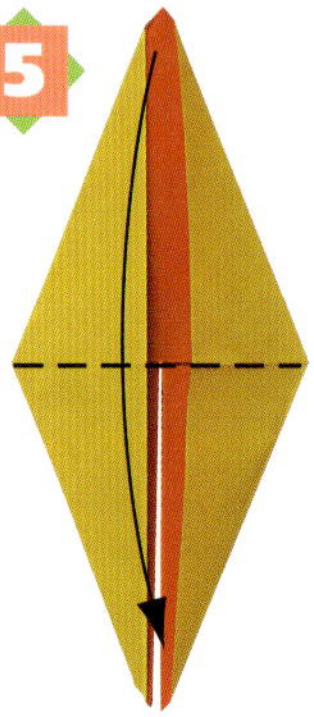

1枚折りさげる

6

うらがわも折りさげる

7

まんなかにあわせて折りすじをつけてひらく

8

7の折りすじにあわせて折る

9

まんなかにあわせて折る

10

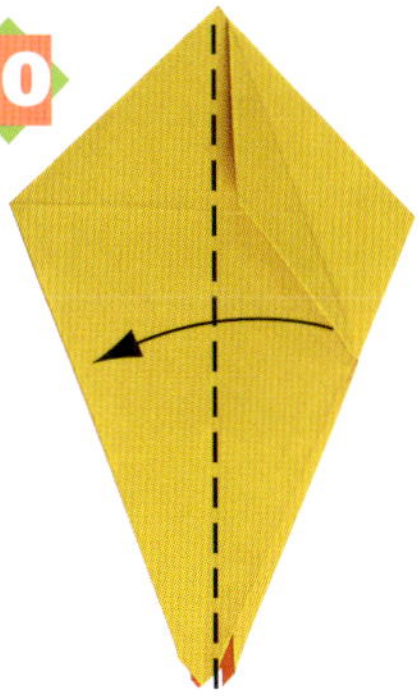

1枚めくる

11

7〜9のように折る。またたんで、のこり2カ所もおなじように折る

12

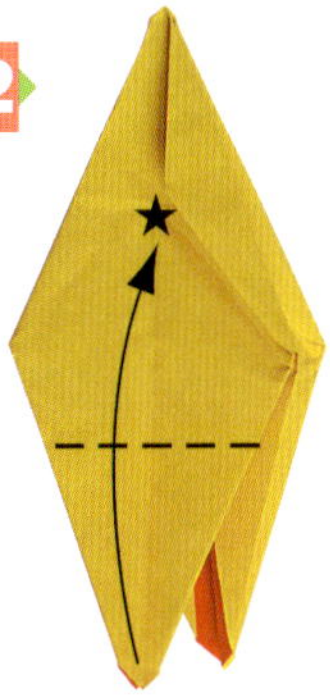

下が★にあうように折る

13

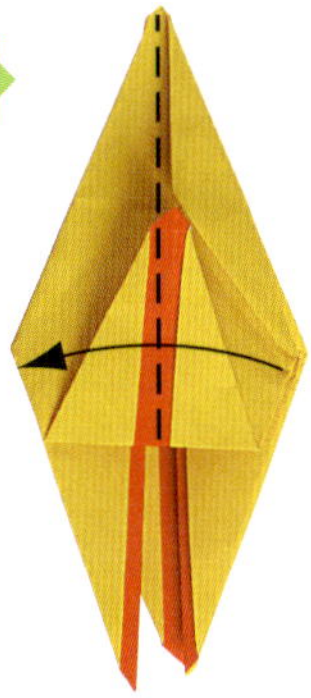

1枚めくってのこり3カ所もおなじように折る

14

★を指でつまみ、15になるようにひらく

15

十字の線をかるく山折りにする

16

まんなかのとがっている部分をしっかりねじる

17

かるくうちがわに折り、かたちをととのえる

18

こまのできあがり

1でまんなかをあけずに折ると、1色のこまができます

おはじき・紙ふうせん

【おはじき】

1

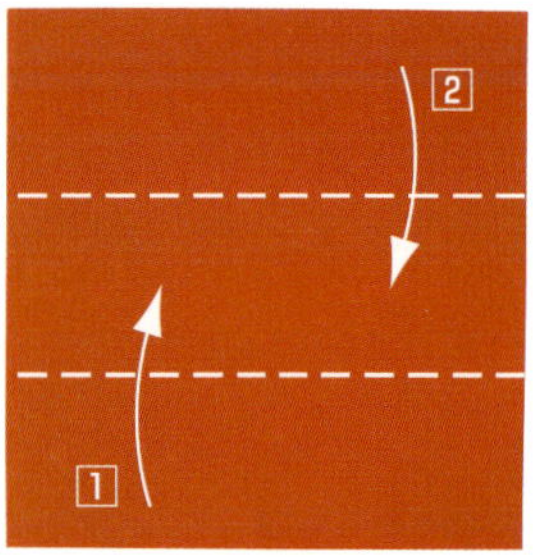

1/3のはばで1下から上へ、2上から下へ折る

2

2つの角《かど》を折る

3

おなじものをもうひとつ折る

4

5のようにたて・よこにかさねる

5

三角形をひとつずつ折ってかさねていく

6

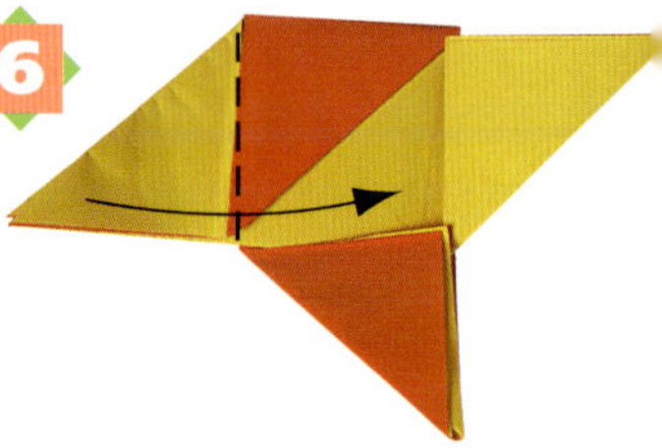

7

8

さしこむ

9

おはじきのできあがり

【紙ふうせん】

8ページのふうせんの基本形の折りかたで三角形まで折ってね

ふうせんの基本形からスタート

1

上の1枚の両はしを折りあげる

2

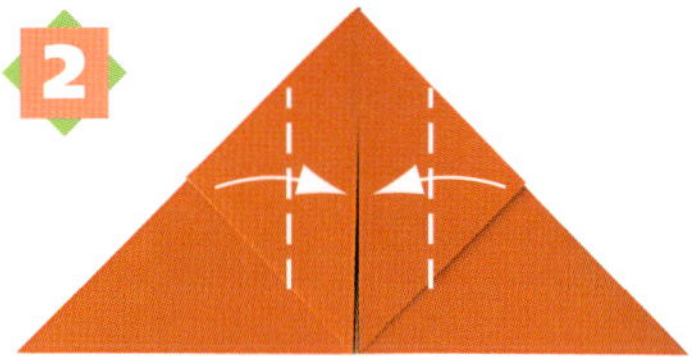

まんなかにあわせて折る

3

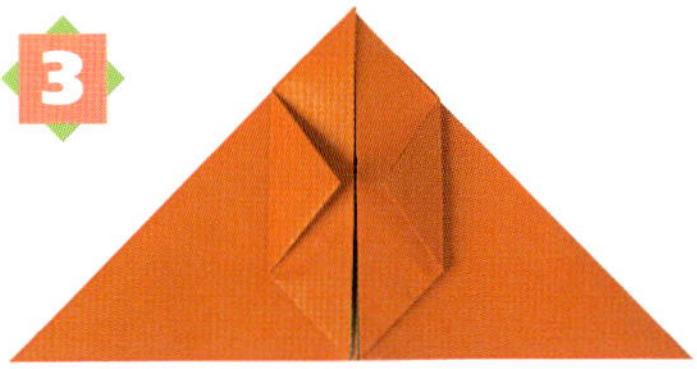

うらもおなじように折る

4

2つの角《かど》を折りさげる

5

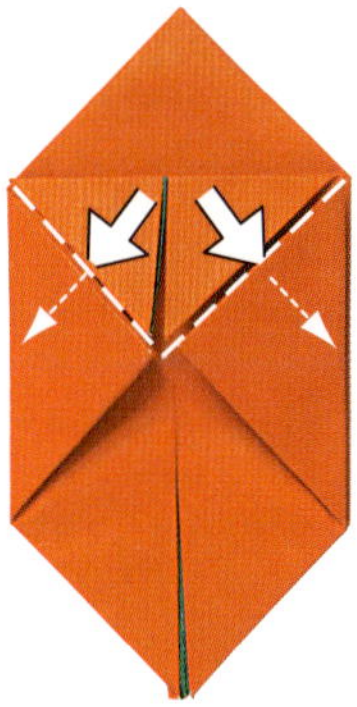

中にさしこむ

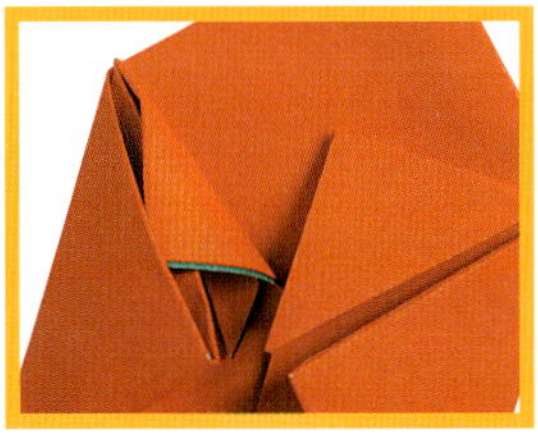

6

うらもおなじように折る

7

息をふきこんでふくらまし、
かたちをととのえる

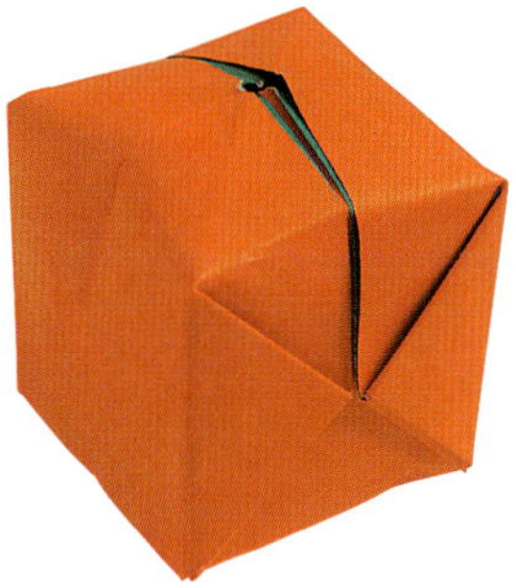

ふうせんのできあがり

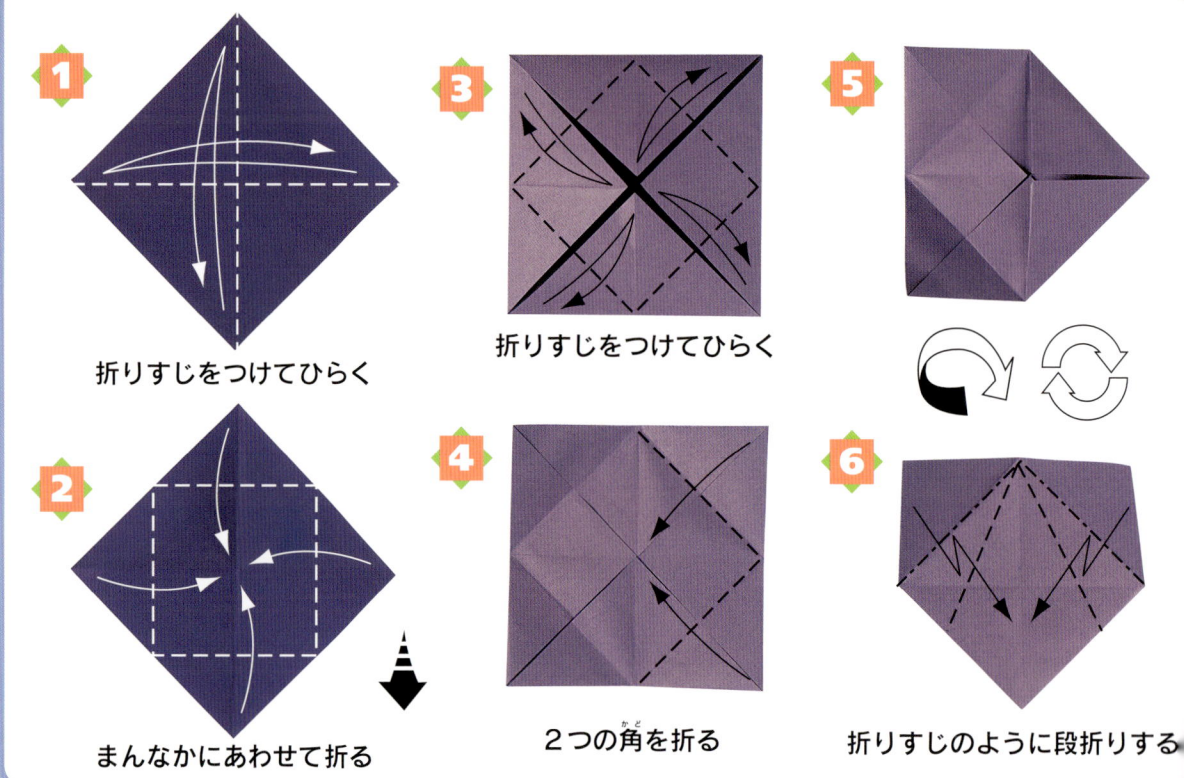

おすもうさん

1

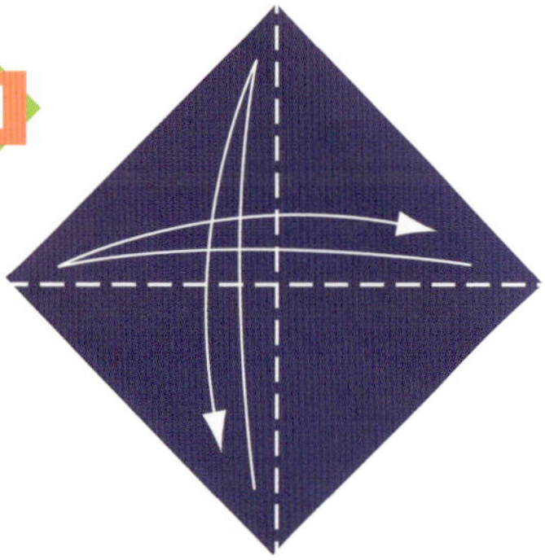

折りすじをつけてひらく

2

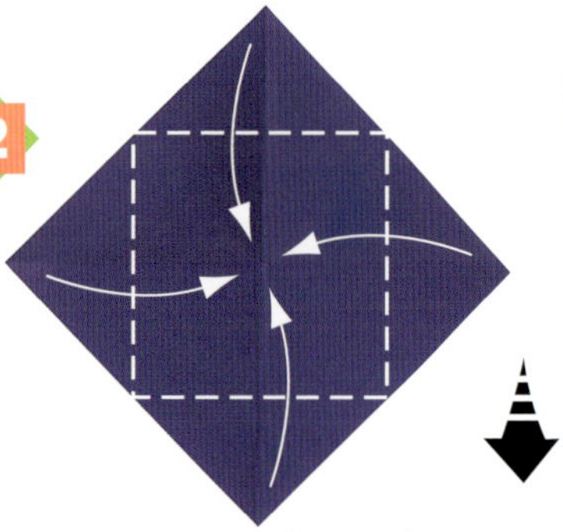

まんなかにあわせて折る

3

折りすじをつけてひらく

4

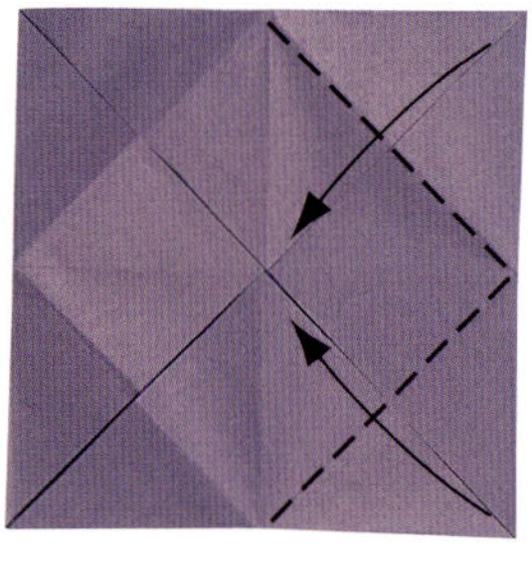

２つの角《かど》を折る

5

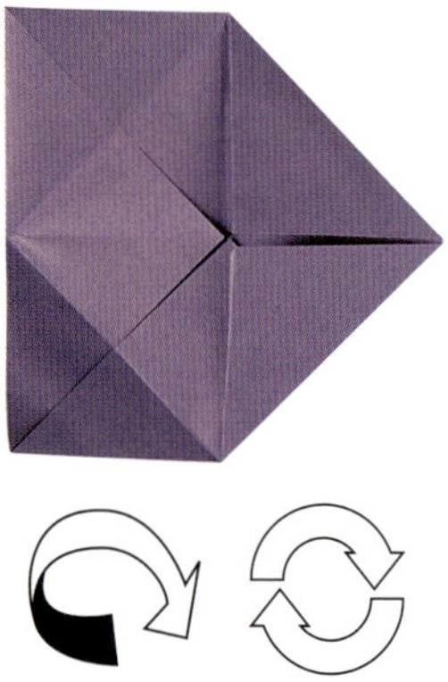

6

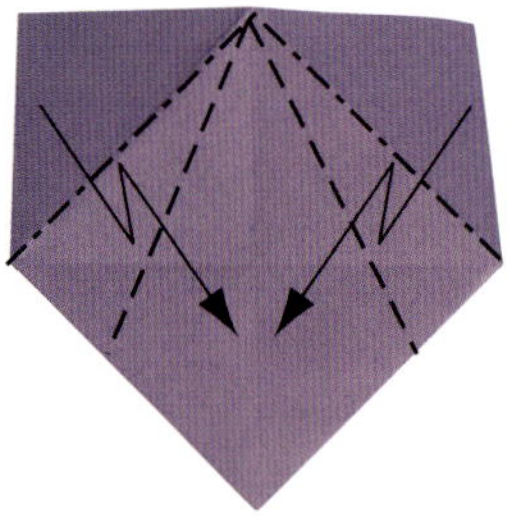

折りすじのように段折りする

7

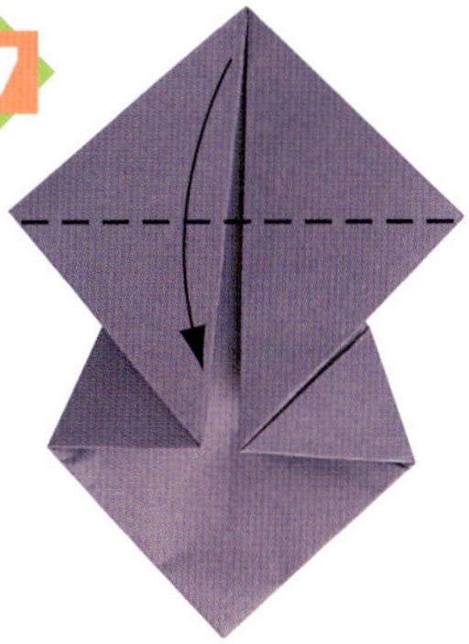

うらに8の★部分があるので、それは折らないようにして半分に折る

8

いちどうらがわに折ってもどし、うらがえす

9

折りすじをつけてひらく

10

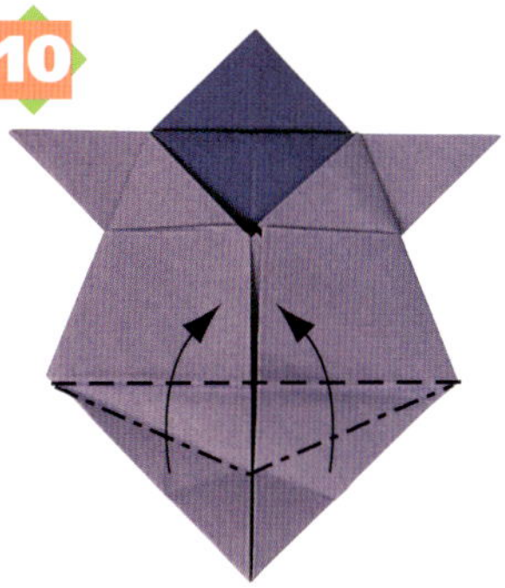

9でつけた折りすじを山折りにして、11のように折りたたむ

11

うらがわに半分に折る

12

おすもうさんのできあがり

もうひとつつくって、はっけよ〜いのこった！

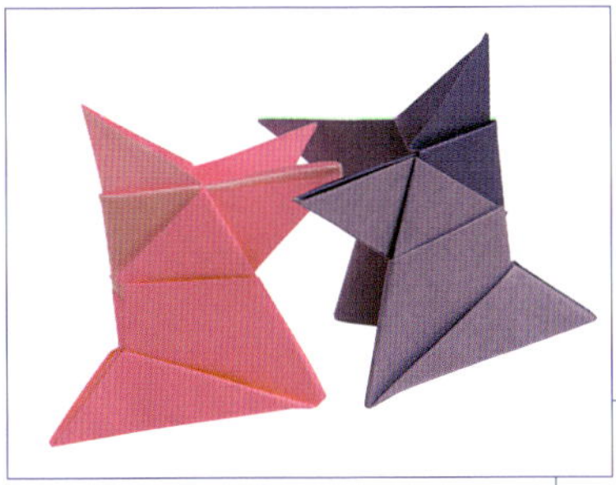

あそびかた

箱の上におすもうさんをおいて指先でトントンたたき、たたかわせてみよう！

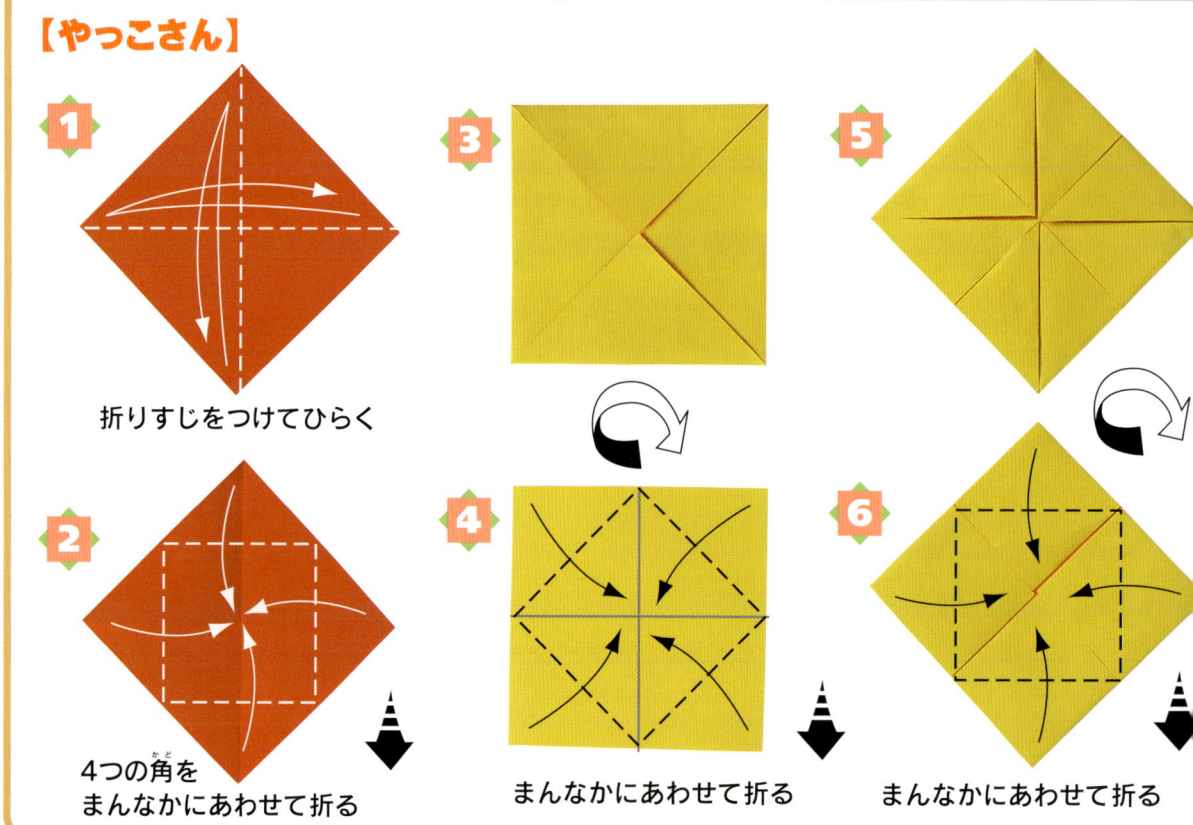

やっこさん・はかま

【やっこさん】

1

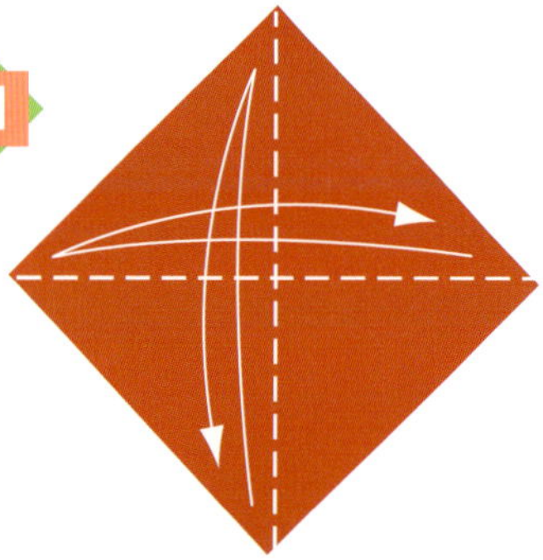

折りすじをつけてひらく

2

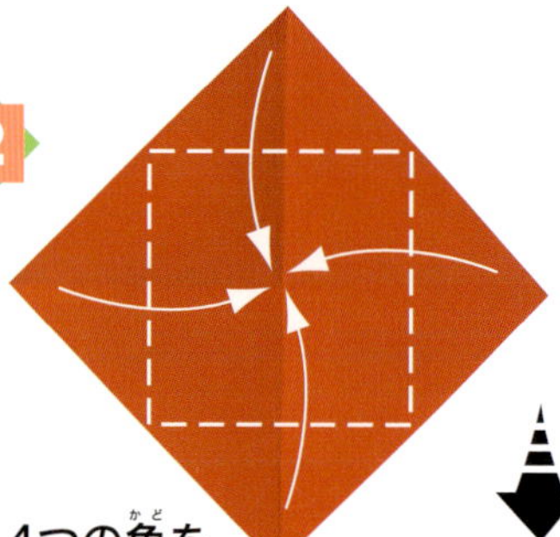

4つの角《かど》を
まんなかにあわせて折る

3

4

まんなかにあわせて折る

5

6

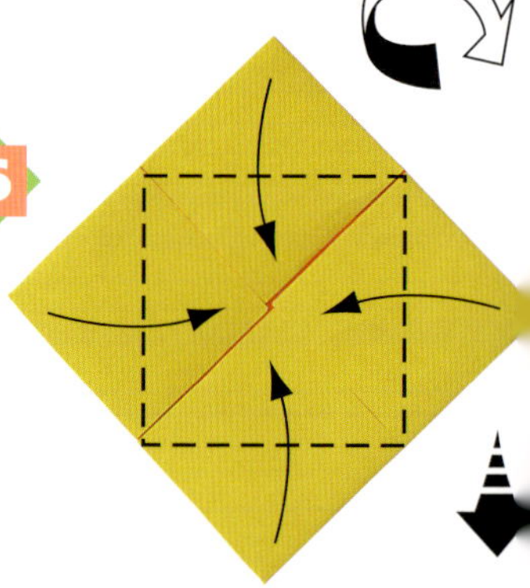

まんなかにあわせて折る

7

8

の中をひらいてつぶす

9

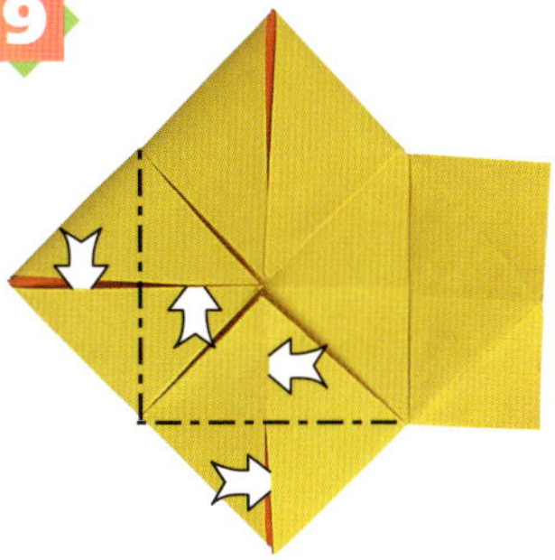

２カ所をおなじように折る

10

**やっこさんの
できあがり**

【はかま】

もうひとつ、やっこさんの9までつくってね

やっこさんの9からスタート

1

上の の中を
ひらいてつぶす

2

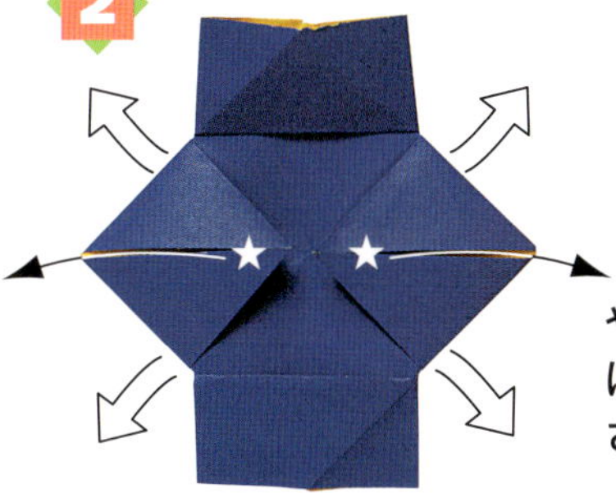

うらがわにある４カ所の三角形をひきだし、★をひろげる

3

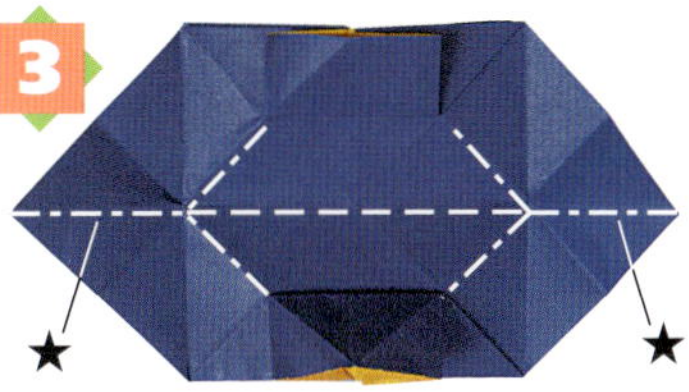

折りすじのように折りたたむ。
まず★をしっかり山折りにする

4

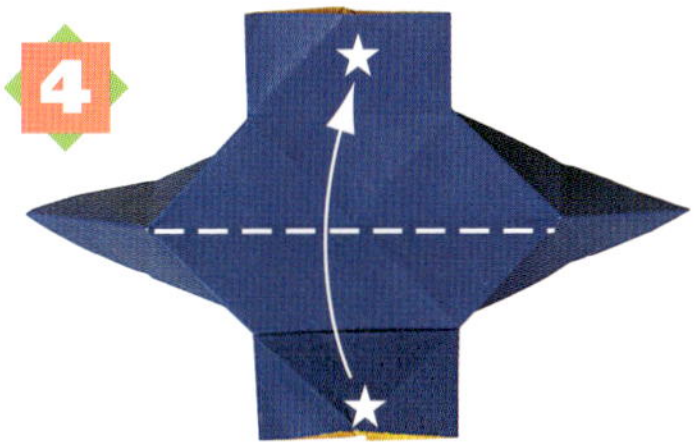

まんなかを谷折りにして
★と★をあわせる

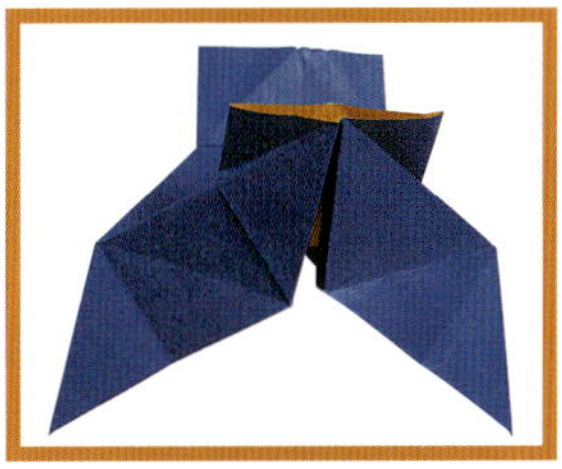

5

**はかまの
できあがり**

【組みあわせ】

やっこさんを
はかまの中に
さしこむ

おに

9ページのつるの基本形の折りかたでひしがたまで折ってね

つるの基本形からスタート

1

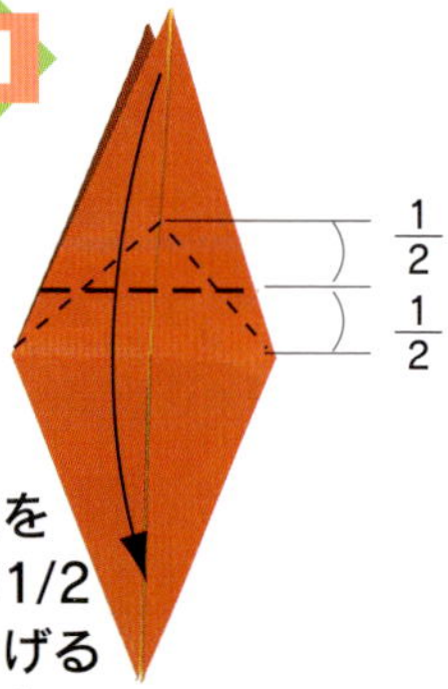

上の１枚を仮想線の1/2で折りさげる（２の★がみえるように折る）

2

うらもおなじように折る

3

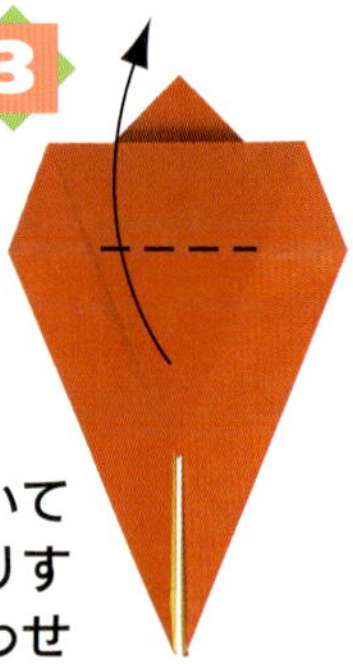

下についている折りすじにあわせて折る

4

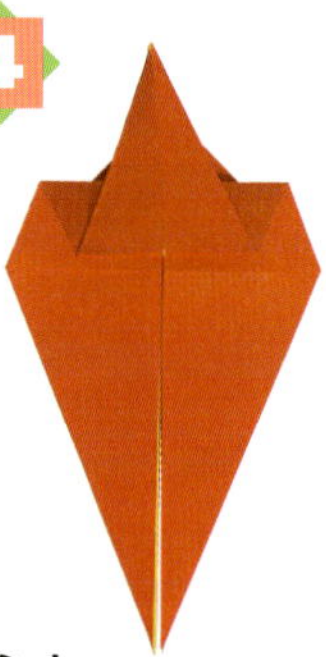

うらもおなじように折る

5

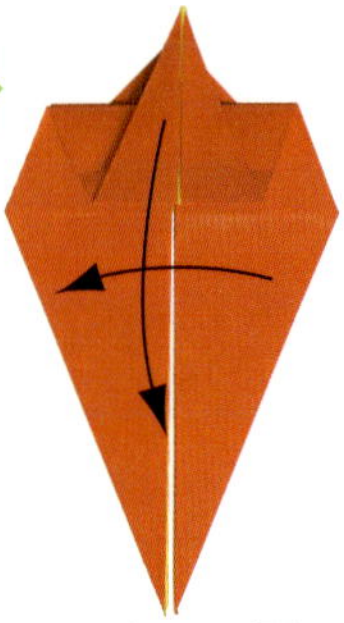

１まいめくって６の形にする。うらもおなじ。角《つの》を左右にひろげる

6

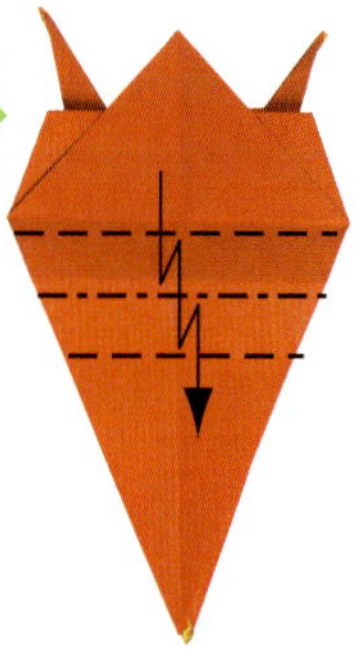

段折りをする

7

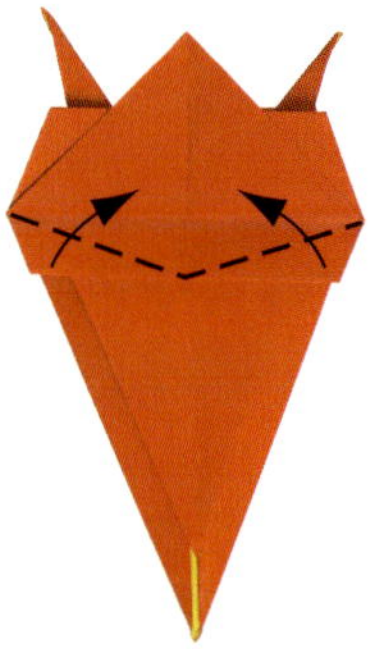

２カ所を折りあげる

8

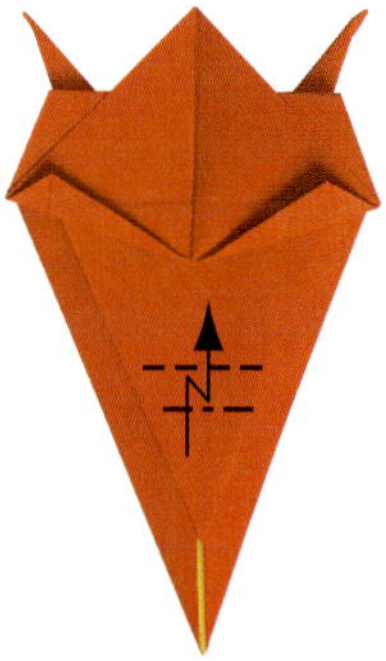

段折りをする

9

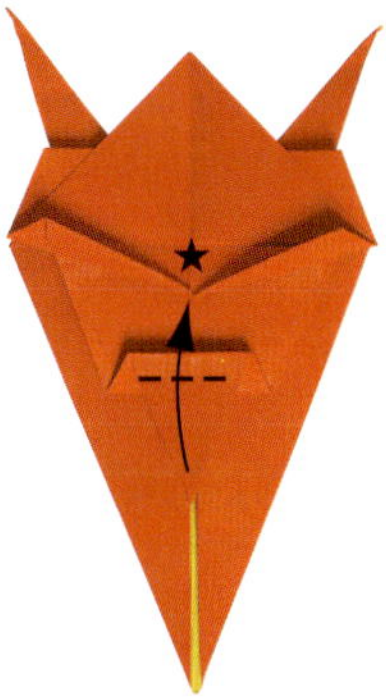

折りあげて、
★の下にさしこむ

10

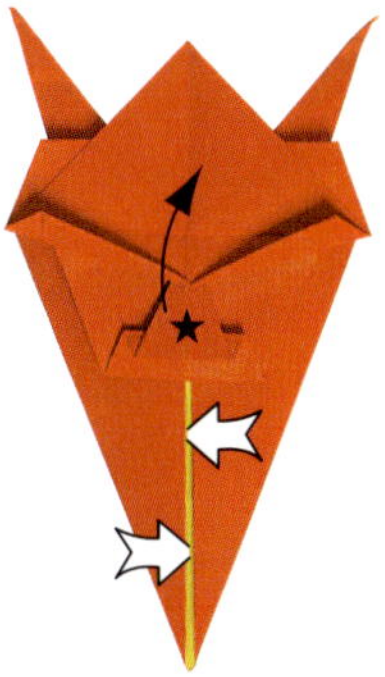

★の部分すべてをいちど
上にあげ、の中を
ひらく

11

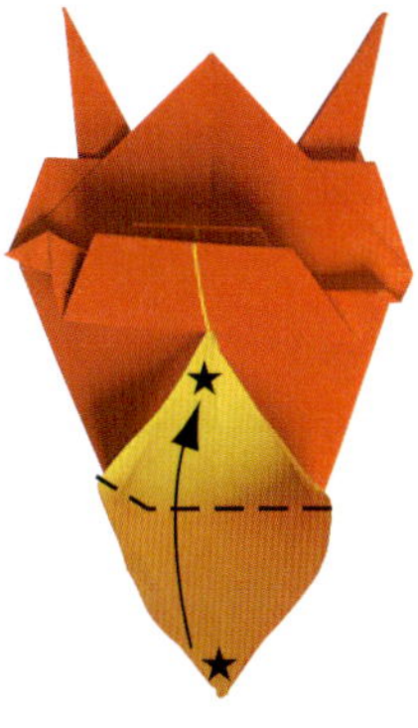

★と★があうよう
に折る

12

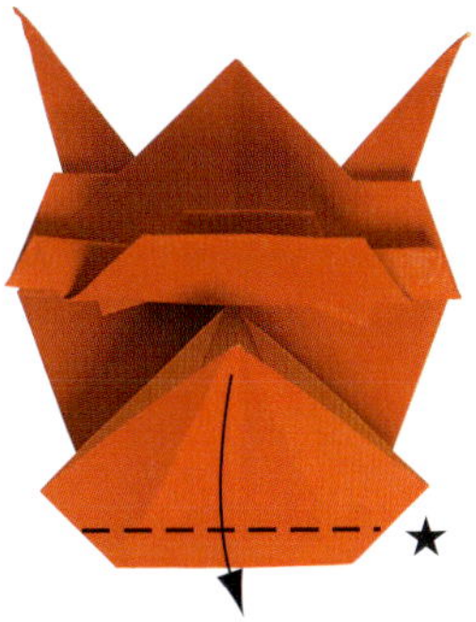

★の線でしっかり
下に折る

13

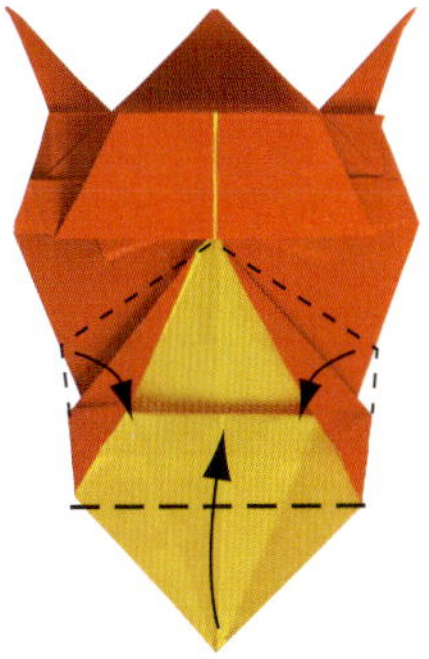

立っていた両はしを
うちがわに折り、
下を折りあげる

14

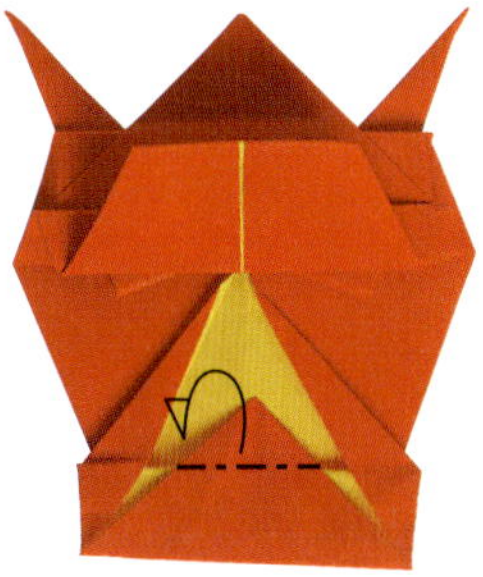

角《かど》をうちがわに折る

15

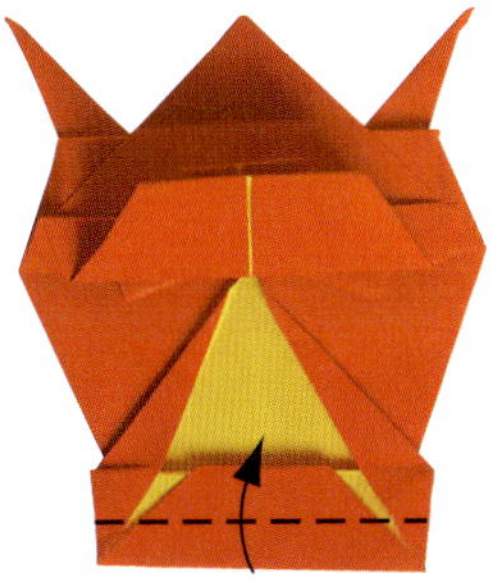

半分に折る

16

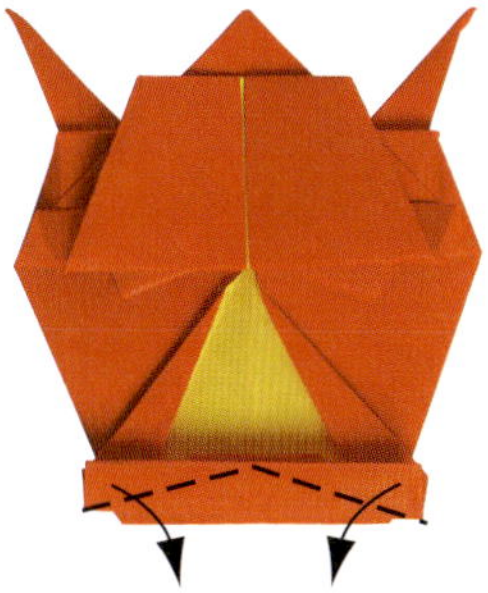

２カ所を折る

17

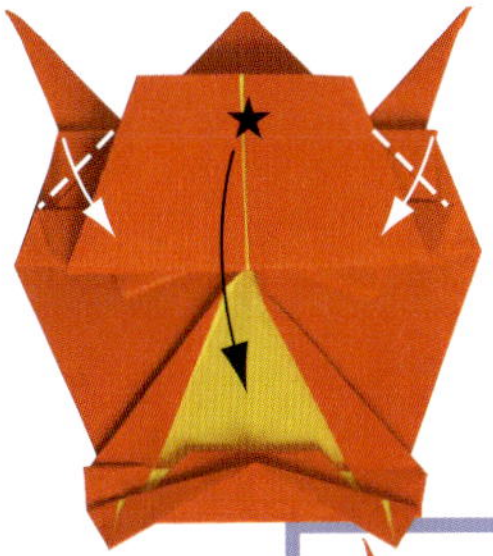

★をさげて
２つの角を折る

18

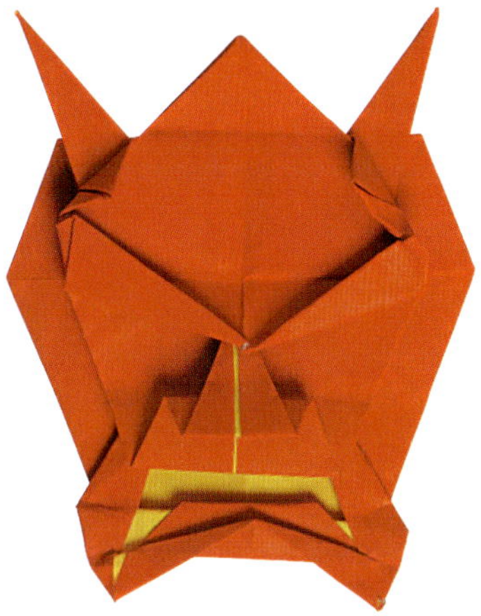

おにのできあがり

三《さん》方《ぽう》

1

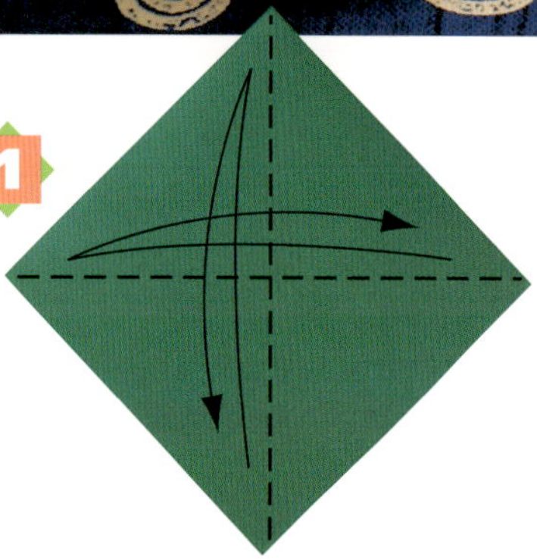

折りすじをつけてひらく

2

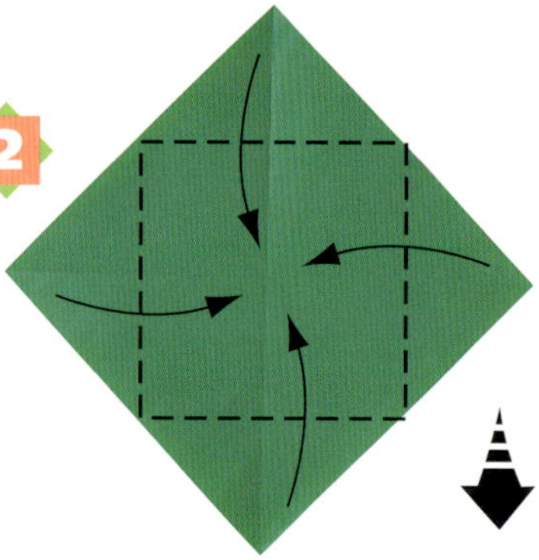

まんなかにあわせて折る

3

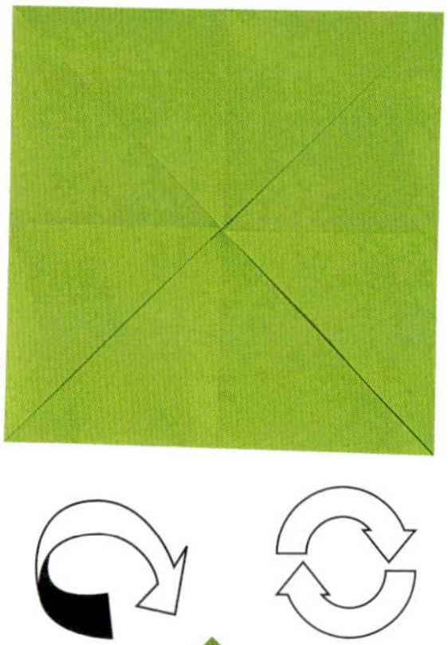

4

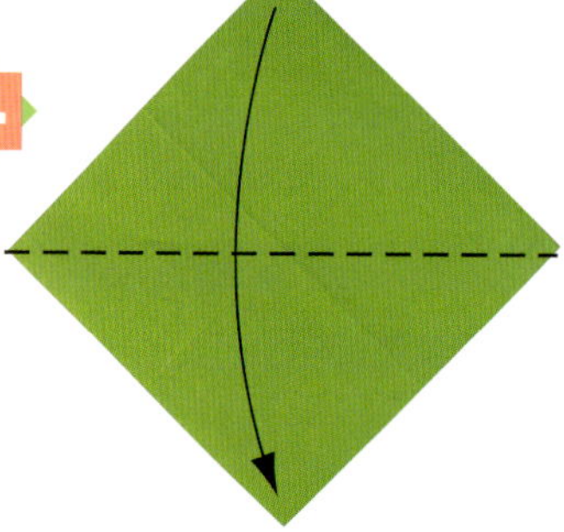

三角形に折る

5

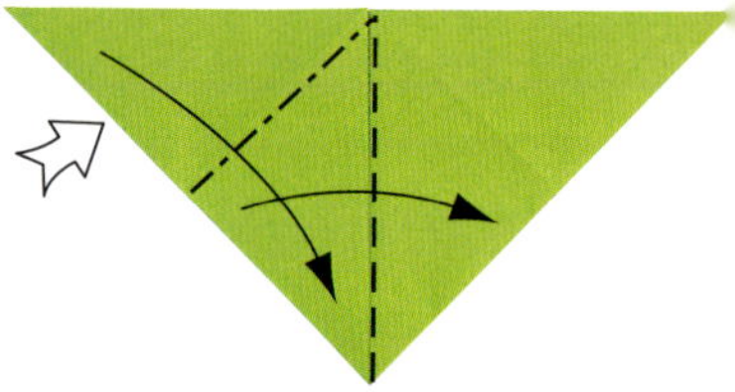

⇦の中をひらいて
右に折りたたむ

6

7

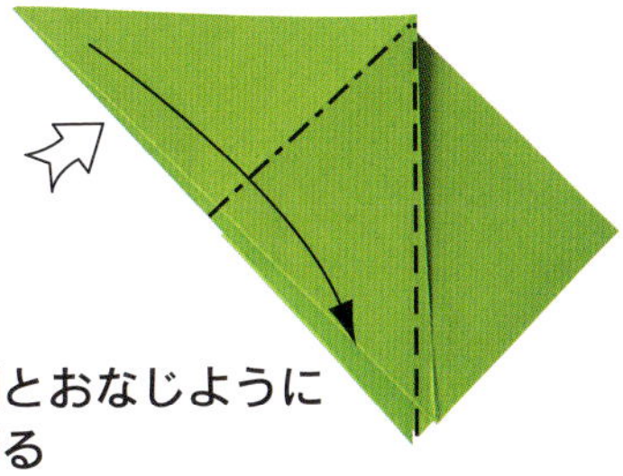

とおなじように
折る

8

の中をひらいて
つぶす

9

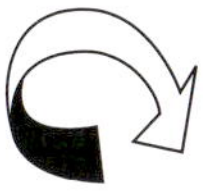

10

8とおなじように折る

11

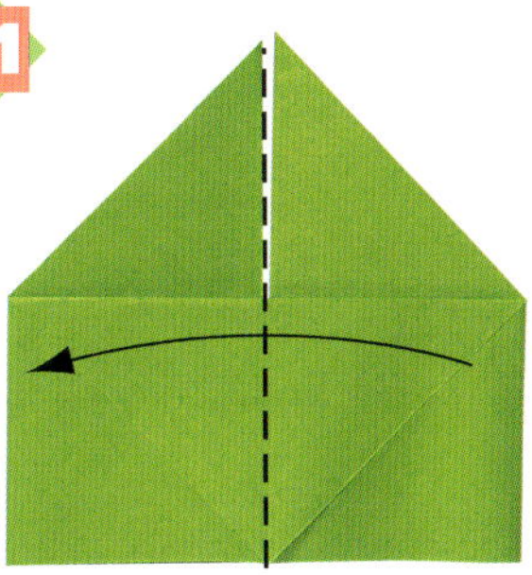

1枚めくる。うらもお
なじようにする

12

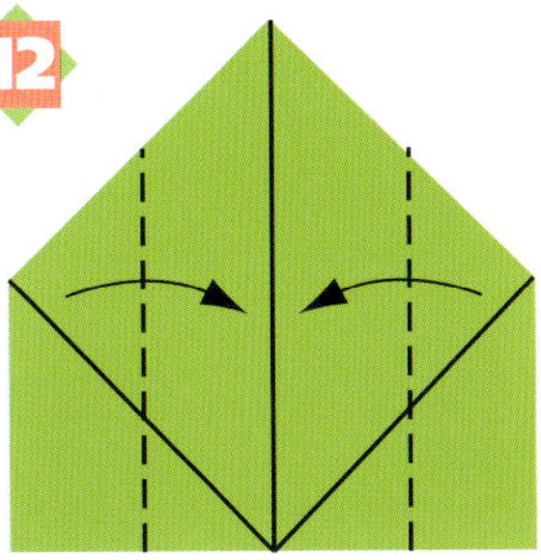

まんなかにあわせて折る。
うらもおなじように折る

13

折りさげる。
うらもおなじように折る

14

おもて・うらの
★をひろげて中の
かたちをととのえる

15

三方のできあがり

びんせんのたたみかた

サイズ

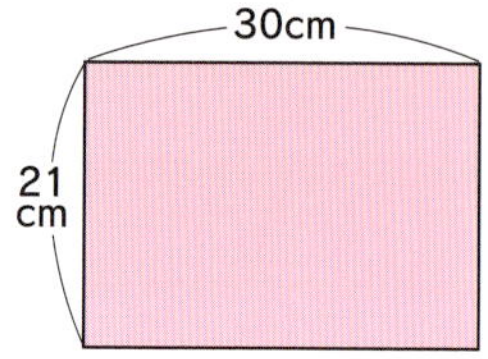

1

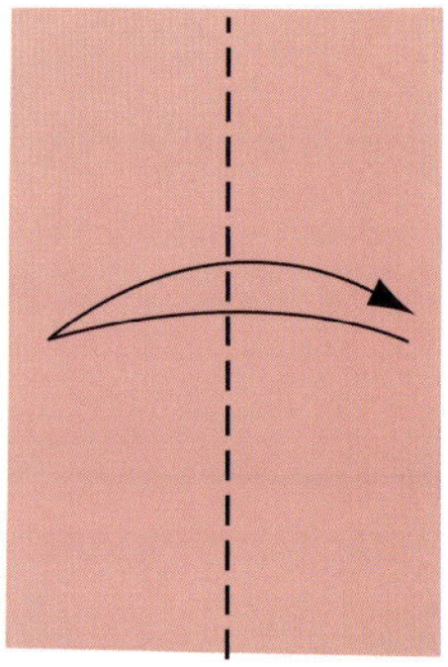

折りすじをつけてひらく

2

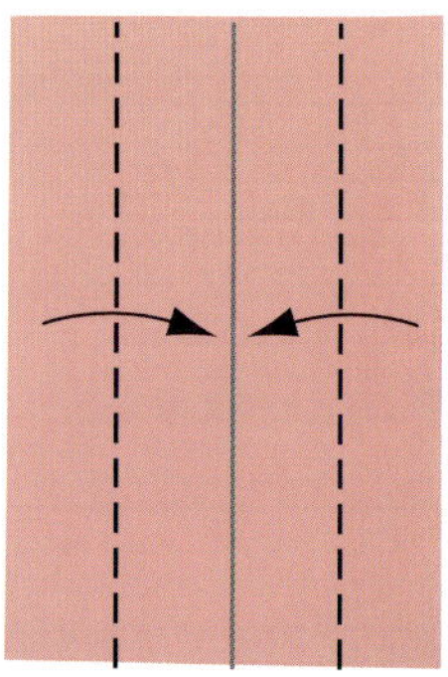

まんなかにあわせて折る

3

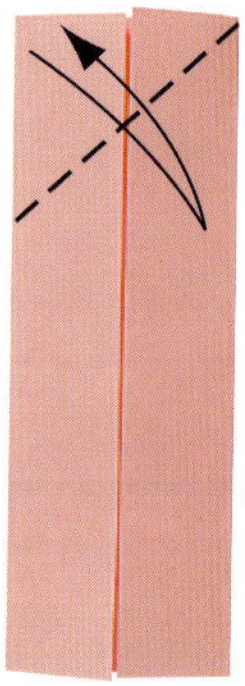

折りすじをつけてひらく

4

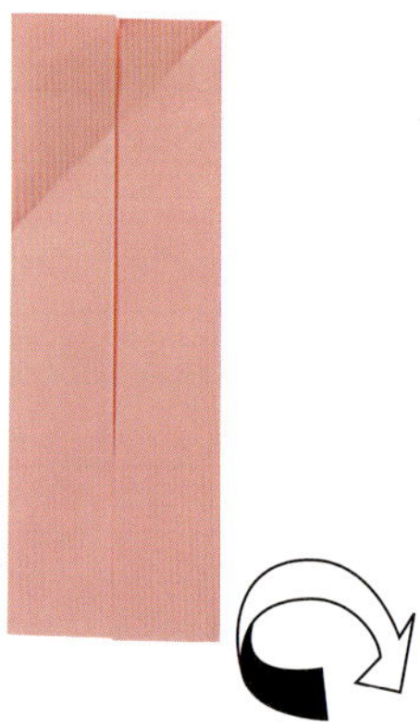

5

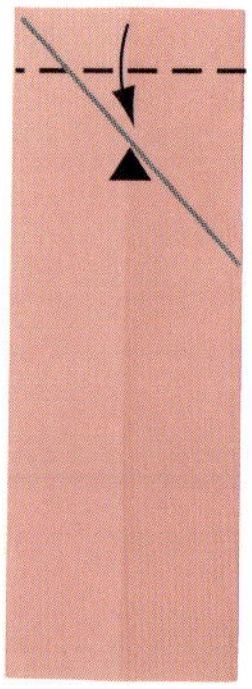

▲にあわせて折る

6

もういちど折る

7

２つの角《かど》を折る

8

いちどひらく

9

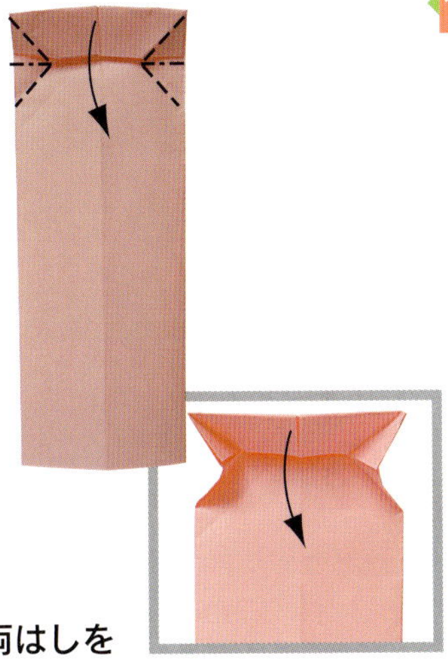

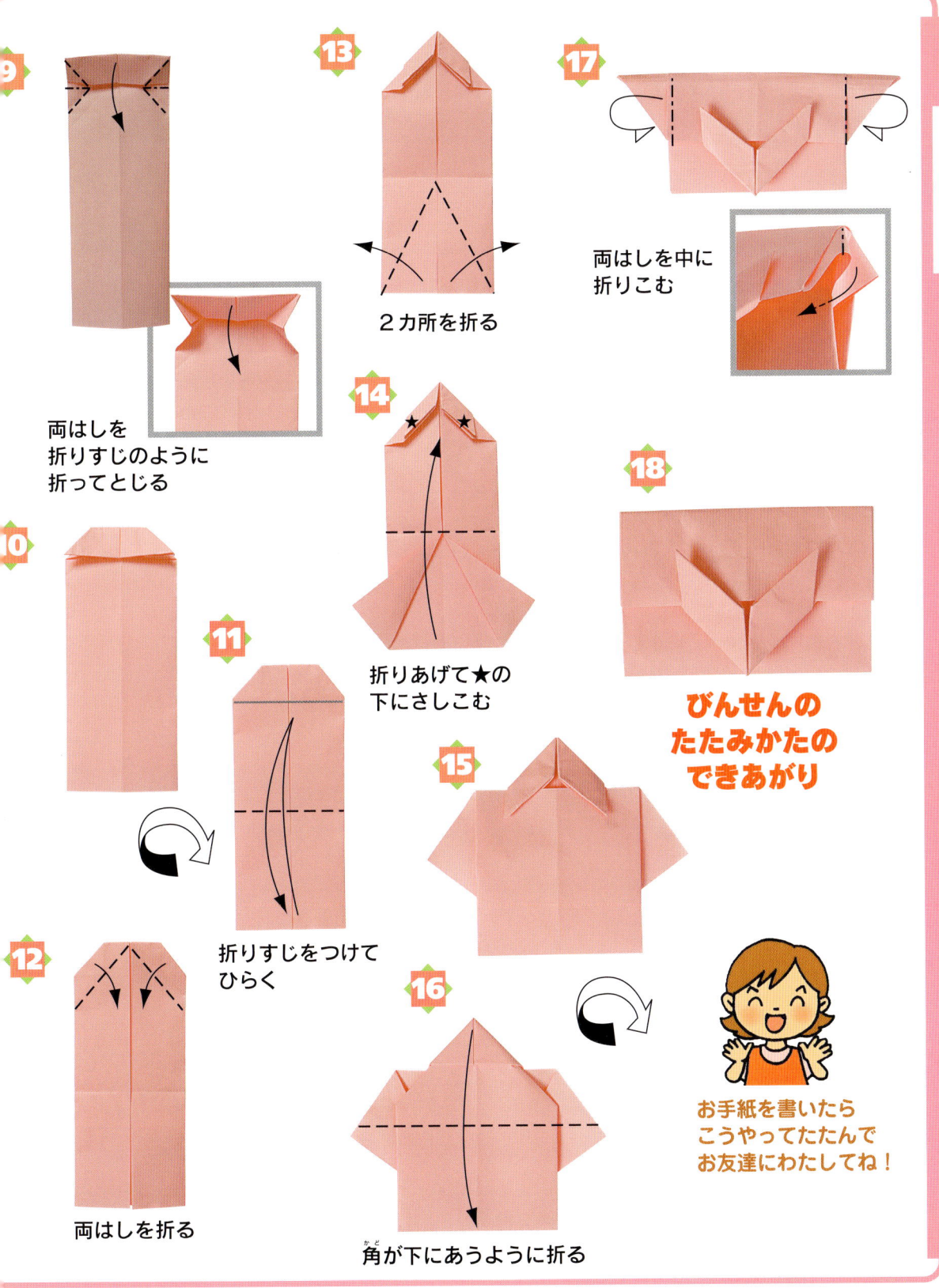

両はしを
折りすじのように
折ってとじる

10

11

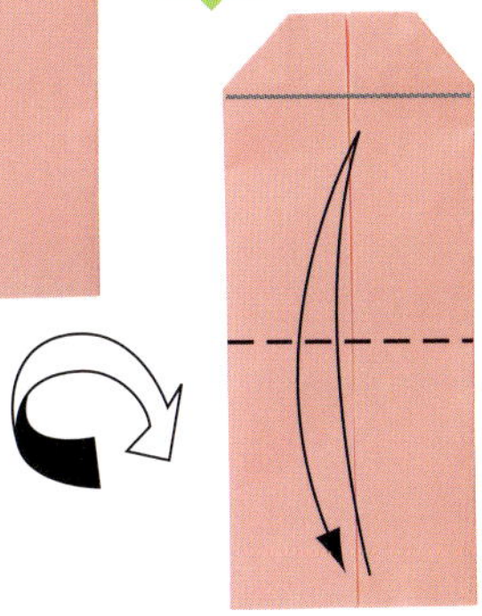

折りすじをつけて
ひらく

12

両はしを折る

13

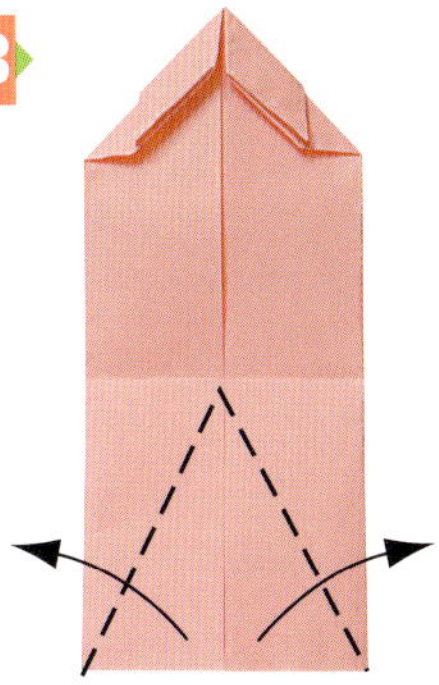

２カ所を折る

14

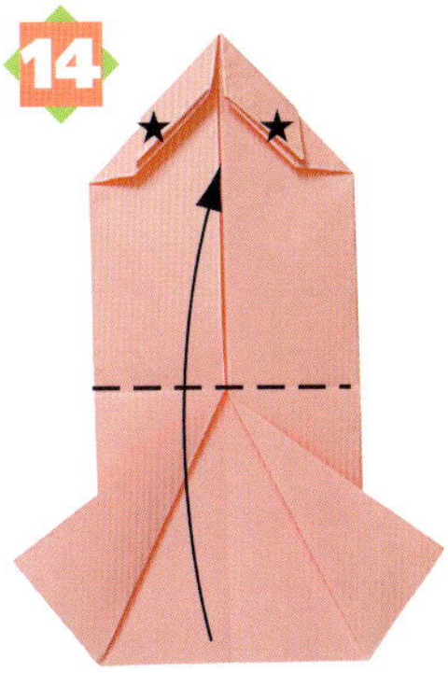

折りあげて★の
下にさしこむ

15

16

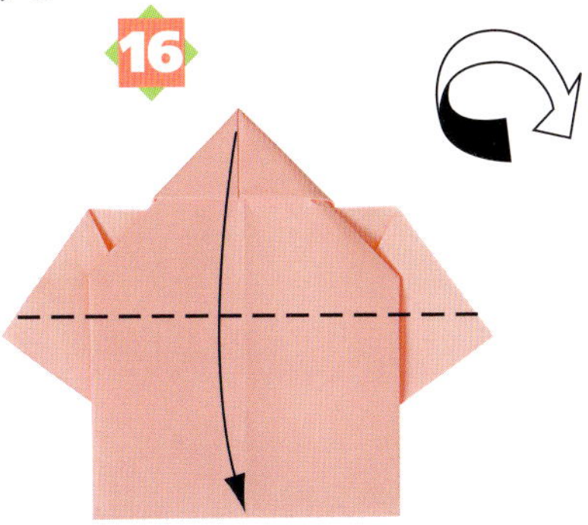

角《かど》が下にあうように折る

17

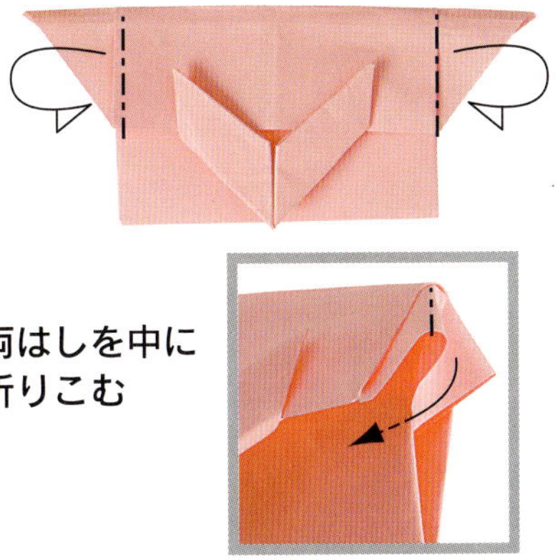

両はしを中に
折りこむ

18

びんせんの
たたみかたの
できあがり

お手紙を書いたら
こうやってたたんで
お友達にわたしてね！

はこ

1

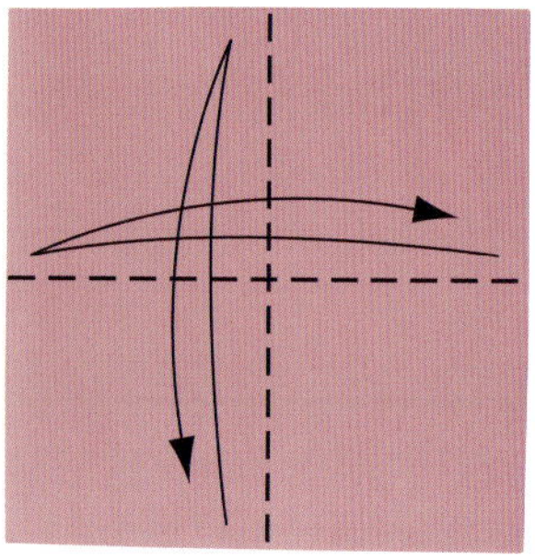

折りすじをつけてひらく

2

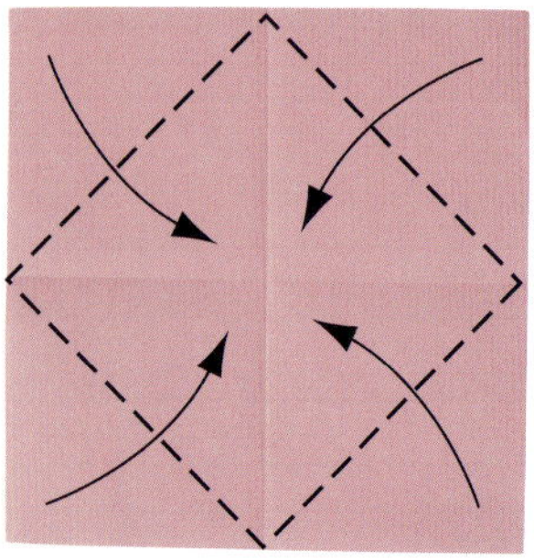

まんなんかにあわせて折る

3

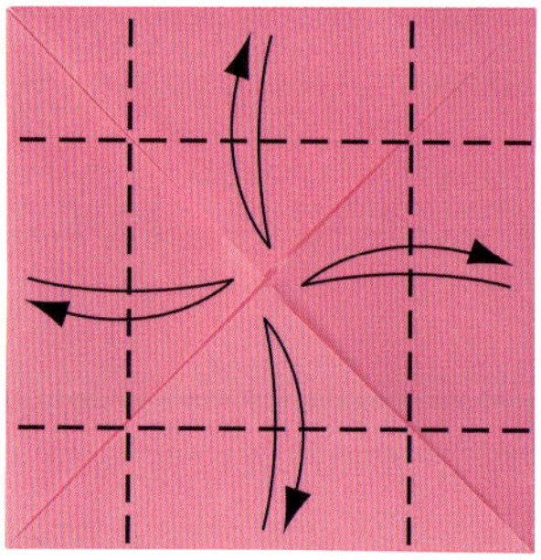

折りすじをつけてひらく

4

ひろげる

5

２カ所を折る

6

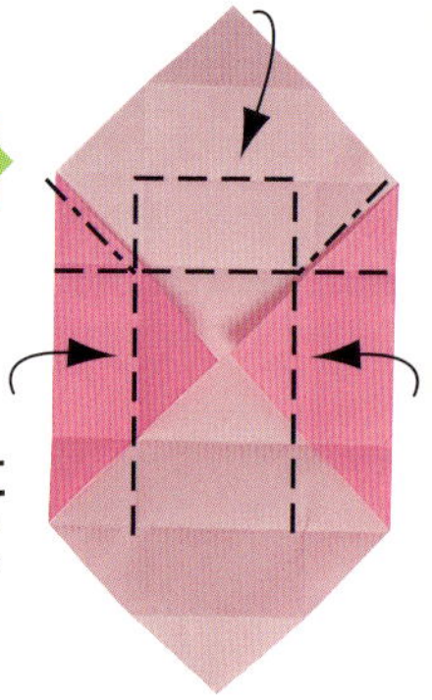

折りすじのように
折りたたんでいく

7

★と★があうよう
に折る

8

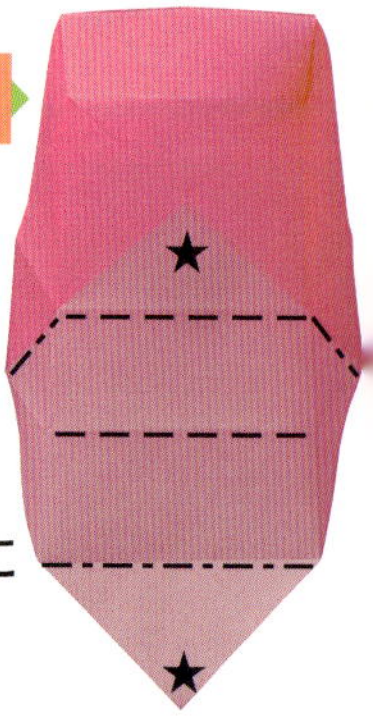

下もおなじように
折りたたむ

9

はこの
できあがり

ハート

1

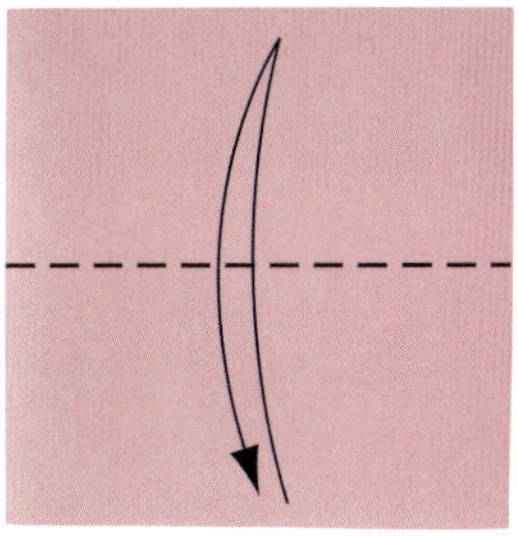

折りすじをつけてひらく

2

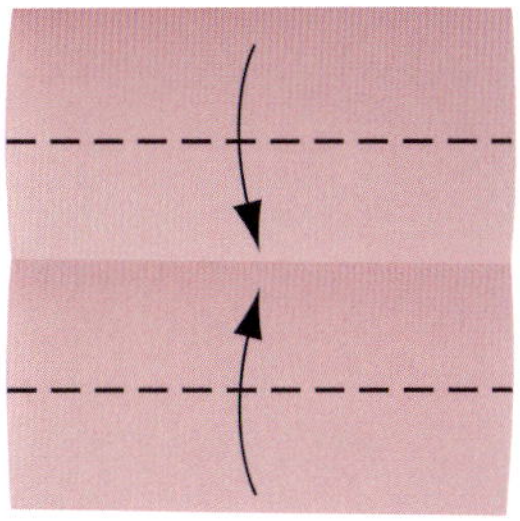

まんなんかにあわせて折る

3

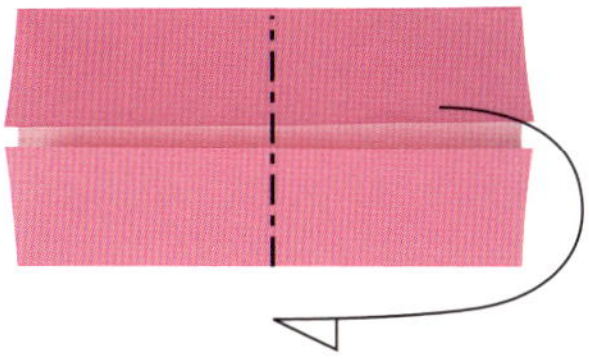

うらがわに半分に折り、
すじをつけてひらく

4

左上だけをまんなかに
あうように折る

5

折りすじをつけたらもど
す。おなじように左下も
折りすじをつける

6

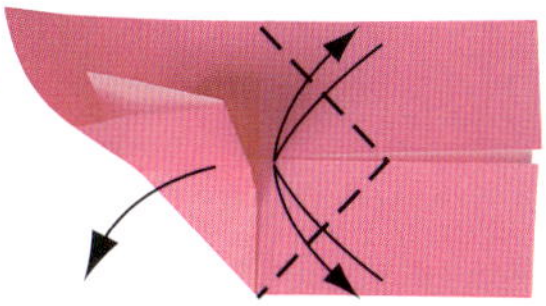

右がわもおなじように
折りすじをつける

7

4つの角を折る

8

4カ所を折る

9

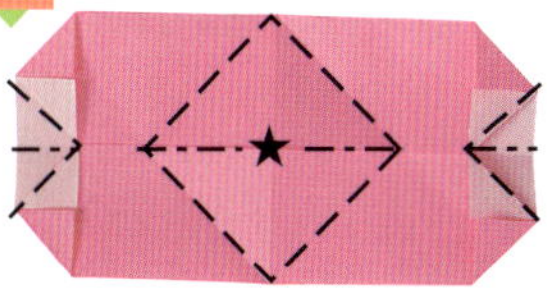

★の山折りのすじをしっ
かりとつけ、左右をまん
なかに折りたたむ

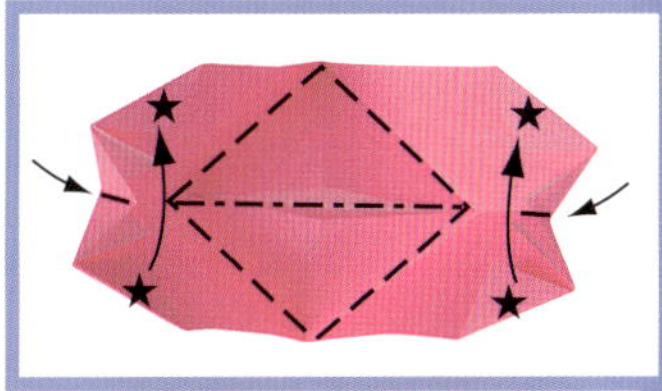

10

うちがわに折る。うらも
おなじように折る

11

ハートのできあがり

◎紋切《もんき》りあそび◎

「紋切り」という言葉は知らなくても、折りたたんだ紙に模様をかいて、切ってひろげてあそんだことはありませんか？　思わぬ形があらわれてびっくりし、また別の模様を切ってみたくなる･･･。切りぬく模様によってぜんぜんちがう形ができあがる、単純なのにおもしろいあそびです。

江戸時代には家や店、個人のしるしとして「紋」が多く用いられ、その紋を切りぬいてあそんだのが「紋切りあそび」なのです。いまでは「紋」は、毎日のくらしのなかであまり見かけなくなりましたが、紙を切るあそびとして、「紋切り」を楽しんでみるのはいかがでしょうか？

本書では、伝統的な紋切りの型を切りぬきやすいようにアレンジし、雪や花火などに見立てて紹介しています。ひろげる瞬間のわくわく感と、できあがりの美しさに感動し、ついつい夢中になってしまうはずです。オリジナルの模様も考えて、みんなであそんでみてください。

◆折り型について

紋切りは型を切りぬく前に、紙を3つ折りや5つ折りにします。
この折りかたがうまくできないと、きれいなできあがりになりません。
本書ではかんたんに折ることができるように「紋切りの折り型」がついていますので、まず折り型にあわせて3つ折りや5つ折りを折りましょう。

◆はさみのつかいかた

はさみで紙を切るときは、刃の根もとのほうで切るようにします。
切っていく紙のほうをまわして、はさみがつねに体の正面にくるようにすると、上手に切れます。

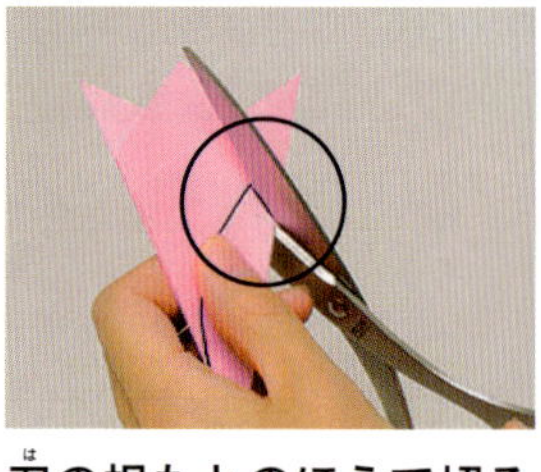

刃《は》の根もとのほうで切る

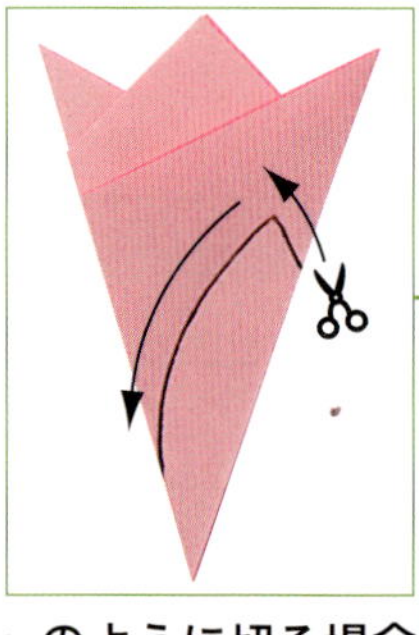

←のように切る場合